5th Edition

Fundamentals of Nursing **Practice Guide**

기본간호학 실습지침서

장성옥 · 길숙영 · 진은희 · 차보경 · 박창승 · 김영희 · 임세현 · 김은재 · 이해랑 지음

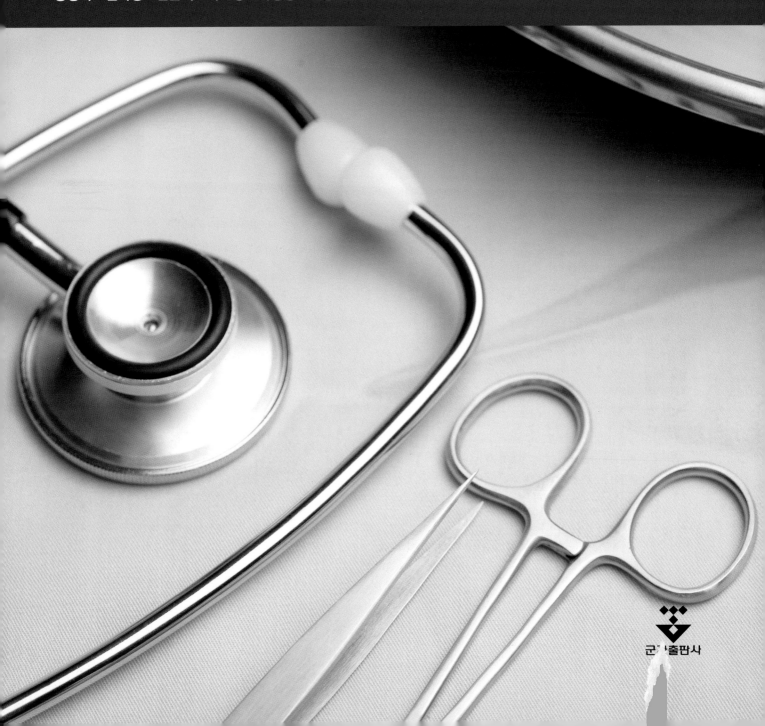

군자출판사

기본간호학 실습지침서(제5판)
Fundamentals of Nursing Practice Guide

첫째판 1쇄 인쇄 2003년 1월 21일
첫째판 1쇄 발행 2003년 1월 30일
둘째판 1쇄 발행 2007년 10월 25일
셋째판 1쇄 발행 2012년 2월 25일
넷째판 1쇄 발행 2015년 2월 27일
다섯째판 1쇄 발행 2018년 3월 2일
다섯째판 2쇄 발행 2019년 2월 14일

지 은 이 장성옥 · 길숙영 · 진은희 · 차보경 · 박창승 · 김영희 · 임세현 · 김은재 · 이해랑
발 행 인 장주연
출 판 기 획 박문성
편집디자인 이민영
표지디자인 김영민
발 행 처 군자출판사
　　　　　　등록 제 4-139호(1991. 6. 24)
　　　　　　본사 (10881) 경기도 파주시 회동길 338(서패동 474-1)
　　　　　　Tel. (031) 943-1888　　　　Fax. (031) 955-9545
　　　　　　홈페이지 | www.koonja.co.kr

ISBN 979-11-5955-274-8

정가 40,000원

저자약력

장 성 옥 고려대학교 간호대학 교수

길 숙 영 CHA의과학대학교 간호대학 교수

진 은 희 진주보건대학교 간호학과 교수

차 보 경 한서대학교 간호학과 교수

박 창 승 제주한라대학교 간호학과 교수

김 영 희 진주보건대학교 간호학과 교수

임 세 현 극동대학교 간호학과 교수

김 은 재 진주보건대학교 간호학과 교수

이 해 랑 진주보건대학교 간호학과 교수

머리말

//

간호에서 가장 중요시하는 이슈는 환자 안전입니다. 환자의 안전을 위한 간호에 가장 중요한 실습과목은 기본간호학 실습이며, 기본간호학 실습은 간호술을 배우는 학생이 처음부터 얼마나 올바르고 정확하게 간호행위를 수행할 수 있는지를 결정짓는 중요한 실습교육입니다. 따라서 매 간호행위에 대한 근거기술과 단계의 구성은 논리적이고, 세심하여야 하며 또한 반복학습이 가능하도록 구성되어야 합니다.

본서는 간호학을 전공하는 학생을 위한 기본간호학 실습교재로, 또한 임상에서 간호사들이 활용할 수 있는 임상간호술 지침서로써 사용할 수 있도록 간호술의 이론 및 절차를 상세하게 다루고자 노력하였습니다. 특히 본서는 간호행위를 구체적으로 묘사한 사진과 그림을 통하여 간호행위 절차를 기술함으로써 교육의 시각적 효과를 최대한으로 부각하여 학습자가 교육받은 후 자율적으로 반복실습을 할 수 있도록 구성하였으며, 매 실습단원마다 그 실습에 해당하는 간호행위 Check List를 수록하여 정확한 방법으로 재차 간호술을 점검할 수 있도록 하였습니다.

본서는 2003년도 처음 발간된 이래로 소규모 수정작업을 거쳐, 2007년 제2판에서는 응급실무가 강조되는 현장을 반영하여 응급을 요하는 상황에서 정확하고 신속하게 간호기술을 실현할 수 있도록 응급처치간호 부분을 추가하였고, 2010년 이후 환자안전을 중심으로 하는 의료현장의 변화를 2012년에 발간된 제3판 개정판에서 적극 반영하여 내용구성을 정련하였고, 2015년 발간된 제4판과 2018년에 발간되는 제5판은 최신의 기본간호학의 변화되는 학습목표와 내용을 고려하여 내용을 정리하였습니다.

그간 본서가 나오기까지 사진촬영에 도움을 주신 간호교육기관 및 의료기관, 사진 모델로 수고하여 주신 학생, 간호사, 그리고 내용정련을 위해서 조언을 해주신 간호교육자와 실무자, 그리고 정리를 위해 수고해주신 간호교육기관의 조교선생님들 모두에게 감사드리고, 본서의 출간을 위하여 다각적인 지원을 해주신 군자출판사의 장주연 사장님과 임직원 여러분에게 진심으로 감사의 말씀을 전합니다.

2018년 2월
저자 일동

목차

PART I

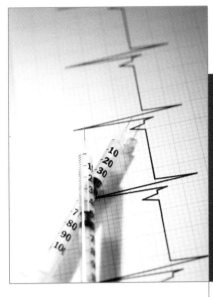

FUNDAMENTALS OF NURSING
PRACTICE GUIDE

환경 조성과 관련된 간호

본 단원에서는 대상자의 안전과 관련된 요구를 중점적으로 다루었으며, 감염관리를 통한 안전관리, 환경적 기구 설비를 통한 안전관리, 안전을 위해서 대상자 활동을 제한하는 억제대 사용과 관련된 간호술 및 간호지식을 다루었다.

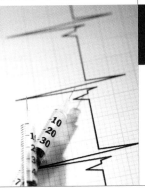

CHAPTER 01

병원 환경

침상의 종류

종류	정의
1. 빈 침상(closed bed)	· 대상자가 퇴원한 후에 새로 입원할 대상자를 위해 사용하기 편리하도록 준비한 침상이다.
2. 개방 침상(open bed)	· 기동할 수 있는 대상자가 사용 중인 침상으로서 대상자가 침상에 들어가기 편리하도록 위 침구를 걷어둔 것이다.
3. 든 침상(occupied bed)	· 기동할 수 없는 대상자를 위한 침상으로, 대상자가 누워있는 상태에서 침상을 편안하고 깨끗하게 유지하는 것이다.
4. 크래들 침상(cradle bed)	· 화상이나 개방성 상처를 가진 대상자에게 위 침구가 직접 대상자에게 닿지 않도록 한 것이다.
5. 수술대상자 침상(post anesthetic bed)	· 수술 직후의 대상자를 위한 침상으로, 더러워지기 쉬운 부위에 홑이불을 덧깔아서 부분적으로 교환할 수 있는 것이다.

침상의 종류(계속)

종류	사용목적	그림
1. 베개	· 몸의 일부분이나 사지를 받치기 위해 사용된다. · 몸의 일부를 높이거나 절개부위를 지지하기 위해 사용된다. · 수술 후 심호흡과 기침, 활동 중의 통증 감소에 쓰인다.	
2. 발 지지대(foot board)	· 발목의 족저굴곡을 방지하기 위해 사용된다.	
3. 대전자 두루마리(trochanter roll)	· 앙와위에서 대퇴의 외회전과 근육약화를 방지하기 위해 적당한 크기의 베개나 타월, 홑이불을 말아서 받쳐 주어 신체선열을 유지하도록 하는 데 사용된다.	
4. 삼각대(trapeze)	· 침대 위에 매달려 있으면서 스스로 일어나 앉거나 운동할 수 있도록 하는 데 사용된다.	
5. Bradford frame	· 침상 매트리스가 머리, 허리, 다리 세부분으로 나누어져 있어 가운데 부분을 빼면 대상자가 누워 있는 상태로 변기를 사용할 수 있도록 한다.	
6. Stryker frame	· 척추 손상 대상자의 체위를 안전하게 복위와 앙와위로 체위를 바꾸어 주기 위해 사용된다.	

침상의 종류(계속)

종류	사용목적	그림
7. Circoletic bed	· 거동할 수 없는 대상자의 체위변경을 위해 사용되며 360° 회전이 가능하다.	posterior frame / Anterior frame / Foot board / Control switch
8. 침상난간(side rail)	· 침상에서 낙상방지, 침상에서 돌아누울 때와 앉을 때 대상자의 안전을 위해 사용된다.	
9. 침상판자(bed board)	· 침요가 푹신한 경우 척추를 지지하기 위해 침요 밑에 판자(board)를 깐다.	
10. 이피가(cradle)	· 위 침구가 대상자에게 직접 닿지 않도록 하기 위해 쓰는 기구이다.	
11. 부요침요(floting mattress)	· 하나로 된 것과 여러 부분으로 갈라진 것이 있는데 물이나 젤리 같은 것으로 채워져 있어 피부의 압박을 감소시키게 하는 침요이다.	
12. 공기침요(air mattress)	· 보통 침요 위에 얹어서 사용할 수 있도록 되어 있고 피부의 한 부분에 압박이 가해지는 것을 막는 침요이다.	

1. 빈 침상 만들기

- **준비물품**
  - 베갯잇 1장
  - 베개 1개
  - 침상보 1장
  - 담요 1장
  - 윗홑이불 1장
  - 반홑이불 1장
  - 고무포 1장
  - 밑홑이불 1장

 빈 침상 만들기의 **단계와 근거**

단계	근거
1. 물품을 순서대로 사용하기 편리한 장소에 놓는다.	• 시간과 노력을 줄인다.
2. 침요를 뒤집어서 머리 쪽으로 끌어 올리고 침상의 중앙에 놓이도록 한다.	• 대상자가 누워 있게 되면 침요가 발치로 밀려간다.
3. 밑홑이불의 중앙선을 침요의 중앙선에 맞추고 침상발치에 한쪽 끝에 맞추어 편다.	• 머리쪽에 충분히 집어넣어야 홑이불이 빠져 나오지 않는다.
4. 침요 머리쪽의 홑이불을 먼저 침요 밑으로 집어넣는다.	• 모서리가 빠져나오지 않도록 하기 위함이다.

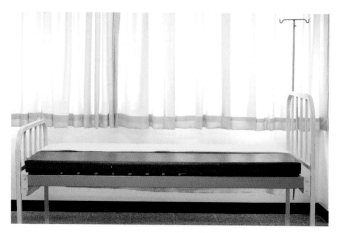

단계 3

단계 4

빈 침상 만들기의 단계와 근거(계속)

단계	근거
5. 모서리는 봉투 모양으로 접어서 넣으며 발치쪽도 집어 넣는다.	
6. 침상의 반대쪽으로 가서 같은 순서로 팽팽하게 잡아당겨 집어넣는다.	
7. 고무포는 중앙선을 맞추어 등의 중간부위에서부터 대퇴 중간까지 오도록 펴고 한쪽에서 먼저 침요 밑으로 집어넣은 후 반대쪽은 중간 부위부터 팽팽하게 잡아당겨 넣는다.	• 요실금이나 변실금에 의해서 침요가 젖는 것을 막는다. 중간부위부터 넣어야 팽팽하게 된다.
8. 반홑이불을 중앙선에 맞추고 고무포의 상단에서 10cm정도 더 덮이도록 펴서 침요 밑으로 집어넣는다.	• 대상자의 몸에 직접 고무포가 닿으면 흡수성이 없어 피부에 자극을 준다.

단계 5

단계 6

단계 7

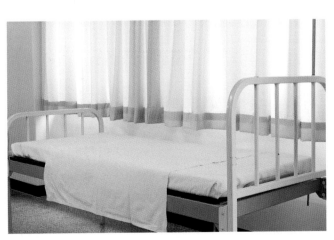

단계 8

빈 침상 만들기의 단계와 근거(계속)

단계	근거
9. 윗홑이불은 솔기가 겉으로 보이도록 편다.	• 솔기가 대상자에게 직접 닿지 않게 하기 위함이다.
10. 담요는 상단을 윗홑이불보다 15~20 cm 가량 내려편다.	• 어깨까지 덮을 수 있게 하기 위함이다.
11. 윗홑이불 상단의 여분은 담요 위로 접어놓는다.	• 발끝이 편안하고 foot drop을 예방하기 위함이다.
12. 발치의 윗홑이불과 담요는 가로 혹은 세로로 주름을 만들고 모서리는 봉투 모양으로 접어 침요밑으로 넣는다.	
13. 침상보는 윗홑이불보다 약간 길게 담요 위에 펴서 발치쪽은 침요 밑으로 넣는다.	• 윗홑이불과 담요처럼 주름을 만들지 않는 대신 모서리를 아랫자락만 넣는다.
14. 모서리는 봉투 모양으로 접어 아랫자락만 침요 밑으로 넣는다.	
15. 베개는 베갯잇을 씌운 다음 터진 쪽이 출입문의 반대쪽으로 되게 윗홑이불 위에 놓는다. 베갯잇이 클 경우 베개에 맞추어 여분을 접은 쪽이 아래로 가도록 하여 침상의 발치쪽을 향하도록 놓는다.	• 터진 쪽이 보이지 않도록 한다. 여분이 있으면 주름이 생겨서 불편감을 주게 된다.
16. 침상 머리쪽의 침상보로 베개를 덮는다.	• 대상자가 사용하기 전까지 만들어둔 침상을 보호하기 위함이다.
17. 의자, 소탁자 및 기타 기구를 정돈한다.	

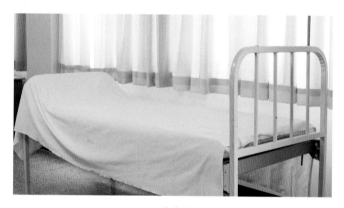

단계 9

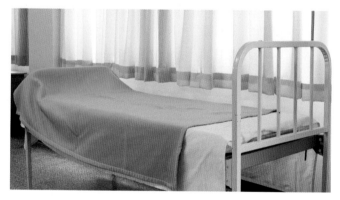

단계 10

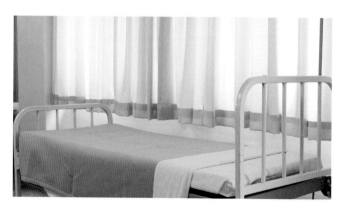

단계 11

빈 침상 만들기의 단계와 근거(계속)

단계	근거

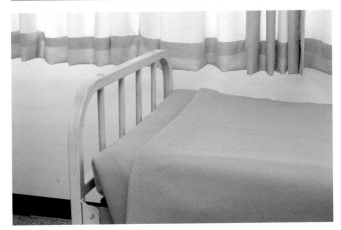

단계 12(1)

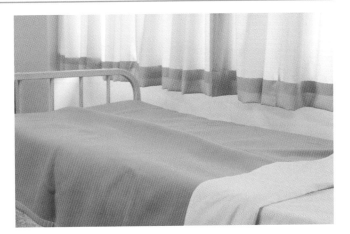

단계 12(2)

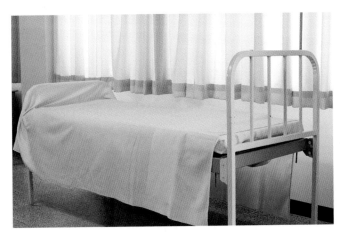

단계 13

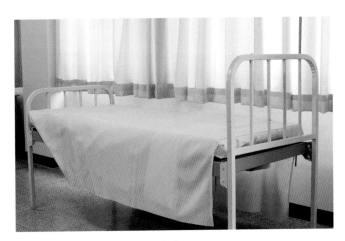

단계 14

단계 15

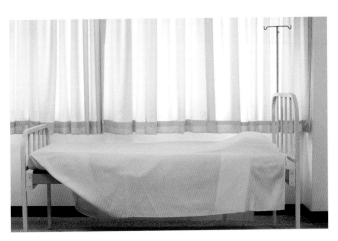

단계 16

2. 개방 침상 만들기

• 준비물품
  − 빈 침상 만들기와 동일하다.

개방 침상 만들기의 단계와 근거

단계	근거
1~15까지는 빈 침상 만들기와 동일하다.	• 대상자가 들어가기 쉽게 하기 위함이다.
16. 침상 머리쪽의 침상보를 담요 밑으로 접어서 넣는다.	
17. 윗홑이불 상단을 침상보위로 접어 넘긴다.	

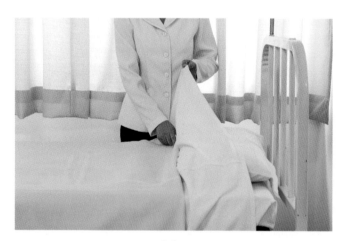

단계 16

단계 17

3. 든 침상 만들기

- **준비물품**
  - 깨끗한 홑이불(필요한 만큼)
  - 목욕 담요
  - 빨래 주머니
  - 스크린

든 침상 만들기의 단계와 근거

단계	근거
1. 필요한 물품을 준비하여 침상가의 편리한 곳에 놓는다.	
2. 스크린을 치고 소탁자나 의자는 침대에서 떼어놓거나 편리한 곳에 놓는다.	
3. 윗침구를 걷어내기 쉽도록 풀고 침상보와 담요를 차례로 걷어서 다시 사용할 것은 접어서 의자 등받이에 걸쳐놓고 빨아야 할 것은 빨래통에 넣는다.	
4. 윗홑이불을 걷을 때는 새 홑이불을 덮는다. 새 홑이불을 대상자의 어깨 밑에 넣거나 대상자로 하여금 잡고 있게 하고 새 홑이불의 발치쪽과 더러워진 윗홑이불의 상단을 함께 잡고 발치쪽으로 걷어낸다.	• 불필요한 노출을 피하기 위함이다.

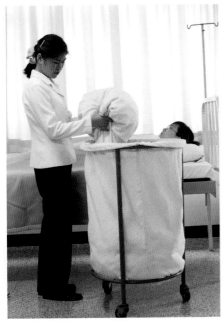

단계 3

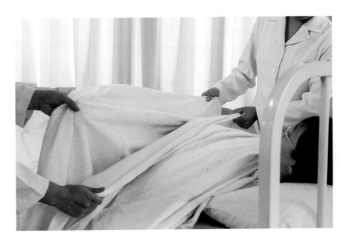

단계 4

든 침상 만들기의 단계와 근거(계속)

단계	근거
5. 대상자를 침대 한쪽으로 옮겨 중앙선이 노출되게 한다.	• 대상자를 한쪽으로 옮겨야 침상 만들기가 편리하다.
6. 대상자가 누워 있는 반대쪽으로 가서 밑홑이불을 편다. 밑홑이불을 순서대로 하나씩 말아서 대상자 밑으로 집어넣는다.	• 하나씩 말아 넣어야 고무포와 같이 다시 사용할 물건을 편리하게 쓸 수 있다.
7. 새 밑홑이불(또는 윗홑이불 걷는 것)을 발치에서부터 중앙선에 맞추어 머리쪽으로 펴고, 반은 대상자 밑에 말아 넣으며, 간호사 쪽은 침요 밑으로 빈 침상 만들 때와 같이 집어넣는다.	

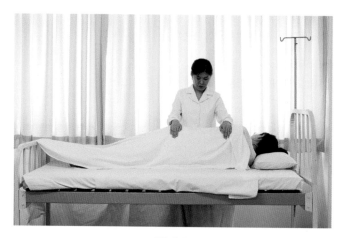

단계 5

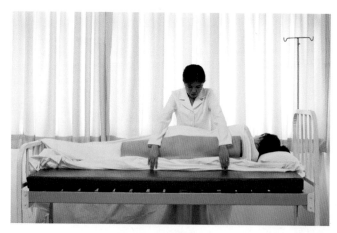

단계 6

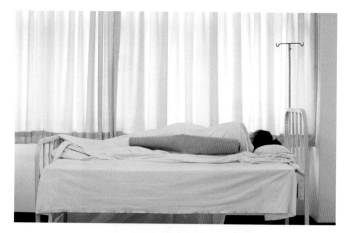

단계 7

든 침상 만들기의 단계와 근거(계속)

단계	근거

8. 접어둔 고무포를 편다.

9. 고무포 위에 새 반홑이불을 반은 대상자 밑에 말아넣고 나머지는 펴서
   고무포와 같이 침요 밑으로 집어 넣는다.

10. 대상자를 새 밑홑이불을 편 쪽으로 눕히고 반대쪽으로 가서 똑같이 만든다.

11. 윗홑이불, 담요, 침대보를 개방침상 만들 때와 같이하여 끝맺는다.

12. 베갯잇을 새것으로 바꾼다.

13. 침상 주위를 정돈한다.

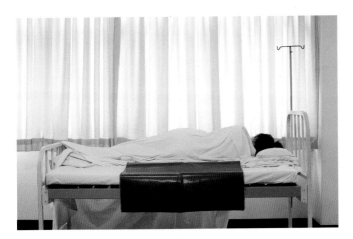
단계 8

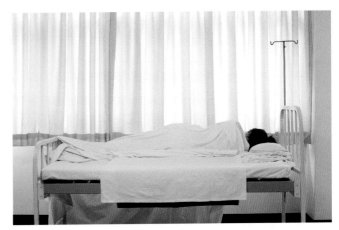
단계 9

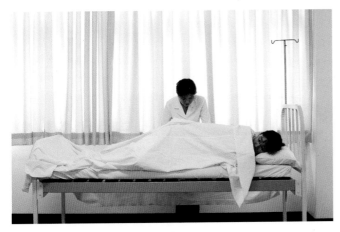
단계 10

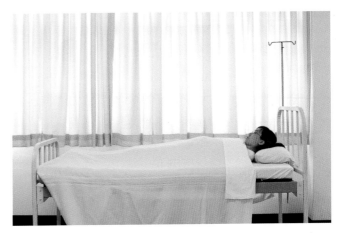
단계 11

4. 크레들 침상 만들기

- **준비물품**
  - 빈 침상 만들기와 동일 물품
  - 크레들
  - 붕대
  - 신문지
  - 여분의 담요 1장

크레들 침상 만들기의 단계와 근거

단계	근거
1. 손을 씻고 필요한 물품을 준비한다.	
2. 준비된 물품을 가지고 침상으로 간다.	
3. 신문지를 바닥에 깔고 그 위에 준비한 크레들을 놓는다.	
4. 밑침상을 만든다.	
5. 환부가 위치할 곳에 크레들을 놓고 붕대로 크레들과 침대의 가장자리를 잡아떼어 고정시킨다.	
6. 크레들 위로 윗홑이불을 펴되 상단 20cm 정도 접은 끝이 대상자의 어깨를 충분히 덮을 수 있도록 편다.	• 환부(개방성 상처)에 윗침구가 직접 닿지 않도록 하기 위함이다.

단계 5

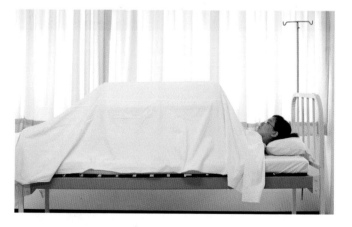

단계 6

크레들 침상 만들기의 단계와 근거(계속)

단계	근거
7. 윗홑이불 상단에 맞추어 담요를 펴고 발치가 모자라는 경우 담요 한 장을 더 덮어 발치가 넉넉하게 한다.	• 보온을 유지하기 위함이다.
8. 침상발치에서 담요와 윗홑이불을 방법대로 침요 밑으로 넣고 모서리를 접어 넣는다.	
9. 반대편으로 가서 같은 방법으로 편다.	
10. 침상보를 덮는다.	
11. 크레들 모양대로 귀를 접고 늘어진 것은 그대로 둔다.	
12. 대상자 주위를 정돈한다.	

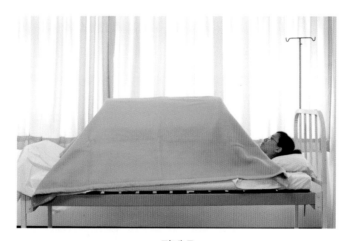

단계 7

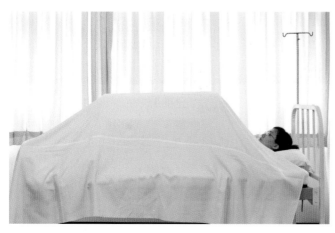

단계 10

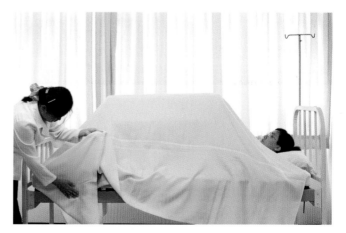

단계 11

5. 수술대상자 침상 만들기

- **준비물품**
  - 빈 침상 만들기와 동일 물품
  - 여분의 고무포
  - 반홑이불
  - 곡반
  - 압설자
  - 휴지
  - IV 걸대

수술대상자 침상 만들기의 단계와 근거

단계	근거
1. 필요한 물품을 사용하기에 편리한 곳에 놓는다.	
2. 든 침상 때와 같은 방법으로 윗침구를 걷어내고 반홑이불을 깐다.	
3. 침상머리쪽에 고무포를 편다.	• 구토물로 인해 침요가 젖는 것을 예방하기 위함이다.
4. 고무포 위에 반홑이불을 편 후 여분은 침요 밑으로 넣고 모서리는 봉투모양으로 접어 넣는다.	

단계 3

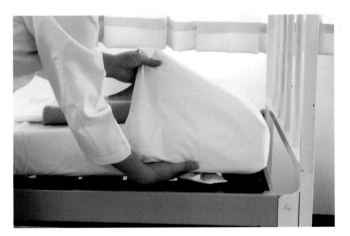

단계 4

수술대상자 침상 만들기의 단계와 근거(계속)

단계	근거
5. 윗홑이불과 담요, 침상보를 방법대로 편다. 침상 밑으로 넣지 않고 끝을 가지런히 접어놓는다.	
6. 대상자 운반차가 들어올 방향의 윗침구를 부채꼴 모양으로 접어서 열어놓는다.	• 무의식대상자를 편리하게 운반하기 위함이다.
7. 베갯잇이 더러우면 교환하고 침상머리쪽 난간에 베개를 세워 놓거나 치운다.	• 대상자의 의식이 완전히 돌아올 때까지는 베개를 사용하지 않는다.
8. 휴지나 곡반을 침상탁자에 놓아두며 IV 걸대를 준비해 둔다.	• 수술 후 대상자는 회복기에 구토가 나오거나, 자주 기침을 하여 가래를 뱉어 내므로 휴지와 곡반을 준비해야 한다.

단계 5

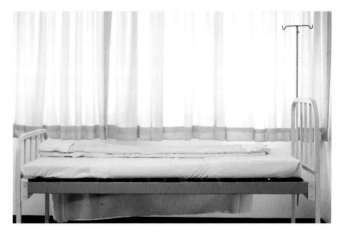

단계 6

6. 입원관리하기

 입원관리의 단계와 근거

단계	근거
1. 대상자에게 간호사 자신을 소개한다.	• 신뢰감을 형성하기 위함이다.
2. 대상자의 이름을 개방형으로 질문하여 대상자를 확인하고, 입원 팔찌와 환자 기록지의 이름, 등록번호를 대조하여 재확인한다.	
3. 환의를 챙겨서 입원실로 안내한 후 환의를 입도록 설명한다.	• 준비된 입원실 안내한다. • 체중 측정하기 위한 준비와 사생활 보호를 위함이다.
4. 환의를 갈아입고 간호사실에서 대상자의 체중과 키를 정확히 측정하도록 하고 대상자에게 알려 준다.	• 신체사정을 위함이다.
5. 유무선을 통해 담당의에게 입원대상자를 보고한다.	• 대상자에게 필요한 처치와 간호를 신속히 수행한다.
6. 필요한 물품을 준비한다.	
7. 입원대상자 확인 후 병실문과 침대에 이름표를 부착한다.	• 대상자 확인을 위함이다.
8. 손을 씻는다.	
9. 팔찌를 대상자 팔목에 부착하고, 활력징후를 측정한다.	• 대상자 확인 및 기초 자료 수집을 위함이다.
10. 과거력, 현병력,가족력, 과민성 및 알러지 등과 복용 중인 약물 등을 간호조사지를 통해 자료를 수집한다	• 간호에 필요한 정보수집을 위함이다.
11. 현재 통증이 있는지 질문하고 통증점수를 측정한다.	• 통증 환자 간호를 위함이다.
12. 욕창 위험도를 사정한다.	• 욕창 위험 환자 간호를 위함이다.
13. 낙상 위험도를 사정한다.	• 낙상 위험 환자 간호를 위함이다.
14. 낙상 위험도에 따라 낙상 예방 간호를 실시한다. (입원생활 전반에 대해 의문점이 있는지 확인하고 심리적 안정을 갖도록 간호한다. 식사시간, 면회시간, 도난 방지 등 전반적인 병원생활 및 준비물품에 대해 안내하여 준다.)	• 낙상 사정도구에 의해 대상자 사정을 한 후 위험 정도에 따라 간호계획 및 중재 수행을 위함이다.
15. 준비해야 할 물품을 설명한다(물컵, 세면도구 등).	• 편의 도모를 위함이다.
16. 입원 및 앞으로의 치료(수술)에 대한 불안해하는지 확인하고 필요시 불안 완화 간호를 실시한다.	• 입원으로 인한 불안 발생가능에 대한 간호 제공을 위함이다.
17. 사용한 물품을 정리한다.	• 물품정리 및 안위 도모를 위함이다.
18. 손을 씻는다.	• 미생물의 전파를 줄이기 위함이다.
19. 수집한 자료를 간호기록지에 간호원칙에 맞추어 기록한다.	• 정확한 간호기록과 의료팀과의 정보를 공유 및 법적 근거자료를 위함이다.

빈 침상

평가일자 _____   평가자 이름 _____

No	수 행 항 목	수행	미수행	비고
1	손을 씻는다.			
2	침상 만들기의 순서대로 물품을 준비한다(침상보, 담요, 윗홑이불, 반홑이불, 고무포, 밑홑이불, 베개, 베갯잇, 빨래주머니).			
3	밑홑이불의 중앙선을 침요의 중앙이 오게 편다.			
4	밑홑이불의 양쪽 끝 가장자리는 침요 밑으로 넣고 모서리는 봉투모양으로 접어넣는다.			
5	침상의 반대쪽으로 가서 같은 순서로 당겨서 넣는다.			
6	고무포와 반홑이불을 침요의 중앙선에 오게 맞추되, 대상자의 등의 중간에서 대퇴 중간까지 오도록 펴고 침요 밑으로 집어 넣는다.			
7	윗홑이불은 솔기가 위로 오도록 하고 머리쪽 끝과 침상의 끝이 맞도록 편다.			
8	담요는 윗홑이불보다 15~20cm 정도 아래로 오게 맞춰 편다.			
9	윗홑이불과 담요의 아래쪽에 공간이 생길 수 있게 주름을 넣고 가장자리를 침상 밑으로 넣어 모서리는 봉투모양으로 접어 넣는다.			
10	침상보는 머리쪽 끝을 침상 끝에 맞춰 중앙에 오게 편다.			
11	침상보의 발치쪽은 침요 밑으로 넣고 모서리는 봉투모양으로 접는다.			
12	베개는 베갯잇을 씌운다음 터진쪽이 출입문의 반대쪽으로 윗 홑이불 위에 놓는다.			
13	침상 머리쪽의 침상보로 베개를 덮는다.			

평가일자 _____   평가자 이름 _____

No	수 행 항 목	수행	미수행	비고
1	손을 씻는다.			
2	침상 만들기의 순서대로 물품을 준비한다(침상보, 담요, 윗홑이불, 반홑이불, 고무포, 밑홑이불, 베개, 베갯잇, 빨래주머니).			
3	밑홑이불의 중앙선을 침요의 중앙이 오게 편다.			
4	밑홑이불의 양쪽 끝 가장자리는 침요 밑으로 넣고 모서리는 봉투모양으로 접어넣는다.			
5	침상의 반대쪽으로 가서 같은 순서로 당겨서 넣는다.			
6	고무포와 반홑이불을 침요의 중앙선에 오게 맞추되, 대상자의 등의 중간에서 대퇴중간까지 오도록 펴고 침요 밑으로 집어 넣는다.			
7	윗홑이불은 솔기가 위로 오도록 하고 머리쪽 끝과 침상의 끝이 맞도록 편다.			
8	담요는 윗홑이불보다 15~20cm 정도 아래로 오게 맞춰 편다.			
9	윗홑이불과 담요의 아래쪽에 공간이 생길 수 있게 주름을 넣고 가장자리를 침상 밑으로 넣어 모서리는 봉투모양으로 접어 넣는다.			
10	침상보는 머리쪽 끝을 침상 끝에 맞춰 중앙에 오게 편다.			
11	침상보의 발치쪽은 침요 밑으로 넣고 모서리는 봉투모양으로 접는다.			
12	머리쪽의 침상보는 담요밑으로 넣고 윗홑이 불을 침상보 위로 접어넘긴다.			
13	베개는 베갯잇을 씌운다음 터진쪽이 병실문 반대쪽으로 향하게 놓는다.			
14	위 침구를 발치쪽에 부채모양으로 접어 놓는다.			

든 침상

평가일자 _____ 평가자 이름 _____

No	수 행 항 목	수행	미수행	비고
1	손을 씻는다.			
2	침상 만들기 순서대로 물품을 준비한다(윗홑이불, 반홑이불, 고무포, 밑홑이불, 베갯잇, 빨래주머니).			
3	윗침구를 걷어내기 쉽도록 풀고 침상보다 담요를 차례로 걷는다.			
4	새 홑이불 발치쪽과 더러워진 윗홑이불의 상단을 잡고 발치쪽으로 걷어낸다.			
5	간호사가 서있는 반대편 난간을 올리고 대상자를 반대편 침상가로 돌려 측위로 눕게 한다.			
6	간호사 쪽 밑 침구를 풀어 대상자의 밑으로 말아 넣는다.			
7	새 밑홑이불은 반은 대상자 밑에 말아넣고 간호사쪽은 침요밑으로 넣어 침상정리를 한다.			
8	고무포와 반홑이불도 새 밑혼이불과 동일하게 정리한다.			
9	정리된 쪽 난간을 올리고 반대편 침상가로 가서 난간을 내린 후 대상자를 정리된 쪽 침상으로 돌려 눕힌다.			
10	더러운 침구를 걷어내어 반대쪽과 동일한 방법으로 정리한다.			
11	윗홑이불, 담요, 침상보는 개방 침상과 같은 방법으로 정리한다.			
12	베갯잇도 새것으로 교환한다.			

수술대상자 침상

평가일자 _____   평가자 이름 _____

No	수 행 항 목	수행	미수행	비고
1	손을 씻는다.			
2	침상 만들기의 순서대로 물품을 준비한다(침상보, 담요, 윗홑이불, 반홑이불, 고무포, 밑홑이불, 베개, 베갯잇, 빨래주머니).			
3	밑홑이불의 중앙선을 침요의 중앙이 오게 편다.			
4	밑홑이불의 양쪽 끝 가장자리는 침요 밑으로 넣고 모서리는 봉투모양으로 접어넣는다.			
5	침상의 반대쪽으로 가서 같은 순서로 당겨서 넣는다.			
6	고무포와 반홑이불을 침요의 중앙선에 오게 맞추되, 대상자의 등의 중간에서 대퇴중간까지 오도록 펴고 침요 밑으로 집어 넣는다.			
7	윗홑이불은 솔기가 위로 오도록 하고 머리쪽 끝과 침상의 끝이 맞도록 편다.			
8	담요는 윗홑이불보다 15~20cm 정도 아래로 오게 맞춰 편다.			
9	윗홑이불과 담요의 아래쪽에 공간이 생길 수 있게 주름을 넣고 가장자리를 침상 밑으로 넣어 모서리는 봉투모양으로 접어 넣는다.			
10	침상보는 머리쪽 끝을 침상 끝에 맞춰 중앙에 오게 편다.			
11	아래쪽 가장자리 침상보, 담요, 밑홑이불을 함께 침요 위로 접어 올린다.			
12	대상자운반차가 들어올 방향의 윗침구를 부채꼴 모양으로 접어서 열어놓는다.			
13	베개는 대상자 머리쪽 난간에 세워 놓거나 치운다.			

CHAPTER **02**

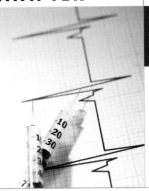

안전 환경

1. 억제대 간호

건강관리기관에서는 억제대의 사용을 권장하고 있지 않지만 대상자의 안전을 지키기 위해서 극한 경우에 일시적으로 대상자에게 억제대를 사용하게 된다.

신체적 억제대는 대상자 스스로 제거할 수 없도록 고안되어 있으며 신체적 움직임을 제한하게 된다. 억제대는 대상자 낙상을 방지하기 위해서, 혼돈되거나 공격적인 대상자가 자신이나 타인을 해칠 우려가 있을 때 사용하며 정맥주입, 도뇨관 관리와 같은 치료적 처치를 대상자가 하지 못하게 할 때 사용하게 된다. 억제대 사용으로 초래할 수 있는 부작용은 욕창, 변비, 변실금, 요실금, 요정체가 있을 수 있으며 자아존중감의 손상, 분노, 두려움과 같은 감정을 대상자가 갖게 될 수 있다. 억제대를 사용할 때는 대상자와 보호자에게 억제대 사용이 일시적이며 대상자를 보호하기 위한 것이라는 설명을 해야 한다.

억제대를 통한 대상자 보호는 신체의 일부분이나 신체 활동을 제한하기 위한 것이다. 대상자 보호는 물리적 또는 화학적인 방법으로 구분된다. 물리적 보호는 대상자의 신체를 물리적이거나 기계적 장치나 기구에 의해 억제시키는 것이다. 화학적 보호는 신경 억제제, 불안 억제제, 진정제 등의 약물을 이용하여 대상자의 활동을 통제하는 것이다. 보호법의 목적은 자신이나 타인을 상해로부터 보호하는 것이다.

억제대의 합법적 적용. 안전의 요구가 증가함으로써 안전은 간호사의 독립적인 간호역할로 나타난다. 보호대는 개인의 자유를 구속하기 때문에 보호대 사용은 법적 영향을 받는다. 간호사는 보호대에 대한 병원의 정책이나 법에 대해 알고 있어야 한다.

 사정

- 억제대 사용의 요구를 사정하고 가장 사용하기 적당한 억제대 유형과 크기를 결정한다.
- 억제대를 사용할 신체부위의 피부통합성과 순환의 적절성을 고려하여 사정한다. 이는 상해를 입을 때 그 시작점을 평가하는 기준점을 설정할 때 중요하다.
- 억제대의 선택은 치료적 처치기구를 방해하지 않는 것을 고려하여 선정한다. 정맥주입부위나 혈액투석시 동맥측로, 배액관의 기능을 제한하는 것이어서는 안된다.

보조인력에게 억제대의 사용에 대한 것을 일임 할 수 있으나 언제 억제대 사용이 필요한지와 사용할 억제대의 유형에 대한 사정은 일임해서는 안된다. 다음과 같은 사항을 강조하도록 한다.

- 정확한 억제대 사용 부위
- 순환의 제한과 피부통합성, 맥박, 체온, 색깔과 감각, 대상자의 호흡 상태를 관찰할 것

- 체위변경과 운동범위 그리고 피부간호를 하는 시기와 방법
- 대상자에게 인간관계의 기회를 주는 것

억제대 사용 지침

- 억제대는 대상자의 움직임을 최소한으로 제한해야 한다. 예를 들어 대상자의 한쪽 팔을 억제하기 위해 신체 전체를 억제해서는 안된다.
- 억제대는 대상자의 치료 또는 건강문제를 방해해서는 안된다. 만약 대상자가 혈액순환이 좋지 않다면 혈액순환을 방해하지 않는 억제대를 사용한다.
- 억제대는 교환이 쉬워야 한다. 오염된다면 억제대는 자주 교환하는 것이 필요하다.
- 대상자에 따라 적합한 억제대가 사용되어야 한다.
- 억제 시 외부 노출을 최소화하는 것이 좋다 대상자와 방문객들은 보호대 사용에 대한 이유를 이해하였음에도 불구하고 억제된 모습을 볼 때는 당황하게 된다. 따라서 노출을 최소화함으로써 대상자와 방문객을 좀 더 편안하게 해 준다.
- 대상자 또는 보호자의 동의를 얻는다.
- 의사의 처방이 있었는지 확인한다. 응급상황이라면 보호대 적용 후 24시간 이내에 처방을 받는다.
- 대상자와 보호자에게 보호대는 일시적이며 보호적임을 확인시킨다. 보호대는 어떤 행위의 처벌로써 또는 간호사의 편의를 위해서 사용될 수 없다.
- 보호대는 목적을 벗어나지 않는 범위에서 대상자가 가능한 자유롭게 움직일 수 있도록 배려한다.

- 사지보호대는 말초 혈액순환 장애를 확인한다.
- 뼈 돌출부위에 패드를 대어준다. 패드가 없다면 억제하는 동안 움직임으로 인해 피부 손상이 발생한다.
- 사지보호대는 대상자가 당겼을 때 조이지 않아야 한다.
- 보호대의 끈은 침상 머리를 올릴 수 있도록 묶는다. 자세를 바꾸어야 한다면 끈을 침상 난간에 묶어서는 안 된다.
- 매 30분 마다 보호대를 관찰한다. 어떤 기관은 구체적 양식으로 된 사정 기록을 남긴다.
- 적어도 2~4시간 마다 보호대를 풀어 관절범위 운동과 피부간호를 한다.
- 적어도 매 8시간 마다 보호대가 계속 필요한지를 재사정하며 이것은 보호대 사용이 필요한 근본적 원인 사정을 포함한다.
- 보호대를 일시적으로 풀 때 대상자를 혼자 남겨두지 않는다.
- 보호대 사용 후 피부에 이상이 있다면 담당간호사에게 알리고 차트에 기록한다.
- 청색증, 피부색 변화, 저린감, 통증, 무감각 등의 증상이 있다면 보호대를 느슨하게 한다.
- 응급상황에서는 신속히 보호대를 풀 수 있어야 한다.
- 언어적 지지와 접촉을 통한 정서적 지지를 제공한다.

억제대 사용의 단계와 근거

단계	근거

단계

1. 대상자와 보호자에게 억제대 사용의 이유를 알리고 일시적인 것이며 보호적인 것임을 알린다. 억제대 외에는 다른 방법이 없었음을 설명한다.

2. 억제대와 관련된 기관의 원칙을 확인한다. 억제대 유형, 억제대가 필요한 경우, 억제대 지속시간을 포함한 억제대 사용에 대한 의사의 처방을 받는다.

3. 대상자 또는 보호자의 억제대 사용에 대한 동의서를 받는다.

4. 대상자가 적당한 체위를 취하도록 한다.

5. 억제대 제작사의 사용 설명을 읽는다.

6. 억제대가 놓여 질 골 돌출부에 패드를 댄다.

7. 선택한 억제대를 적용한다.

   a. 조끼 억제대(jacket restraints): 조끼 억제대는 옷위로 착용할 수 있으며 대상자가 침상이나 의자에 있을 때 사용할 수 있다. 사용 시 앞과 뒤를 명확히 하여 사용한다.

   b. 벨트 억제대(belt restraints): 대상자가 침대에 있거나 이동차에 있을 때 사용할 수 있으며 억제대 위치는 허리에 오도록 해야지 가슴을 묶어서는 안되며 지나치게 팽팽하게 묶어서는 안된다.

   c. 사지 억제대(limb restraints or clore hitch): 대상자를 측위를 취하게 하고, 한 사지말단 혹은 모든 사지 말단을 움직이지 못하게 억제대를 사용할 수 있다. 억제대 밑으로 손가락이 두 개가 들어갈 수 있는지 확인한다. 억제대는 그림에서 보여지는 매듭으로 만들 수 있으며, 억제대 사용

근거

• 안위 증진, 위축 방지, 신경혈관 손상을 예방하기 위함이다.

• 올바른 사용으로 대상자의 안전을 도모하기 위함이다.

• 자극으로부터 피부를 보호하기 위함이다.

• 적절한 사용은 질식과 같은 사고를 방지할 수 있고 옷 위로 착용하면 피부마찰을 줄일 수 있다.

• 팽팽하게 묶는 것과 잘못 위치를 잡는 것은 대상자의 원활한 호흡을 방해할 수 있으므로, 적절하게 사용하여 질식을 예방한다.

• 측위를 취하게 하면 대상자가 구토를 할 경우 기도흡입 예방에 도움이 될 수 있다. 억제대를 너무 팽팽하게 하면 혈액순환과 환기를 저해할 수 있고, 신경과 혈관의 손상을 초래할 수 있으며 치료장치 기능이 원활하지 않게 할 수 있다.

• 대상자의 부상 혹은 치료장치(배뇨 카테터, 정맥관)의 갑작스런 제거로 생기는 손상을 예방하는데 도움이 될 수 있다.

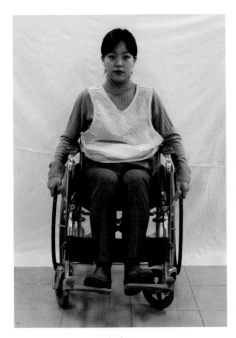

단계 7a

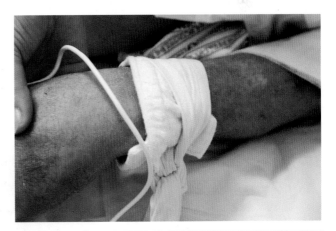

단계 7c

억제대 사용의 단계와 근거(계속)

단계	근거

15분 후에 팽팽하게 묶이지 않았는지 다시 확인한다. 사지말단에는 억제대 사용 전에 패드를 대어야 한다.

 d. 장갑 억제대(mittern restraints): 엄지를 내놓지 않은 벙어리 장갑 형태의 억제대는 손의 움직임을 허용하면서 피부를 긁지 않도록 하거나 치료물건을 치워버리게 하지 못하게 하는 기능을 한다.

 e. 전신 억제대(mummy restraints): 영아의 머리나 목의 검사 및 치료 시에 몸통과 사지의 움직임을 제한하기 위하여 사용한다.

8. 대상자의 상부를 올리거나 내릴 때 같이 움직일 수 있는 침대 부위에 억제대를 묶는다. 억제대는 침대 난간을 움직일 때 상해를 입지 않도록 침대 난간에 묶어서는 안된다.
   - 침대를 올리거나 내릴 때, 끈이 팽팽해져서는 안되며 순환을 제한해서는 안된다.

9. 대상자가 의자에 있을 때, 조끼 억제대는 팔걸이 밑으로 하여 의자 뒤에 묶여 있어야 한다.
   - 억제대가 팔걸이 밑으로 가지 않으면 대상자는 묶은 것을 풀 수 있다.

10. 빠르게 풀 수 있는 매듭으로 한다.
   - 응급 시에는 빠르게 풀려야 한다.

11. 대상자를 떠나기 전에 호출기가 대상자의 손에 닿는 곳에 있는지 확인한다. 언제 다시 올 것인지 대상자에게 말하고 억제대를 한 대상자는 기본적인 요구를 모두 수행해준다는 것을 상기시켜 모든 요구 시 호출하도록 한다.

12. 15분 내지 30분마다 억제대는 위치를 잘 잡고 있는지, 사지말단부위의 맥박, 체온, 피부색을 사정한다.
   - 억제대 사용으로 인한 부작용을 방지하기 위함.

13. 매 2시간마다 30분간 억제대를 풀어 놓으며 능동적, 수동적 관절가동 범위운동을 시킨다. 자세를 바꾸도록 대상자를 격려하며, 자극에 대한 피부통합성을 사정한다.

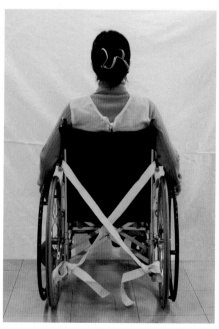

단계 9

억제대 사용

평가일자 _____ 평가자 이름 _____

No	수 행 항 목	수행	미수행	비고
1	손을 씻는다.			
2	필요한 물품을 준비한다.			
3	준비한 물품을 가지고 대상자에게 가서 간호사 자신을 소개한다.			
4	대상자의 이름을 개방형으로 질문하여 대상자를 확인하고, 입원 팔찌와 환자 기록지의 이름, 등록번호를 대조하여 재확인한다.			
5	대상자에게 목적과 절차를 설명한다.			
6	억제대에 대한 대상자의 요구를 사정한다.			
7	억제대를 사용할 대상자의 신체부위를 사정한다.			
8	대상자가 억제대를 하기에 적당한 신체배열을 하도록 한다.			
9	억제대를 하기 전에 골 돌출부위에 패드를 댄다.			
10	올바른 방법으로 억제대를 한다.			
11	억제대를 침상난간이 아닌 침대에 고정시킨다.			
12	대상자가 휠체어에 앉아 있을 때 안전조끼를 입히고 휠체어 뒤로 끈을 안전하게 묶어 고정시킨다.			
13	억제대를 빠르게 해체시킬 수 있는 매듭으로 고정시킨다.			
14	억제대 안으로 손가락 두 개의 넓이가 들어갈 수 있도록 고정시킨다.			
15	최소한 매 30분마다 대상자의 억제대 사용부위의 상태와 적당한 억제대 위치를 사정한다.			

억제대 사용(계속)

No	수 행 항 목	수행	미수행	비고
16	매 2시간마다 30분 동안 억제대를 제거한다. 억제대로 억제된 대상자를 주의하여 보지 않으면 안 된다.			
17	대상자의 손이 미치는 곳에 호출기를 놓는다.			
18	대상자의 침상과 휠체어의 바퀴를 고정시킨다.			
19	침대는 가장 낮은 높이를 유지한다.			
20	손을 씻는다.			
21	억제대를 사용한 후 대상자의 반응을 기록한다.			

내과적 무균술

감염은 병원성 미생물, 저장소, 출구, 전파, 침입구, 새로운 숙주 등 6단계의 회로를 통하여 이루어지는데, 이 요인 중 한 가지라도 결여되면 감염되지 않는다. 그러므로 간호사는 감염의 어느 한 고리를 차단함으로써 감염을 방지할 수 있다.

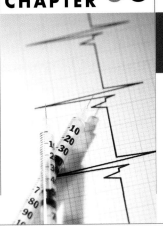

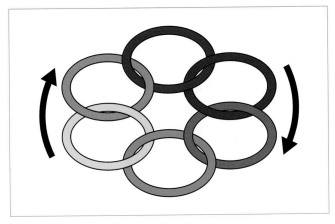

감염의 고리

■ 병원성 미생물(Infectious agent)

병원성 미생물의 감염 능력은 균의 숫자와 균의 독성, 균의 침입력, 숙주의 감수성, 병원균의 생활 능력에 따라 결정된다. 병원성 미생물에는 박테리아, 바이러스, 진균, 효모 등이 있다.

■ 저장소(Reservoir)

미생물의 성장과 증식을 위한 저장소는 미생물체의 주거지이다. 저장소는 일반적으로 다른 사람, 대상자 자신, 보호자, 식물, 동물, 일반적 환경, 음식물, 곤충, 새, 모기 등이 있다. 저장소는 균

이 생활하고 증식하기 위하여 영양분, 물, 산소, 온도, 산도, 빛 등이 있어야 한다.

■ 출구(Portal of exit)

출구는 저장소로부터 병원체가 탈출하는 곳이다. 병원체가 저장소를 빠져 나올 수 없다면 감염되지 않는다. 미생물이 인체 내에 있다면 출구는 저장소의 부위에 따라 여러 곳이 된다. 출구에는 호흡기계, 소화기계, 비뇨기계, 생식기계, 혈액, 피부 및 피부점막 등이 있다.

■ 전파(Transmission)

미생물은 다양한 방법으로 전파된다. 같은 균이라도 전파 방법은 여러 가지가 될 수 있다. 전파 방법으로 가장 흔히 있는 경우는 접촉감염인데 여기에는 직접접촉, 간접접촉, 비말접촉 등이 있다. 이외에 사람의 체내에서 전파되는 내적전파, 비말액이 공기를 타고 운반된 뒤에 감염되는 공기전파(airborne), 음식물, 혈액 등을 운반체로 하는 매체전파, 저장소에서 새 숙주로 동물을 통해 병원균을 옮기는 매개체 전파 등이 있다.

■ 침입구(Portal of entry)

병원미생물의 대부분은 외부로부터 침입구를 통해서 생체 내에 침입하게 된다. 미생물의 침입구와 탈출구의 경로는 거의 동일하다. 미생물의 침입구를 통한 감염 경로는 피부감염, 기도감염, 경구감염, 곤충감염, 비뇨생식기계 감염 등이 있다.

■ 새로운 숙주(Host susceptibility)

생체에 따라 병원체에 대한 감수성은 각각 다르며 동일한 양의 병원체를 동일한 조건으로 감염시켰더라도 발병할 경우와 그렇지 않을 경우가 있다. 숙주의 감수성은 신체의 자연적 방어 기전의 손상과 감염에 대한 감수성에 영향을 주는 요인들에 따라 다르다. 따라서 숙주의 정신력, 육체적 피로, 영양부족, 순환장애, 알콜 중독 등 여러 가지 생리적 조건과 유전적 소인, 성별, 연령 등에 따라 감수성이 달라진다.

무균술은 미생물의 전파를 최소화하여 대상자나 직원을 오염이나 감염으로부터 예방하기 위한 것으로 내과적 무균술(Medical Aseptic Technique)과 외과적 무균술(Surgical Aseptic Technique)이 있다.

무균술의 비교

	내과적 무균술	외과적 무균술
개념	· Clean technique · 병원균 감소 및 전파 방지 · 기계적으로 깨끗하지만 멸균은 아님 · 화학적, 물리적, 기계적인 수단으로 미생물의 수를 현저하게 감소시킨 상태	· Sterile(Aseptic) Technique · 수술이나 처치의 전과정을 통하여 미생물에 오염되는 것을 예방 · 아포를 포함한 미생물이 없는 상태
손씻기	· 손끝이 항상 팔꿈치 아래로 향하도록 한다. · 흐르는 물에 비누를 이용하여 비벼 씻는다.	· 손끝이 항상 팔꿈치 위로 향하도록 한다. · 흐르는 물에 솔과 소독액을 이용하여 Hand scrubbing 원칙에 따라 씻는다.
가운 착용법	· 가운의 겉면이 겉으로 나오며 목끈을 이용하여 입는다.	· 가운의 안쪽 면이 겉으로 나오며 가운의 안쪽면 목 부위를 잡고 입는다. 이때 가운의 겉면에 손이 닿지 않도록 한다. · 허리끈과 뒷 끈은 순회간호사가 묶는다.
마스크 착용법	· 코와 입을 완전히 덮고 위 끈은 귀 뒤로, 아래 끈은 목뒤로 맨다.	· 코와 입을 완전히 덮고 위 끈은 귀 뒤로 아래 끈은 목뒤로 맨다.
장갑 착용법	· 개방식	· 개방식, 폐쇄식

1. 내과적 손씻기

- **목적**
  - 병원체를 제거하며 다른 대상자, 개인, 가족, 물건 등에 병원체가 전파되는 것을 예방한다.
  - 상처, 음식을 통하여 간호사에게 미생물이 전파되는 것을 예방한다.

- **준비물품**
  - 비누(항균 고형비누, 액체비누)
  - 흐르는 미온수
  - 종이 타월이나 공기 건조기(air dryer)

내과적 손씻기의 단계와 근거

단계	근거
1. 손톱에 매니큐어를 칠하지 않았는지 확인하고 장신구는 제거한다.	• 반지 등 장신구 착용은 미생물의 수를 증가시킨다.
2. 손씻기의 물품을 준비 후 가운이 젖거나 오염되지 않도록 싱크대에 닿지 않게 6인치 떨어져 선다.	• 싱크대의 내부는 오염된 것으로 간주한다.
3. 수도꼭지를 틀어 세기를 조절한 후 물이 따뜻해지도록 온도를 조절한다.	
4. 가운에 물이 튀지 않도록 한다.	• 미생물은 습기가 있을 때 전파가 잘된다.
5. 손과 팔목을 적시는데 물이 손가락 끝 쪽으로 흐르도록 하고 손이 팔꿈치보다 항상 낮은 위치에 있도록 한다.	• 손 끝이 가장 오염되어 있다. 가장 오염되어 있는 물이 흐르도록 한다.
6. 액체비누 1티스푼(2-4ml) 또는 고형비누를 충분히 문지른다. 비누는 헹군 후 다시 비누그릇에 넣어둔다.	
7. 손바닥, 손톱 끝, 손가락 사이, 손등 및 손목, 전박을 씻는다. 손목 위 1인치까지 씻는다. 　a. 손바닥을 마주대고 문지른다. 　b. 양손을 깍지끼듯 잡고 좌우로 문지른다. 　c. 한 손을 다른 손등 위로 겹친 상태에서 손가락 사이를 문지른다. 　　 위, 아래 손을 바꾸어 시행한다. 　d. 엄지손가락을 다른 편 손바닥으로 돌려주면서 문지른다. 　　 다른 편 손도 시행한다. 　e. 손톱 끝을 손바닥에 세워 놓고 동그라미를 그리면서 문지른다. 　　 다른 편 손도 시행한다. 　f. 한 손으로 다른 편 손목을 감아 잡고 돌리면서 문지른다. 　　 다른 편 손도 시행한다.	• 피부의 주름진 곳에 있는 단기균을 제거하도록 하고, 유기체 및 먼지를 없애도록 한다.
8. 흐르는 물에 손가락을 아래로 향하게 한 채 충분히 헹군다.	• 젖은 타월이나 수건은 미생물을 전파시킨다.
9. 종이 타월로 손가락에서 전박을 향하여 닦고 즉시 버린다.	
10. 종이 타월로 감싸 수도꼭지를 잠근다.	• 수도의 손잡이는 오염된 것으로 간주한다.
11. 손이 건조할 경우 적은 양의 로션이나 barrier cream을 바른다.	• 살균 비누는 피부를 건조하게 하거나 자극할 수 있다. 적은 양이 담긴 개인 용기를 사용하도록 한다. 많은 양이 들어 있는 용기는 병원 감염원이 될 수 있다.

내과적 손씻기의 단계와 근거(계속)

단계	근거

단계 2

단계 3

단계 5

단계 6

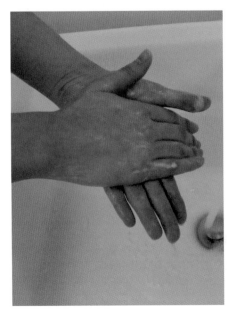

단계 7(a)

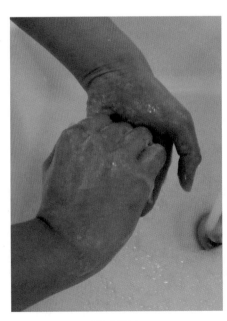

단계 7(b)

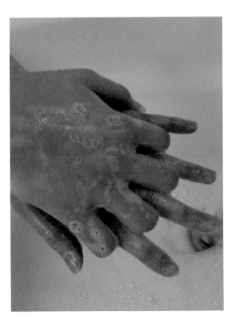

단계 7(c)

내과적 손씻기의 단계와 근거(계속)

단계	근거

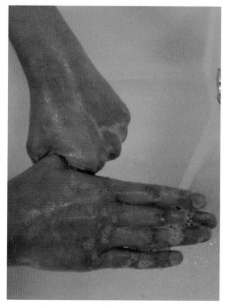

단계 7(d)

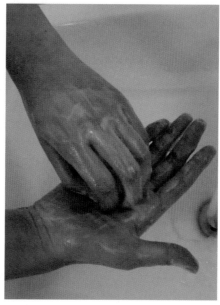

단계 7(e)

단계 7(f)

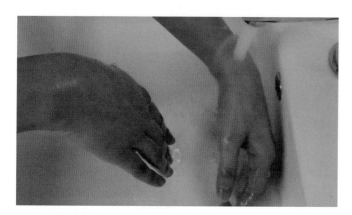

단계 8

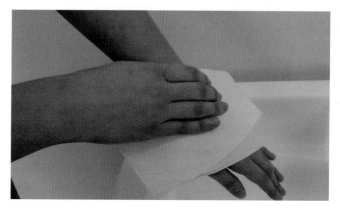

단계 9

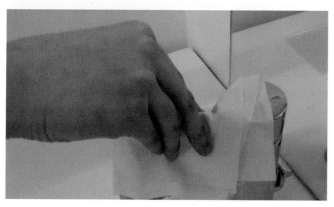

단계 10

손씻기가 필요한 경우

- 장갑을 끼고 시술을 한 경우라도 장갑을 벗은 후
- 감염 물체를 만지거나 감염된 대상자를 처치했을 때
- 감염된 대상자를 처치할 때 반드시 소독제로 손을 씻을 필요는 없으나 소독제를 사용하면 감염에 대한 안전성이 높아짐
- 간호업무 시작과 끝의 2분간
- 오염된 기구를 만졌을 때, 식시키기 전, 투약 전에
- 대상자와 접촉 전ㆍ후 10~15초간
- 침습적인 의료행위를 시행하기 전
- 신생아나 면역기능이 현저히 저하된 대상자를 다루기 전

- 대상자의 수술 창상, 외상, 침습적 기구가 삽입된 상처를 만지기 전과 후
- 손이 미생물에 오염되는 상황이 있었을 때, 특히 대상자의 점막, 혈액, 체액, 분비물, 배설물과 접촉한 뒤
- 미생물에 오염되었거나 오염이 우려되는 물체(소변량 측정기나 분비물 모으는 용기 등)를 만지고 난 후
- 임상적으로 역학적으로 중요한 미생물(예를 들면 MRSA와 같이 항생제에 내성이 많은 균)에 의한 감염이 있거나 이러한 미생물의 집락이 존재하는 대상자를 다루고 난 후
- 고위험군의 대상자가 있는 간호단위(중환자실, 신생아실, 암병동 등)에서는 각각의 대상자를 접촉할 때

2. 마스크 착용하기

- **목적**
  - 병원체 흡입을 예방
  - 상처가 노출된 대상자나 그 밖의 대상자들에게 미생물이 전염되는 것을 예방

- **준비물품**
  - 깨끗한 마스크

마스크 착용이 필요한 경우

- 대상자의 처치 중에 혈액, 체액, 분비물, 배설물 등이 얼굴에 튈 가능성이 있을 경우
- 호흡기계 감염 대상자와 접촉할 때
- 기침을 하거나 입을 가리지 않은 결핵 대상자들과 가깝게 접촉할 때

- 철저한 격리를 요하는 대상자 방에 들어갈 때
- 외과적 무균술이 요구될 때

마스크 착용하기의 단계와 근거

단계	근거
1. 손을 씻는다.	
2. 얼굴에 마스크를 쓴 후 단단히 맨다(위 끈은 머리 위 뒤쪽에 묶고 아래 끈도 머리 위로 묶어야 한다).	• 가운을 입기 전에 마스크를 착용하며 가운을 벗고 손을 씻은 후 마스크를 벗는다.
3. 정해진 간호를 수행한다.	
4. 끈 부분만을 만지면서 마스크를 벗는다(머리 위로 묶은 끈을 먼저 풀고 뒤쪽 끈은 나중에 푼다).	• 마스크의 바깥쪽은 공기를 통해 균에 오염된 것으로 간주하기 때문에 만지지 않도록 한다.
5. 사용했던 마스크는 빨래 주머니에 넣으며 일회용은 쓰레기통에 버리고 손을 씻는다.	

마스크 착용하기의 단계와 근거(계속)

단계	근거

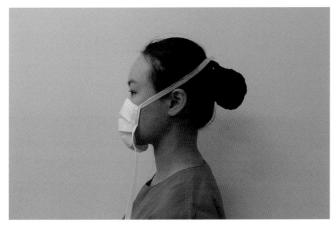

단계 2(1)

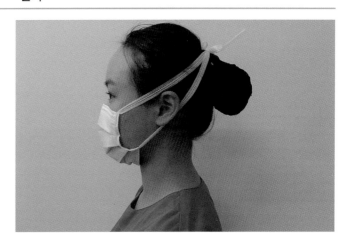

단계 2(2)

단계 4(1)

단계 4(2)

단계 5

3. 가운 착용하기(Gowning)

- **목적**
  - 혈액이나 체액에 의해 옷이 젖거나 오염되는 것을 방지한다.

- **준비물품**
  - 깨끗한 가운

1) 격리가운(격리실 밖에 둘 때)

 격리가운(격리실 밖에 둘 때) 사용법의 단계와 근거

단계	근거
1. 손을 씻는다.	
2. 가운의 깨끗한 면에 손을 대고 가운을 펴서 어깨의 바느질 솔기를 잡고 팔을 낀다.	• 깨끗한 면이 가운의 안쪽이다. • 오염된 쪽에 손이 닿지 않도록 한다.
3. 소매(cuff)가 손목을 덮을 때까지 양쪽 소매에 팔을 집어넣는다.	
4. 한쪽 소매로 손을 싼 채 반대편 팔의 소매를 밖에서 잡아당겨서 손을 끼우고(단계 4a) 다 입은 쪽의 손을 어깨 안쪽에 넣어 잡아 당겨 손을 낀다(단계 4b).	
5. 목의 끈을 묶는다.	
6. 방의 문을 열고 들어간다.	
7. 가운이 가능한 많이 겹치게 하며(단계 7a) 등 뒤에서 허리끈을 묶는다 (단계 7b).	
8. 정해진 간호행위를 수행한다.	
9. 허리매듭을 풀고 병실 밖으로 나온다.	
10. 손을 씻은 다음 목 매듭을 풀고 가운의 바깥쪽을 만지지 않도록 주의하면서 벗는다.	
11. 가운의 겉이 안으로 들어가도록 길이를 반으로 접어 걸대에 걸거나 지정된 용기에 넣는다.	

격리가운(격리실 밖에 둘 때) 사용법의 단계와 근거(계속)

단계	근거

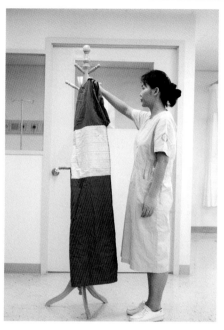

단계 2

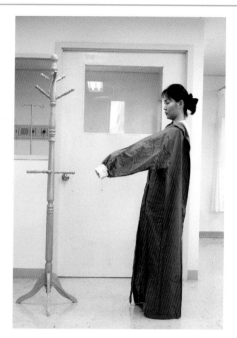

단계 3

단계 4a

단계 4b

격리가운(격리실 밖에 둘 때) 사용법의 단계와 근거(계속)

단계	근거

단계 5

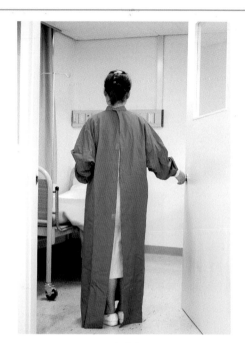

단계 6

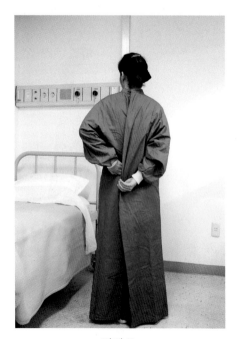

단계 7a

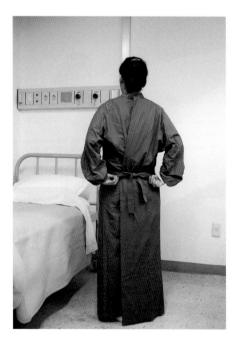

단계 7b

격리가운(격리실 밖에 둘 때) 사용법의 단계와 근거(계속)

단계	근거

단계 9

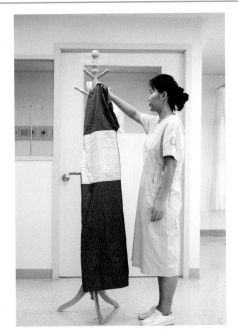

단계 11

2) 격리가운(격리실 안에 둘 때)

격리가운(격리실 안에 둘 때) 사용법의 단계와 근거

단계	근거

단계

1. 손을 씻는다.

2. 방의 문을 열고 들어간다.

3. 가운의 깨끗한 면에 손을 대고 가운을 펴서 어깨의 바느질 솔기를 잡고 팔을 낀다.

4. 소매(cuff)가 손목을 덮을 때까지 양쪽 소매에 팔을 집어넣는다.

5. 목의 끈을 묶는다.

6. 가운이 가능한 많이 겹치게 하며 등 뒤에서 허리끈을 묶는다.

7. 정해진 간호행위를 수행한다.

8. 허리매듭을 풀고 손을 씻은 다음, 목 매듭을 풀고 가운의 바깥쪽을 만지지 않도록 주의하면서 벗는다.

근거

• 손에 있는 단기균을 제거한다.

• 병실 문의 안쪽은 오염되었으므로 손이나 몸이 닿지 않도록 한다.

• 가운의 안쪽은 오염되지 않다.

격리가운(격리실 안에 둘 때) 사용법의 단계와 근거(계속)

단계	근거
9. 가운의 겉이 밖으로 나오도록 길이를 반으로 접어 걸대에 걸거나 지정된 용기에 넣는다.	• 가운의 안쪽이 병실 공기나 물건에 직접 노출되지 않아야 한다.
10. 병실을 나오는 즉시 손을 씻는다. 손을 씻기 전에는 병실 바깥쪽 문은 절대로 손에 닿지 않게 한다.	• 오염된 손과 오염되지 않은 문의 접촉을 막기 위함이다.

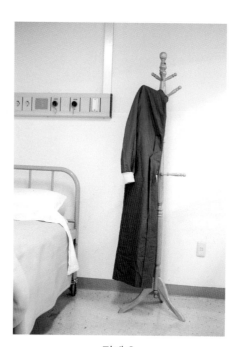

단계 9

4. 멸균 장갑 사용법(개방식)

- **목적**
  - 의료인의 손이 각종 분비물이나 혈액에 있던 감염균으로부터 오염되는 것을 예방한다.
  - 처치 중 의료인의 손에 있던 균에 의해 대상자가 감염되는 것을 예방한다.
  - 다른 대상자에게로 균이 전파되는 것을 방지한다.

- **준비물품**
  - 멸균 장갑

1) 멸균 장갑 끼기

 멸균 장갑 끼기의 단계와 근거

단계	근거
1. 손을 씻는다.	• 장갑을 낄 경우에도 손 세척이 충분히 되어야 완전하게 오염을 막을 수 있다.
2. 허리 높이 이상의 깨끗하고 건조한 곳에서 포장된 멸균 장갑을 놓는다.	• 허리 아래 부분은 오염된 것으로 간주한다.
3. 겉포장을 열고 포장 안에 있는 손목부분이 사용자를 향하도록 노출시킨다.	
4. 한 손으로 장갑의 접혀진 손목 부분 가장자리를 잡은 다음 다른 쪽 손가락을 장갑 안으로 밀어 넣는다.	
5. 접혀진 손목부위를 잡은 채 장갑을 잡아당긴다.	
6. 장갑 낀 손가락을 다른 장갑의 접혀진 손목 밑으로(이때 엄지손가락은 바깥쪽을 보고 있어야 한다) 넣은 다음 위로 들어올린다.	• 멸균된 부분끼리 접촉하도록 한다.
7. 장갑을 맞은 편 손위로 잡아당긴다.	
8. 필요한 경우 양쪽 손의 장갑을 잘 맞게 조절한다.	
9. 장갑 낀 손으로는 멸균영역이나 물품만을 만져야 한다.	

멸균 장갑 끼기의 단계와 근거(계속)

단계	근거

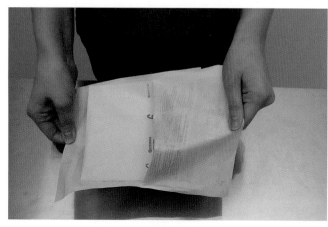

단계 2

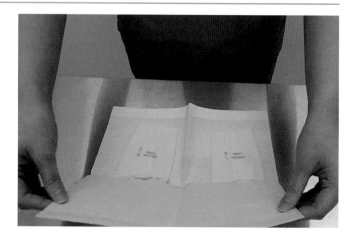

단계 3

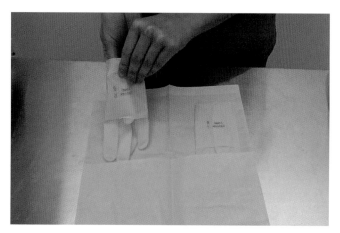

단계 4

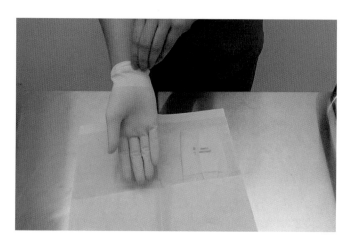

단계 5

단계 6

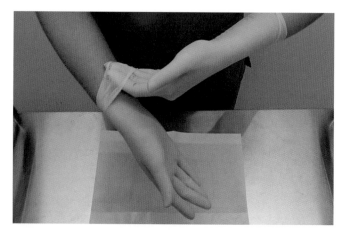

단계 7

2) 멸균 장갑 벗기

멸균 장갑 벗기의 단계와 근거

단계	근거
1. 장갑 낀 손으로 반대편 장갑 커프(cuff)의 바깥쪽을 잡은 다음 뒤집으면서 벗는다.	• 오염된 장갑이 손이나 팔목에 닿지 않도록 하기 위함이다.
2. 벗은 장갑을 반대편 장갑 낀 손의 손바닥에 놓는다.	
3. 벗은 쪽 손을 반대편 남은 장갑 낀 손의 커프 속으로 손바닥을 위로 뒤집으며 벗는다.	• 손이 오염되는 것을 방지하기 위함이다.
4. 벗은 장갑은 적절한 용기에 버린다.	
5. 손을 씻는다.	

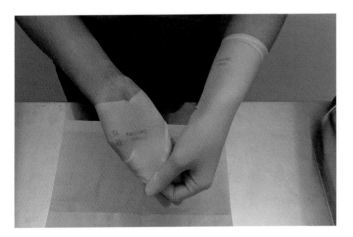

단계 1

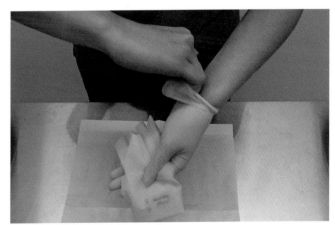

단계 2

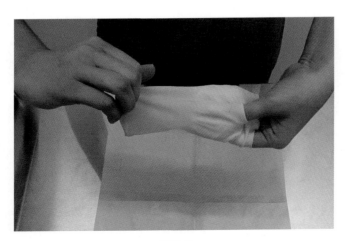

단계 3

5. 개인 보호 장구 착용하기

- **목적**
  - 접촉, 비말 혹은 공기를 통해 미생물이 전파되는 것을 방지한다.
  - 대상자를 간호하는 동안 간호사 혹은 유니폼을 통해 미생물이 전파되는 것을 방지한다.

- **준비물품**
  - 알코올이 함유된 비누, 종이 타월
  - 멸균 장갑 또는 1회용 장갑
  - 모자, 마스크
  - 멸균 가운 또는 1회용 비닐 가운
  - 필요시 고글 또는 마스크

1) 보호 장구 착용하기

보호 장구 착용하기의 단계와 근거

단계	근거
1. 손을 씻는다.	• 우연히 장갑에 구멍이 나거나 찢어졌을 때 옮길 수 있는 미생물의 수를 감소시킨다.
2. 가운 내부가 착용할 간호사를 향하도록 가운을 펼친다.	• 가운을 먼저 착용하고 그 후 마스크와 장갑을 착용한다.
3. 손을 소매로 넣고 가운의 목과 뒤쪽 끈을 묶는다.	• 가운이 몸에 맞도록 착용하여 미생물에 노출될 가능성을 줄인다.
4. 머리카락이 나오지 않도록 모자를 착용한다.	• 미생물의 전파를 방지하기 위함이다.
5. 마스크는 입과 코가 완전히 가려지도록 착용한다. 공기를 내뿜어 공기가 밖으로 새는지 양손으로 확인한다.	• 코와 입을 완전히 막아야 공기와 비말 전파를 방지할 수 있다. 마스크를 꼭 맞게 착용했는지 확인하게 되면, 후에 오염된 손으로 얼굴을 만져서 오염되는 것을 방지할 수 있다.
6. 혈액이나 체액이 튈 위험이 있는 경우 고글이나 안면가리개를 얼굴에 꼭 맞게 착용한다.	• 고글이 얼굴에 꼭 맞아야 잘 보이고 노출을 방지할 수 있다.
7. 장갑을 가장 마지막에 착용한다. 장갑 가장자리가 가운의 소매 단 위로 오도록 착용한다.	• 장갑의 가장자리가 가운 소매 단 위로 오게 착용하여 미생물로부터 노출되지 않도록 한다.

단계 3(1)

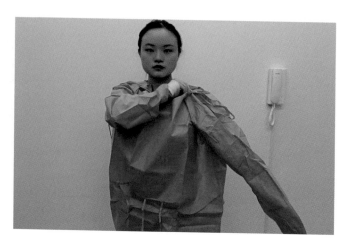

단계 3(2)

보호 장구 착용하기의 단계와 근거(계속)

단계	근거

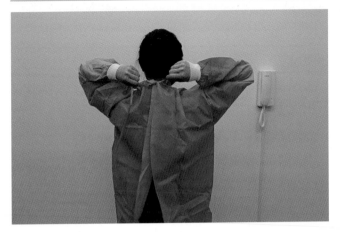

단계 3(3)

단계 3(4)

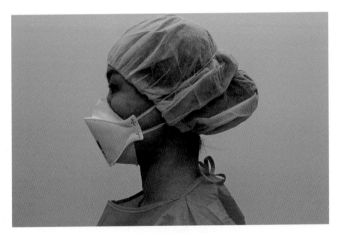

단계 5(1)

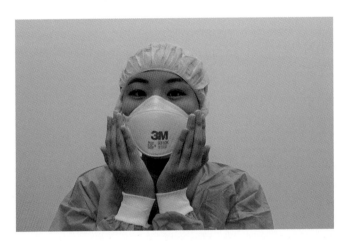

단계 5(2)

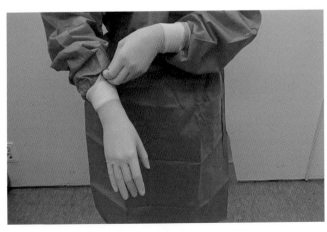

단계 7

2) 보호 장구 벗기

보호 장구 벗기의 단계와 근거

단계	근거
1. 눈에 보이는 오염이 없어도 대상자 병실 내에서 보호 장구를 벗는다.	• 대상자 병실에서 착용했던 보호 장구는 사용 여부에 상관없이 오염된 것으로 간주한다.
2. 장갑을 벗는다. 장갑의 바깥쪽을 잡은 후 뒤집으며 벗는다.	• 오염된 장갑이 손이나 팔목에 닿지 않도록 하기 위함이다.
3. 고글이나 안면가리개를 벗는다. 머리끈이나 고글의 다리만 잡고 얼굴에서 떨어지게 하여 폐기물 통에 버린다.	• 고글이나 안면가리개의 외면은 오염된 것으로 접촉을 피하기 위함이다.
4. 가운을 벗는다. 　　a. 목 끈을 풀고 가운이 어깨에 흘러내리게 하여 가운 외면에 접촉하지 않도록 주의한다.	• 장갑을 벗은 손으로 가운의 바깥면을 만지면 오염이 될 수 있다. 가운의 내면이 바깥쪽으로 나오도록 접어서 병실의 다른 물건이나 자신을 오염시키지 않도록 한다.

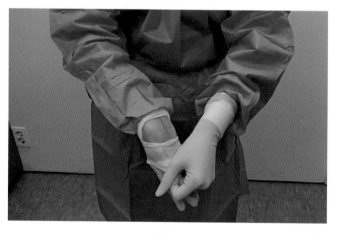

단계 2(1)

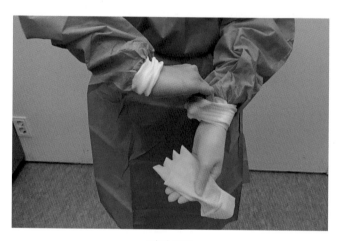

단계 2(2)

단계 3

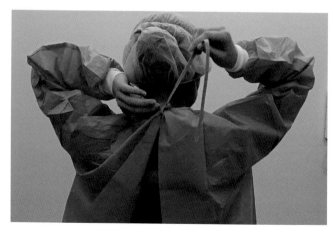

단계 4(1)

보호 장구 벗기의 단계와 근거(계속)

단계	근거

    b. 소매에서 손을 빼고 내면이 밖으로 향하도록 동그랗게 말아서 폐기물 통에 버린다.

5. 마스크를 벗는다. 마스크의 아래 끈을 먼저 풀고 위 끈을 풀어 접촉하지 않도록 주의하면서 폐기물 통에 버린다.

6. 모자를 벗어 폐기물 통에 버린다.

7. 손을 씻는다.

• 대상자 병실에서 착용했던 보호 장구는 사용 여부에 상관없이 오염된 것으로 간주한다.

• 마스크의 외면은 오염이 눈에 보이지 않더라도 오염된 것으로 간주한다. 마스크의 아래 끈을 먼저 푸는 이유는 오염된 마스크가 떨어져 옷이 오염되는 것을 방지하기 위함이다.

단계 4(2)

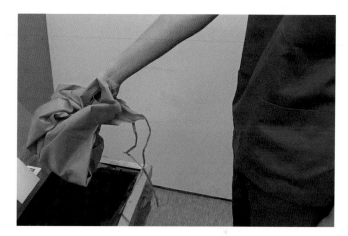

단계 4(3)

6. 멸균 물품 다루기

1) 멸균 영역 준비 및 멸균 물품 옮기기

멸균 영역 준비 및 멸균 물품 옮기기의 단계와 근거

단계	근거
1. 손을 철저하게 씻는다.	
2. 멸균 물품들이 들어 있는 포장된 멸균패키지를 허리높이 이상의 깨끗하고 평평한 작업대에 올려놓는다.	• 멸균포를 펼칠 때 오염의 가능성을 줄이기 위하여 사용하려는 부위는 허리 수준보다 높아야 한다.
3. 멸균 유효 날짜를 표시한 테이프나 봉인을 제거한다.	• 유효 기간이 지났거나 테이프에 멸균 표시가 되어 있지 않으면 오염된 것으로 간주한다.
4. 가장 바깥쪽 모서리를 열고 양옆 모서리를 편 다음 가장 안쪽 모서리를 몸체로 향하게 연다.	• 멸균된 물품을 옮길 때 무균 영역 위로 털어 넣거나 던져서는 안된다.
5. 멸균포의 바깥부분만을 만져 펼쳐놓은 멸균포를 멸균영역으로 사용하고 멸균용품을 연다.	
6. 멸균포가 멸균 영역에 닿거나 그 위로 지나가지 않도록 주의하면서 물건을 멸균 영역에 떨어뜨린다.	

2) 멸균 용기에 멸균 용액 따르기

멸균 용기에 멸균 용액 따르기의 단계와 근거

단계	근거
1. 용액 병의 내용물과 유효일을 확인한다.	
2. 용액 병의 뚜껑을 열고 깨끗한 곳에 놓는데 안쪽이 위로 향하도록 놓는다.	• 뚜껑의 안쪽이 오염되는 것을 예방하기 위함이다.
3. 병의 약 표시가 눈에 보이도록 놓는다.	• 멸균 용액을 확인한다.
4. 라벨 부분을 손바닥으로 잡는다.	
5. 멸균 용기에 붓기 전 용액을 조금(1~2cc) 따라 버린다.	• 병의 입구는 오염된 부분으로 취급하므로 깨끗하게 하기 위함이다.
6. 용액 병을 멸균용기와 6~8인치 떨어진 곳에서 천천히 붓는다.	• 용액이 튀게 되면 밑에 깔린 무균 영역이나 포를 오염시킨다.
7. 병 뚜껑을 닫는다.	

단계	근거

단계 2

단계 4

단계 5

단계 6

7. 오염 방포 처리법

- **목적**
  - 건강관리자나 다른 사람들이 전염물질에 오염된 물품에 노출되는 것을 예방한다.
  - 환경오염을 예방한다.

- **준비물품**
  - 필요시 가운
  - 마스크, 장갑
  - 초록색 또는 청색 햄퍼
  - 흰색 비닐 주머니

오염 방포 처리법의 단계와 근거

단계	근거
1. 오염된 린넨을 햄퍼(hamper)에 담고 햄퍼 입구를 확실하게 묶는다.	
2. 오염세탁물에서 오염물질이 햄퍼 밖으로 샐 우려가 있는 경우에는 반드시 방수가 되는 비닐로 일차 포장한 뒤 햄퍼에 넣는다.	
3. 분리수거용 햄퍼를 이용할 수 없는 상황인 경우에는 비닐자루에 넣은 뒤 겉면에 '오염세탁물'이라 표시하여 수거하도록 한다.	
4. 모든 오염물을 담고 완전히 봉한 후 내용물을 표시하고 지정된 장소에 둔다.	

단계 2

내과적 손씻기

평가일자 _____   평가자 이름 _____

No	수 행 항 목	수행	미수행	비고
1	손톱에 매니큐어를 칠하지 않았는지 확인하고 장신구는 제거한다.			
2	손씻기의 물품을 준비 후 가운이 젖거나 오염되지 않도록 싱크대에 닿지 않게 6인치 떨어져 선다.			
3	수도꼭지를 틀어 세기를 조절한 후 물이 따뜻해지도록 온도를 조절한다.			
4	가운에 물이 튀지 않도록 한다.			
5	손과 팔목을 적시는데 물이 손가락 끝 쪽으로 흐르도록 하고 손이 팔꿈치보다 항상 낮은 위치에 있도록 한다.			
6	액체비누 1티스푼(2~4mL) 또는 고형비누를 충분히 문지른다. 비누는 헹군 후 다시 비누그릇에 넣어둔다.			
7	손바닥, 손톱 끝, 손가락 사이, 손등 및 손목, 전박을 씻는다. 손목 위 1인치까지 씻는다.			
	a. 손바닥을 마주대고 문지른다.			
	b. 양손을 깍지끼듯 잡고 좌우로 문지른다.			
	c. 한 손을 다른 손등 위로 겹친 상태에서 손가락 사이를 문지른다. 위, 아래 손을 바꾸어 시행한다.			
	d. 엄지손가락을 다른 편 손바닥으로 돌려주면서 문지른다. 다른 편 손도 시행한다.			
	e. 손톱 끝을 손바닥에 세워 놓고 동그라미를 그리면서 문지른다. 다른 편 손도 시행한다.			
	f. 한 손으로 다른 편 손목을 감아 잡고 돌리면서 문지른다. 다른 편 손도 시행한다.			

내과적 손씻기(계속)

No	수 행 항 목	수행	미수행	비고
8	흐르는 물에 손가락을 아래로 향하게 한 채 충분히 헹군다			
9	종이 타월로 손가락에서 전박을 향하여 닦고 즉시 버린다.			
10	종이 타월로 감싸 수도꼭지를 잠근다			
11	손이 건조할 경우 적은 양의 로션이나 barrier cream을 바른다.			

마스크 착용하기

평가일자 _____ 평가자 이름 _____

No	수 행 항 목	수행	미수행	비고
1	손을 씻는다.			
2	얼굴에 마스크를 쓴 후 단단히 맨다(위 끈은 머리 위 뒤쪽에 묶고 아래 끈도 머리 위로 묶는다).			
3	정해진 간호행위를 수행한다.			
4	끈 부분만을 만지면서 마스크를 벗는다(아래 끈을 먼저 풀고 위 끈을 나중에 푼다).			
5	사용했던 마스크는 빨래 주머니에 넣으며 일회용은 쓰레기통에 버리고 손을 씻는다.			

가운 사용법(Gowning) ─격리가운(격리실 밖에 둘 때)─

평가일자 _____   평가자 이름 _____

No	수 행 항 목	수행	미수행	비고
1	손을 씻는다.			
2	가운의 깨끗한 면에 손을 대고 가운을 펴서 어깨의 바느질 솔기를 잡고 팔을 낀다.			
3	소매(cuff)가 손목을 덮을 때까지 양쪽 소매에 팔을 집어넣는다.			
4	한쪽 소매로 손을 싼 채 반대편 팔의 소매를 밖에서 잡아당겨서 손을 끼우고 다 입은 쪽의 손을 어깨 안쪽에 넣어 잡아 당겨 손을 낀다.			
5	목의 끈을 묶는다.			
6	방의 문을 열고 들어간다.			
7	가운이 가능한 많이 겹치게 하며 등 뒤에서 허리끈을 묶는다.			
8	정해진 간호행위를 수행한다.			
9	허리매듭을 풀고 병실 밖으로 나온다.			
10	손을 씻은 다음 목 매듭을 풀고 가운의 바깥쪽을 만지지 않도록 주의하면서 벗는다.			
11	가운의 겉이 안으로 들어가도록 길이를 반으로 접어 걸대에 걸거나 지정된 용기에 넣는다.			

가운 사용법(Gowning) ─격리가운(격리실 안에 둘 때)─

평가일자 _____   평가자 이름 _____

No	수 행 항 목	수행	미수행	비고
1	손을 씻는다.			
2	방의 문을 열고 들어간다.			
3	가운의 깨끗한 면에 손을 대고 가운을 펴서 어깨의 바느질 솔기를 잡고 팔을 낀다.			
4	소매(cuff)가 손목을 덮을 때까지 양쪽 소매에 팔을 집어넣는다.			
5	목의 끈을 묶는다.			
6	가운이 가능한 많이 겹치게 하며 등 뒤에서 허리끈을 묶는다.			
7	정해진 간호행위를 수행한다.			
8	허리매듭을 풀고 손을 씻은 다음 목 매듭을 풀고 가운의 바깥쪽을 만지지 않도록 주의하면서 벗는다.			
9	가운의 겉이 밖으로 나오도록 길이를 반으로 접어 걸대에 걸거나 지정된 용기에 넣는다.			
10	병실을 나오는 즉시 손을 씻는다. 손을 씻기 전에 병실 바깥쪽 문은 절대로 손에 닿지 않게 한다.			

멸균장갑 사용법(Gloving) −멸균 장갑 끼기−

평가일자 _____   평가자 이름 _____

No	수 행 항 목	수행	미수행	비고
1	손을 씻는다.			
2	허리높이 이상의 깨끗하고 건조한 곳에서 포장된 멸균장갑을 놓는다.			
3	겉포장을 열고 포장 안에 있는 손목부분이 사용자를 향하도록 노출시킨다.			
4	한 손으로 장갑의 접혀진 손목 부분 가장자리를 잡은 다음 다른 쪽 손가락을 장갑 안으로 밀어 넣는다.			
5	접혀진 손목부위를 잡은 채 장갑을 잡아당긴다.			
6	장갑 낀 손가락을 다른 장갑의 접혀진 손목 밑으로(이때 엄지손가락은 바깥쪽을 보고 있어야 한다) 넣은 다음 위로 들어올린다.			
7	장갑을 맞은 편 손위로 잡아당긴다.			
8	필요한 경우 양쪽 손의 장갑을 잘 맞게 조절한다.			
9	장갑 낀 손으로는 멸균영역이나 물품만을 만져야 한다.			

멸균장갑 사용법(Gloving) ─ 멸균 장갑 벗기 ─

평가일자 _____　　평가자 이름 _____

No	수 행 항 목	수행	미수행	비고
1	장갑 낀 손으로 반대편 장갑 소매의 바깥쪽을 잡은 다음 뒤집으면서 벗는다.			
2	벗은 장갑을 반대편 장갑 낀 손의 손바닥에 놓는다.			
3	벗은 쪽 손을 반대편 남은 장갑 낀 손의 소매 속으로 손바닥을 위로 뒤집으며 벗는다.			
4	벗은 장갑은 적절한 용기에 버린다.			
5	손을 씻는다.			

개인 보호 장구 착용하기

평가일자 _____   평가자 이름 _____

No	수 행 항 목	수행	미수행	비고
1	손을 씻는다.			
2	가운 내부가 착용할 간호사를 향하도록 가운을 펼친다.			
3	손을 소매로 넣고 가운의 목과 뒤쪽 끈을 묶는다.			
4	머리카락이 나오지 않도록 모자를 착용한다.			
5	마스크는 입과 코가 완전히 가려지도록 착용한다. 공기를 내뿜어 공기가 밖으로 새는지 양손으로 확인한다.			
6	혈액이나 체액이 튈 위험이 있는 경우 고글이나 안면가리개를 얼굴에 꼭 맞게 착용한다.			
7	장갑을 가장 마지막에 착용한다. 장갑 가장자리가 가운의 소매 단위로 오도록 착용한다.			

개인 보호 장구 벗기

평가일자 _____ 평가자 이름 _____

No	수 행 항 목	수행	미수행	비고
1	눈에 보이는 오염이 없어도 대상자 병실 내에서 보호 장구를 벗는다.			
2	장갑을 벗는다. 장갑의 바깥쪽을 잡은 후 뒤집으며 벗는다.			
3	고글이나 안면가리개를 벗는다. 머리끈이나 고글의 다리만 잡고 얼굴에서 떨어지게 하여 폐기물 통에 버린다.			
4	가운을 벗는다. 　a. 목 끈을 풀고 가운이 어깨에 흘러내리게 하여 가운 외면에 접촉하지 않도록 주의한다 　b. 소매에서 손을 빼고 내면이 밖으로 향하도록 동그랗게 말아서 폐기물 통에 버린다.			
5	마스크를 벗는다. 마스크의 아래 끈을 먼저 풀고 위 끈을 풀어 접촉하지 않도록 주의하면서 폐기물 통에 버린다.			
6	모자를 벗어 폐기물 통에 버린다.			
7	손을 씻는다.			

멸균 영역 준비 및 멸균 물품 옮기기

평가일자 _____　　평가자 이름 _____

No	수 행 항 목	수행	미수행	비고
1	손을 씻는다.			
2	손을 철저하게 씻는다. 멸균물품들이 들어 있는 포장된 멸균 패키지를 허리 높이 이상의 깨끗하고 평평한 작업대에 올려놓는다.			
3	멸균 유효날짜를 표시한 테이프나 봉인을 제거한다.			
4	가장 바깥쪽 모서리를 열고 양옆 모서리를 편 다음 가장 안쪽 모서리를 몸체로 향하게 연다.			
5	소독포의 바깥부분만을 만져 펼쳐놓은 소독포를 멸균 영역으로 사용하고 멸균용품을 연다.			
6	소독포가 멸균 영역에 닿거나 그 위로 지나가지 않게 주의하면서 물건을 멸균영역에 떨어뜨린다.			

멸균 용기에 멸균 용액 따르기

평가일자 _____   평가자 이름 _____

No	수 행 항 목	수행	미수행	비고
1	용액 병의 내용물과 유효일을 확인한다.			
2	용액 병의 뚜껑을 열고 깨끗한 곳에 놓는데 안쪽이 위로 향하도록 놓는다.			
3	병의 약 표시가 눈에 보이도록 놓는다.			
4	라벨 부분을 손바닥으로 잡는다.			
5	멸균 용기에 붓기 전 용액을 조금(1~2cc) 따라 버린다.			
6	용액 병을 멸균 용기와 6~8인치 떨어진 곳에서 천천히 붓는다.			
7	병 뚜껑을 닫는다.			

오염 방포 처리법

평가일자 _____   평가자 이름 _____

No	수 행 항 목	수행	미수행	비고
1	오염된 린넨을 햄퍼(hamper)에 담고 햄퍼 입구를 확실하게 묶는다.			
2	오염세탁물에서 오염물질이 햄퍼 밖으로 샐 우려가 있는 경우에는 반드시 방수가 되는 비닐로 일차 포장한 뒤 햄퍼에 넣는다.			
3	분리수거용 햄퍼를 이용할 수 없는 상황인 경우에는 비닐주머니에 넣은 뒤 겉면에 '오염세탁물' 이라 표시하여 수거하도록 한다.			
4	모든 오염물을 담고 완전히 봉한 후 내용물을 표시하고 지정된 장소에 둔다.			

CHAPTER 04

외과적 무균술

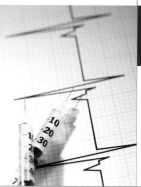

실습목록

1. 외과적 손씻기

2. 가운 착용하기(폐쇄식)

1. 외과적 손씻기

- **목적**
  - 손에 있는 상주균을 효율적으로 제거한다.
  - 손과 팔의 먼지와 기름을 제거한다.
  - 가능한 한 미생물의 수를 줄이고 미생물의 성장을 방지하기 위한 항균요소를 남겨 놓는다.

- **준비물품**
  - 소독비누액(세정제, 살균 용액)
  - 흐르는 따뜻한 물
  - 솔
  - 멸균된 종이 수건이나 수건
  - 발이나 무릎을 이용하여 물을 조절하는 싱크대

외과적 손씻기의 단계와 근거

단계	근거
1. 손톱에 매니큐어를 칠하지 않았는지 확인하고 장신구는 제거한다.	• 반지 등 장신구 착용은 미생물의 수를 증가시킨다.
2. 손씻기의 물품을 준비 후 가운이 젖거나 오염되지 않도록 싱크대에 닿지 않도록 6인치 떨어져 선다(액체나 고체비누, 종이수건, 흐르는 물).	• 싱크대의 내부는 오염된 것으로 간주한다.
3. 발로 페달을 밟거나 무릎으로 눌러서 수도를 틀어 세기를 조절한 후 물이 따뜻해지도록 온도를 조절한다.	• 뜨거운 물보다 따뜻한 물이 피부보호지방막을 덜 상하게 한다.
4. 가운에 물이 튀지 않도록 한다.	• 미생물은 습기가 있을 때 전파가 잘된다.
5. 손과 팔목을 적시는데 물이 팔꿈치 쪽으로 흐르도록 손을 팔꿈치보다 항상 높이 들고 있어야 한다.	• 미생물이 적은 곳에서 많은 곳으로 물이 흐르도록 하기 위함이다.
6. 솔을 꺼내 소독액을 묻힌다.	
7. 양손의 손톱 끝을 30회 세게 문지른다.	

외과적 손씻기의 단계와 근거(계속)

단계	근거

8. 각 손가락을 4면으로 나누어 엄지부터 15회씩 문지른다.

9. 손바닥과 손등을 6면으로 나누어 15회씩 문지른다.

10. 손가락 사이를 각각 15회씩 문지른다.

11. 반대편 손을 같은 방법으로 닦는다.

12. 손목부터 팔꿈치까지는 3등분하고, 각각을 4면으로 나누어 15회씩 닦는다.

13. 팔꿈치 위 2인치까지 닦되 팔꿈치는 더욱 세게 문지른다.

14. 반대편 손목도 같은 방법으로 닦는다.

15. 흐르는 물에 손가락을 위로 향하게 한 채 충분히 헹군다.

16. 무릎이나 발로 페달을 밟아 잠근다.

단계 2

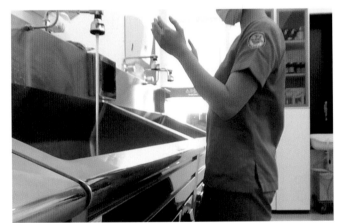

단계 3

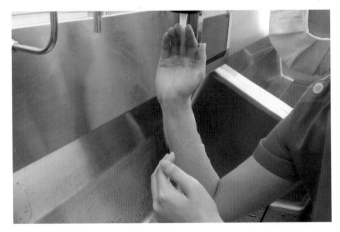

단계 5

단계 6

외과적 손씻기의 단계와 근거(계속)

단계	근거

단계 7

단계 12

단계 16

2. 가운 착용하기(폐쇄식)

- **목적**
  - 오염원이 될 수 있는 노출된 피부를 가리고 수술 상황에서 보다 완전한 무균과 비무균의 장벽을 나누기 위함이다.

- **준비물품**
  - 멸균 가운, 멸균 장갑
  - 멸균 모자, 멸균 마스크

가운 착용하기(폐쇄식)의 단계와 근거

단계	근거
1. 멸균 포장의 겉 포장을 제거하고 겉 포장으로 만들어진 멸균 영역 안의 내부 포장 안에 장갑을 떨어뜨려 놓는다.	
2. 외과적 손씻기를 한다.	
3. 수건 끝을 잡고 편 다음 양면에 한 손씩 놓고 닦는다.	
4. 수건을 반으로 접어 손목부터 팔꿈치 쪽으로 비틀어 닦는다.	
5. 반대편 팔도 같은 방법으로 닦는다.	
6. 멸균 가운의 안쪽 목 부분을 잡고 바닥이나 주변에 닿지 않게 집어들어 가운의 안쪽이 자신을 향하게 흔들어 편다.	
7. 가운을 바깥쪽이 닿지 않게 소매 속에 양손을 넣어 손끝이 가운의 소매(cuff) 밖으로 나오지 않도록 한다.	

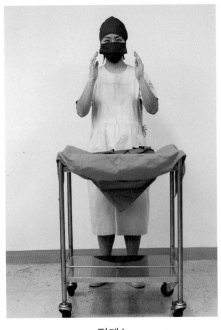

단계1

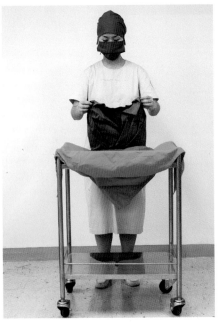

단계 6

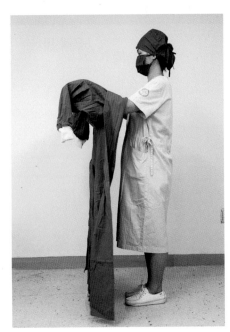

단계 7

가운 착용하기(폐쇄식)의 단계와 근거(계속)

단계	근거
8. 모자와 마스크를 착용한 순환간호사가 가운의 바깥 면을 건드리지 않고 목끈을 잡고 가운을 위쪽으로 당겨 목끈을 묶는다.	
9. 순환간호사가 가운의 뒷면이 겹치도록 허리끈을 묶는다.	
10. 소매 밖으로 양손이 나오지 않은 상태에서 멸균 장갑을 잡는다.	
11. 오른손으로 반대편 장갑을 엄지와 검지로 잡는다. 이때 손은 소매 안에서 조정한다.	

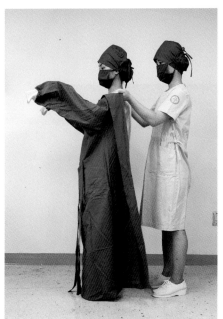
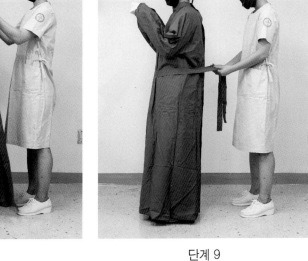

단계 8   단계 9

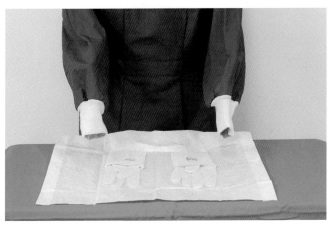

단계 10   단계 11

가운 착용하기(폐쇄식)의 단계와 근거(계속)

단계	근거

12. 장갑을 반대편 가운의 소맷단 위에 엄지손가락이 아래로, 열린 쪽이 손가락 쪽에 오도록 놓는다. 왼손은 소매 안에서 손바닥이 위로 오는 자세를 취한다.

13. 왼손으로 소맷자락 안에서 장갑의 목을 잡고 단단히 고정시킨다.

14. 오른손으로 장갑 손목 부분의 위쪽을 잡고 가운의 소맷자락을 위로 당긴다.

15. 장갑 낀 손가락을 남은 다른 한쪽 장갑의 손목 쪽에 둔다.

16. 장갑을 다른 소맷자락 위에 둔다.

17. 장갑을 올리면서 손가락을 펴서 끼운다.

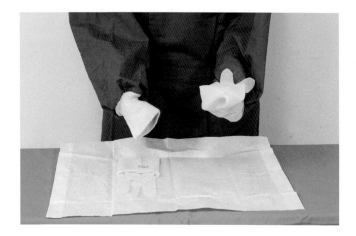

단계 12

단계 15

외과적 손씻기

평가일자 _____　평가자 이름 _____

No	수 행 항 목	수행	미수행	비고
1	손톱에 매니큐어를 칠하지 않았는지 확인하고 장신구는 제거한다.			
2	손씻기의 물품을 준비 후 가운이 젖거나 오염되지 않도록 싱크대에 닿지 않도록 6인치 떨어져 선다(액체나 고체비누, 종이수건, 흐르는 물).			
3	수도꼭지를 틀어 세기를 조절한 후 물이 따뜻해지도록 온도를 조절한다.			
4	가운에 물이 튀지 않도록 한다.			
5	손과 팔목을 적시는데 물이 팔꿈치 쪽으로 흐르도록 손을 팔꿈치보다 항상 높이 들고 있어야 한다.			
6	솔을 꺼내 소독액을 묻힌다.			
7	양손의 손톱 끝을 30회 세게 문지른다.			
8	각 손가락을 4면으로 나누어 엄지부터 15회씩 문지른다.			
9	손바닥과 손등을 6면으로 나누어 15회씩 문지른다.			
10	손바닥과 손등을 6면으로 나누어 15회씩 문지른다. 손가락 사이를 각각 15회씩 문지른다.			
11	반대편 손을 같은 방법으로 닦는다.			
12	손목부터 팔꿈치까지는 3등분하고, 각각을 4면으로 나누어 15회씩 닦는다.			
13	팔꿈치 위 2인치까지 닦되 팔꿈치는 더욱 세게 문지른다.			
14	반대편 손목도 같은 방법으로 닦는다.			

외과적 손씻기(계속)

No	수 행 항 목	수행	미수행	비고
15	흐르는 물에 손가락을 위로 향하게 한 채 충분히 헹군다.			
16	무릎이나 발로 페달을 밟아 잠근다.			

멸균 가운 및 장갑 착용법(폐쇄식)

평가일자 _____ 평가자 이름 _____

No	수 행 항 목	수행	미수행	비고
1	멸균 포장의 겉 포장을 제거하고 겉 포장으로 만들어진 멸균 영역 안의 내부 포장 안에 장갑을 떨어뜨려 놓는다.			
2	외과적 손씻기를 한다.			
3	수건 끝을 잡고 편 다음 양면에 한 손씩 놓고 닦는다.			
4	수건을 반으로 접어 손목부터 팔꿈치 쪽으로 비틀어 닦는다.			
5	반대편 팔도 같은 방법으로 닦는다.			
6	멸균가운의 안쪽 목 부분을 잡고 바닥이나 주변에 닿지 않게 집어들어 가운의 안쪽이 자신을 향하게 흔들어 편다.			
7	가운을 바깥쪽이 닿지 않게 소매 속에 양손을 넣어 손끝이 가운의 소매 밖으로 나오지 않도록 한다.			
8	모자와 마스크를 착용한 순환간호사가 가운의 바깥 면을 건드리지 않고 목끈을 잡고 가운을 위쪽으로 당겨 목끈을 묶는다.			
9	순환간호사가 가운의 뒷면이 겹치도록 허리끈을 묶는다.			
10	커프 밖으로 양손이 나오지 않은 상태에서 멸균 장갑을 잡는다.			
11	오른손으로 반대편 장갑을 엄지와 검지로 잡는다. 이때 손은 소매 안에서 조정한다.			
12	장갑을 반대편 가운의 소맷단 위에 엄지 손가락이 아래로, 열린 쪽이 손가락 쪽에 오도록 놓는다. 왼손은 소매 안에서 손바닥이 위로 오는 자세를 취한다.			
13	왼손으로 소맷자락 안에서 장갑의 목을 잡고 단단히 고정시킨다.			

멸균 가운 및 장갑 착용법(폐쇄식)(계속)

No	수 행 항 목	수행	미수행	비고
14	오른손으로 장갑 손목 부분의 위쪽을 잡고 가운의 소맷자락을 위로 당긴다.			
15	장갑 낀 손가락을 남은 다른 한쪽 장갑의 손목 쪽에 둔다.			
16	장갑을 다른 소맷자락 위에 둔다.			
17	장갑을 올리면서 손가락을 펴서 끼운다.			

PART II

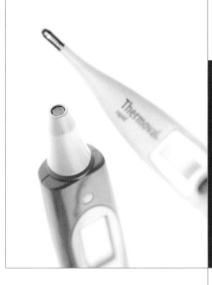

FUNDAMENTALS OF NURSING
PRACTICE GUIDE

대상자 사정과
관련된 간호

이 단원에서는 대상자 신체상태를 사정하고 정상과 비정상을 구분하며 건강문제를 사정하는 간호술과 간호지식을 다루었다.

5 활력 징후

CHAPTER 05

활력 징후

실습목표

1. **체온 측정**
   - 구강체온
   - 액와체온
   - 직장체온
   - 고막체온

2. **맥박 측정**
   - 요골맥박
   - 심첨맥박
   - 심첨-요골맥박

3. **호흡 측정**

4. **혈압 측정**
   - 상완혈압
   - 대퇴혈압

체온, 맥박, 호흡, 혈압은 신체의 온도를 조절하고, 혈액의 흐름을 유지시키며 신체 조직에 산소를 공급하는 것을 나타내는 활력 징후(vital signs)이다. 활력 징후는 대상자의 신체적, 환경적, 심리적 스트레스원을 반영하며, 대상자의 상태가 변화할 경우 빠르게 반영된다.

한 가지 활력 징후(예. 맥박)의 변화는 다른 활력 징후(체온, 호흡, 혈압)의 변화를 반영할 수 있다. 간호사는 활력 징후를 정확히 측정하여 측정값을 해석하고 도움이 필요할 경우 중재를 하며, 결과를 적절하게 보고해야 한다.

활력 징후를 측정해야 하는 경우

- 대상자가 입원한 경우
- 의사의 지시가 있거나 조직의 실무 기준에 따라
- 가정 방문 시 대상자 사정을 위해
- 외과적이거나 칩습적인 진단적 절차 전 · 후
- 심혈관계, 호흡기계, 온도 조절 기능에 영향을 주는 약물 치료 전 · 후

- 대상자의 일반적 신체 조건의 변화가 있을 경우(예. 의식 상태나 통증 정도 악화 등)
- 활력 징후에 영향을 주는 간호중재 전 · 후
- 대상자가 특별한 신체적인 불편감을 호소할 때(예, funny나 different 느낌)

체온

신체의 조직과 세포는 36~38℃(96.8~100.4℉)에서 최상의 기능을 한다. 성인의 정상 체온은 연령, 신체활동, 수분 유지 상태, 건강 상태, 감염 여부 등에 따라 달라진다. 체온은 24시간 주기로 변화하며 새벽 1~4시경에 가장 낮고, 낮 동안 상승하다가 오후 6시경 가장 높다. 체온은 신체적으로 혈관 이완, 혈관 수축, 오한, 발한 등으로 조절된다. 신체의 온도를 측정하는 부위에 따라 방법이 달라지며, 각각의 장 · 단점이 있다.

활력 징후: 성인의 정상 범위

활력 징후	정상 범위
체온	
구강/고막	37.0℃; 98.6℉(±1℉)
직장	37.6℃; 99.6℉(±1℉)
액와	36.4℃; 97.6℉(±1℉)
맥박	60~100회/분, 강하고 규칙적임
호흡	12~20회/분, 깊고 규칙적임
혈압	수축기압; 90~140㎜Hg(평균 120㎜Hg)
	이완기압; 90㎜Hg 이하

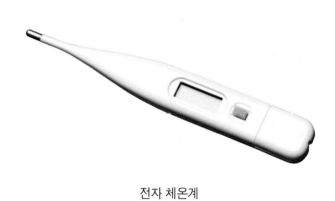

전자 체온계

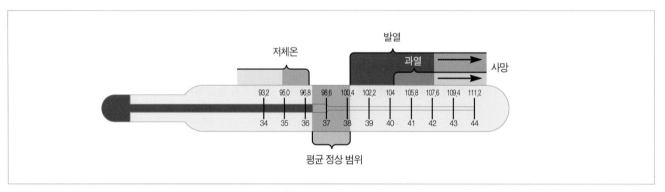

체온 범위

체온 측정 부위 및 방법에 따른 장·단점

장점	단점
고막체온	
· 적용이 용이함	· 측정 전에 보청기를 제거해야 함
· 체위 변경이 최소화	· 귀나 고막 수술을 받은 대상자의 경우 시행하기 어려움
· 정확한 심부 온도 측정	· 운동 중이나 운동 후의 심부 변화를 정확히 측정하기 어려움
· 빠른 측정 가능(2~5초)	· 신생아의 경우 직장이나 액와 체온과의 상관관계가 약하기 때문에 사용할 수 없음
· 대상자를 걷게 하거나 방해하지 않고 측정 가능	· 일회용 커버가 필요함
	· 비싼 가격
전자체온	
· 플라스틱 제품으로 잘 파손되지 않음; 어린이에게 이상적	· 액와 체온에 비해 덜 정확함

체온 측정 부위 및 방법에 따른 장·단점(계속)

장점	단점
항문체온 · 구강체온을 측정할 수 없을 경우	· 항문수술, 직장 질환, 출혈 경향이 있을 경우 적용 불가 · 신생아 적용 불가 · 대상자가 당황하거나 불안해할 수 있음 · 체액 노출 위험성 · 윤활제 필요
구강체온 · 체위변경 없이 사정 가능 · 대상자가 편안감 느낌 · 정확한 표면 체온 제공 · 심부 체온의 빠른 변화를 나타냄	· 음식섭취, 흡연, 산소 투여 시 적용 불가 · 구강수술, 상처, 간질, 오한이 있는 대상자의 경우 적용 불가 · 영아, 유아, 혼돈, 무의식 대상자의 경우 적용 불가 · 체액 노출 위험성
액와체온 · 안전하고 비침습적 · 신생아나 비협조적인 대상자의 경우에도 사용 가능	· 열이 있는 영유아의 경우 추천되지 않음 · 긴 측정시간 · 간호사가 체위를 계속 유지시켜 줘야 함 · 흉곽 노출 필요
피부체온 · 저렴한 가격 · 계속적인 수치 제공 · 안전하고 비침습적	· 체온변화, 특히 고체온일 경우 다른 부위에 잘 안 나타날 수 있음

섭씨 온도와 화씨 온도의 전환 방법

$$°C = (°F - 32) \times \frac{5}{9}$$

$$°F = \frac{9}{5}°C + 32$$

맥박

심장 수축 자극은 우심실 상부에서 시작된다. 심장 박동은 매분 약 5L의 혈액을 전신으로 순환시킨다. 심장 수축 시에 좌심실이 수축되면서 혈액을 박출시키며, 이때 압력으로 동맥벽이 팽창된다. 대동맥궁(aorta)의 팽창이 동맥 혈관을 따라 전해져서 촉지되는 것을 맥박이라고 한다.

호흡

생체가 산소를 들어 마시고 이산화탄소를 배출하는 것을 호흡이라고 한다. 호흡은 ① 폐 환기, ② 폐포 공기와 혈액 사이의 가스교환, ③ 혈액에 의한 산소, 이산화탄소의 운반, ④ 혈액과 조직세포 사이의 가스교환, ⑤ 조직세포의 산소 이용과 이산화탄소 생산의 과정이 포함된다. 첫 네 가지 과정은 외호흡(external respiration)이라고 하며, 마지막 과정을 내호흡(internal respiration)이라고 한다.

혈압

혈압은 심실이 수축할 때 대동맥으로 박출된 혈액이 일시에 말초 혈관까지 가지 못하고 많은 양의 혈액이 대동맥 및 동맥 내에 그 자체의 용적 이상으로 수용되기 때문에 생기는 압력이다.

좌심실의 수축 시에 형성되는 압력이 가장 높은데 이 점을 수축기압(systolic pressure)이라고 하며, 심장의 이완기에 생기는 압력을 이완기압(diastolc pressure)이라고 한다. 수축기압과 이완기압의 차이는 맥압(pulse pressure)이며, 수축기압과 이완기압의 평균치를 평균압(mean pressure)이라고 한다.

혈압 측정 시에 소리가 처음으로 선명하게 들리는 점(korotkoff phase I)이 수축압이다. 그 후 소리가 갑자기 변하는 점(korotkoff phase IV)을 이완압이라고 한다. 음이 마지막으로 사라지는 점(korotkoff phase V)을 이완압으로 간주하기도 하며 경우에 따라서는 이완압을 두 가지로 표시하기도 한다. 소아의 경우 음이 사라지는 점이 없는 경우가 있다.

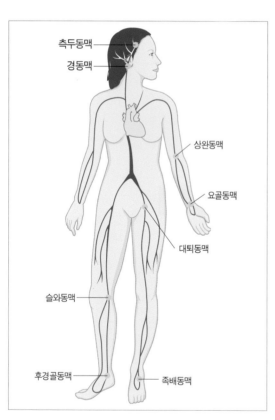

맥박 사정 부위

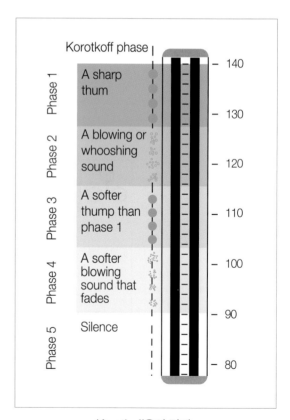

Korotkoff음의 단계

호흡 형태의 변화

변화	특성
서호흡(Bradypnea)	· 호흡율이 규칙적이나 느림(12회 이하/분)
빈호흡(Tachypnea)	· 호흡율이 규칙적이나 비정상적으로 빠름(24회 이상/분)
과호흡(Hyperpnea)	· 호흡 깊이가 증가됨. 과호흡은 정상적으로 운동 시 발생함
무호흡(Apnea)	· 호흡이 몇 초간 중단됨. 지속적 정지는 호흡 정지를 초래할 수 있음
과환기(Hyperventilation)	· 호흡율과 깊이가 증가됨. 탄산부족이 발생될 수 있음
저환기(Hypoventilation)	· 호흡율이 비정상적으로 낮고, 환기 깊이가 저하됨. 탄산과잉이 발생할 수 있음
Cheyne-Stokes 호흡	· 호흡율과 깊이가 불규칙하며, 무호흡과 과환기가 교대로 발생함. 호흡 주기는 느리고 얕게 시작하여 점차적으로 빨라짐. 변화양상은 처음에는 얕고 느리게 시작하다가 다시 호흡이 시작하기 전에 무호흡 상태가 됨.
Kussmaul 호흡	· 비정상적으로 깊지만 규칙적임
Biot's 호흡	· 불규칙적인 무호흡 후 2~3회 비정상적으로 얕은 호흡

1. 체온 측정

• 목적

- 대상자의 체온 상태를 확인한다.
- 측정부위별 체온을 정확하게 측정한다.

• 준비물품

- 전자체온계, 일회용체온계, 고막체온계, 일회용 탐침커버 (측정 부위별 준비)
- 휴지나 솜
- 기록지, 펜
- 시계
- 알코올솜
- 수용성 윤활제(직장체온 측정 시), 일회용 장갑
- 쟁반(tray)

1) 구강체온

체온 측정의 단계와 근거(구강체온)

단계	근거
1. 손을 씻는다.	· 미생물 전파를 줄이기 위함이다.
2. 필요한 물품을 준비한다.	
3. 준비한 물품을 가지고 대상자에게 가서 간호사 자신을 소개한다.	
4. 손을 씻는다.	· 미생물 전파를 줄이기 위함이다.
5. 대상자의 이름을 개방형으로 질문하여 대상자를 확인하고, 입원 팔찌와 환자 기록지의 이름, 등록번호를 대조하여 재확인한다.	

체온 측정의 단계와 근거(구강체온)(계속)

단계	근거
6. 대상자에게 목적과 절차를 설명한다.	• 대상자의 협조를 얻기 위함이다.
7. 체온계의 온도감지 부분의 반대편을 쥐고 소독솜으로 온도감지 부분을 닦은 다음 휴지로 한 번 더 닦는다.	
8. 스위치를 눌러 전원을 켠다.	
9. 대상자에게 입을 벌리도록 해 대상자의 혀 후면 좌측, 우측의 sublingual pocket 부위에 체온계를 놓고 입을 다물도록 한다(체온계를 깨물지 않도록 주의를 준다).	• sublingual pocket 부위의 superficial blood vessel에서 나오는 열을 측정하도록 한다. • 혀의 전면부 아래쪽보다 sublingual pocket 부위의 온도가 유의하게 높다.
10. 체온계 화면의 숫자가 더이상 깜박거리지 않거나 신호음이 울리면 체온계를 꺼낸다.	• 구강 체온의 정상 범위는 37℃ 내외다.
11. 입 속에 삽입되었던 부분을 휴지나 알코올솜으로 닦아낸 후 화면에 나타난 숫자를 읽는다.	
12. 체온계를 끄고 보관용기에 넣는다.	
13. 손을 씻는다.	• 미생물 전파를 줄이기 위함이다.
14. 기록지에 측정한 체온을 기록하고 이상이 있으면 보고한다.	

구강으로 체온을 측정할 수 없는 경우

• 무의식, 유아, 호흡곤란, 산소투입, 구강수술, 오심, 구토가 있는 대상자
• 간질병력, 오한, 무의식, 의식 혼미, 비협조적인 대상자

• 음식물 섭취 후, 흡연 또는 껌을 씹은 경우, 목욕 후, 운동 후에는 15분이 경과한 후 측정 가능

측정 부위	정상 범위	측정 시간
구 강	36.5 ~ 37.5℃	3~5분
액 와	36.0 ~ 37.0℃	8~10분
직 장	37.0 ~ 38.0℃	2~3분

2) 액와체온

체온 측정의 단계와 근거(액와체온)

단계	근거
1. 1~8번까지는 구강 체온의 측정 절차와 동일함.	
9. 대상자의 액와를 노출시키고 앙와위나 좌위를 취해준다.	
10. 필요시 휴지나 타올로 액와 부위를 두드려서 건조시킨다.	• 습기는 피부를 차게 하므로 제거시켜야 하는에, 이때 마찰시킬 경우 열이 발생하므로 문지르지 않도록 주의한다.
11. 체온계 끝의 체온감지 부분을 대상자의 액와 중앙에 오도록 꽂는다.	
12. 체온계보다 대상자의 팔이 밑에 오도록 하면서 가슴 위에 전박을 올려 놓는다.	• 액와의 혈관 부위에 온도계를 둔다.
13. 8~10분이 경과한 후 또는 신호음이 울리면 체온계를 뺀다. 눈높이에서 체온을 읽는다.	• 액와체온의 정상 범위는 36~37℃이다.
14. 체온계를 알코올솜으로 닦은 후 전원을 끄고 보관용기에 넣는다.	
15. 손을 씻는다.	
16. 기록지에 측정한 체온을 기록하고 이상이 있으면 보고한다.	

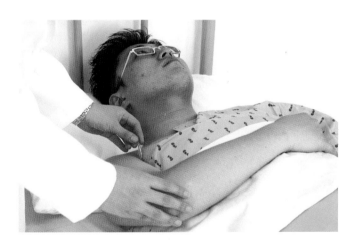

단계 12

3) 직장체온

체온 측정의 단계와 근거(직장체온)

단계	근거

1. 1~8번까지는 구강체온의 측정 절차와 동일함.

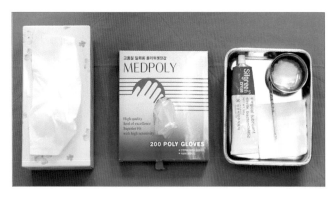
직장체온 준비물품

9. 병실 문을 닫거나 커튼을 친다.
   - 대상자의 프라이버시를 유지시켜 수치심을 최소화시키고, 편안하게 해준다.

10. 팔은 구부리고 항문이 노출되도록 측위, 복위, 또는 심스체위로 대상자를 눕힌다. 신생아나 영아의 경우는 누운 자세에서 양쪽 다리를 잡아 올린다.
    - 항문 노출이 용이하다.

11. 일회용 장갑을 끼고 체온계 끝 2.5~3.5㎝(1~1½ 인치)에 수용성 윤활제를 바른다.
    - 윤활제는 직장 점막 손상을 최소화시킨다. 성인의 직장의 길이는 2.5cm이다.

12. 대상자에게 심호흡을 하도록 하고 부드럽게 체온계를 넣는다. 배꼽을 향하여 항문으로 삽입한다(깊이: 영아; 1.3cm, 성인; 3.5cm).
    - 심호흡은 항문괄약근을 이완시켜 체온계 삽입을 용이하게 한다.

13. 체온계의 끝을 잡고 2~3분이 경과한 후 체온계를 뺀다.

14. 소독솜으로 분비물을 닦고 눈 높이에서 눈금을 읽는다.
    - 직장 체온의 정상 범위는 37~38℃이다.

15. 대상자의 항문주위를 휴지로 닦아주고 편안하게 해 준다.

16. 체온계를 소독솜으로 닦은 후 보관한다.

17. 일회용 장갑을 벗고 손을 씻는다.

18. 기록지에 측정한 체온을 기록한다. "R"로 표시하여 기록한다. 이상이 있으면 보고한다.

직장으로 체온을 측정할 수 없는 경우

- 체온계를 힘이나 압력을 주어 삽입하면 체온계가 파괴되어 항문이나 직장에 궤양이나 파열을 일으킬 위험이 있다.

- 치질, 직장수술대상자, 경련대상자, 심근경색증 대상자에게는 적용하지 않는다.

4) 고막체온

체온 측정의 단계와 근거(고막체온)

단계	근거
1. 1~6번까지는 구강체온의 측정 절차와 동일함.	
7. 고막체온계의 탐침커버를 씌운다.	• 교차감염 예방하기 위함이다.
8. 대상자의 머리를 한쪽으로 돌려 편안한 자세를 취하도록 한다. 성인 대상자는 귓바퀴를 후상방으로, 3세미만의 소아 대상자는 귓바퀴를 후하방으로 살짝 당긴다.	• S자로 구부러져 있는 외이도를 곧게 하여 측정 오차를 줄이기 위함이다.
9. 외이도에 탐침을 부드럽게 삽입한 다음 스위치를 누른다.	
10. 측정완료 신호음이 울리면 체온계를 빼서 계기판에 표시된 숫자를 읽는다.	
11. 탐침커버를 제거한 후 체온계를 보관함에 넣는다.	
12. 손을 씻는다.	• 미생물의 전파를 줄이기 위함이다.
13. 기록지에 측정한 체온을 기록하고, 이상이 있으면 보고한다.	

2. 맥박 측정

- **목적**
  - 정확한 맥박율을 측정한다.

- **준비물품**
  - 초침시계, 기록지, 펜
  - 청진기
  - 소독솜
  - 손 소독제
  - 쟁반(tray)

1) 요골맥박

맥박 측정의 단계와 근거(요골맥박)

단계	근거
1. 손을 씻는다.	• 미생물 전파를 줄이기 위함이다.
2. 필요한 물품을 준비한다.	
3. 준비한 물품을 가지고 대상자에게 가서 간호사 자신을 소개한다.	
4. 손을 씻는다.	• 미생물 전파를 줄이기 위함이다.

맥박 측정의 단계와 근거(요골맥박)

단계	근거
5. 대상자의 이름을 개방형으로 질문하여 대상자를 확인하고, 입원 팔찌와 환자 기록지의 이름, 등록번호를 대조하여 재확인한다.	
6. 대상자에게 목적과 절차를 설명한다.	• 대상자의 협조를 얻기 위함이다.
7. 앉거나 눕게 하여 편안한 자세를 취한다.	
· 앙와위일 경우 대상자의 상박을 곧게 편 자세를 취하게 하거나 손목은 펴고 가슴하부나 상복부에 올린 자세를 취하도록 한다.	
· 좌위일 경우 대상자의 팔꿈치를 90°로 구부리게 하고 의자나 간호사의 팔로 팔 하부를 지지해 준다.	
8. 대상자의 요골동맥 위에 2, 3, 4번째 또는 2, 3번째 손가락 끝을 대고 맥박을 확인한 후 살며시 누른다.	• 손가락 끝은 동맥 박동을 촉지 할 수 있는 손가락의 가장 민감한 부분이다.
9. 1분 동안 맥박을 잰다. 만일 리듬이 규칙적이면 30초간 재서 2배한다.	• 맥박수, 강도, 특징을 측정한다.
10. 손을 씻는다.	
11. 기록지에 측정한 맥박을 기록하고, 이상이 있으면 보고한다.	

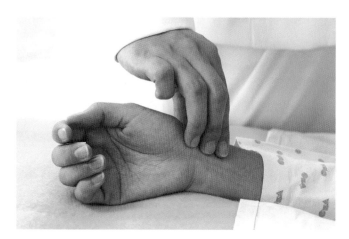

단계 8

2) 심첨맥박(apical pulse)

맥박 측정의 단계와 근거(심첨맥박)

단계	근거
1. 1~6번까지는 요골맥박의 측정 절차와 동일함.	
7. 청진기의 귀에 꼽는 부분과 판막(diaphragm)을 알코올솜으로 닦는다.	• 교차감염을 예방하기 위함이다.
8. 대상자를 앉히거나 앙와위로 눕힌다.	
9. 청진기의 판막을 몇 초간 손으로 잡아서 따뜻하게 한다.	• 차가운 물체는 대상자의 심박동률을 증가시킬 수 있다.
10. 대상자의 가슴을 노출시키고, 4번째에서 5번째 늑간(intercostal space)과 왼쪽 쇄골 중심선(midclavicular line)과 만나는 지점에 청진기를 댄다.	• 심음이 가장 잘 들리는 부위이다.
11. 리듬이 규칙적이면 30초간 심음을 듣고 2배를 곱한다. 불규칙적이면 1분간 심음을 듣는다. 불규칙적인 리듬이나 횟수는 책임간호사나 주치의에게 보고한다.	• 요골맥박과 구분하여 심첨맥박임을 특별히 표시하여 기록한다.
12. 환의를 입히고 대상자를 편안하게 해준다.	
13. 손을 씻는다.	
14. 기록지에 기록하고, 이상이 있으면 보고한다.	

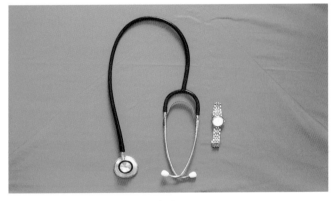

단계 2

단계 9

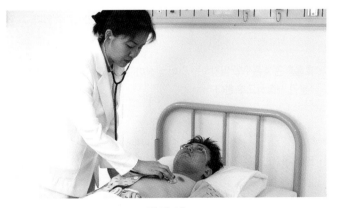

단계 10

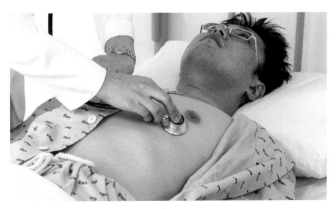

단계 11

3) 심첨-요골맥박(apical-radial pulse)

맥박 측정의 단계와 근거(심첨 - 요골맥박)

단계	근거
1. 1~6번까지는 요골맥박의 측정 절차와 동일함.	
7. 두 명의 간호사가 필요하므로 다른 간호사의 도움을 청한다.	• 한 명은 요골맥박을 측정하고, 다른 한 명은 심첨 맥박을 측정한다.
8. 대상자를 눕게 하거나 앉게 하고 활동 후 2~3분 후에 측정한다.	
9. 대상자의 프라이버시를 유지하고 청진기를 댈 부위의 가슴만 노출시킨다.	
10. 한 간호사는 몇 초간 청진기의 판막 부위를 손바닥으로 잡고 있다가 제5늑골간과 왼쪽 쇄골 중심선이 만나는 부위에 청진기를 댄다.	
11. 다른 간호사는 요골맥박을 측정한다.	• 맥박결손을 관찰하기 위함이다.
12. 동시에 지정된 시각부터 1분간 맥박 수를 재어 심첨맥박과 요골맥박 수가 일치하는지를 확인한다.	• 심첨맥박과 요골맥박의 측정치가 10회 이상 차이가 나면 맥박결손(pulse deficit)이라 하며, 이는 심장 수축력의 약화 상태를 반영한다.
13. 손을 씻는다.	
14. 기록지에 기록하고, 이상이 있으면 보고한다.	

3. 호흡 측정

- **목적**
  - 정확한 호흡률을 측정한다.

- **준비물품**
  - 초침 시계, 기록지, 펜

호흡 측정의 단계와 근거

단계	근거
1. 맥박 측정 후에 자세를 변화시키지 않으면서 호흡의 한 주기(흡기와 호기)를 관찰한다.	• 맥박 측정 시와 같은 자세로 호흡을 측정하도록 한다. 대상자가 의식하지 못하도록 해야 호흡률과 깊이가 변하는 것을 예방할 수 있다.
2. 호흡 주기를 관찰한 후 호흡률을 측정한다.	
3. 리듬이 규칙적일 경우 30초간 측정하여 2배한다. 리듬이 불규칙하거나 호흡수가 12회 이하 또는 20회 이상일 경우 1분간 측정하도록 한다.	• 호흡률은 호흡수와 일치하는 것이 정상이다. 불규칙적일 경우 최소 1분간 사정하도록 한다.
4. 호흡수를 측정하는 동안 호흡 깊이를 사정하기 위해 흉부의 움직임을 관찰한다.	
5. 대상자에게서 비정상적인 호흡양상이 있는지 주의 깊게 듣는다.	• 만성 폐질환 대상자일 경우 호흡곤란이 있을 수 있다.
6. 손을 씻는다.	
7. 기록지에 기록하고, 이상이 있으면 보고한다.	

4. 혈압 측정

- **목적**
  - 정확한 혈압을 측정하여 정상과 비정상을 구별한다.

- **준비물품**
  - 혈압계(아네로이드), 청진기, 알코올솜, 기록지, 펜

1) 상완혈압

혈압 측정의 단계와 근거(상완혈압)

단계	근거
1. 1~6번까지는 요골맥박의 측정 절차와 동일함.	
7. 혈압 측정 목적과 방법을 설명하고 환의를 어깨까지 올린다.	
8. 대상자를 편안하게 눕거나 앉도록 하고 팔을 심장 높이로 지지해준다.	
9. 혈압계의 눈금이 '0'에 있는지 확인한다. 청진기의 귀꽂이와 판막부위를 알코올솜으로 닦는다.	
10. 2, 3번째 손가락으로 상완동맥을 촉지한다.	
11. 상완동맥 위로 커프주머니의 중심이 오도록 하면서 커프의 가장 아랫부분이 상완동맥 촉지부위보다 2~3cm 위에 오도록 놓고 부드럽게 감싼다.	• 두 손가락이 들어갈 여유를 둔다. 너무 느슨하게 커프를 감쌀 경우 실제 혈압보다 높게 측정될 수 있다.

단계 10

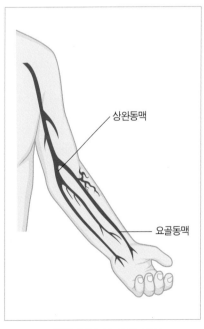

상완동맥

요골동맥

혈압 측정 시 촉진 부위

혈압 측정의 단계와 근거(상완혈압)(계속)

단계	근거
12. 맥박을 촉지하면서 공기 펌프의 조절밸브를 감고 커프를 부풀리면서 맥박이 사라지는 지점을 기억하여 둔다.	
13. 조절밸브를 풀어 커프에서 공기를 빼면서 다시 맥박이 촉진되는 지점을 확인한다. 커프의 공기를 완전히 빼고 30초 정도 기다린다.	• 혈압이 낮게 측정되는 것을 예방하기 위함이다.
14. 청진기를 상완동맥 위에 놓고 맥박이 없어진 지점보다 30mmHg 이상 압력이 올라가도록 공기를 주입시켜 커프를 부풀린다.	• 지나치게 조일 경우 이완기 혈압이 낮게 측정될 수 있다.
15. 서서히 조절밸브를 풀어 눈금이 2~4mmHg/초 속도로 떨어지도록 한다.	• 너무 빠르거나 느리게 압력을 변화시킬 경우 부정확하게 측정될 수 있다.
16. 처음으로 깨끗한 소리가 들리는 지점과 소리가 완전히 사라지는 지점을 읽는다.	• 소음은 Korotkoff음을 구별하는데 방해가 되므로 조용한 환경에서 측정하도록 한다.
17. 커프의 공기를 완전히 빼고 대상자의 팔에서 커프를 제거한다.	
18. 대상자의 혈압을 처음 사정할 경우에는 반대편 팔에서도 반복하도록 한다.	• 양쪽팔의 순환문제가 있는지를 알기 위해 혈압을 비교한다 (5~10mmHg 차이는 정상으로 간주한다).
19. 어깨까지 올린 환의를 내려주고 혈압계를 정리한다.	
20. 청진기의 귀꽂이, 판막부위를 알코올솜으로 닦은 후 손을 씻는다.	
21. 기록지에 기록하고, 이상이 있다면 보고한다.	

2) 대퇴혈압

 혈압 측정의 단계와 근거(대퇴혈압)

단계	근거
1. 1~7는 상완혈압 측정과 동일함.	
8. 슬와동맥에서 혈압을 사정할 수 있도록 복위를 취하게 한다(대상자가 복위를 취할 수 없는 경우에는 앙와위에서 무릎을 약간 구부리게 한다).	• 복위에서 슬와동맥을 가장 잘 사정할 수 있다.
9. 환의를 올리고 침대 시트를 걷어 측정 부위를 노출시킨다.	
10. 혈압계의 눈금이 '0'에 있는지 확인한다.	
11. 슬와 부위에서 무릎 뒤쪽 대퇴 아래쪽에 슬와동맥을 촉지하여 확인한다.	
12. 커프의 가장 아랫부분이 슬와동맥 위쪽 2~3cm 되는 지점으로 오도록 놓고 감는다.	• 너무 느슨하게 거프를 감쌀 경우 실제 혈압보다 높게 측정될 수 있다. • 혈압이 낮게 측정되는 것을 예방하기 위함이다.
13. 맥박을 촉지하면서 공기 펌프의 조절밸브를 감고 커프를 부풀리면서 맥박이 사라지는 지점을 기억하여 둔다.	
14. 조절밸브를 풀어 커프에서 공기를 빼면서 다시 맥박이 촉진되는 지점을 확인한다. 커프의 공기를 완전히 빼고 30초 정도 기다린다.	
15. 청진기를 슬와동맥 위에 놓고 맥박이 없어진 지점보다 30mmHg 위로 커프를 부풀린다.	• 지나치게 조일 경우 이완기 혈압이 낮게 측정될 수 있다.
16. 서서히 조절밸브를 풀어 눈금이 2~4mmHg/초 속도로 떨어지도록 한다.	• 너무 빠르거나 느리게 압력을 변화시킬 경우 부정확하게 측정될 수 있다.
17. 처음으로 깨끗한 소리가 들리는 지점과 소리가 완전히 사라지는 지점을 눈높이에서 읽는다.	• 소음은 Korotkoff음을 구별하는데 방해가 되므로 조용한 환경에서 측정하도록 한다.
18. 커프의 공기를 완전히 빼고 대상자의 팔에서 커프를 제거한다.	
19. 올린 환의를 내려주고 혈압계를 정리한다.	
20. 청진기의 귀꽂이, 판막부위를 알코올솜으로 닦은 후 손을 씻는다.	
21. 기록지에 기록하고, 이상이 있다면 보고한다.	

대퇴혈압을 측정하는 경우

- 수액요법을 시행하고 있는 경우
- 상지에 arteriovenous shunt 나 fistula가 있는 경우
- 유방수술이나 액와 수술을 한 경우
- 상지에 상처가 있거나 질병, 석고 붕대, 두꺼운 붕대를 감고 있는 경우
- 상완동맥으로 혈압을 사정할 수 없는 경우나 팔의 측정치와 비교하기 위해서

혈압 측정 시 나타날 수 있는 오류

오류	결과
커프의 넓이가 너무 좁을 경우	실제 혈압보다 높게 측정
커프의 넓이가 너무 넓을 경우	실제 혈압보다 낮게 측정
팔을 심장 높이로 지지하지 않을 경우	실제 혈압보다 높게 측정
혈압 측정 전에 충분히 안정이 안된 경우	실제 혈압보다 높게 측정
반복 측정시 충분히 휴식되지 않은 경우	실제보다 수축기 혈압은 높고 이완기 혈압은 낮게 측정
커프를 느슨하게 감은 경우	실제 혈압보다 높게 측정
커프의 공기를 지나치게 빨리 제거할 경우	실제보다 수축기 혈압은 낮고 이완기 혈압은 높게 측정
팔의 높이가 심장보다 높은 경우	실제 혈압보다 낮게 측정
음식물 섭취 직후나 흡연 직후	실제 혈압보다 높게 측정

체온 측정(구강체온 측정)

평가일자 _____   평가자 이름 _____

No	수 행 항 목	수행	미수행	비고
1	손을 씻는다.			
2	필요한 물품을 준비한다(전자체온계, 휴지, 소독솜).			
3	준비한 물품을 가지고 대상자에게 가서 간호사 자신을 소개한다.			
4	대상자의 이름을 개방형으로 질문하여 대상자를 확인하고, 입원 팔찌와 환자 기록지의 이름, 등록번호를 대조하여 재확인한다.			
5	대상자에게 목적과 절차를 설명한다.			
6	체온계의 온도감지 부분의 반대편을 쥐고 소독솜으로 온도감지 부분을 닦은 다음 휴지로 한 번 더 닦는다. 스위치를 눌러 전원을 켠다.			
7	대상자에게 입을 벌리도록 해 대상자의 혀 후면 좌측, 우측의 sublingual pocket 부위에 체온계를 놓고 입을 다물도록 한다(체온계를 깨물지 않도록 주의를 준다).			
8	체온계 화면의 숫자가 더이상 깜박거리지 않거나 신호음이 울리면 체온계를 꺼낸다. 입 속에 삽입되었던 부분을 휴지나 알코올솜으로 닦아낸 후 화면에 나타난 숫자를 읽는다.			
9	체온계를 끄고 보관용기에 넣는다.			
10	손을 씻는다.			
11	기록지에 측정한 체온을 기록한다.			

체온 측정(액와체온 측정)

평가일자 _____   평가자 이름 _____

No	수 행 항 목	수행	미수행	비고
1	손을 씻는다.			
2	필요한 물품을 준비한다(전자체온계, 휴지, 소독솜).			
3	준비한 물품을 가지고 대상자에게 가서 간호사 자신을 소개한다.			
4	대상자의 이름을 개방형으로 질문하여 대상자를 확인하고, 입원 팔찌와 환자 기록지의 이름, 등록번호를 대조하여 재확인한다.			
5	대상자에게 목적과 절차를 설명한다.			
6	체온계의 온도감지 부분의 반대편을 쥐고 소독솜으로 온도감지 부분을 닦은 다음 휴지로 한 번 더 닦는다. 스위치를 눌러 전원을 켠다.			
7	대상자의 액와를 노출시키고 앙와위나 좌위를 취해준다.			
8	필요시 휴지나 타월로 액와 부위를 두드려서 건조시킨다.			
9	체온계의 끝이 대상자의 액와 중앙에 오도록 꽂는다.			
10	체온계보다 대상자의 팔이 밑에 오도록 하면서 가슴 위에 전박을 올려놓는다.			
11	8~10분이 경과한 후 또는 신호음이 울리면 체온계를 뺀다. 눈높이에서 체온을 소수점 한 자리까지 읽는다.			
12	체온계를 알코올솜으로 닦은 후 전원을 끄고 보관용기에 넣는다.			
13	손을 씻는다.			
14	기록지에 측정한 체온을 기록한다.			

체온 측정(직장체온 측정)

평가일자 _____ 평가자 이름 _____

No	수 행 항 목	수행	미수행	비고
1	손을 씻는다.			
2	필요한 물품을 준비한다(직장체온계, 휴지, 소독솜).			
3	준비한 물품을 가지고 대상자에게 가서 간호사 자신을 소개한다.			
4	대상자의 이름을 개방형으로 질문하여 대상자를 확인하고, 입원 팔찌와 환자 기록지의 이름, 등록번호를 대조하여 재확인한다.			
5	대상자에게 목적과 절차를 설명한다.			
6	체온계의 온도감지 부분의 반대편을 쥐고 소독솜으로 온도감지 부분을 닦은 다음 휴지로 한 번 더 닦는다. 스위치를 눌러 전원을 켠다.			
7	병실 문을 닫거나 커튼을 친다.			
8	팔은 구부리고 항문이 노출되도록 측위, 복위, 또는 심스체위로 대상자를 눕힌다. 신생아나 영아의 경우는 누운 자세에서 양쪽 다리를 잡아 올린다.			
9	일회용 장갑을 끼고 체온계 끝 2.5~3.5㎝(1~1$\frac{1}{2}$인치)에 수용성 윤활제를 바른다.			
10	대상자에게 심호흡을 하도록 하고 부드럽게 체온계를 넣는다. 배꼽을 향하여 항문으로 삽입한다(깊이- 영아: 1.3cm, 성인: 3.5cm).			
11	체온계의 끝을 잡고 2~3분이 경과한 후 체온계를 뺀다.			
12	소독솜으로 분비물을 닦고 눈높이에서 눈금을 읽는다.			
13	대상자의 항문주위를 휴지로 닦아주고 편안하게 해 준다.			
14	체온계를 소독솜으로 닦은 후 보관한다.			
15	손을 씻는다.			
16	기록지에 측정한 체온을 기록한다. "R"로 표시하여 기록한다.			

체온 측정(고막체온 측정)

평가일자 _____   평가자 이름 _____

No	수 행 항 목	수행	미수행	비고
1	손을 씻는다.			
2	필요한 물품을 준비한다(고막체온계, 탐침커버).			
3	준비한 물품을 가지고 대상자에게 가서 간호사 자신을 소개한다.			
4	대상자의 이름을 개방형으로 질문하여 대상자를 확인하고, 입원 팔찌와 환자 기록지의 이름, 등록번호를 대조하여 재확인한다.			
5	대상자에게 목적과 절차를 설명한다.			
6	탐침커버로 고막체온계 탐침을 덮는다.			
7	대상자의 머리를 한쪽으로 돌린다. 성인 대상자는 귓바퀴를 후상방으로, 3세미만의 소아 대상자는 귓바퀴를 후하방으로 당긴 후 탐침을 부드럽게 외이도로 삽입한다.			
8	디지털 액정부분에 체온이 측정되면 탐침을 빼낸 다음 측정치를 읽는다.			
9	탐침커버를 제거하고 보관용기에 넣는다.			
10	손을 씻는다.			
11	기록지에 측정한 체온을 기록한다.			

맥박 측정(요골맥박 측정)

평가일자 _____ 평가자 이름 _____

No	수 행 항 목	수행	미수행	비고
1	손을 씻는다.			
2	필요한 물품을 준비한다(초침시계).			
3	준비한 물품을 가지고 대상자에게 가서 간호사 자신을 소개한다.			
4	대상자의 이름을 개방형으로 질문하여 대상자를 확인하고, 입원 팔찌와 환자 기록지의 이름, 등록번호를 대조하여 재확인한다.			
5	대상자에게 목적과 절차를 설명한다.			
6	앉거나 눕게 하여 편안한 자세를 취한다. · 앙와위일 경우 대상자의 상박을 곧게 편 자세를 취하게 하거나 손목은 펴고 가슴하부나 상복부에 올린 자세를 취하도록 한다. · 좌위일 경우 대상자의 팔꿈치를 90도로 구부리게 하고 의자나 간호사의 팔로 팔 하부를 지지해 준다.			
7	요골동맥위에 2, 3, 4번째 또는 2, 3번째 손가락 끝을 대고 맥박을 확인한 후 살며시 누른다.			
8	1분 동안 맥박을 잰다. 만일 리듬이 규칙적이면 30초간 재서 2배한다.			
9	손을 씻는다.			
10	기록지에 측정한 맥박을 기록한다.			

맥박 측정(심첨맥박 측정)

평가일자 _____   평가자 이름 _____

No	수 행 항 목	수행	미수행	비고
1	손을 씻는다.			
2	필요한 물품을 준비한다(초침시계,청진기).			
3	준비한 물품을 가지고 대상자에게 가서 간호사 자신을 소개한다.			
4	대상자의 이름을 개방형으로 질문하여 대상자를 확인하고, 입원 팔찌와 환자 기록지의 이름, 등록번호를 대조하여 재확인한다.			
5	대상자에게 목적과 절차를 설명한다.			
6	청진기의 귀에 꼽는 부분과 판막(diaphragm)을 알코올솜으로 닦는다.			
7	대상자를 앉히거나 앙와위로 눕힌다.			
8	청진기의 판막을 몇 초간 손으로 잡아서 따뜻하게 한다.			
9	대상자의 가슴을 노출시키고 4번째에서 5번째 늑간(intercostal space)과 왼쪽 쇄골 중심선(midclavicular line)과 만나는 지점에 청진기를 댄다.			
10	리듬이 규칙적이면 30초간 심음을 듣고 2배를 곱한다. 불규칙적이면 1분간 심음을 듣는다. 불규칙적인 리듬이나 횟수는 책임간호사나 주치의에게 보고한다.			
11	환의를 입히고 대상자를 편안하게 해준다.			
12	손을 씻는다.			
13	기록지에 기록한다.			

맥박 측정(심첨 – 요골맥박 측정)

평가일자 _____ 평가자 이름 _____

No	수 행 항 목	수행	미수행	비고
1	두 명의 간호사가 필요하므로 다른 간호사의 도움을 청한다.			
2	손을 씻는다.			
3	필요한 물품을 준비한다(초침시계, 청진기).			
4	준비한 물품을 가지고 대상자에게 가서 간호사 자신을 소개한다.			
5	대상자의 이름을 개방형으로 질문하여 대상자를 확인하고, 입원 팔찌와 환자 기록지의 이름, 등록번호를 대조하여 재확인한다.			
6	대상자에게 목적과 절차를 설명한다.			
7	대상자를 눕게 하거나 앉게 하고 활동 후 2~3분 후에 측정한다.			
8	대상자의 프라이버시를 유지하고 청진기를 댈 부위의 가슴만 노출시킨다.			
9	한 간호사는 몇 초간 청진기의 판막 부위를 손바닥으로 잡고 있다가 제5늑간과 왼쪽 쇄골 중심선이 만나는 부위에 청진기를 댄다.			
10	다른 간호사는 요골맥박을 측정한다.			
11	동시에 지정된 시각부터 1분간 맥박 수를 재어 심첨맥박과 요골맥박수가 일치하는지를 확인한다.			
12	손을 씻는다.			
13	기록지에 기록한다.			

호흡 측정

평가일자 _____   평가자 이름 _____

No	수 행 항 목	수행	미수행	비고
1	맥박 측정 후에 자세를 변화시키지 않으면서 호흡의 한 주기(흡기와 호기)를 관찰한다.			
2	호흡 주기를 관찰한 후 호흡률을 측정한다.			
3	리듬이 규칙적일 경우 30초간 측정하여 2배한다. 리듬이 불규칙하거나 호흡수가 12회 이하 또는 20회 이상일 경우 1분간 측정하도록 한다.			
4	호흡수를 측정하는 동안 호흡 깊이를 사정하기 위해 흉부의 움직임을 관찰한다.			
5	대상자에게서 비정상적인 호흡양상이 있는지 주의 깊게 듣는다.			
6	손을 씻는다.			
7	기록지에 측정한 호흡수를 기록한다.			

혈압 측정(상완혈압 측정)

평가일자 _____ 평가자 이름 _____

No	수 행 항 목	수행	미수행	비고
1	손을 씻는다.			
2	필요한 물품을 준비한다.			
3	준비한 물품을 가지고 대상자에게 가서 간호사 자신을 소개한다.			
4	대상자의 이름을 개방형으로 질문하여 대상자를 확인하고, 입원 팔찌와 환자 기록지의 이름, 등록번호를 대조하여 재확인한다.			
5	대상자에게 목적과 절차를 설명한다.			
6	혈압 측정할 것을 알리고 환의를 어깨까지 올린다.			
7	대상자를 편안하게 눕거나 앉도록 하고 팔을 심장 높이로 지지해준다.			
8	혈압계의 눈금이 '0'에 있는지 확인한다.			
9	2~3번째 손가락으로 상완 동맥을 촉지한다.			
10	상완동맥 위로 커프주머니의 중심이 오도록 하면서 커프의 아랫부분이 상완동맥 촉지부위보다 2~3cm 위에 오도록 놓고 부드럽게 감싼다.			
11	맥박을 촉지하면서 공기 펌프의 조절밸브를 감고 커프를 부풀리면서 맥박이 사라지는 지점을 기억하여 둔다.			
12	조절밸브를 풀어 커프에서 공기를 빼면서 다시 맥박이 촉진되는 지점을 확인한다. 커프의 공기를 완전히 빼고 30초 정도 기다린다.			
13	청진기를 상완동맥 위에 놓고 맥박이 없어진 지점보다 30mmHg 이상 압력이 올라오도록 커프를 부풀린다.			
14	서서히 조절밸브를 풀어 눈금이 2~4mmHg/sec 속도로 떨어지도록 한다.			
15	처음으로 깨끗한 소리가 들리는 지점과 소리가 완전히 사라지는 지점을 읽는다.			

혈압 측정(상완혈압 측정)(계속)

No	수 행 항 목	수행	미수행	비고
16	커프의 공기를 완전히 빼고 대상자의 팔에서 커프를 제거한다.			
17	대상자의 혈압을 처음 사정할 경우에는 반대편 팔에서도 반복하도록 한다.			
18	어깨까지 올린 환의를 내려주고 혈압계를 정리한다.			
19	손을 씻고 측정한 혈압을 기록한다.			

혈압 측정(대퇴혈압 측정)

평가일자 _____ 평가자 이름 _____

No	수 행 항 목	수행	미수행	비고
1	손을 씻는다.			
2	필요한 물품을 준비한다(청진기, 혈압계, 대상자에게 적당한 크기의 커프).			
3	준비한 물품을 가지고 대상자에게 가서 간호사 자신을 소개한다.			
4	대상자의 이름을 개방형으로 질문하여 대상자를 확인하고, 입원 팔찌와 환자 기록지의 이름, 등록번호를 대조하여 재확인한다.			
5	대상자에게 목적과 절차를 설명한다.			
6	슬와동맥에서 혈압을 사정할 수 있도록 복위를 취하게 한다(대상자가 복위를 취할 수 없는 경우에는 앙와위에서 무릎을 약간 구부리게 한다).			
7	환의를 올리고 침대 시트를 걷어 측정 부위를 노출시킨다.			
8	혈압계의 눈금이 '0'에 있는지 확인한다.			
9	슬와 부위에서 무릎 뒤쪽 대퇴 아래쪽에 슬와동맥을 촉지하여 확인한다.			
10	커프의 아랫부분이 슬와동맥 위쪽 2~3cm 되는 지점으로 오도록 놓고 감는다.			
11	맥박을 촉지하면서 공기 펌프의 조절밸브를 감고 커프를 부풀리면서 맥박이 사라지는 지점을 기억하여 둔다.			
12	조절밸브를 풀어 커프에서 공기를 빼면서 다시 맥박이 촉진되는 지점을 확인한다. 커프의 공기를 완전히 빼고 30초 정도 기다린다.			
13	청진기를 슬와동맥 위에 놓고 맥박이 없어진 지점보다 30mmHg 위로 커프를 부풀린다.			
14	서서히 조절밸브를 풀어 눈금이 2~4mmHg/sec 속도로 떨어지도록 한다.			
15	처음으로 깨끗한 소리가 들리는 지점과 소리가 완전히 사라지는 지점을 눈높이에서 읽는다.			
16	커프의 공기를 완전히 빼고 대상자의 다리에서 커프를 제거한다.			

혈압 측정(대퇴혈압 측정)(계속)

No	수 행 항 목	수행	미수행	비고
17	올린 환의를 내려주고 혈압계를 정리한다.			
18	손을 씻고 측정한 혈압을 기록한다.			

PART III

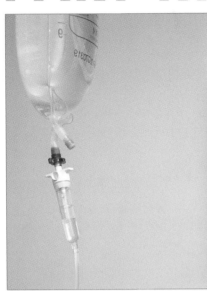

FUNDAMENTALS OF NURSING
PRACTICE GUIDE

대상자 일상생활 요구와 관련된 간호

본 단원에서는 대상자가 일상 생활을 영위할 때 갖게 되는 기본적인 간호 요구를 충족시키는데 관여되는 간호 술과 간호지식을 다루었다. 따라서 대상자의 신체·정신 상태에 따라 단 계적으로 적용할 수 있는 기본적 생 활 영위에 필요한 다양한 간호술을 다루었다.

개인 위생

개인위생은 대상자의 안위와 안녕에 중요한 역할을 한다. 그러나 질병이 있거나 회복기에 있는 많은 대상자들은 자가간호를 수행할 신체적 에너지가 부족하여 다른 사람에게 일시적 혹은 영구적으로 의존해야 한다.

개인위생은 혈액순환을 돕고 수분을 공급하여 피부통합성을 유지하는 데 필수적이다. 피부통합성이 유지되면 (1) 감염에 대한 저항력 증진 (2) 접촉, 통증, 열, 냉, 압력에 대한 인지 (3) 체온 조절이 가능하다.

목욕의 장점

장점	근거
피부청결	· 땀, 박테리아, 피지, 각질을 제거하여 피부 자극을 최소화하고 감염의 기회를 줄인다.
혈액순환촉진	· 근육 활동, 따뜻한 물, 사지 자극은 혈액순환을 자극한다.
운동범위증진	· 사지의 움직임은 관절의 기능을 증진시킨다.
냄새제거	· 겨드랑이와 외음부 분비물을 제거하여 냄새를 없앤다.
신체상 증진	· 근육 이완과 청결감, 안위를 증진시킨다. 특히 머리감기와 구강간호는 외모를 단정하게 하여 신체적 안녕감을 높여줄 수 있다.

피부와 관련된 간호 문제 및 간호 중재

	간호 문제	간호 중재
건조한 피부	벗겨지고 거친 피부는 갈라지거나 감염되기 쉽다.	· 잦은 목욕은 피한다. · 비누로 깨끗이 헹구어낸다. · 수분섭취를 증가시킨다. · 보습을 위해 로션을 바른다.
여드름	박테리아로 인한 염증성 질환으로 구진성 농포가 형성된다. 피지선이 많은 얼굴, 목, 어깨, 등에 흔히 나타난다.	· 머리를 매일 감는다. · 화장을 지울 때는 따뜻한 물과 비누로 두 번씩 깨끗이 씻는다. · 모공에 축적될 수 있는 화장품의 사용을 피한다. · 처방된 항생제 연고를 바른다.
다모증	여성에게 신체의 털이 과도하게 많은 것으로 남성형 외모가 형성되어 신체상에 장애를 줄 수 있다.	· 면도가 가장 안전한 방법이다. · 전기분해로 모낭을 파괴하여 털을 제거할 수 있다. · 표백이나 핀셋으로 뽑는 것은 일시적인 방법이다. · 탈모제는 털을 제거할 수는 있으나 감염, 발진, 피부염을 일으킬 수 있다.
피부 발진	태양광선에 과다한 노출, 알레르기 반응 등으로 나타난다. 발진은 편평하거나 약간 융기되어 있으며 국소적으로 나타난다. 소양증이 있을 수 있다.	· 깨끗이 씻는다. · 항염제를 사용하여 가려움증을 줄이고 상처 치유를 도울 수 있다. · 냉요법이나 온요법이 염증을 완화시킬 수 있다.
접촉성 피부염	항원성 물질에 접촉한 후 나타난다. 삼출성 홍반, 소양증, 통증이 있다.	· 원인이 되는 항원성 물질을 확인하여 접촉을 피한다.
찰과상	표피가 벗겨진 것으로 국소화된 출혈과 장액성 삼출물이 있다. 상처 부위가 감염되기 쉽다.	· 물과 강도가 약한 비누로 씻어낸다. · 드레싱을 자주 관찰하여 감염되지 않도록 한다.

1. 구강 간호

1) 일반 구강 간호

- **목적**
  - 의식이 있는 대상자의 치아와 구강 점막을 청결하게 유지한다.
  - 잇몸의 혈액순환을 촉진한다.
  - 입냄새를 제거하고 식욕을 돋우며, 기분을 상쾌하게 한다.

- **준비물품**
  - 부드러운 칫솔, 치약
  - 곡반, 물과 컵, 수건이나 휴지
  - 필요시 빨대
  - 구강세정제, 면봉, 윤활제
  - 깨끗한 장갑

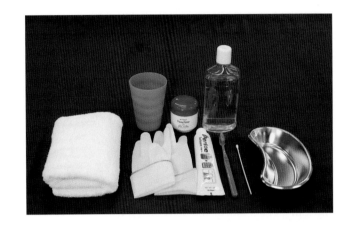

 구강 간호의 단계와 근거(일반 구강 간호)

단계	근거
1. 손을 씻는다.	• 미생물 전파를 줄이기 위함이다.
2. 필요한 물품을 준비한다.	
3. 준비한 물품을 가지고 대상자에게 가서 간호사 자신을 소개한다.	
4. 손을 씻는다.	• 미생물 전파를 줄이기 위함이다.
5. 대상자의 이름을 개방형으로 질문하여 대상자를 확인하고, 입원 팔찌와 환자 기록지의 이름, 등록번호를 대조하여 재확인한다.	
6. 대상자에게 목적과 절차를 설명한다.	• 대상자의 협조를 얻기 위함이다.
7. 가능하면 대상자를 앉게 하거나 침대의 상체를 높여주고 턱밑에 수건을 편다.	• 좌위는 폐로 물이 흡인되지 않도록 하며 수건은 대상자의 옷이 젖지 않게 한다.
8. 간호사 쪽으로 머리를 약간 돌리게 하고 장갑을 낀다.	• 장갑은 혈액이나 혈액으로 전염되는 감염에 노출되는 것을 막아준다.
9. 칫솔에 물을 적신 다음 치약을 묻힌다.	• 물은 칫솔을 부드럽게 해준다.
10. 치아를 닦는다.	
a. 칫솔을 치아에 45도 각도로 대고 잇몸에서 치아 쪽으로 짧게 빗질하듯이 칫솔질한다.	• 45도 각도를 유지하면 치아의 표면을 고루 닦을 수 있고, 프라그와 치석을 쉽게 제거할 수 있다.
b. 치아의 외면과 내면을 깨끗이 닦는다.	
c. 혀를 칫솔로 부드럽게 닦아준다.	• 혀의 백태를 제거할 수 있으며, 부드럽게 닦아야 구토반사를 자극하지 않는다.
11. 턱밑에 곡반의 오목한 부분을 대고 입안에 고인 치약과 침을 혀로 밀어내게 한다.	

구강 간호의 단계와 근거(일반 구강 간호)(계속)

단계	근거
12. 대상자로 하여금 물을 마시게 한 후 입안을 힘있게 헹구고 곡반에 뱉게 한다. 입안을 여러번 헹구어 낸다.	• 입안을 힘있게 헹구어야 찌꺼기가 제거된다.
13. 필요하면 치실을 사용한다.	• 치실은 프라그를 제거할 수 있으며, 잇몸을 건강하게 유지시킨다.
	치실은 출혈의 가능성이 있으므로 혈액응고장애가 있는 대상자는 사용을 삼가한다.
14. 대상자가 원하면 구강세정제를 사용한다.	• 구강세정제는 입안을 개운하게 한다.
15. 곡반을 치우고 턱과 입 가장자리를 닦아준다.	
16. 입술에 윤활제를 발라준다.	• 입술이 거칠어지거나 건조해지지 않도록 한다.

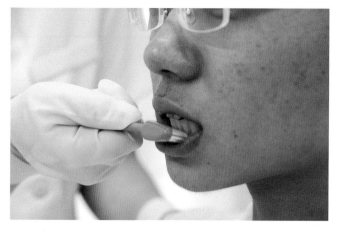

단계 10a (1) 칫솔을 치아에 45도 각도로 대기

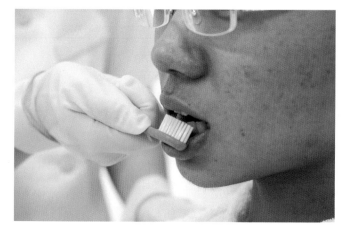

단계 10a (2) 잇몸에서 치아 쪽으로 짧게 칫솔질하기

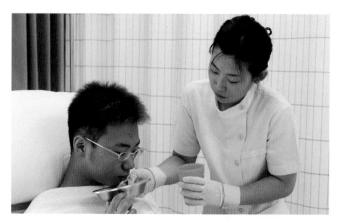

단계 11

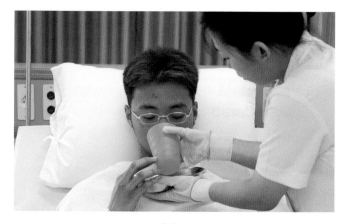

단계 12

구강 간호의 단계와 근거(일반 구강 간호)(계속)

단계	근거

17. 대상자를 편안한 체위로 취해준다.

18. 장갑을 벗고 사용한 물품을 정리한다.

19. 손을 씻는다.

20. 구강을 사정한 결과, 일반 구강간호 수행 과정과 대상자의 반응을
    기록한다.

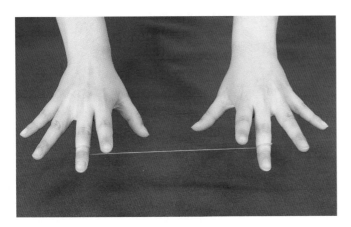

단계 13(1) 치실 사용법

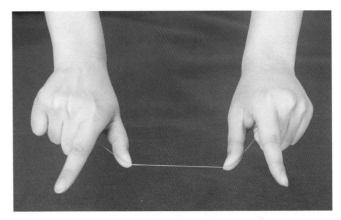

단계 13(2) 치실 사용법

2) 특별 구강 간호

- **목적**
  - 무의식 대상자의 치아와 구강 점막을 청결하게 유지한다.
  - 입냄새를 제거하고 잇몸의 혈액순환을 촉진한다.
  - 구강 감염을 예방한다.

- **준비물품**
  - mouth care set(곡반, 거즈 볼, 종지 2개, 지혈감자)
  - 가피를 연화시키기 위한 항균용액(클로르헥시딘)
  - 함수용액(생리식염수)
  - 거즈를 댄 설압자
  - 수건, 일회용 장갑
  - 윤활제, 면봉

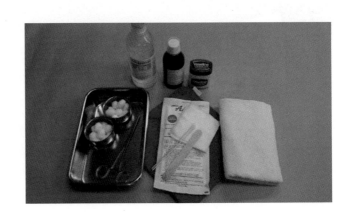

구강 간호의 단계와 근거(특별 구강 간호)

단계	근거
1. 손을 씻는다.	• 미생물 전파를 줄이기 위함이다.
2. 필요한 물품을 준비한다.	
3. 준비한 물품을 가지고 대상자에게 가서 간호사 자신을 소개한다.	
4. 손을 씻는다.	• 미생물 전파를 줄이기 위함이다.
5. 대상자의 이름을 개방형으로 질문하여 대상자를 확인하고, 입원 팔찌와 환자 기록지의 이름, 등록번호를 대조하여 재확인한다.	
6. 대상자에게 목적과 절차를 설명한다.	• 무의식인 대상자에게도 절차를 설명하는 것은 의미있는 자극이 되며 현실에 대한 지남력을 제공해 줄 수 있다.
7. 대상자를 측위로 눕히고 턱밑에 수건을 편다.	• 폐로 흡인되지 않게 한다.
8. 설압자를 거즈로 감싼다.	
9. mouth care set를 열어 한 종지에 항균용액(클로르헥시딘)을 따르고, 다른 종지에는 함수용액(생리식염수)을 따른다.	
10. 대상자의 턱 아래 곡반을 놓는다.	
11. 장갑을 착용한다.	
12. 대상자가 무의식인 경우 상·하 대구치 사이에 패드를 덧댄 설압자를 부드럽게 삽입하여, 윗니와 아랫니를 분리시킨다. 대상자가 입을 벌리고 이완될 때까지 기다려, 부드럽고 빠른 동작으로 설압자를 삽입한다. 이때 강압적으로 밀어넣지 않아야 한다.	• 설압자는 입을 벌리게 하여 구강을 수월하게 세척할 수 있다.
13. 지혈감자로 항균용액에 적신 거즈볼을 감싸쥔다.	• 과산화수소수는 장기간 사용하면 치아의 에나멜질을 손상시키므로 사용하지 않도록하며, 사용하게 될 경우 철저히 헹구어 낸다.

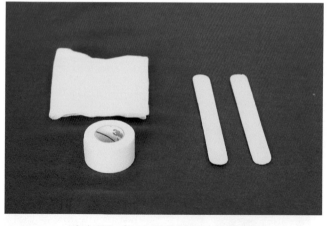

단계 8(1) 거즈로 감은 설압자 준비물품

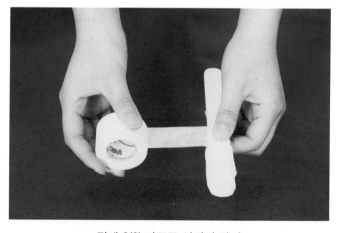

단계 8(2) 거즈로 설압자 감기

구강 간호의 단계와 근거(특별 구강 간호)(계속)

단계	근거

14. 치아표면, 혀, 잇몸, 구개, 뺨 안쪽을 깨끗이 닦는다. 거즈볼을 여러번 교환하며 닦아준다. 구토반사가 있는 경우, 구토반사를 자극하지 않도록 주의한다.

15. 함수용액에 적신 거즈볼로 여러번 닦아낸다. 의식이 있는 경우 빨대를 이용해 스스로 헹구도록 한다.

16. 설압자를 제거하고, 곡반을 치운 후 수건으로 턱과 입 주변을 닦아준다.

17. 면봉을 이용하여 입술에 윤활제를 바른다. • 입술이 거칠어지거나 건조해지지 않는다.

18. 대상자를 편안한 체위로 취해준다.

19. 장갑을 벗고 사용한 물품을 정리한다.

20. 손을 씻는다.

단계 9(1)

단계 9(2)

단계 12

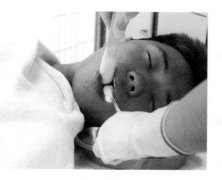

단계 14

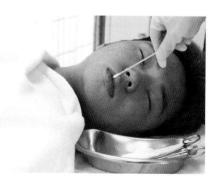

단계 17

3) 의치간호

- **목적**
  - 의치와 의치를 한 대상자의 구강을 청결하게 유지한다.
  - 입냄새를 제거하고 잇몸의 혈액순환을 촉진한다.
  - 의치의 손상 유무를 사정한다.

- **준비물품**
  - 부드러운 칫솔, 치약, 미온수
  - 장갑, 수건
  - 의치보관용기

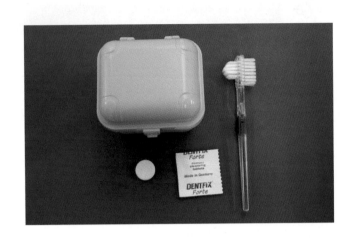

구강 간호의 단계와 근거(의치간호)

단계	근거
1. 간호사의 손을 씻는다.	• 손씻기는 미생물의 전파를 예방한다.
2. 필요한 물품을 준비한다.	
3. 대상자에게 간호사 자신을 소개한다.	
4. 대상자의 이름을 개방형으로 질문하여 대상자를 확인하고, 입원 팔찌와 환자 기록지의 이름, 등록번호를 대조하여 재확인한다.	
5. 대상자에게 의치를 닦을 것임을 알린다.	
6. 개수대에 수건을 깔고 미온수를 소량 채운다.	• 뜨거운 물은 의치의 모양을 변형시킬 수 있다. 또한 의치는 물에 젖으면 미끄러워지므로 수건을 깔고 미온수를 채워 파손되지 않도록 한다.
7. 장갑을 착용한다.	
8. 입안으로부터 의치를 뺀다. 대상자가 스스로 의치를 뺄 수 없으면 거즈로 의치를 잘 잡아 감싼 후 위아래로 조금씩 움직여 의치를 뺀다.	• 윗의치를 먼저 뺀 후 아래 의치를 뺀다.
9. 개수대에 의치를 가지고 간다.	
10. 칫솔에 주방세제나 전용세정제를 묻혀 먼저 의치의 저작면(biting surfaces)을 닦는다. 의치의 윗 부분에서 저작면을 향해 짧게 빗질하듯 두드리는 방법으로 의치의 바깥 면과 안쪽 면을 닦는다.	• 치약은 재료를 마모시킨다.
11. 미온수로 깨끗이 헹군다.	
12. 칫솔에 치약을 바르고 대상자의 잇몸, 구개, 혀를 부드럽게 닦고, 입안을 깨끗이 헹군다.	• 잇몸의 혈액 순환을 자극하고 잇몸과 점막에 있는 불순물을 제거한다.
13. 의치를 고정하기 위해 접착제를 사용하는 경우에는 의치의 부착면에 접착제를 얇게 바른다.	
14. 만약 의치를 삽입할 때 도움이 필요하다면 의치를 물에 적셔	

구강 간호의 단계와 근거(의치간호)(계속)

단계	근거
윗의치부터 제 위치에 놓고 단단히 누른다. 그 다음 아래 의치를 고정시킨다. 대상자에게 편안한지 물어본다.	
15. 의치를 사용하지 않을 때는 물이 담긴 용기에 보관하며, 용기에 대상자 이름, 병실번호를 적은 후 안전한 곳에 둔다.	• 의치를 제거하면 잇몸이 편안해지며, 박테리아의 증식을 줄일 수 있다. 의치를 물에 담가두면 뒤틀림을 예방하며, 삽입이 쉬워진다.

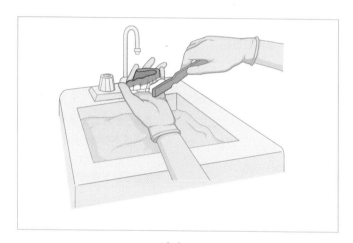

단계 10

2. 등 간호

• **목적**
  - 신체적, 정신적 이완을 돕는다.
  - 근육의 긴장을 완화한다.
  - 혈액 순환을 촉진한다.

• **준비물품**
  - 목욕담요, 목욕수건 2장(대, 소), 물수건 1장
  - 대야, 따뜻한 물
  - 마사지 로션, 마사지 파우더, 50% 알코올 중 선택

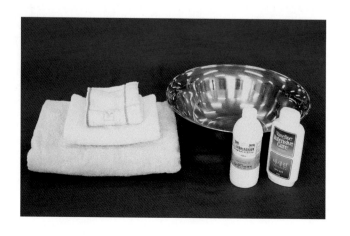

등 간호의 단계와 근거

단계	근거

1. 손을 씻는다.

- 손씻기는 미생물의 전파를 예방한다.

2. 필요한 물품을 준비한다.

3. 대상자에게 간호사 자신을 소개한다.

4. 대상자의 이름을 개방형으로 질문하여 대상자를 확인하고, 입원 팔찌와 환자 기록지의 이름, 등록번호를 대조하여 재확인한다.

5. 대상자에게 등마사지의 목적과 절차를 설명한다.

- 등마사지는 혈액순환과 근육 이완을 돕는다.

6. 침대를 간호사의 허리 높이로 조절하고 간호사 쪽 침대 난간을 내린다.

- 올바른 신체선열은 간호사 등의 불필요한 긴장을 줄일 수 있다.

7. 대상자를 침상가로 옮겨 복위나 측위로 눕힌다.

- 대상자를 편안하게 하며 마사지 할 부분만 노출시킬 수 있다.

> 호흡곤란이 있는 경우 침대 머리 부분을 상승시킨 상태에서 복위나 측위를 취한다.

8. 목욕담요를 덮어주고 마사지 할 부분만 노출시킨다.

- 불필요한 노출을 막고 보온을 유지한다.

9. 등, 어깨, 둔부를 노출시키고 목욕수건을 밑에 깔아 놓고 등을 부분 목욕시킨다.

10. 피부 상태에 따라 로션이나 알코올, 혹은 파우더를 바른다.

- 피부가 건성인 경우에는 로션을 사용하며, 지성일 경우에는 알코올이나 파우더를 사용한다.

11. 처음 천골 부위에서 둥글게 원을 그리며 마사지 하고, 둔부에서 어깨 쪽으로 힘있게 문지르며 올라간다. 견갑골 부위를 둥글게 원을 그리며 부드럽고 힘있게 문지르고 어깨와 상완 부위에서 다시 한번 둥글게 마사지 한 후 등의 측면을 따라 문지르면서 장골능까지 내려온다. 손바닥을 피부에 완전히 밀착 시켜 마사지 한다(8회 반복한다).

- 경찰법

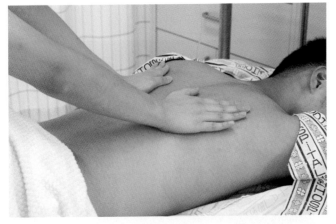

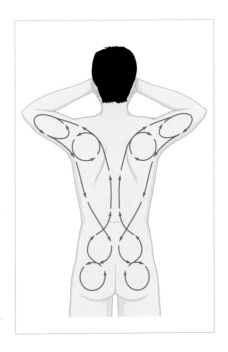

단계 11 경찰법

등 간호의 단계와 근거(계속)

단계	근거
12. 엄지손가락과 나머지 손가락 사이에 피부를 집어 올려 반죽하듯이 주무른다. 뼈 돌출 부위를 피하면서 척주의 양옆을 따라 올라가면서 목 주위의 근육을 주무른다(2회 반복한다).	• 유날법
	뼈 돌출 부위를 마사지하면 혈류가 감소되고 조직이 손상 될 수 있다.
13. 엄지손가락으로 척추의 극상돌기 양옆을 경추부터 아래로 깊고 둥글게 문지른다(2회 반복한다).	• 지압법
14. 등을 두드린다(경타법 중 한 가지를 선택하여 2회 반복한다).	• 경타법은 손을 모로 하여 치는 법(hacking), 컵모양으로 구부려 치는 법(clapping), 손끝으로 치는 법(tapping), 주먹 쥐고 치는 법(beating)이 있다. 경타법은 혈액 순환을 돕고 근육의 반사적 긴장완화를 도모한다.
15. 마지막으로 경찰법을 8회 시행한다.	
16. 마사지가 끝났음을 대상자에게 알리고, 발적이나 벗겨진 부분이 있는지 관찰한다. 로션이 많이 묻어 있는 경우 목욕 수건으로 닦아준다.	• 로션이 너무 많은 경우 피부가 물러진다.
17. 환의를 입도록 도와준다.	
18. 목욕수건을 치우고 침상을 정리한다.	
19. 간호사의 손을 씻는다.	
20. 피부상태, 대상자의 반응, 수행한 내용을 기록한다.	

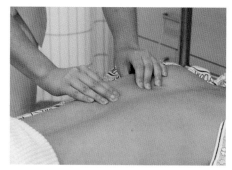
단계 12 유날법

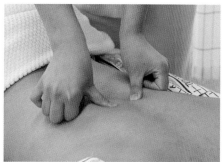
단계 13 지압법

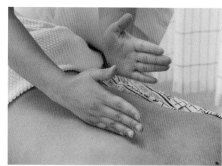
단계 14(1) 경타법 - 모로 치는 법

단계 14(2) 경타법 - 컵모양으로 구부려 치는 법

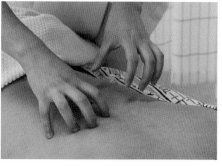
단계 14(3) 경타법 - 손끝으로 치는 법

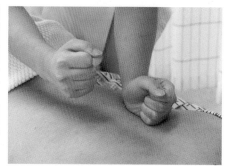
단계 14(4) 경타법 - 주먹쥐고 치는 법

3. 침상 세발 간호

- **목적**
  - 두피와 모발의 청결을 유지한다.
  - 두피의 혈액순환을 촉진한다.
  - 대상자의 안위를 증진한다.

- **준비물품**
  - 목욕담요, 방수포
  - 세발대(혹은 대야), 물받이용 양동이
  - 물주전자나 pitcher
  - 빗, 샴푸, 헤어드라이어
  - 목욕수건 1장(대), 세수수건
  - 약 40℃의 물

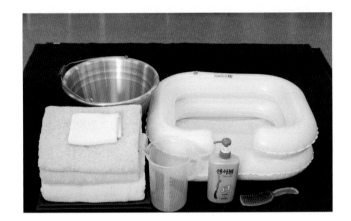

침상 세발 간호의 단계와 근거

단계	근거
1. 손을 씻는다.	• 손씻기는 미생물의 전파를 예방한다.
2. 필요한 물품을 준비한다.	
3. 대상자에게 간호사 자신을 소개한다.	
4. 대상자의 이름을 개방형으로 질문하여 대상자를 확인하고, 입원 팔찌와 환자 기록지의 이름, 등록번호를 대조하여 재확인한다.	
5. 대상자에게 침상세발 방법에 대해 설명한다.	
6. 세발대에 공기를 넣는다.	
7. 스크린을 친다.	• 대상자의 사생활을 유지한다.
8. 목욕담요를 덮은 후 윗 침구를 허리선까지 접어내린다.	
9. 대상자의 윗 환의 단추를 두세개 정도 열어 옷깃을 목 안쪽으로 접어 넣는다.	• 환의가 젖지 않도록 한다.

침상 세발 간호의 단계와 근거(계속)

단계	근거
10. 베개는 고무포로 감싸 대상자 어깨 밑에 밀어넣는다. 침상 머리 부분도 고무포로 덮는다.	• 침구가 젖지 않도록 한다.
11. 대상자의 목이 닿는 부분은 수건을 말아 대고, 머리 밑에 세발대를 놓은 후 배수구 끝을 양동이 안으로 늘어 뜨린다(대야를 사용할 수도 있다).	• 수건을 말아 목 부분에 대어주면 목의 과도한 신전을 막아 준다.
12. 목욕수건으로 대상자의 목과 어깨를 감싼 후 어깨 밑에 밀어넣는다.	
13. 작은 수건을 물에 적셔 물기를 짠 후 눈 위에 얹어놓는다. 솜으로 귀를 막는다.	• 눈과 귀에 물이 들어가지 않게 한다.
14. 머리카락을 빗질한다.	

단계 10(1)

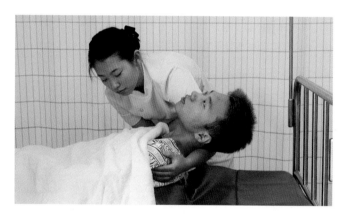

단계 10(2)

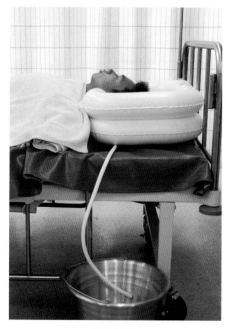

단계 11

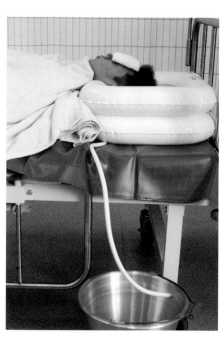

단계 12

침상 세발 간호의 단계와 근거(계속)

단계	근거
15. 대상자의 머리카락이 완전히 젖을 정도로 피쳐로 따뜻한 물을 붓는다.	• 물을 적시면 엉겨 있는 머리카락을 쉽게 풀 수 있다. 엉겨진 머리카락을 풀면 두피가 당겨져 생기는 통증을 예방할 수 있다.
16. 만약 대상자의 머리카락에 혈액이 엉겨있을 경우 hydrogen peroxide을 발라 혈액을 녹인 후 생리식염수로 헹군다.	
17. 손에 소량의 샴푸를 덜어서, hairline에서 후두 방향으로 손가락 끝을 이용해 마사지하듯 거품을 내어 문질러 준다. 머리를 가볍게 들어 후두부위를 씻는다.	• 마사지는 두피의 혈액순환을 촉진한다. 두피가 손상되지 않도록 손가락 끝으로 문지른다.
18. 피쳐를 이용해 물을 부어 비눗기가 없도록 반복하여 헹군다.	
19. 수건으로 물기를 닦아 낸다.	
20. 세발대와 고무포 등 사용한 물품을 치운다.	
21. 헤어드라이어를 이용해 두피와 모발의 남은 물기를 완전히 건조 시키고, 머리는 빗질을 하여 차분하게 해 준다.	
22. 물품을 정리한다.	
23. 두피와 모발의 사정내용과 수행내용을 기록한다.	

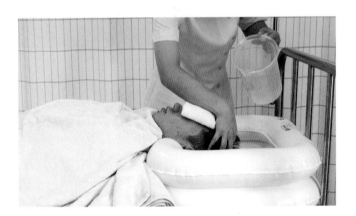

단계 15

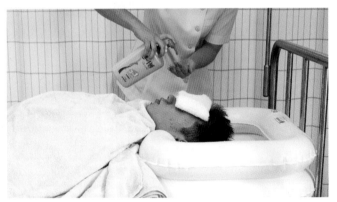

단계 17

4. 회음부 간호

1) 일반 회음부 간호

- **목적**
  - 회음부를 청결히 하고 냄새를 제거한다.
  - 회음부의 감염 발생을 최소화한다.
  - 편안함을 제공한다.

- **준비물품**
  - 물(43~46℃)
  - 대야, 비누
  - 물수건, 목욕담요, 목욕수건

  - 방수포나 침상용 변기
  - 스크린, 장갑

회음부 간호의 단계와 근거(일반 회음부 간호)

단계	근거
1. 손을 씻는다.	• 손씻기는 미생물의 전파를 예방한다.
2. 필요한 물품을 준비한다.	
3. 대상자에게 간호사 자신을 소개한다.	
4. 대상자의 이름을 개방형으로 질문하여 대상자를 확인하고, 입원 팔찌와 환자 기록지의 이름, 등록번호를 대조하여 재확인한다.	
5. 대상자에게 회음부 간호의 목적과 방법을 설명한다.	
6. 문을 닫고 스크린이나 커튼을 친다.	• 대상자의 사생활을 유지한다.
7. 방수포를 침대 위에 편다.	• 침상이 젖지 않도록 한다.
8. 목욕담요를 펴고 윗침구를 제거한다.	
9. 여자의 경우	
a. 배횡와위를 취하게 한 후 목욕 담요 끝으로 다리를 감싸준다.	• 신체의 불필요한 노출을 막고 보온을 유지한다.
b. 장갑을 착용한다.	
c. 물수건으로 장갑모양을 만들어 회음부를 직장방향으로 물과 비누로 닦는다.	
d. 음순을 벌려 요도와 질을 노출시킨 후, 소음순과 소음순 사이 주름을 닦는다. 이때 물수건의 각기 다른 면을 이용해 좌, 우 소음순을 요도에서 항문 방향으로 깨끗이 씻는다.	
e. 유치도뇨관이 삽입되어 있는 경우 카테터가 당겨지지 않도록 주의하면서 카테터 주변을 닦는다.	• 요관에 삽입되어 있는 카테터가 당겨지지 않아야 소변배액이 잘 된다.

회음부 간호의 단계와 근거(일반 회음부 간호)(계속)

단계	근거
10. 남자의 경우	
a. 앙와위를 취한다.	
b. 장갑을 착용한다.	
c. 음경의 체부를 부드럽게 잡는다. 포경수술을 하지 않은 경우 포피를 약간 뒤쪽으로 잡아당긴다.	• 음경을 부드럽게 잡아야 발기가 되지 않는다. 분비물과 미생물은 주로 포피아래 축적된다.
d. 요도구가 있는 음경의 끝부분을 닦는다. 요도구에서부터 둥글게 원을 그리며 닦은 후 포피를 원래 상태로 돌려 놓는다.	• 분비물이 있으면 감염이나 염증을 의심해 볼 수 있다. 포피를 원래 상태로 돌려놓아 음경 수축으로 인한 부종을 예방할 수 있다.
e. 음경의 체부와 음낭을 물과 비누로 잘 닦는다.	
11. 잘 헹군 후 깨끗한 수건으로 닦아 물기를 제거한다.	
12. 장갑을 벗는다.	
13. 환의를 입히고 물품을 정리한다.	
14. 간호사의 손을 씻는다.	
15. 회음부 사정 내용과 수행 내용을 기록한다.	

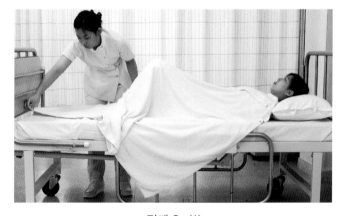

단계 9a (1)

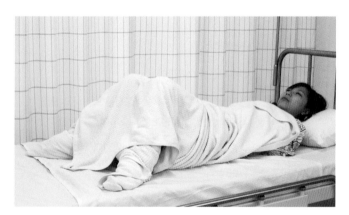

단계 9a (2)

단계 9d

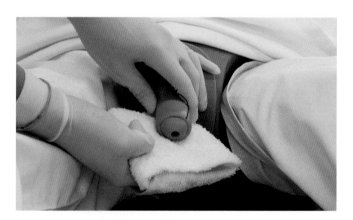

단계 10d

2) 특별 회음부 간호

- **목적**
  - 회음부의 상처 치유를 촉진한다.
  - 회음부를 청결히 하고 냄새를 제거한다.

- **준비물품**
  - 장갑
  - sponge, 종지, 곡반, 지혈감자
  - 마른 소독 거즈
  - 소독포
  - 처방된 용액
  - 회음 패드
  - 방수포

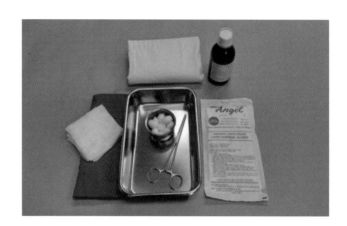

회음부 간호의 단계와 근거(특별 회음부 간호)

단계	근거
1. 간호사의 손을 씻는다.	• 손씻기는 미생물의 전파를 예방한다.
2. 필요한 물품을 준비한다.	
3. 대상자에게 간호사 자신을 소개한다.	
4. 대상자의 이름을 개방형으로 질문하여 대상자를 확인하고, 입원 팔찌와 환자 기록지의 이름, 등록번호를 대조하여 재확인한다.	
5. 대상자에게 회음부 간호의 목적과 방법을 설명한다.	
6. 문을 닫고 스크린이나 커튼을 친다.	• 대상자의 사생활을 유지한다.
7. 방수포를 침대 위에 편다.	• 침상이 젖지 않도록 한다.
8. 목욕담요를 펴고 윗침구를 제거한다.	
9. 여자의 경우	
a. 배횡와위를 취하게 한 후 목욕 담요를 마름모 모양으로 편 후 다리를 감싸준다.	• 신체의 불필요한 노출을 막고 보온을 유지한다.
b. 다리사이에 물품을 싼 방포를 편다.	
c. 장갑을 착용한다.	
d. 우세한 손은 처방용액에 적신 sponge를 지혈감자로 잡고, 다른 한 손으로 대음순과 소음순 사이를 벌려 요도와 질을 노출시킨다. 요도쪽에서 항문쪽으로 닦으며, sponge는 매번 한 번만 사용하고 곡반에 버린다.	• 요도쪽에서 항문쪽으로 닦아야 항문쪽의 미생물에 의해 요도나 질이 오염되지 않는다.

회음부 간호의 단계와 근거(특별 회음부 간호)(계속)

단계	근거

e. 마른 소독 거즈로 요도에서 항문쪽으로 닦아 건조시킨다.

10. 남자의 경우

   a. 앙아위를 취한다.

   b. 다리사이에 물품을 싼 방포를 펴고, sponge가 담긴 종지에 회음부 간호용 처방용액을 따른다.

   c. 장갑을 착용한다.

   d. 한 손으로 음경을 잡고 다른 한 손으로 처방용약을 적신 sponge를 지혈감자로 잡고 귀두를 부드럽게 원을 그리며 닦고, 음경의 체부, 음경과 음낭 사이를 닦는다.

   e. 마른 소독 거즈로 다시 한 번 닦아 건조시킨다.

11. 장갑을 벗는다.

12. 환의를 입히고 물품을 정리한다.

13. 손을 씻는다.

14. 회음부 사정 내용과 수행 내용을 기록한다.

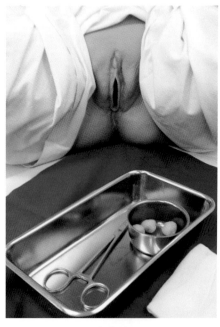

단계 9b

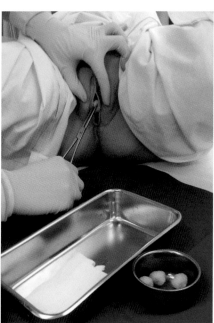

단계 9d

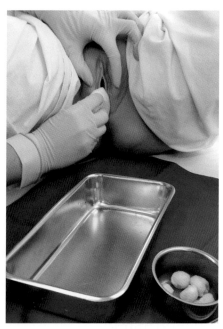

단계 9e

5. 목욕 간호

1) 침상목욕

• **목적**
  − 움직임이 제한된 대상자의 피부를 청결히하고 분비물이
    나 냄새를 제거한다.
  − 혈액 순환을 촉진한다.
  − 근육 이완과 안위를 증진한다.
  − 대상자의 손과 어깨의 운동 범위를 확인한다.

  − 세탁물 주머니
  − 장갑(체액이 현저한 경우에만 사용)

• **준비물품**
  − 목욕담요 1장, 목욕수건 2장, 물수건 2장
  − 따뜻한 물(성인 43℃∼46℃, 아동 38℃∼40℃), 비누
  − 대야, 피쳐, 양동이
  − 환의 1벌, 홑이불 1장
  − 빗, 화장품(탈취제, 파우더, 로션)

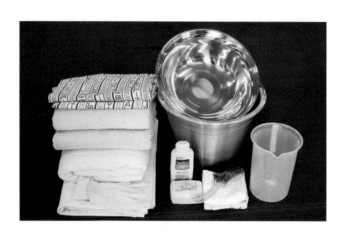

침상목욕의 단계와 근거

단계	근거
1. 손을 씻는다.	• 목욕물의 온도를 조절하여 손상을 입지 않도록 한다.
2. 필요한 물품을 준비한다.	
3. 대상자에게 간호사 자신을 소개한다.	
4. 대상자의 이름을 개방형으로 질문하여 대상자를 확인하고, 입원 팔찌와 환자 기록지의 이름, 등록번호를 대조하여 재확인한다.	
5. 대상자에게 목욕 절차에 대해 설명하고 협조를 구한다.	• 목욕하는 동안 대상자가 가능한 독립적으로 참여하도록 격려하며, 필요시 가족도 참여하도록 한다.
6. 대상자의 활동내구성, 불편감 정도, 인지수준, 근골격계 기능을 사정한다.	
7. 목욕전에 용변을 보도록 한다.	• 미리 용변을 보면 목욕을 더 편안하게 할 수 있다.
8. 병실을 따뜻하게 하며, 문을 닫고 침대 커튼을 친다.	• 오한을 예방하고, 대상자의 사생활을 유지하여 정서적, 신체적 안위를 도모한다.

침상목욕의 단계와 근거(계속)

단계	근거
9. 대상자를 앙와위로 눕힌다. 목욕담요를 덮어주고 윗침구는 제거한다. 목욕하는 동안에는 목욕하는 부분만 노출시킨다. 오염된 침구는 세탁물 주머니에 넣는다.	• 오한을 예방하고 사생활을 유지한다.
10. 환의를 벗긴다.	
a. 손상된 사지나 운동이 제한된 사지가 있는 경우 손상이 없는 쪽부터 먼저 벗긴다.	
b. 정맥수액을 주입받고 있는 경우에는 먼저 수액주입을 받지 않는 쪽부터 환의를 벗고, 수액 주입을 받는 쪽 소매 사이로 수액 용기와 튜브를 빼낸 후 다시 걸어둔다. 필요한 경우 주입 속도를 확인하고 다시 조절한다.	
c. 수액 주입 펌프를 사용 중인 경우에는 펌프를 끄고 튜브를 잠근 다음 펌프에서 튜브를 제거한 후 소매사이로 수액용기와 튜브를 빼낸다. 튜브를 다시 펌프에 고정시킨 후 튜브 조절장치를 열고 펌프를 정확한 주입속도로 작동시킨다.	
11. 베개를 빼내고 목욕수건 한 장을 대상자의 머리 아래에 펼치고, 다른 한 장으로 가슴 위를 덮는다.	• 베개를 제거하면 귀와 목을 씻는데 편리하다. 수건은 수분을 흡수하며 침구가 젖지 않게 한다.
12. 작은 물수건을 장갑모양으로 접는다.	
13. 얼굴을 씻는다.	
a. 장갑을 따뜻한 물에 적신 후 물기를 짠다.	
b. 한쪽 눈을 내안각에서 외안각쪽으로 닦는다. 물수건의 다른 면을 이용하여 다른 쪽 눈을 내안각에서 외안각 쪽으로 닦는다.	• 내안각에서 외안각 쪽으로 닦으면 분비물이 누관으로 들어가지 않는다. 물수건의 다른 면을 사용하면 미생물의 이동을 감소시킬 수 있다.
c. 비누를 사용하지 않고 앞이마, 뺨, 코, 목, 귀를 씻고 헹군 후 말린다. 남자의 경우 면도를 할 수도 있다.	• 비누는 얼굴을 건조하게 한다. 얼굴은 신체 다른 부위보다 공기에 더 많이 노출되므로 주의를 기울여 닦아야 한다.

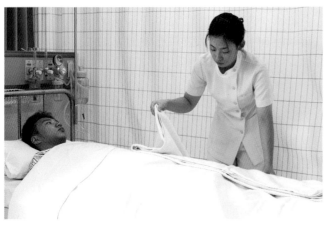

단계 9

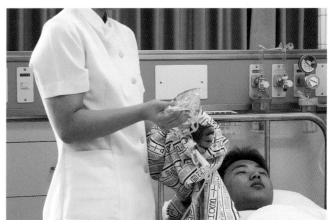

단계 10b

침상목욕의 단계와 근거(계속)

단계	근거

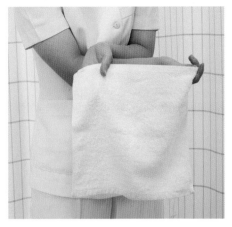

단계 12 (1)

단계 12 (2)

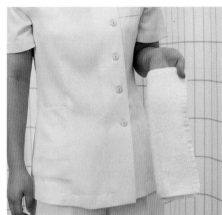

단계 12 (3)

단계 12 (4)

단계 12 (5)

단계 12 목욕 장갑 만들기

단계 13a (1)

단계 13a (2)

침상목욕의 단계와 근거(계속)

단계	근거

14. 상체를 씻는다.

    a. 간호사로부터 멀리 있는 쪽 팔을 덮고 있는 목욕담요를 걷고,
       팔 밑에 수건을 길게 펼친다. 소량의 비누와 물을 이용하여
       원위부에서 근위부(손목에서 상완)로 팔을 닦는다.

    b. 필요한 경우 팔을 머리위로 올린 후 겨드랑이를 씻고 헹군 다음
       건조시킨다.

• 팔을 위로 올리면 관절의 운동범위를 증진시킬 수 있으며, 겨드랑이를
  깨끗이 씻을 수 있다.

    c. 대상자 손 가까이에 목욕 수건을 펴고, 그 위에 대야를 올려
       놓는다. 손을 대야에 담가 손가락 사이를 세밀히 씻는다

    d. 다른 쪽 팔과 손도 동일한 방법으로 씻는다.

    e. 겨드랑이에 탈취제나 파우더를 바른다.

    f. 목욕수건으로 대상자의 가슴과 복부를 덮어주고, 목욕 담요를
       치부 아래 부근까지 접어 내린다. 목욕 수건 밑으로 목욕 장갑을

• 피부의 주름진 곳을 깨끗이 씻고 건조시켜 악취와 자극을 예방한다.
  유방아래 피부는 쉽게 벗겨지므로 깨끗이 씻고 건조시켜야 한다.

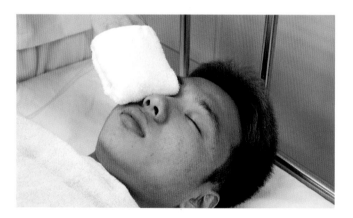

단계 13b (1)

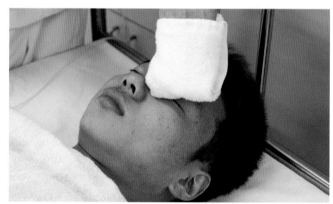

단계 13b (2)

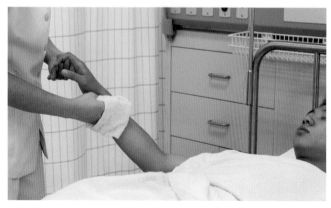

단계 14a

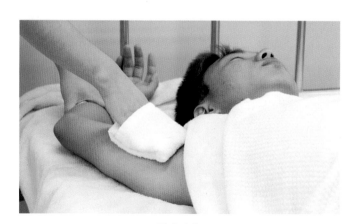

단계 14b

침상목욕의 단계와 근거(계속)

단계	근거

낀 손을 넣어 가슴과 복부를 세로로 힘있게 문지르면서 닦는다.
제와부위, 복부 주름부위, 서혜부는 세심한 주의를 기울여 닦는다.
또한 여자의 경우 필요시 유방을 위로 밀어 올려 유방 아래 피부를
깨끗이 씻는다. 물로 헹구고 잘 건조시킨다.

15. 하체를 씻는다.

   a. 목욕담요로 대상자를 잘 덮어주고 간호사로부터 멀리 있는
      쪽 다리를 노출시킨다. 목욕 수건을 다리 아래에 세로로 펼쳐 놓고,
      무릎을 편 채로 침대에 다리를 편평하게 둔다. 발목에서 무릎,
      무릎에서 대퇴방향으로 힘있게 씻고 잘 건조시킨다.

   b. 대상자 발 가까이에 목욕 수건을 펴고 그 위에 대야를 올려 놓는다.   • 발을 물에 담가 가골과 거칠어진 피부를 부드럽게 한다.
      대야에 발을 담가 발가락 사이를 잘 씻고 건조시킨다.

   c. 다른 쪽 다리와 발을 동일한 방법으로 씻는다.   당뇨병이나 말초혈관장애가 있는 대상자는 발을 물에 담그지 않는다.
                                                                    피부가 연화되어 감염을 촉진시킬 수 있기 때문이다.
   d. 피부가 건조할 경우 로션을 바른다.

단계 14c

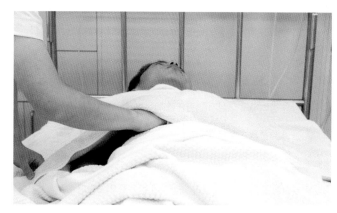

단계 14f

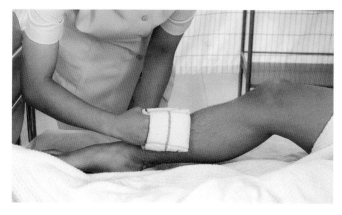

단계 15a

단계 15b

침상목욕의 단계와 근거(계속)

단계	근거

16. 등과 둔부를 씻는다.

    a. 목욕담요를 충분히 잘 덮어준 다음 대상자를 측위로 눕히고, 목욕 수건을 등을 따라 길게 펴 놓는다.

    b. 배변을 한 경우 장갑을 착용하고 패드를 접어 감싼 후 1회용 물수건으로 잘 닦아낸다.

    c. 등을 목에서 둔부 방향으로 씻고 헹군 후 건조시킨다.

    d. 둔부와 항문은 앞쪽에서 뒤쪽으로 닦는다. 특히 둔부 주름에 주의를 기울이며 항문 부위를 씻어야 한다. 이때 필요하면 여러 장의 목욕장갑을 교환하며 깨끗이 닦는다. 필요하면 패드를 대준다.

    e. 필요시 바디 로션을 바른다.

17. 금기가 아니면 등마사지를 한다.

18. 목욕 담요를 덮어주고, 목욕장갑, 목욕수건, 목욕물을 교환한다.

19. 회음부를 깨끗이 닦아주거나, 가능하면 대상자가 스스로 하도록 한다.

20. 머리를 잘 빗겨주고 환의를 입힌다. 아픈 쪽부터 먼저 입도록 한다.

                                                      • 신체 움직임이 제한된 쪽의 환의를 먼저 입으면 훨씬 수월하게 옷을 입을 수 있다.

21. 필요하면 면봉으로 귀에 들어간 물을 닦아준다.

22. 침상을 정리하고 대상자를 편안한 체위로 취해준다.

23. 사용한 물품을 치우고 정리한다.

24. 손을 씻는다.

25. 피부사정 결과, 목욕 과정과 대상자의 반응을 기록한다.

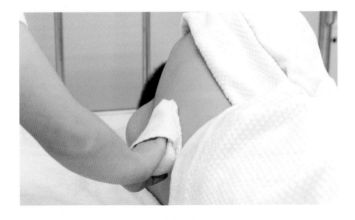

단계 16c

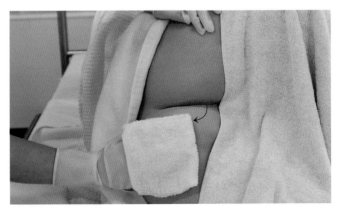

단계 16d

일반 구강 간호

평가일자 _____   평가자 이름 _____

No	수 행 항 목	수행	미수행	비고
1	손을 씻는다.			
2	필요한 물품을 준비한다.			
3	대상자에게 간호사 자신을 소개한다.			
4	대상자의 이름을 개방형으로 질문하여 대상자를 확인하고, 입원 팔찌와 환자 기록지의 이름, 등록번호를 대조하여 재확인한다.			
5	대상자 스스로 칫솔질하고 헹굴 수 있는지 사정하고 절차를 설명한다.			
6	가능하면 대상자를 앉게 하거나 침대의 상체를 높여주고 턱밑에 수건을 편다.			
7	간호사 쪽으로 머리를 약간 돌리게 하고 장갑을 낀다.			
8	칫솔에 물을 적신 다음 치약을 묻힌다.			
9	칫솔을 치아에 45도 각도로 대고 잇몸에서 치아 쪽으로 짧게 빗질하듯 칫솔질한다. 치아의 외면과 내면을 깨끗이 닦는다.			
10	치아의 교합면은 앞뒤로 움직이면서 반복하여 닦는다.			
11	칫솔로 혀를 부드럽게 닦아준다.			
12	턱밑에 곡반의 오목한 부분을 대고 입안에 고인 치약과 침을 혀로 밀어내게 한다.			
13	대상자로 하여금 물을 마시게 한 후 입안을 힘있게 헹구고 곡반에 뱉게 한다. 입안을 여러번 헹구어 낸다.			
14	곡반을 치우고 턱과 입 가장자리를 닦아준다.			

No	수 행 항 목	수행	미수행	비고
15	입술에 윤활제를 발라준다.			
16	대상자를 편안한 체위로 취해준다.			
17	장갑을 벗고 사용한 물품을 정리한다.			
18	손을 씻는다.			
19	구강을 사정한 결과와 수행 내용을 기록한다.			

특별 구강 간호

평가일자 _____   평가자 이름 _____

No	수 행 항 목	수행	미수행	비고
1	손을 씻는다.			
2	필요한 물품을 준비한다.			
3	대상자에게 간호사 자신을 소개한다.			
4	대상자의 이름을 개방형으로 질문하여 대상자를 확인하고, 입원 팔찌와 환자 기록지의 이름, 등록번호를 대조하여 재확인한다.			
5	대상자에게 목적과 절차를 설명한다.			
6	대상자를 측위로 눕히고 턱밑에 수건을 편다.			
7	설압자를 거즈로 감싼다.			
8	mouth care set를 펼치고 한 종지에 항균용액(클로르헥시딘)을 따르고, 다른 종지에는 함수용액(생리식염수)을 따른다.			
9	대상자의 턱 아래 곡반을 놓는다.			
10	장갑을 착용한다.			
11	대상자가 무의식인 경우 상·하대구치 사이에 패드를 덧댄 설압자를 부드럽게 삽입하여, 윗니와 아랫니를 분리시킨다.			
12	지혈감자로 거즈볼을 감싸쥔 후 항균용액을 묻혀 치아표면, 혀, 잇몸, 구개, 뺨 안쪽을 깨끗이 닦는다. 거즈볼을 자주 갈아서 닦아준다.			
13	함수용액을 묻힌 거즈볼로 여러번 헹구어 낸다.			
14	설압자를 제거하고, 곡반을 치운 후 수건으로 턱과 입 주변을 닦아준다.			

특별 구강 간호(계속)

No	수 행 항 목	수행	미수행	비고
15	면봉을 이용하여 입술에 윤활제를 바른다.			
16	대상자를 적절한 체위로 취해준다.			
17	장갑을 벗고 사용한 물품을 정리한다.			
18	손을 씻는다.			
19	구강을 사정한 결과와 수행 내용을 기록한다.			

등 간호

평가일자 _____   평가자 이름 _____

No	수 행 항 목	수행	미수행	비고
1	손을 씻는다.			
2	필요한 물품을 준비한다.			
3	대상자에게 간호사 자신을 소개한다.			
4	대상자의 이름을 개방형으로 질문하여 대상자를 확인하고, 입원 팔찌와 환자 기록지의 이름, 등록번호를 대조하여 재확인한다.			
5	대상자에게 목적과 절차를 설명한다.			
6	침대를 간호사의 허리 높이로 조절한다.			
7	대상자를 침상가로 옮겨 복위나 측위로 눕힌다.			
8	등, 어깨, 둔부를 노출시키고 목욕수건을 밑에 깔아 놓는다.			
9	피부 상태에 따라 로션이나 알코올, 혹은 파우더를 바른다.			
10	경찰법을 8회 반복한다.			
11	유날법을 2회 반복한다.			
12	지압법을 2회 반복한다.			
13	경타법 중 한 가지를 선택하여 2회 반복한다.			
14	마지막으로 경찰법을 8회 시행한다.			
15	마사지가 끝났음을 대상자에게 알리고, 발적이나 벗겨진 부분이 있는지 관찰한다.			

등 간호(계속)

No	수 행 항 목	수행	미수행	비고
16	환의를 입도록 도와준다.			
17	목욕수건을 치우고 침상을 정리한다.			
18	손을 씻는다.			
19	피부 상태, 대상자의 반응, 수행한 내용을 기록한다.			

침상 세발 간호

평가일자 _____　평가자 이름 _____

No	수 행 항 목	수행	미수행	비고
1	손을 씻는다.			
2	필요한 물품을 준비한다.			
3	대상자에게 간호사 자신을 소개한다.			
4	대상자의 이름을 개방형으로 질문하여 대상자를 확인하고, 입원 팔찌와 환자 기록지의 이름, 등록번호를 대조하여 재확인한다.			
5	대상자에게 목적과 절차를 설명한다.			
6	스크린을 친 후 목욕담요를 덮은 후 윗 침구를 허리선까지 접어내린다.			
7	베개는 고무포로 감싸 대상자 어깨 밑에 밀어넣고, 침상 머리 부분도 고무포로 덮는다.			
8	대상자의 목이 닿는 부분은 수건을 말아 대고, 머리 밑에 세발대를 놓은 후 배수구 끝을 양동이 안으로 늘어 뜨린다.			
9	목욕수건으로 대상자의 목과 어깨를 감싼 후 어깨 밑에 밀어넣는다.			
10	작은 수건을 물에 적셔 물기를 짠 후 눈 위에 얹어놓는다. 솜으로 귀를 막고 빗질을 한다.			
11	대상자의 머리카락이 완전히 젖을 정도로 따뜻한 물을 붓는다.			
12	손에 소량의 샴푸를 덜어서, 손가락 끝을 이용해 마사지하듯 거품을 내어 두피와 머리카락을 문질러 준다.			
13	피쳐를 이용해 물을 부어 비눗기가 없도록 반복하여 헹군 후 수건으로 물기를 닦아낸다. 세발대와 고무포 등 사용한 물품을 치운다.			

침상 세발 간호(계속)

No	수 행 항 목	수행	미수행	비고
14	머리는 빗질을 하여 차분하게 해 준다.			
15	물품을 정리한다.			
16	두피와 모발의 사정내용과 수행내용을 기록한다.			

일반 회음부 간호

No	수 행 항 목	수행	미수행	비고
1	손을 씻는다.			
2	필요한 물품을 준비한다.			
3	대상자에게 간호사 자신을 소개한다.			
4	대상자의 이름을 개방형으로 질문하여 대상자를 확인하고, 입원 팔찌와 환자 기록지의 이름, 등록번호를 대조하여 재확인한다.			
5	대상자에게 목적과 절차를 설명한다.			
6	문을 닫고 스크린이나 커튼을 친다.			
7	방수포를 침대 위에 편다.			
8	목욕담요를 펴고 윗침구를 제거한다.			
9	〈여자의 경우〉 a. 배횡와위를 취하게 한 후 목욕 담요 끝으로 다리를 감싸준다. b. 장갑을 착용한다. c. 물수건으로 장갑모양을 만들어 회음부위를 직장방향으로 물과 비누로 닦는다. d. 음순을 벌려 요도와 질을 노출시킨 후, 소음순과 소음순 사이 주름을 닦는다. 　이때 물수건의 각기 다른 면을 이용해 좌·우 소음순을 요도에서 항문 방향으로 깨끗이 씻는다.			
10	〈남자의 경우〉 a. 앙와위를 취한다. b. 장갑을 착용한다. c. 음경의 체부를 부드럽게 잡는다. 포경수술을 하지 않은 경우 포피를 약간 뒤쪽으로 잡아당긴다. d. 요도구가 있는 음경의 끝부분을 씻는다. 요도구에서부터 둥글게 원을 그리며 닦은 후 포피를 원래 상태로 돌려 놓는다. e. 음경의 체부와 음낭을 물과 비누로 잘 닦는다.			

일반 회음부 간호(계속)

No	수 행 항 목	수행	미수행	비고
11	잘 헹군 후 깨끗한 수건으로 닦아 물기를 제거한다.			
12	장갑을 벗는다.			
13	환의를 입히고 물품을 정리한다.			
14	손을 씻는다.			
15	회음부 사정 내용과 수행 내용을 기록한다.			

특별 회음부 간호

평가일자 _____ 평가자 이름 _____

No	수 행 항 목	수행	미수행	비고
1	손을 씻는다.			
2	필요한 물품을 준비한다.			
3	대상자에게 간호사 자신을 소개한다.			
4	대상자의 이름을 개방형으로 질문하여 대상자를 확인하고, 입원 팔찌와 환자 기록지의 이름, 등록번호를 대조하여 재확인한다.			
5	대상자에게 목적과 절차를 설명한다.			
6	문을 닫고 스크린이나 커튼을 친다.			
7	방수포를 침대 위에 편다.			
8	목욕담요를 펴고 윗침구를 제거한다.			
9	〈 여자의 경우 〉 　a. 배횡와위를 취하게 한 후 목욕 담요를 마름모 모양으로 편 후 다리를 감싸준다. 　b. 다리사이에 물품을 싼 방포를 편다. 　c. 장갑을 착용한다. 　d 우세한 손은 처방용액을 적신 sponge를 지혈감자로 잡고, 다른 한 손으로 대음순과 소음순 사이를 벌려 요도와 질을 노출시킨다. 요도쪽에서 항문쪽으로 닦으며, sponge은 매번 한번만 사용하고 곡반에 버린다. 　e. 마른 소독 거즈로 요도에서 항문쪽으로 닦아 건조시킨다.			
10	〈 남자의 경우 〉 　a. 앙와위를 취한다. 　b. 다리옆에 물품을 싼 방포를 편다. 　c. 장갑을 착용한다. 　d. 한 손으로 음경을 잡고 다른 한 손으로 지혈감자로 sponge를 집어 귀두를 부드럽게 원을 그리며 닦고, 음경의 체부, 음경과 음낭 사이를 닦는다. Sponge는 매번 한개씩 사용하고 버린다. 　e. 마른 소독거즈로 닦아 건조시킨다.			

특별 회음부 간호(계속)

No	수 행 항 목	수행	미수행	비고
11	장갑을 벗는다.			
12	환의를 입히고 물품을 정리한다.			
13	손을 씻는다.			
14	회음부 사정 내용과 수행 내용을 기록한다.			

침상 목욕 간호

평가일자 _____   평가자 이름 _____

No	수 행 항 목	수행	미수행	비고
1	손을 씻는다.			
2	필요한 물품을 준비한다.			
3	대상자에게 간호사 자신을 소개한다.			
4	대상자의 이름을 개방형으로 질문하여 대상자를 확인하고, 입원 팔찌와 환자 기록지의 이름, 등록번호를 대조하여 재확인한다.			
5	대상자를 확인하고 목적과 절차를 설명한다.			
6	대상자의 인지수준, 근골격계 기능, 활동내구성 정도 등을 사정한다.			
7	목욕전에 용변을 보도록 한다.			
8	대상자를 앙와위로 눕히고, 목욕담요를 덮어준 후 윗 침구는 제거한다.			
9	대상자의 환의를 벗긴다.			
10	베개를 빼내고 목욕수건 한 장을 대상자의 머리 아래에 대주고, 다른 한 장으로 가슴 위를 덮는다.			
11	작은 물수건을 장갑모양으로 접는다.			
12	장갑을 물에 적셔 한쪽 눈을 내안각에서 외안각쪽으로 닦는다. 물수건의 다른 면을 이용하여 나머지 한쪽 눈을 닦는다.			
13	비누를 사용하지 않고 앞이마, 뺨, 코, 목, 귀를 씻고, 헹군 후 말린다.			
14	팔 밑에 수건을 길게 펼친 후, 손목에서 팔 쪽으로 비누로 닦고 헹군 후 건조시킨다.			
15	팔을 머리 위로 올린 후 겨드랑이를 씻고 헹군 후 건조시킨다.			

No	수 행 항 목	수행	미수행	비고
16	손을 대야에 담가 손가락 사이를 세밀히 씻고 건조시킨다.			
17	다른 쪽 팔과 손도 동일한 방법으로 씻는다.			
18	목욕수건으로 대상자의 가슴과 복부를 덮어주고, 목욕 담요를 치부 아래 부근까지 접어 내린다. 목욕 수건 밑으로 목욕 장갑을 낀 손을 넣어 가슴과 복부를 세로로 힘있게 문지르면서 닦는다. 물로 헹구고 잘 건조시킨다.			
19	다리아래 목욕 수건을 세로로 펼쳐 놓고, 발목에서 무릎, 무릎에서 대퇴 방향으로 힘있게 씻고 잘 건조시킨다.			
20	대상자 발을 대야에 담가 발가락 사이를 잘 씻고 건조시킨다.			
21	다른 쪽 다리와 발도 동일한 방법으로 씻는다.			
22	대상자를 측위로 눕히고, 등만 노출시킨 후 등을 목에서 둔부 방향으로 씻고 헹군 후 건조시킨다.			
23	둔부와 항문은 앞쪽에서 뒤쪽으로 닦는다. 특히 둔부 주름에 주의를 기울이며 항문 부위를 씻어야 한다.			
24	목욕 담요를 덮어주고, 목욕장갑, 목욕수건, 목욕물을 교환한다.			
25	회음부를 깨끗이 닦아주거나 대상자가 스스로 하도록 한다.			
26	머리를 잘 빗겨주고 환의를 입힌다. 아픈 쪽부터 먼저 입도록 한다.			
27	침상을 정리한 후 대상자를 편안한 체위로 취해준다.			
28	사용한 물품을 치우고 정리한다.			
29	손을 씻는다.			
30	피부 사정 결과, 대상자의 반응과 수행 내용을 기록한다.			

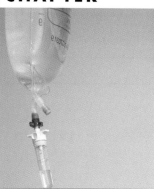

CHAPTER 07

위관 삽입 간호

실습목록
1. 위관 삽입 간호

■ 비위관(nasogastric tube)은 비강, 비인두, 식도를 통해 위내로 삽입된다.

위관 삽입 목적

• 위관영양(tube feeding)	- 위장관계는 정상적으로 기능하지만 경구로 수분이나 음식을 섭취하기 어려운 대상자에게 영양공급
• 위세척(irrigation)	- 위내를 세척하고 독성물질을 제거
• 감압(decompression)	- 위내에 정체된 수분이나 가스 제거
	- 흡인기에 위관을 연결하여 간헐적 압력제공

1. 위관 삽입 간호

• **목적**
  - 위관을 통하여 영양물을 공급한다.
  - 위내의 가스와 내용물을 제거한다.
  - 진단적 검사를 시행한다.

• **준비물품**
  - 비위관(12-18Fr.)
  - 겸자
  - 수용성 윤활제와 거즈
  - 작은 수건
  - 더운물이나 얼음물이 담긴 용기
  - 마실 물 한잔과 빨대
  - 50cc 주사기, 곡반
  - 청진기, penlight
  - 반창고, 안전핀
  - 장갑

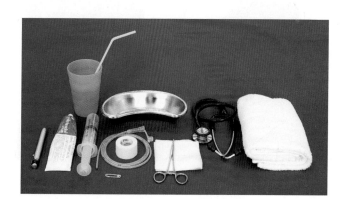

위관 삽입 간호의 단계와 근거

단계	근거
1. 손을 씻는다.	• 미생물 전파를 줄이기 위함이다.
2. 필요한 물품을 준비한다.	
3. 준비한 물품을 가지고 대상자에게 가서 간호사 자신을 소개한다.	
4. 손을 씻는다.	• 미생물 전파를 줄이기 위함이다.
5. 대상자의 이름을 개방형으로 질문하여 대상자를 확인하고, 입원 팔찌와 환자 기록지의 이름, 등록번호를 대조하여 재확인한다.	
6. 대상자에게 목적과 절차를 설명한다.	• 대상자의 협조를 얻기 위함이다.
7. Penlight로 비강 상태를 사정하여 개존성이 더 좋은 비강을 선택한다. 또는 비공을 교대로 막으면서 공기의 흐름을 사정할 수도 있다.	
8. 좌위를 취하고 턱밑에 수건을 편다.	
9. 수용성 윤활제를 거즈에 덜어 놓는다.	
10. 비위관의 삽입길이를 잰다.	
a. 먼저 코끝에서 귓불까지의 길이를 잰다.	
b. 귓불까지의 길이에서부터 검상돌기까지의 길이를 더한다.	• 비위관의 삽입 길이는 비공에서 위까지이다. 대개 성인의 경우 45~55cm 정도 삽입된다.
11. 반창고를 10cm 길이로 잘라 Y 자 모양으로 아래 부분의 가운데를 자른다.	
12. 장갑을 착용한다.	
13. 튜브 끝의 15~20cm 정도 수용성 윤활제를 바른다.	

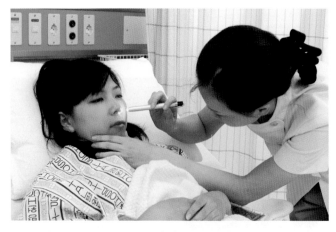

단계 7

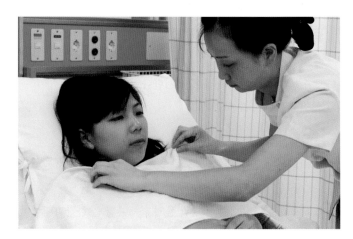

단계 8

위관 삽입 간호의 단계와 근거(계속)

단계	근거

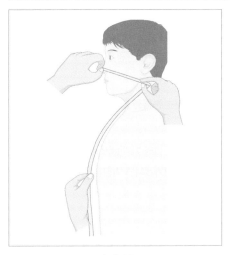

단계 10

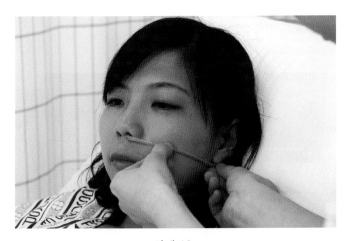

단계 10a

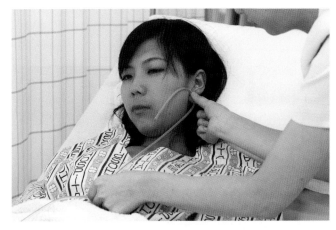

단계 10b

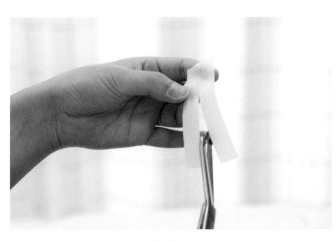

단계 11

단계 13

위관 삽입 간호의 단계와 근거(계속)

단계	근거
14. 위관의 만곡된 끝부분이 비강의 후하방을 향하도록 하며 비강으로 관을 삽입한다. 대상자의 고개를 약간 들게하여 천천히 비인두의 후방으로 삽입한다. 비인두를 통과하기 위해서는 약간의 압력을 필요로 할 수도 있다.	• 튜브를 삽입할 때 강압적으로 밀어넣으면 비강 점막에 손상을 줄 수 있다. 저항감이 느껴지면 튜브를 빼내 윤활제를 다시 발라 다른 쪽 비공으로 삽입해본다(단, 비공이 막히지 않은 경우).
15. 잠깐 멈춘 후 대상자에게 휴지를 제공하여 눈물이나 비강 주위의 윤활제를 닦도록 해준다.	• 점막의 자극과 불편감으로 대상자는 눈물을 흘릴 수 있다.
16. 튜브가 구강인두 위쪽에 도달하면 대상자에게 머리를 약간 앞으로 숙이고 빨대로 물을 마신 후 삼키도록 한다. 대상자가 삼킬 때마다 튜브를 2.5~5cm 정도씩 밀어 넣는다.	• 머리를 과신전시키면 기도(airway)가 열려 기관(trachea)으로 위관이 들어 갈 수 있다. 튜브가 후두로 잘못 들어가게되면 기침을 하게 된다.
17. 대상자에게 인후 뒤쪽에서 튜브가 꼬인 느낌이 있는지 물어보거나, 설압자로 대상자의 혀를 누르고 구강 인두 뒤쪽을 확인한다. 만약 튜브가 꼬인 경우에는 비위관 끝이 구강인두 뒤쪽에서 보일 정도로 튜브를 뺀 다음 다시 삽입한다.	
18. 대상자에게 말을 시켜본다.	• 튜브가 기관으로 삽입된 경우 말을 할 수 없다.

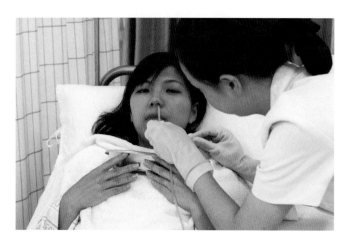

단계 14

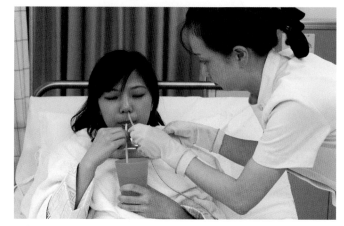

단계 16

위관 삽입 간호의 단계와 근거(계속)

단계	근거
19. 표시된 부위까지 삽입되면, 튜브가 제 위치로 들어갔는지 확인해 본다.	
a. 위관에 50cc 주사기를 연결하고 위액을 10~20cc 흡인해 본다. 흡인 후 주사기를 대상자 복부에서 30~45cm 정도 높이로 들어 흡인된 위액이 중력에 의해 다시 주입되도록 한다.	• 위액은 녹색이나 갈색을 나타낼 수 있다.
b. pH 테스트 종이 위에 내용물을 떨어뜨려 측정한다.	• 위액은 강산이다. pH 검사지에서 0~4정도이면 위액이며, 6 이상인 경우에는 소장이나 호흡기계로 삽입된 것이다.
c. 대상자의 상복부에 청진기를 대고 주사기로 비위관을 통해 10~20ml의 공기를 주입하면서 위에서 나는 소리를 들어본다.	• 위로 공기가 들어가는 "획" 하는 소리를 들을 수 있다.

> 위로 공기를 주입하여 위치를 확인하는 청진법은 신중하게 사용해야 한다. 왜냐하면 공기가 유입될때 들리는 소리는 흉막강에서도 전달될 수 있는 소리이기 때문이다. 따라서 청진법은 대개 보조확인 방법으로 사용된다.

단계	근거
20. 튜브 끝을 조절기로 막아준다.	• 위내에 공기가 들어가지 못하게 한다.
21. 장갑을 벗는다.	

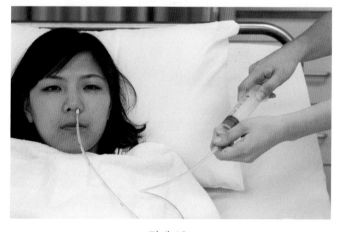

단계 19a

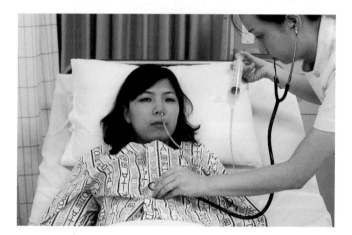

단계 19c

위관 삽입 간호의 단계와 근거(계속)

단계	근거
22. 비강 위쪽에 반창고로 고정시킨다. Y자로 잘라놓은 반창고의 갈라지지 않은 쪽은 콧등에 붙이고 갈라진 쪽은 분리시켜 튜브에 각각 붙인다.	• 튜브가 흔들리거나 빠지지 않도록한다.
23. 튜브의 끝에 반창고를 부착한 후 안전핀으로 환의에 고정한다.	
24. 금기가 아닌 한 침상을 30도 정도 높혀준다.	• 비위관이 위내에 있으면 유문 괄약근의 기능이 저하되어 위식도 역류의 위험이 증가한다.
25. 손을 씻고 사용한 물품을 정리한다.	
26. 대상자의 반응과 수행 내용(위관의 종류와 크기, 삽입시간, 위내용물의 흡인량, 색)을 기록한다.	

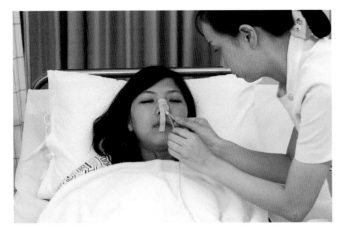

단계 22(1)

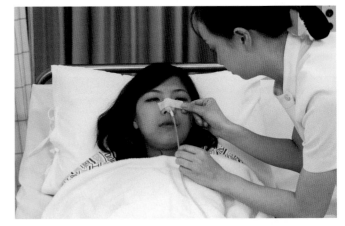

단계 22(2)

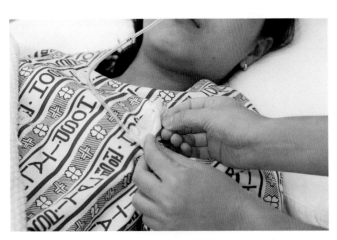

단계 23

위관 삽입 간호

평가일자 _____ 평가자 이름 _____

No	수 행 항 목	수행	미수행	비고
1	손을 씻는다.			
2	필요한 물품을 준비한다.			
3	준비한 물품을 가지고 대상자에게 가서 간호사 자신을 소개한다.			
4	대상자의 이름을 개방형으로 질문하여 대상자를 확인하고, 입원 팔찌와 환자 기록지의 이름, 등록번호를 대조하여 재확인한다.			
5	대상자에게 목적과 절차를 설명한다.			
6	Penlight로 비강 상태를 사정하여 개존성이 더 좋은 비강을 선택한다.			
7	좌위를 취하고 턱밑에 수건을 편다.			
8	수용성 윤활제를 거즈에 덜어 놓는다.			
9	위관으로 코끝에서 귓불까지의 길이와 귓불에서부터 검상돌기까지의 길이를 잰 후 길이를 더해 반창고로 삽입 길이를 표시한다.			
10	반창고를 10cm 길이로 잘라 Y자 모양으로 아래 부분의 가운데를 자른다.			
11	장갑을 착용한다.			
12	위관 끝의 15~20cm 정도 수용성 윤활제를 바른다.			
13	위관의 만곡된 끝 부분이 비강의 후 하방을 향하도록 하며 비강으로 삽입한다. 대상자의 고개를 약간 들게 하며 천천히 비인두의 후방으로 삽입한다.			
14	튜브가 구강인두 위쪽에 도달하면 대상자에게 머리를 약간 앞으로 숙이고 빨대로 물을 마신 후 삼키도록 한다. 대상자가 삼킬 때마다 위관을 2.5~5cm 정도씩 밀어 넣어 표시된 부위까지 삽입한다.			

위관 삽입 간호(계속)

No	수 행 항 목	수행	미수행	비고
15	비위관에 50cc 주사기를 연결하고 위액을 10~20cc 흡인해 본다. 흡인 후 주사기를 대상자 복부에서 30~45cm 정도 높이로 들어 위액이 중력에 의해 다시 주입되도록 한다.			
16	마개를 닫은 다음 장갑을 벗는다.			
17	Y자로 잘라 놓은 반창고로 튜브를 고정시킨다.			
18	위관 말단 부분에 반창고를 부착한 후 안전핀으로 환의에 고정한다.			
19	금기가 아닌 한 침상을 30도 정도 높여준다.			
20	손을 씻고 사용한 물품을 정리한다.			
21	대상자의 반응과 수행 내용을 기록한다.			

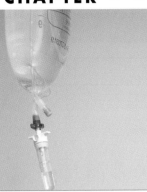

CHAPTER 08

위관 영양 간호

위관 영양은 다음과 같은 방법으로 적용될 수 있다.

① 간헐적 집중식(intermittent bolus)

1회 분량을 위관 영양용 주사기를 통해 중력에 의해 주입하는 방법으로 하루에 여러번 제공한다.

② 간헐적 점적식(intermittent drip)

위관 영양 주머니에 유동식을 넣어 30분에서 1시간 동안 중력에 의해 주입하는 방법으로 하루에 3~6회 제공한다.

③ 지속적 점적식(continuous drip)

위관 영양 주머니를 주입펌프에 연결하여 8시간 이상 지속적으로 투여한다.

1. 간헐적 집중식 위관 영양

- **준비물품**
  - 처방된 위관 영양액
  - 50cc 위관 영양용 주사기, 영양액 주입 용기
  - 실온의 물 60cc
  - 물컵, 수건
  - 청진기
  - 곡반
  - 손소독제, 간호기록지
  - 종이타올

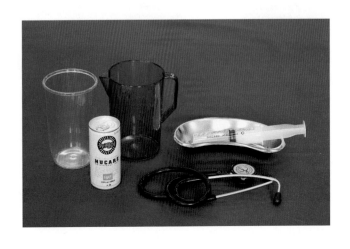

간헐적 집중식 위관 영양의 단계와 근거

단계	근거
1. 손을 씻는다.	
2. 위관영양에 필요한 물품과 처방된 위관용액을 준비한다.	
3. 대상자에게 간호사 자신을 소개한다.	
4. 대상자의 이름을 개방형으로 질문하여 대상자를 확인하고, 입원 팔찌와 환자 기록지의 이름, 등록번호를 대조하여 재확인한다.	
5. 대상자에게 목적과 절차를 설명한다.	• 50cc 위관영양용 주사기를 이용한 위관영양 방법이다.
6. 좌위나 반좌위를 취하게 한 후 가슴 위에 수건을 편다.	• 위관영양 동안 흡인의 위험을 줄일 수 있다. 좌위나 반좌위가 금기인 경우 우측 측위를 취해 준다.
7. 위관의 위치를 확인한다.	• 방사선 촬영이 가장 정확한 방법이지만 비용이 많이 들고 방사선에 노출되는 횟수가 많아질 수 있다.
a. 위관을 꺾어 쥐고 위관 마개를 빼고 50ml 주사기를 연결하여 위내용물을 흡인해 본다. 잔여량을 확인할 경우 위내용물을 모두 흡인해 낸다. 주사기 내관을 빼고 흡인한 내용물은 중력에 의해 다시 위 속으로 주입한다.	• 위관을 꺾어 쥐고 마개를 열어야 공기가 들어가지 않는다. 위액과 전해질 손실을 예방하기 위해 다시 위 내로 주입한다. 잔여량이 250ml 이상 소화가 안된 채 나오면 의사에게 보고한다.
b. pH 테스트 종이 위에 내용물을 떨어뜨려 측정한다.	
c. 대상자의 왼쪽 상복부에 청진기를 대고 주사기로 10~20ml의 공기를 위관을 통해 주입하면서 위에서 나는 소리를 들어본다.	
8. 위 내용물이 주사기 hub까지 내려오기전 위관을 꺾어쥐고 주사기에 물을 20~30ml 정도 넣는다. 중력에 의해 주입되도록 복부에서 30~45cm 정도 높이로 주사기를 올린다.	
9. 물이 주사기 hub까지 주입되면 위관 끝을 꺾어쥐고, 유동식을 가득 채운다.	• 1분에 50~100ml 정도 주입하는 것이 좋다.

단계 7a

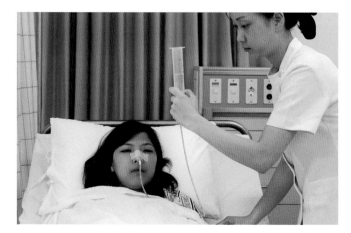

단계 8

간헐적 집중식 위관 영양의 단계와 근거(계속)

단계	근거
10. 주사기가 비워지지 않도록 계속해서 처방된 유동식 양을 주입한다.	• 위내로 공기가 들어가지 않으므로 위내에서 가스가 생성되는 것을 예방한다.
11. 마지막 주입액이 주사기 hub 쪽으로 내려오면 30~60ml의 물을 넣는다.	• 물로 튜브를 통과시켜 튜브내 주입액이 남아 굳어지지 않게 한다.
12. 물이 hub까지 내려올 때 위관에 물이 차 있는 상태에서 위관을 꺾어쥐고 주사기를 뺀 후 위관의 마개를 닫는다.	• 주입액이 역류되지 않으며, 튜브에 공기가 들어가지 않는다.
13. 위관을 제자리에 고정한다.	
14. 주입이 끝난 후 30-45°의 자세로 30분 이상 있게한다.	• 주입액의 흡수를 도와주고 구토를 예방한다.. 반좌위가 어려운 경우 우측위를 취해준다.
15. 손을 씻고 물품을 정리한다.	• 주사기, 주입액 용기, 물컵 등은 씻어 건조시킨다.
16. 주입시간, 주입방법, 주입양, 대상자의 반응 등을 기록한다.	

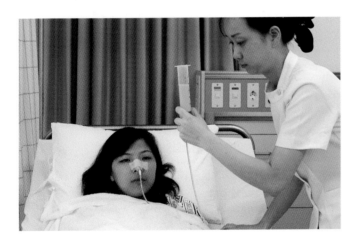

단계 10

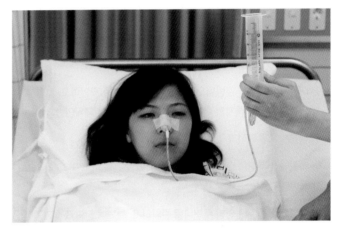

단계 12(1)

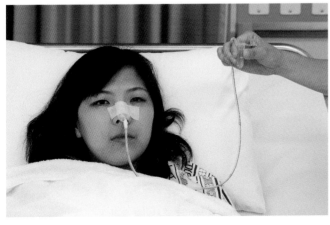

단계 12(2)

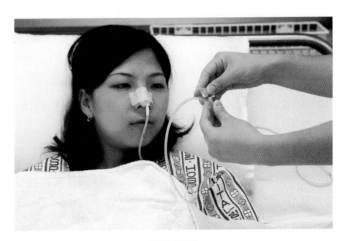

단계 12(3)

2. 간헐적 점적식 위관 영양

- **준비물품**
  - 처방된 유동식
  - 튜브가 달린 위관 영양 주머니
  - 50cc 주사기
  - 실온의 물 60cc, 물컵
  - IV 걸대
  - 청진기
  - 수건, 곡반

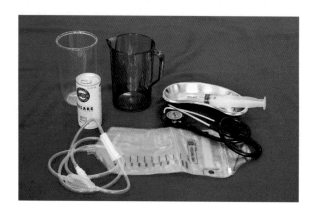

 간헐적 점적식 위관 영양의 단계와 근거

단계	근거
1. 손을 씻는다.	
2. 위관영양에 필요한 물품과 처방액을 준비한다.	
3. 대상자에게 간호사 자신을 소개한다.	
4. 대상자의 이름을 개방형으로 질문하여 대상자를 확인하고, 입원 팔찌와 환자 기록지의 이름, 등록번호를 대조하여 재확인한다.	
5. 대상자에게 목적과 절차를 설명한다.	• 위관영양 주머니를 이용하여 위관영양을 시행한다.
6. 좌위나 반좌위를 취하게 한 후 가슴 위에 수건을 펴고 머리를 옆으로 돌린다.	• 위관영양 동안 흡인의 위험을 줄일 수 있다. 좌위나 반좌위가 금기인 경우 우측 측위를 취해 준다.
7. 튜브가 달린 위관영양 주머니를 준비하고, 튜브에 달린 조절기를 잠근 후 처방된 유동식을 주머니에 넣는다.	
8. 주머니를 IV걸대에 걸고 점적용기(drip chamber)를 눌러 용기의 1/2정도에 유동식을 채운다.	
9. 튜브의 조절기를 열어 튜브에 유동식을 끝까지 채워, 공기를 제거한 후 잠근다.	• 공기를 제거하기 위함이다.
10. 위관을 꺾어쥐고 마개를 열어 50ml 주사기를 연결한 후 위관의 위치와 잔여량을 확인하고 위로 다시 주입한다.	
11. 위관을 꺾어쥐고 주사기를 분리한 다음 위관 마개를 막는다.	
12. 주사기 내관을 제거한 다음 위관을 꺾어쥐고 위관 마개를 열고 내관을 제거한 주사기를 연결한다.	
13. 물을 15~30ml 정도 주사기에 넣은 다음 꺾어진 위관을 풀고 중력에 의해 들어가도록 주사기를 높힌다.	• 복부에서 30~45cm 정도 높이로 주사기를 올린다.

간헐적 점적식 위관 영양의 단계와 근거(계속)

단계	근거
14. 물이 주사기 hub까지 주입되면, 위관 끝을 꺾어쥐고 주사기를 제거한 후 영양 주머니 튜브의 끝을 연결한다.	
15. 조절기를 열어 점적용기의 방울수를 맞춘다. 주입시간은 30분에서 1시간 정도로 중력에 의해 서서히 들어가도록 한다.	• 1회 주입시간은 30~60분정도로 하루 3~6회 정도 주입한다. • 1분에 50ml 이하의 속도로 주입한다.
16. 유동식 주입이 끝나면 위관 영양 주머니에 30~60ml의 물을 주입하여 튜브를 씻어낸다.	• 유동식이 굳어 튜브가 막히는 것을 예방한다.
17. 위관으로 물이 다 주입되기 전에 위관 끝을 꺾어 쥐고 주머니를 제거한 다음 위관의 마개를 닫는다.	• 공기가 들어가지 않게 하기 위함이다.

단계 7

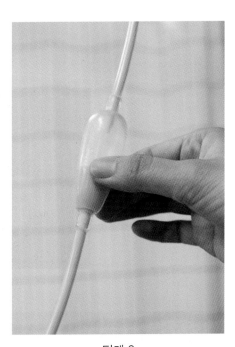

단계 8

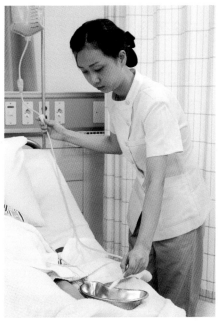

단계 9

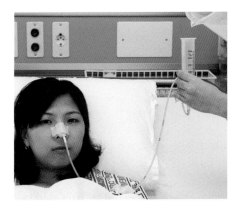

단계 13

단계 14

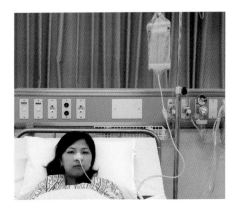

단계 15

간헐적 점적식 위관 영양의 단계와 근거(계속)

단계	근거
18. 영양액이 다 주입된 후 좌위나 반좌위를 30분 이상 유지하도록 한다.	• 구토를 예방하기 위함이다.
19. 손을 씻는다.	
20. 사용한 물품을 정리한다.	• 주사기, 위관영양 주머니, 물컵 등은 씻어 건조시킨다.
21. 날짜 및 시간, 주입시간, 주입방법, 주입량, 대상자의 반응(팽만감, 구토증, 자세) 등을 기록한다.	

3. 지속적 점적식 위관 영양

- **준비물품**
  - 처방된 유동식
  - 튜브가 달린 위관 영양 주머니
  - 50cc 주사기
  - IV 걸대, 주입펌프
  - 실온의 물 60cc, 물컵
  - 청진기
  - 수건, 곡반

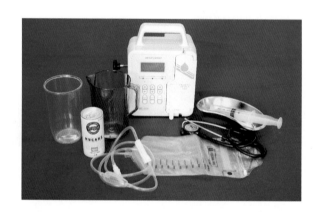

지속적 점적식 위관 영양의 단계와 근거

단계	근거
1. 손을 씻는다.	
2. 위관 영양에 필요한 물품과 처방액을 준비한다.	
3. 대상자에게 간호사 자신을 소개한다.	
4. 대상자의 이름을 개방형으로 질문하여 대상자를 확인하고, 입원 팔찌와 환자 기록지의 이름, 등록번호를 대조하여 재확인한다.	
5. 대상자에게 목적과 절차를 설명한다.	• 주입펌프를 이용한 지속적 주입방법은 지속적으로 소량을 주입할 때 사용된다.
6. 좌위나 반좌위를 취하게 한 후 가슴 위에 수건을 펴고 머리를 옆으로 돌린다.	• 위관영양 동안 흡인의 위험을 줄일 수 있다. 좌위나 반좌위가 금기인 경우 우측 측위를 취해 준다.

지속적 점적식 위관 영양의 단계와 근거(계속)

단계	근거
7. 튜브가 달린 위관영양 주머니를 준비하고, 튜브에 달린 조절기를 잠근 후 처방된 유동식을 주머니에 넣는다.	• 처방액이 오염되지 않도록 주머니에 넣은 처방액은 4~8시간 안에 투여해야 한다.
8. 주머니를 IV걸대에 걸고 점적용기(drip chamber)를 눌러 유동식을 점적 용기의 1/2정도 채운다.	
9. 조절기를 열어 튜브에 유동식이 차도록 한 후 잠근다.	• 공기를 제거하기 위함이다.
10. 위관영양의 종류, 강도, 양, 날짜, 시작 시간 등을 유동식 주머니에 표시한다.	
11. 주입펌프를 IV 걸대에 매달고 튜브를 장착한 후 주입 속도를 맞춘다.	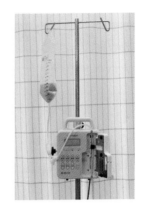
12. 위관을 꺾어쥐고 마개를 열어 50ml 주사기를 연결한 후 위관의 위치와 잔여량을 확인하고 위로 다시 주입한다.	
13. 위관을 꺾어쥐고 주사기를 분리한 다음 위관 마개를 막는다.	
14. 주사기 내관을 제거한 다음 위관을 꺾어쥐고 위관 마개를 열고 내관을 제거한 주사기를 연결한다.	
15. 물을 15~30ml 정도 주사기에 넣은 다음 꺾어진 위관을 풀고 중력에 의해 들어가도록 주사기를 높인다.	• 복부에서 30~45cm 정도 높이로 주사기를 올린다.
16. 물이 주사기 hub까지 주입되면, 위관 끝을 꺾어쥐고 주사기를 제거한 후 영양 주머니 튜브의 끝을 연결한다.	
17. 조절기를 열고 주입 펌프를 작동한다.	
18. 매 4시간마다 위관 영양을 중지하고 50ml 주사기로 위 내용물을 흡인해서 잔여량을 조사한다.	• 유동액이 위장계를 통해 잘 주입되고 있는지 확인한다.
19. 유동식 주입이 끝나면 주머니에 30~60ml의 물을 부어 튜브를 씻어낸다.	
20. 위관으로 공기가 들어가기 전에 위관을 꺾어쥐고 주머니를 제거한 후 위관의 마개를 닫는다.	• 주사기, 위관영양 주머니, 물컵 등은 씻어 건조시킨다.
21. 손을 씻는다.	
22. 사용한 물품을 정리한다.	
23. 날짜 및 시간, 주입시간, 주입방법, 주입량, 대상자의 반응(팽만감, 구토증, 자세) 등을 기록한다.	

4. 경피적 위루관 영양

- **목적**
  - 구강섭취가 불가능하나 위장관의 기능이 정상인 경우
  - 장기간(4주 이상) 경장 영양을 하여 영양의 균형을 유지하기 위함이다.
  - 위의 감압을 통한 장기간의 영양보충

- **준비물품**
  - 처방된 영양액(실온 정도)
  - 물, 50 mL 주사기
  - 급식백, 곡반
  - 수건, IV 걸대
  - 일회용 장갑

 경피적 위루관 영양의 단계와 근거

단계	근거
1. 손을 씻는다.	• 미생물의 전파를 방지하기 위함이다.
2. 대상자에게 가서 간호사 자신을 소개한다.	
3. 대상자의 이름을 개방형으로 질문하여 대상자를 확인하고, 입원 팔찌와 환자 기록지의 이름, 등록번호를 대조하여 재확인한다.	• 안전간호를 위한 대상자 확인절차 이며, 설명은 대상자의 협조를 구하기 위함이다.
4. 침상머리를 30~40° 정도 올려서 좌위나 반좌위가 되도록 한다.	• 음식물의 역류를 방지하기 위함이다.
5. 위루관 옆에 수건을 댄다.	
6. 주사기로 위 내용물을 흡인하여 잔류량을 확인하고 다시 넣는다.	• 잔류량이 50~100 mL 이상인 경우 영양 공급을 1시간 정도 중단하고 재확인하여 계속 250 mL 이상 나오면 의사와 상의하여야 한다.
7. 위루관에 주사기를 연결하여 물을 20~30mL 주입한다.	• 물이 잘 들어가지 않으면 관이 막힌 것을 의미한다.
8. 급식백에 영양액을 부어 위루관과 연결하고 서서히 주입되도록 조절기를 조절한다. 주입시간은 1시간 정도 소요된다.	
9. 영양액 공급이 끝난 후 30~60 mL의 물을 주입한다.	• 관을 깨끗하게 유지하기 위함이다.
10. 주사기나 급식백을 제거하고 뚜껑을 닫는다. 이때 관 속에 공기가 들어가지 않도록 한다.	
11. 영양 공급 후에 30분 정도 좌위나 반좌위를 유지시킨다.	• 기도흡인을 예방한다. [핵심평가: 위관양에 대한 내성, 위관양 후 역류증상과 복부팽만, 체중 증가나 감소, 배변양상(설사, 변비), 소변량, 소변 내 포도당과 아세톤 유무, 피부탄력 상태]
12. 사용한 기구를 깨끗이 씻어 건조해서 재사용한다.	
13. 위관 영양액을 주입한 시간 및 간격, 주입한 양액의 종류, 양 그리고 대상자의 반응 등을 기록한다.	

5. 완전 비경구 영양

완전 비경구영양(Total Parenteral Nutrition: TPN)은 대상자에게 필요한 포도당, 단백질, 지방, 비타민, 수분, 전해질 등의 모든 영양소가포함된 고삼투성 용액을 정맥으로 공급하는 방법이다. 완전 비경구영양을 단기간(4주미만) 이용 시에는 보통 쇄골하정맥이나 경정맥을 사용한다. 4주 이상 기간 동안 공급될 경우에는 PICC, 터널 카테터, 이식용 포트와 같은 보다 영구적인 카테터를 외과적인 절차로 삽입한다. 간호사는 완전 비경구영양을 시행하는 동안 감염의 통제와 대상자의 반응, 합병증 예방을 위해 철저하게 감시하는 것이 중요한 책임이며 무균기법을 엄격하게 지키는 것은 완전 비경구영양 대상자를 간호하는데 있어서 필수적이다.

- **목적**
  - 영양실조 대상자에게 비경구적으로 영양을 공급하기 위함이다.
  - 오랜 기간동안 위장관의 측관로(bypass)가 요구되는 대상자에게 비경구적으로영양을 공급하기 위함이다.
  - 심한 외상, 암, 과잉대사상태로 인한 많은 영양이 필요한 대상자에게 비경구적으로 영양을 공급하기 위함이다.

- **준비물품**
  - TPN용액(보통 약국에서 준비됨)
  - TPN 드레싱 kit, filter(0.22 μ)가 있는 IV tubing
  - 멸균장갑과 마스크
  - 주입조절 펌프
  - 혈당측정기구
  - 70% 알코올솜

완전 비경구 영양(Total Parenteral Nutrition: TPN)의 단계와 근거

단계	근거
TPN 치료감시	
1. 중심정맥카테터 삽입후 chest X-ray검사를 계획한다.	• X-ray는 카테터의 정확한 위치와 삽입시 일어난 기흉유·무를 확인한다.
2. 정확한 용액이 지시된 율로 들어가도록 주입조절기를 사용해서 주입속도를 감시한다. 용액의 만기일을 확인한다.	• 지속적인 주입속도 감시는 전해질불균형이나 고혈당증을 예방하도록 돕는다. 주의 깊은 확인은 투약과오를 예방한다.
3. 카테터 연결부위가 새어나오거나 꼬였는지 확인한다.	• 용액이 새어나오면 처방된 용량을 제공하지 못하며 잠재적인 세균의 입구가 된다. 튜브가 꼬이면 용액의 흐름을 막게되어 카테터가 막히게 된다.
4. 침윤, 혈전성 정맥염 혹은 배액을 확인하기 위해 주입부위를 시진하고 만약 이상이 있으면 의사에게 보고한다.	• 체온의 상승은 패혈증의 초기증상이다.
5. 매 4시간마다 활력징후를 감시한다.	
6. 공기색전의 증상을 사정한다(예: 의식수준의 저하, 빈맥, 호흡곤란, 불안, 죽음이 임박한 느낌, 흉통, 청색증, 저혈압).	• 왼쪽으로 눕히는 것은 폐정맥으로의 공기흐름을 막고 trendelenburg 체위는 흉곽내압을 증가시켜 대정맥으로 유입되는 혈량을 감소시킨다.
7. TPN선은 TPN을 위해서만 사용한다.	• 감염을 예방하기 위해 주입선의 손상을 최소화한다.
8. 매 6시간마다 뇨검사를 시행한다.	• 요비중, 케톤을 측정하기 위이다.
9. 매 6시간마다 당검사를 시행한다. 비정상일 때 의사에게 보고한다.	• 고혈당증은 당대사를 돕기 위해서 인슐린 투여의 필요성을 지적해 주거나 패혈증의 초기임을 나타낸다.

완전 비경구 영양(Total Parenteral Nutrition: TPN)의 단계와 근거(계속)

단계	근거
10. 지시된 대로 전해질, BUN, 혈당에 대한 병리검사를 주시하고 비정상이면 의사에게 보고한다.	• 지속적인 확인과 보고는 합병증의 예방과 즉각적인 처치를 할 수 있는 수단이 된다.
11. 섭취량, 배설량을 정확하게 기록한다.	• 합병증 조기발견의 중요한 단서가 된다. • 수분과 전해질의 균형을 감시한다.
12. 매일 대상자이 체중을 측정하고 기록 한다.	
13. 자주 드레싱을 살피고 잘 붙여있지 않거나 헐겁거나 습기가 차 있을 때마다 바꾸고 적어도 매 48시간마다 드레싱을 바꾼다.	• 드레싱이 손상되지 않고 건조하면 감염이 예방되며 대상자의 안위를 유지하도록 돕는다.

TPN 튜브와 드레싱교환

1. 손을 씻는다.	• 미생물의 교차감염을 감소하기 위함이다.
2. 의사의 지시에 따라 새로운 고영양액을 대조, 확인한다. 용액의 만기일을 확인한다.	• TPN은 준비된 지 24시간 이내에 사용해야한다.
3. 새로운 TPN용액에 튜브와 필터를 부착한다.	
4. 대상자를 앙와위로 눕힌다.	• 대정맥의 압력을 감소시켜 카테터 교환시 공기색전의 위험이 적다.
5. 간호사와 대상자 모두 마스크를 착용한다.	• 카테터와 삽입부위를 간호사나 대상자의 입과 코에서 나온 미생물로부터 보호하기 위함이다.
6. 장갑을 착용한다.	• 대상자의 분비물로부터 간호사를 보호하기 위함이다.
7. 사용한 드레싱을 제거하여 버린다.	
8. 주입부위의 발적, 배액상태, 부종 여부를 자세히 살핀다.	
9. 사용한 장갑을 벗은 후 다시 손을 씻는다.	
10. 무균물품을 침상 옆 탁자 위에 놓고 펼친다.	
11. 무균장갑을 착용한다.	
12. 10%아세톤에 적셔진 거즈로 삽입부위를 닦는다. 삽입부위 중앙에서 밖으로 둥글게 이동하면서 닦는다.	• 아세톤은 피부의 지방을 제거하고 부착테이프를 제거한다.
13. 베타딘용액(povidone-iodine)을 사용해서 2분 동안 부위를 같은 방법으로 깨끗이 하고, 그대로 마르도록 한다.	• 베타딘은 카테터 삽입부위의 미생물 수를 줄이고 항 미생물 작용을 갖는다.
14. 베타딘으로 튜브와 카테터의 연결부위를 깨끗이 한다.	
15. 기관의 규정에 따라서 피부에 묻어 있는 베타딘을 알콜로 깨끗이 닦아낸다.	
16. 삽입부위에 베타딘 연고를 바른다.	• 장기간의 항미생물 작용을 위함이다.
17. Tubing에서 카테터 hub를 풀어놓는다.	

완전 비경구 영양(Total Parenteral Nutrition: TPN)의 단계와 근거(계속)

단계	근거
18. 간호사가 사용한 tube를 재빨리 분리하고 새로운 튜브에 카테터hub를 꽂는 동안 호흡을 멈추고 참도록(valsalva 수기) 대상자에게 요청한다.	• 대상자가 valsalva 수기를 시행하는 동안 빨리 연결하는 것이 공기색전증을 방지한다.
19. 모든 연결부위를 테이프로 고정한다.	• 튜브의 분리사고를 예방한다.
20. 4×4inch 거즈나 투명한 반투과막 드레싱을 사용하여 드레싱을 교환한다.	• 투명한 드레싱은 드레싱을 떼지 않고도 삽입부위를 쉽게 관찰할 수 있기 때문에 더 선호한다.
21. 다음 드레싱 때까지 튜브를 테이프로 고정하고, 드레싱 한 날짜와 간호사의 이름을 표기한다.	• 의료인 간의 의사소통의 수단으로 제공된다.
22. 의사의 지시대로 주입속도를 조정한다.	
23. 사용한 용액과 튜브를 버리고 장갑을 벗은 뒤 섭취, 배설기록지에 주입용량을 기록한다.	

간헐적 집중식 위관 영양

평가일자 _____ 평가자 이름 _____

No	수 행 항 목	수행	미수행	비고
1	손을 씻는다.			
2	필요한 물품을 준비한다.			
3	대상자에게 간호사 자신을 소개한다.			
4	대상자의 이름, 등록번호 등을 개방형으로 질문하여 대상자를 확인하고, 입원팔찌와 대조하며 재 확인한다.			
5	대상자를 확인하고 목적과 절차를 설명한다.			
6	좌위나 반좌위를 취하게 한 후 가슴 위에 수건을 펴고 머리를 옆으로 돌린다.			
7	위관의 끝을 꺾어 쥐고 마개를 열어 50mL 주사기를 연결하여 위관의 위치와 잔여량을 확인한다.			
8	흡인한 내용물은 중력에 의해 다시 위 속으로 주입한다.			
9	주사기에 물을 20~30mL 정도를 넣어 천천히 중력에 의해 주입한다.			
10	물이 주사기의 hub까지 내려오기 전에 유동식을 가득 채워 주입하며, 주사기가 비워지지 않도록 계속해서 처방된 양을 주입한다.			
11	마지막 주입액이 주사기 hub 쪽으로 내려오면 30~60mL의 물을 넣는다.			
12	물이 hub까지 내려가기 전 위관에 물이 차 있는 상태에서 위관을 꺾어 쥐고 주사기를 뺀 후 위관의 마개를 닫는다.			
13	주입이 끝난 후 반좌위로 30분 이상 있게한다.			
14	손을 씻고 물품을 정리한다.			
15	대상자의 반응과 주입시간, 주입방법과 주입양 등 수행한 내용을 기록한다.			

간헐적 점적식 위관 영양

평가일자 _____   평가자 이름 _____

No	수 행 항 목	수행	미수행	비고
1	손을 씻는다.			
2	필요한 물품을 준비한다.			
3	대상자에게 간호사 자신을 소개한다.			
4	대상자의 이름, 등록번호 등을 개방형으로 질문하여 대상자를 확인하고, 입원팔찌와 대조하며 재 확인한다.			
5	대상자를 확인하고 목적과 절차를 설명한다.			
6	좌위나 반좌위를 취하게 한 후 가슴에 수건을 펴고 머리를 옆으로 돌린다.			
7	튜브가 달린 위관영양 주머니를 준비하고, 튜브에 달린 조절기를 잠근 후 처방된 유동식을 주머니에 넣는다.			
8	주머니를 IV걸대에 걸고 점적용기(drip chamber)를 눌러 용기의 1/2 정도에 유동식을 채운다.			
9	튜브의 조절기를 열어 튜브에 유동식을 끝까지 채워 공기를 제거한 후 잠근다.			
10	위관을 꺾어 쥐고 마개를 열어 50mL 주사기를 연결한 후 위관의 위치와 잔여량을 확인한다.			
11	주사기 내관을 제거하고 흡인한 위 내용물을 다시 위속으로 주입한다.			
12	위 내용물이 주사기 hub까지 내려가기 전 위관을 꺾어쥐고 물을 15~30mL 정도 넣어 주입한 후 위관 영양 주머니의 끝을 연결하여 유동식을 주입한다.			
13	유동식 주입이 끝나면 위관 영양 주머니에 30~60mL의 물을 주입하여 튜브를 씻어낸다.			
14	물이 주사기 hub까지 주입되면 위관 끝을 꺾어 쥐고 주머니를 분리한 다음 위관의 마개를 닫는다.			

간헐적 점적식 위관 영양(계속)

No	수 행 항 목	수행	미수행	비고
15	손을 씻고 물품을 정리한다.			
16	대상자의 반응, 수행내용을 기록한다.			

TPN: TPN 치료 감시

평가일자 _____   평가자 이름 _____

No	수 행 항 목	수행	미수행	비고
1	중심정맥카테터 삽입 후 chest X-ray검사를 계획한다.			
2	정확한 용액이 지시된 율로 들어가도록 주입조절기를 사용해서 주입속도를 감시한다. 용액의 만기일을 확인한다.			
3	카테터 연결부위가 새어나오거나 꼬였는지 확인한다.			
4	주입부위를 시진하고(침윤, 혈전성 정맥염 혹은 배액을 확인), 만약 이상이 있으면 의사에게 보고한다.			
5	매 4시간마다 활력징후를 감시한다.			
6	공기색전의 증상(의식수준의 저하, 빈맥, 호흡곤란, 불안, 죽음이 임박한 느낌, 흉통, 청색증, 저혈압 등)을 사정한다.			
7	만약 공기색전의 증상이 예상되면 대상자를 trendelenburg체위로 하고 머리를 왼쪽으로 돌려서 눕힌다.			
8	TPN선은 TPN을 위해서만 사용한다.			
9	요비중, 케톤을 측정하기 위하여 매 6시간마다 뇨검사를 시행한다.			
10	매 6시간마다 당검사를 시행한다. 비정상일 때 의사에게 보고한다.			
11	지시된 대로 전해질, BUN, 혈당에 대한 병리검사를 주시하고 비정상이면 의사에게 보고한다.			
12	섭취량, 배설량을 정확하게 기록한다.			

TPN: TPN 치료 감시(계속)

No	수 행 항 목	수행	미수행	비고
13	매일 대상자의 체중을 측정하고 기록한다.			
14	매 근무시간마다 배액상태와 손상 유·무를 확인하기 위해 드레싱을 살핀다.			
15	드레싱이 잘 붙여있지 않거나 헐겁거나 습기가 차 있을 때마다 바꾸고 적어도 매 48시간마다 드레싱을 바꾼다.			

TPN: TPN 튜브와 드레싱 교환

평가일자 _____   평가자 이름 _____

No	수 행 항 목	수행	미수행	비고
1	손을 씻는다.			
2	의사의 지시에 따라 새로운 고영양액을 대조, 확인한다. 용액의 만기일을 확인한다.			
3	새로운 TPN용액에 멸균된 튜브와 필터를 부착한다.			
4	대상자를 앙와위로 눕힌다.			
5	간호사와 대상자 모두 마스크를 착용한다.			
6	대상자를 TPN 주입선의 반대방향으로 머리를 돌리도록 설명한다.			
7	드레싱을 교환하는 동안 기침이나 말을 하지 않도록 한다. 협조가 불가능한 대상자의 경우에는 마스크를 착용하도록 한다.			
8	장갑을 착용한다.			
9	사용한 드레싱을 제거하여 버린다.			
10	주입부위의 발적, 배액상태, 부종 여부를 자세히 살핀다.			
11	장갑을 벗는다.			
12	손을 씻는다.			
13	무균물품을 침상 옆 탁자 위에 놓고 펼친다.			
14	무균장갑을 착용한다.			

TPN: TPN 튜브와 드레싱 교환(계속)

No	수 행 항 목	수행	미수행	비고
15	10%아세톤에 적셔진 거즈로 삽입부위를 닦는다. 아세톤을 카테터에 접촉되지 않도록 하면서 삽입부위 중앙에서 밖으로 둥글게 이동하면서 닦는다.			
16	베타딘용액(povidone-iodine)을 사용해서 2분 동안 부위를 같은 방법으로 깨끗이 하고, 그대로 마르도록 한다.			
17	튜브와 카테터의 연결부위를 베타딘으로 깨끗이 한다.			
18	기관의 규정에 따라서 피부에 묻어있는 베타딘을 알코올로 깨끗이 닦아낸다.			
19	삽입부위에 베타딘 연고를 바른다.			
20	Tubing에서 카테터 hub를 풀어놓는다.			
21	간호사가 사용한 튜브를 재빨리 분리하고 새로운 튜브에 카테터hub를 꽂는 동안 대상자에게 호흡을 멈추고 참도록(valsalva 수기) 요청한다.			
22	모든 연결부위를 테이프로 고정한다.			
23	4×4inch 거즈나 투명한 반투과막 드레싱을 사용하여 드레싱을 교환한다.			
24	다음 드레싱 때까지 튜브를 테이프로 고정하고, 드레싱 한 날짜와 간호사의 이름을 표기한다.			
25	의사의 지시대로 주입속도를 조정한다.			
26	사용한 용액과 튜브를 버리고 장갑을 벗는다.			
27	섭취, 배설기록지에 주입용량을 기록한다.			

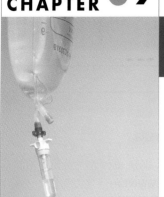

CHAPTER 09

위관 세척

1. 위관 세척

- **준비물품**
  - 비위관
  - 50cc 주사기(깔대기)
  - 세척액(생리식염수)
  - 곡반, 세척용액 담을 그릇
  - 청진기, 혈압계
  - 침상 보호용 패드, 일회용 장갑

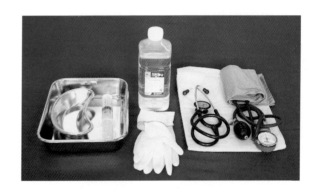

 위관 세척의 단계와 근거

단계	근거
1. 손을 씻는다.	• 미생물 전파를 줄이기 위함이다.
2. 필요한 물품을 준비한다.	
3. 준비한 물품을 가지고 대상자에게 가서 간호사 자신을 소개한다.	
4. 손을 씻는다.	• 미생물 전파를 줄이기 위함이다.
5. 대상자의 이름을 개방형으로 질문하여 대상자를 확인하고, 입원 팔찌와 환자 기록지의 이름, 등록번호를 대조하여 재확인한다.	
6. 대상자에게 목적과 절차를 설명한다.	• 대상자의 협조를 얻기 위함이다.
7. 대상자의 자세를 좌위나 반좌위로 한다.	• 세척 시 기도흡인의 위험을 줄이기 위함이다.
8. 대상자 가슴에 보호용 패드를 대주고, 위관 끝부분에 곡반을 놓는다.	• 위내용물로 침상이나 대상자의 환의가 오염되지 않게 한다.
9. 장갑을 착용한다.	• 미생물로 인한 오염을 막기 위함이다.

위관 세척의 단계와 근거(계속)

단계	근거
10. 위관의 위치를 확인한다. 위관이 없으면 위관을 삽입한다.	
11. 50cc 주사기에 준비된 세척액을 담고 위관에 끼운 후 부드럽게 압력을 가해 위내로 주입한다.	• 압력이 강할 경우 점막이 손상될 수 있다.
12. 주사기 내관을 부드럽게 당겨 세척액을 흡인해 낸다. 흡인한 세척액은 용기에 모아둔다.	• 주입된 양과 배출된 양을 사정하기 위함이다.
13. 세척액이 맑아지거나 연한 분홍색이 될 때까지 반복한다.	
14. 필요한 경우 보조자에게 혈압을 측정하도록 한다.	• 위내 출혈로 인해 세척을 하는 경우 대상자의 상태를 파악하기 위해 혈압을 측정해야 한다.
15. 세척액의 종류, 주입된 양, 배출된 양과 양상, 그리고 대상자의 상태를 기록한다.	• 위내 출혈량을 측정하기 위해 주입된 양과 배출된 양을 측정해야 한다.

단계 8

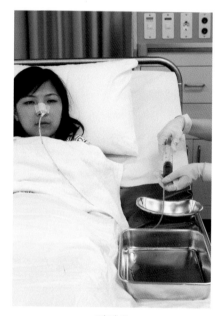

단계 9

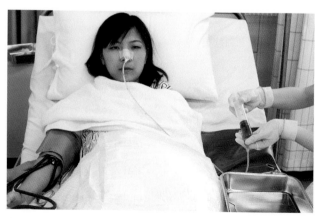

단계 11

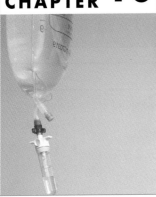

CHAPTER 10

영양 관리

실습목록
1. 섭취량과 배설량 측정   2. 식사 돕기

섭취량과 배설량 측정은 인체의 체액과 전해질 균형을 유지하기 위해 필수적인 간호중재이다.

질병의 악화, 활동 내구성 결여, 팔이나 손의 손상, 시력손상, 뇌손상, 치료적 체위(앙와위나 복위) 등으로 신체움직임이 제한된 대상자들은 스스로 식사를 하기 어려워 도움이 필요하다.

 섭취량과 배설량을 측정해야 하는 대상자

- 발열이나 부종이 심한 대상자
- 정맥으로 수액을 주입하는 대상자
- 이뇨제를 투여하는 대상자
- 수분을 제한하는 대상자
- 구토나 설사가 심한 대상자
- 비위관 흡인을 하거나 과도한 상처배액이 있는 대상자

 식사돕기를 할 때 고려사항

- 대상자가 음식을 삼키기에 편안한 자세를 취해준다.
- 대상자 스스로 식사도구를 사용할 수 있으면 가능한 독립적으로 식사를 하도록 격려한다.
- 적절한 양의 수분과 음식을 섭취하도록 도와준다.

1. 섭취량과 배설량 측정

- **목적**
  - 대상자의 체액 균형 유지 정도를 사정하기 위함이다.
  - 적절한 양의 수분을 섭취하도록 격려하기 위함이다.
  - 정상 체중과 전해질을 유지하기 위함이다.

- **준비물품**
  - 섭취량을 측정할 수 있는 눈금이 있는 컵
  - 소변량을 측정할 수 있는 눈금이 있는 용기
  - 변기
  - 장갑
  - 섭취량과 배설량 기록지, 펜

섭취량과 배설량 측정의 단계와 근거

단계	근거

단계

1. 대상자와 가족에게 섭취량과 배설량 측정의 목적과 방법을 설명한다.

2. 섭취량과 배설량 기록지를 침상 옆 탁자위에 놓아 둔다.

3. 모든 섭취량을 측정하고 기록한다.

   a. 경구섭취량

   (1) 식사시 섭취한 수분이 함유된 음식의 종류와 양을 기록한다.
   물, 우유, 쥬스, 커피, 미음, 밥, 국, 아이스크림 등이 포함되며, 병원에서 제공되는 식사는 비치된 측정표에 따라 정확하게 기록한다.

   (2) 식간이나 약과 함께 마신 물, 제산제와 같은 액체로 된 제제는 섭취량에 포함시킨다.

   (3) 위관영양 주입량이 포함된다.

   b. 비경구 섭취량

   (1) 정맥 수액 주입량을 기록한다.

   (2) 항생제를 희석하여 투여하는 경우 희석량을 비경구량에 포함시킨다.

   c. 혈액 주입량을 기록한다.

   d. 매 교대 근무시간이 끝나기 전에 8시간마다 총량을 계산하여 섭취량과 배설량 기록지에 기록한다.

   e. 밤범 간호사는 아침 일정한 시간(보통 오전 6시)을 기준으로 24시간 동안의 섭취량을 합하여 기록지에 기록한다.

4. 배설량을 측정하고 기록한다.

   a. 소변기에 배뇨한 후 측정 용기에 담아 양을 측정한다.

   b. 유치 도뇨를 삽입한 대상자는 각 근무시간 끝에 소변주머니를 비워 양을 측정한다. 대상자의 상태에 따라 매 시간마다 소변량을 측정해야 하는 경우도 있다.

   c. 대변은 횟수로 기록한다.

   e. 기저귀는 중량을 측정하여 기록한다.

   f. 구토, 비위관 흡인량, 상처 배액량, chest tube의 배액량 등을 측정하여 기록한다.

   g. 실금이 있을 경우 횟수를 기입하고, 발한이 심할 경우 환의 및 홑이불 교환 횟수를 기록한다.

   h. 매 교대 근무시간이 끝나기 전에 8시간마다 총량을 계산하여 섭취량과 배설량 기록지에 기록한다.

근거

• 정확한 섭취량과 배설량의 측정이 체액과다나 부족을 확인할 수 있는 방법임을 설명한다.

• 대상자와 가족이 쉽게 참여할 수 있도록 한다.

예)

시 간	종류	양
오전 8시	밥	1공기
	국	1그릇
	물	100cc
오전 11시	우유	150cc

• 배설양을 측정할 때 필요하면 장갑을 착용한다.

• 소변주머니에는 눈금이 있으나 정확한 측정이 어려울 경우 측정 용기에 담아 측정한다.

• 예를 들어 '실금 4회', '환의와 홑이불 3회 교환함' 으로 기록한다.

섭취량과 배설량 측정의 단계와 근거(계속)

단계	근거
i. 밤번 간호사는 매일 아침 일정한 시간(보통 오전 6시)에 24시간 동안의 배설량을 합하여 기록지에 기록한다.	• 매 근무별로 8시간 마다 측정한 량을, 다음날 아침에 밤번 간호사가 합산하면 지난 24시간 동안의 총계가 산출된다.
5. 총섭취량과 총배설량을 비교해 보고 지난 며칠 동안의 양과도 비교한다.	• 섭취량과 배설량은 균형을 이루어야 한다.
6. 탈수나 수분과다의 증상, 체중의 변화를 사정하여 기록하고 의사에게 보고한다.	• 소변량이 1시간당 30㎖ 이하이면 보고한다.

※ 섭취량과 배설량 기록지의 예

성명 :		나이 :		성별 :		병실번호 :		병동 :		
날짜	시간	섭취량				배설량				
		구강	비경구	수혈	총계	총계	소변	배액	흡인	구토	배변
	D										
	E										
	N										
	총계										
	D										
	E										
	N										
	총계										

2. 식사 돕기

- **목적**
  - 영양분을 충분히 섭취하고 안전하게 식사를 하도록 한다.
  - 가능한 한 대상자가 독립적으로 식사를 할 수 있도록 한다.

- **준비물품**
  - 음식물이 담긴 그릇, 수저, 쟁반, 물컵
  - 앞수건, 내프킨
  - 침상위 탁자

 식사 돕기의 단계와 근거

단계	근거
1. 대상자에게 식사 시간임을 알려준다.	
2. 손을 씻는다.	
3. 대상자에게 용변을 보도록 하고 손을 씻도록 한다.	
4. 구강간호를 하도록 돕는다.	• 대상자의 식욕을 돋우어 준다.
5. 소음을 줄이거나 주변을 청결히 한다.	
6. 대상자의 움직임이 가능한 범위 내에서 식사하기에 적절한 체위를 취한다.	• 적절한 체위를 취해주면 음식을 삼키기 쉽고 소화에도 도움이 된다. 또한 흡인의 위험도 줄일 수 있다.
7. 대상자가 식사하기 편안하도록 식기를 옮기도록 하며 필요하면 도움을 제공한다.	
8. 대상자가 식사할 때 필요하면 도와준다. 대상자가 피로해지지 않을 정도의 속도로 음식을 제공하며, 먹고 싶은 음식이 있으면 표현을 하도록 이야기한다.	• 대상자가 가능하면 스스로 식사하도록 한다.
9. 식사 후 소화가 잘 되도록 편안한 체위를 취해준다.	
10. 섭취량, 식욕상태 등 대상자의 반응을 기록한다.	

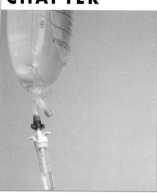

CHAPTER 11

흉부 물리 요법

실습목록
1. 흉부 물리 요법을 위한 대상자 준비
2. 체위 배액
3. 타진법
4. 진동법
5. 심호흡 및 기침

체위 배액은 중력을 이용하여 폐의 아주 작은 기관지에 있는 분비물을 큰 기관지까지 이동시키기 위해 특정한 체위를 취하는 방법이다. 체위배액, 타진, 진동을 통해 분비물이 큰 기관지로 이동하면 기침이나 흡인을 통해 분비물을 제거할 수 있다.

체위 배액, 타진 및 진동의 수행

① 한 체위를 취하여 체위 배액을 5분~15분 동안 시행한다.
② 각 분절을 2분~3분동안 타진한다.
③ 2~3회 정도 호기를 하는 동안 진동시킨다.
④ 기침을 하여 분비물을 뱉게 하거나 필요한 경우 흡인을 한다.
⑤ 필요한 경우 다음 체위를 취해준다.

1. 흉부 물리 요법을 위한 대상자 준비

흉부 물리 요법을 위한 대상자 준비의 단계와 근거

단계	근거
1. 대상자에게 목적과 절차를 설명한다.	• 대상자의 협조를 얻을 수 있다.
2. 대상자의 폐음, 호흡율, 깊이를 사정한다.	• 체액 배액 후 효과를 평가할 수 있는 기초자료가 된다.
3. 분비물이 정체된 부위를 확인한다.	• 특히 호흡음이 감소되었거나 들리지 않는 부위는 분비물로 인해 공기의 흐름이 차단된 부위이다.
4. 양측 폐의 확장 정도를 사정하고, 탁음이 들리는 곳을 확인한다.	
5. 분비물을 뱉을 수 있도록 대상자에게 곡반과 휴지를 제공한다.	
6. 식전이나 식후 2시간 후에 수행한다.	• 구토와 불편감을 최소로 줄일 수 있다.
7. 타진이나 진동을 수행할 때에는 환의를 입은 위에 하거나 적용부위에 수건을 대준다.	• 피부의 자극을 피하기 위함이다.

2. 체위 배액

- **목적**
  - 축적된 분비물을 쉽게 배출시키기 위함이다.

- **준비물품**
  - 침대(혹은 의자), 베개
  - 휴지, 곡반
  - 가래 수거통
  - 목욕 수건

 체위 배액의 단계와 근거

단계	근거
1. 환의를 느슨하게 풀어준다.	
2. 앙와위로 누운 상태에서 침대 머리쪽을 30도 상승시킨다. 쇄골과 견갑골 사이를 타진하고 진동시킨다.	• 폐첨부위(apical segment)의 배액을 촉진시킨다.
3. 침대를 수평으로 하고 앙와위를 취한다. 무릎을 약간 굴곡시켜 베개를 대준다. 쇄골과 유두사이를 타진하고 진동시킨다.	• 상엽 전구(anterior segment)의 배액을 돕는다.
4. 좌위를 취해 베개를 두개정도 복부에 대고 30도 정도 앞으로 기댄다. 견갑골을 피하여 등뒤쪽 부분을 타진하고 진동시킨다.	• 상엽 후구(posterior segment)의 배액을 돕는다.
5. 하지를 15도 정도 상승하고 좌측위를 한 상태에서 등뒤에 베개를 대고 뒤쪽으로 45도 기울인다. 유두 위쪽을 타진하고 진동시킨다.	• 우측 중엽 외측구(lateral segment)와 내측구(medial segment)의 배액을 돕는다.
6. 5번과 동일한 방법으로 우측위를 취한다.	• 좌측 중엽 설구(lingular segment)의 배액을 돕는다.
7. 침대를 수평으로 하고 복위를 취한 후 엉덩이 아래에 베개를 두 개 정도 대준다. 등의 중간 부분을 타진하고 진동시킨다.	• 양측 하엽 상구(superior segment)의 배액을 돕는다.
8. 하지 부분을 30도 상승시키고 좌측위로 눕는다. 무릎 사이에 베개를 끼우고, 위쪽 팔을 머리위로 들어 올린다. 하부 늑골이 있는 겨드랑이 부위를 타진하고 진동시킨다.	• 우측 하엽 전폐저구(anterior basal segment)의 배액을 돕는다.
9. 8번과 동일한 방법으로 우측위를 취한다.	• 좌측 하엽 전폐저구(anterior basal segment)의 배액을 돕는다.
10. 침대 발치를 30도 상승시키고 복위로 누운 상태에서 상체를 측면을 향해 45도 정도 돌린다. 흉곽 측면의 하부 늑골 부위를 타진하고 진동시킨다. 반대편도 동일한 방법으로 시행한다.	• 하엽 외측 폐저구(lateral basal segment)의 배액을 돕는다.
11. 침대 발치를 30도 상승하고 복위로 누운 상태에서 엉덩이 부위 아래에 베개를 두 개 정도 대준다. 척추 양쪽의 하부늑골을 타진하고 진동시킨다.	• 하엽의 후폐저구(posterior basal segment)의 배액을 돕는다.

체위 배액의 단계와 근거(계속)

단계	근거

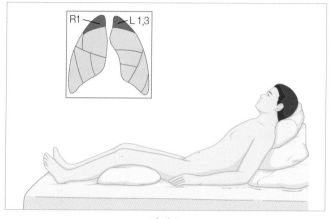

단계 2

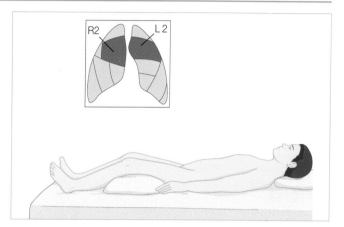

단계 3

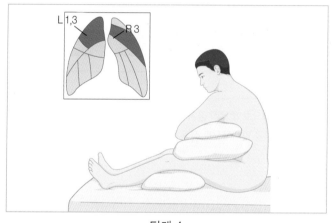

단계 4

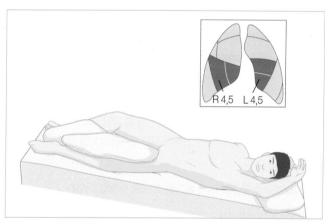

단계 5, 단계 6

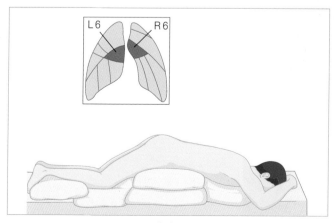

단계 7

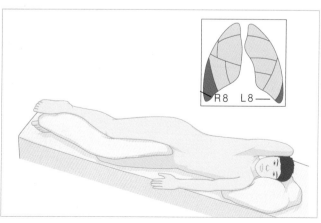

단계 8

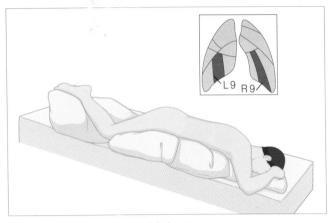

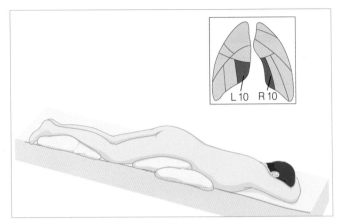

단계 10   단계 11

3. 타진법

- **목적**
  - 분비물을 폐조직으로부터 느슨하게 떨어뜨리기 위함이다.

- **준비물품**
  - 침대(혹은 의자), 베개   - 가래 수거통
  - 휴지, 곡반   - 목욕 수건

 타진의 단계와 근거

단계	근거
1. 타진은 clapping 방법을 사용한다. 손을 컵 모양으로 오므리고 팔꿈치를 약간 구부린 후, 손목을 이완시켜 빠르게 폐분절 위를 교대로 두드린다.	• 손을 컵 모양으로 오므려 공기 주머니를 형성하여 두드리면 흉벽을 통해 분비물을 일시적으로 진동시키므로 분비물이 묽어져 쉽게 떨어지게 된다.
2. 대상자가 심호흡을 할 때 흡기와 호기 중 수행할 수 있다.	
3. 타진 후 대상자에게 기침을 하도록 격려한다.	• 분비물을 뱉어내기 위함이다.
4. 호흡음을 사정한다.	

단계 1

4. 진동법

- **목적**
  - 분비물을 묽게하여 기관지 쪽으로 배출시키기 위함이다.

- **준비물품**
  - 병원용 침대
  - 휴지, 가래 수거통
  - 목욕 수건

진동의 단계와 근거

단계	근거
1. 한 손을 편평하게 펴고 폐분절 위에 올려 놓은 후 다른 한 손을 그 위에 포갠다.	
2. 대상자에게 심호흡을 하도록 격려한다.	
3. 간호사의 팔과 어깨를 쭉 펴고 대상자의 가슴 방향으로 적당한 압력을 가한 다음 대상자가 입을 통해 천천히 호기하는 동안 간호사의 어깨와 상박을 재빨리 수축시켰다가 이완시키면서 진동시킨다.	
4. 호기당 약 10초 정도 진동한다.	
5. 진동 후 대상자에 기침을 하도록 격려한다.	• 분비물을 뱉어내기 위함이다.
6. 호흡음을 사정한다.	

단계 3

5. 심호흡 및 기침

1) 심호흡

- **목적**
  - 대상자의 폐를 최대한 확장시키기 위함이다.

심호흡의 단계와 근거	
단계	**근거**
1. 손을 씻는다.	• 미생물 전파를 줄이기 위함이다.
2. 대상자에게 목적과 절차를 설명한다.	• 대상자의 협조를 얻기 위함이다.
3. 대상자를 좌위로 취한다.	• 폐가 최대한으로 확장되도록 한다.
4. 폐첨부 확장을 위한 심호흡 훈련을 한다.	
a. 간호사의 손가락을 대상자의 쇄골아래에 대고 적당한 압력을 가한다.	
b. 대상자에게 간호사가 적당한 압력을 가할 때 폐를 충분히 팽창시킬 정도로 숨을 들이 쉬도록 설명한다.	
c. 폐가 확장된 상태에서 3~5초동안 숨을 참은 후 입을 통해 천천히 내쉰다.	
5. 폐저부 확장을 위한 심호흡 훈련을 한다.	
a. 간호사의 손을 액와중앙선과 8번째 늑골이 만나는 지점에 놓고 대상자가 숨을 들이 쉴 때 중간 정도의 압력을 가한다.	• 하부 흉곽 운동은 흉곽 수술 후 통증으로 인해 양측 흉곽 운동이 제한된 대상자에게 도움이 된다.
b. 폐가 확장된 상태에서 3~5초 동안 숨을 참은 후 입을 통해 천천히 내쉰다.	
6. 대상자에게 자신의 손바닥을 사용하여 같은 방법으로 연습하도록 한다.	
7. 2시간 마다 심호흡을 해야 하며, 매번 5회 정도 시행한다.	

단계 4a

단계 5a

2) 기침

- **목적**
  - 분비물을 폐로부터 제거하기 위함이다.

- **준비물품**
  - 침대(혹은 의자)
  - 휴지
  - 가래 수거통
  - 베개
  - 곡반
  - 목욕 수건

기침의 단계와 근거

단계	근거
1. 손을 씻는다.	• 미생물 전파를 줄이기 위함이다.
2. 대상자에게 목적과 절차를 설명한다.	• 대상자의 협조를 얻기 위함이다.
3. 대상자를 좌위로 취한 후 상체를 약간 앞으로 숙이고 무릎을 구부린다.	
4. 복부에 작은 베개를 대거나 손으로 지지하면 호기압을 높일 수 있다.	• 절개부위 긴장을 감소시켜 효과적인 기침을 하게 한다.
5. 느리고 깊게 숨을 두 번 쉰다. 이때 코로 들이 마시고 입으로 내쉰다.	
6. 세 번째로 깊게 숨을 들이 마신 후, 숨을 참고 셋까지 센 다음 두 번에서 세 번정도 깊게 기침을 한다. 기침을 하는 중간에 숨을 들이쉬지 않도록 한다. 이때 강하게 공기를 폐 밖으로 몰아내도록 한다.	
7. 분비물이 많은 경우 더 자주 심호흡과 기침을 하도록 격려한다.	

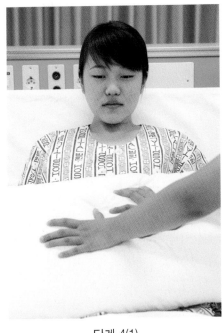

단계 4(1)

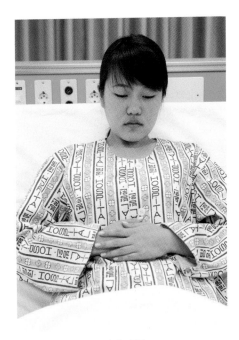

단계 4(2)

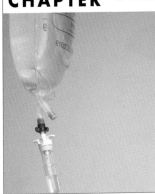

CHAPTER 12
인공 기도와 산소 요법

실습목록

1. 인공 기도
2. 산소 요법
3. 환기 증진기구
4. 분무에 의한 약물 투여
5. 말초 산소 포화도 측정과 심전도 모니터 적용
6. 기본 심폐소생술 및 제세동기 적용

대상자의 산소요구를 유지하기 위해 기도유지, 산소공급 및 환기 증진과 관련된 간호가 제공되어야 하며, 호흡기계 내의 정상 습도가 유지 되어야 한다.

인공 기도

유형	삽입위치	종류	특성
구강인두관 (oropharyngeal tube)	구강에서 구강인두까지 삽입		• S자 모양의 플라스틱 기구 • 혀로 인해 인두가 막히는 것을 예방
비강인두관 (nasopharyngeal tube)	비강에서 후인두(hypopharynx)까지 삽입		• 재질 : 고무나 라텍스
기관내관 (endotracheal tube)	구강(혹은 비강)에서 기관분기부 (carina) 3cm위까지 삽입		• 성인남자 : 7.5~8.5mm • 성인여자 : 6.5~7.5mm • 아동 : 5.0~6.5mm • 영아 : 3.0~4.5mm
기관절개관 (tracheostomy tube)	후두바로 밑 기관(trachea)을 외과적으로 절개 후 삽입	단일강관(single - lumen tube)	• 커프가 있는 것/커프가 없는 것 • 단기간용
		이중강관(double - lumen tube)	• 커프가 없는 것/커프가 있는 것 • 장기간용

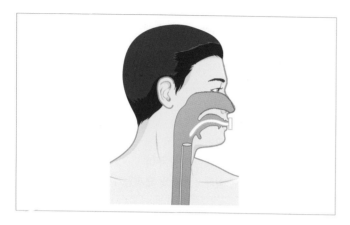

구강인두관

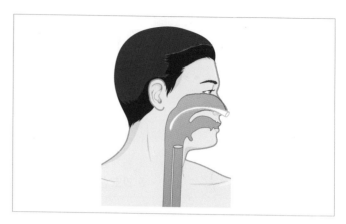

비강인두관

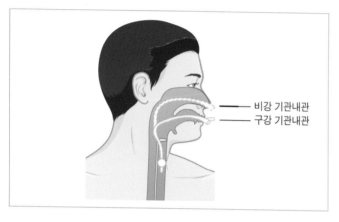

― 비강 기관내관
― 구강 기관내관

기관내관

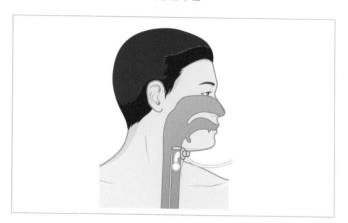

기관절개관

산소 전달 기구

유형	삽입 위치	종류	특성
비강캐뉼라	1-6L/min: 24%~44%	· 안전하고 단순하다. · 사용이 용이하다. · 저농도에서 효과적이다. · 음식섭취나 말하는 것에 지장을 주지 않는다. · 일회용으로 값이 저렴하다.	· 비강 폐쇄시 사용할 수 없다. · 점막이 건조해진다. · 쉽게 빠진다. · 피부를 자극하거나 벗겨질 수 있다. · 대상자의 호흡양상이 정확한 FiO_2 유지에 영향을 줄 수 있다.
벤츄리 마스크	4-10L/min: 24~50%	· 대상자의 호흡양상에 관계없이 정확한 양의 FiO_2가 공급된다. · 점막이 건조해지지 않는다. · 습기를 제공할 수 있다.	· 마스크가 안면을 막아 더워지면 피부를 자극할 수 있다. · 마스크가 잘 맞지 않으면 FiO_2가 낮아질 수 있다. · 음식섭취와 말하는 것에 지장을 준다.
부분 재호흡 마스크	6-15L/min: 60~90%	· FiO_2를 증가시킬 수 있다. · 산소를 쉽게 가습시킨다. · 점막이 건조해지지 않는다.	· 마스크가 안면을 막아 더워지면 피부를 자극할 수 있다. · 음식섭취와 말하는 것에 지장을 준다. · 주머니가 꼬이거나 뒤틀릴 수 있으므로 완전히 수축되면 안된다.

산소 전달 기구(계속)

유형	삽입 위치	종류	특성
비 재호흡 마스크	6-15L/min: 95~100%	· 기관삽관을 하지 않고도 가장 높게 FiO₂를 제공할 수 있다. · 점막이 건조해지지 않는다.	· 마스크를 단단히 조이게 되면 불편하다. · 피부를 자극한다. · 주머니가 완전히 수축되어서는 안된다.

환기 증진 기구

종류	특성
강화 폐활량계 (Incentive spirometers)	· 폐포를 확장시키면서 흡기량을 증가시킬 수 있다. · 최대 흡기동안 자신의 흡기량을 대상자 스스로 측정할 수 있다.
마스크 및 소생백	· 응급 상황에서 호흡을 멈춘 대상자의 환기를 돕기 위해 사용한다. · 마스크는 대상자의 입과 코에 꼭 맞게 고정해야 산소가 새지 않는다. · 흡기를 위해 정상 호흡수에 근접한 속도로 소생백을 눌러준다. · 호기를 할 때에는 소생백이 저절로 팽창되어 소생백에 있는 One-Way valve를 통해 대상자가 내쉰 공기가 배출된다.

가습 요법 시 고려할 사항

- 증기를 발생시키는 가습기는 화상을 입지 않도록 주의한다.

- 차가운 연무(Cool mist)를 발생시키는 가습기는 화상의 위험은 없으나 잘 관리하지 않으면 병원균이 성장하는 매개물이 될 수 있다.

1. 인공 기도

1) 구강인두관

- **목적**
  - 수술 후 마취회복기, 무의식 상태이거나 혀로 인해 기도가 폐쇄될 위험이 있는 대상자의 상부 기도를 유지하기 위함 이다.
  - 구강내 분비물을 흡인(suction)하기 위한 보조기구로 사용 하기 위함이다.
  - 기관내 삽관 시 bite blocker로 사용하여 기관 튜브의 개방 성을 유지하기 위함이다.

- **준비물품**
  - 구강인두관
  - 장갑, 설압자, 반창고

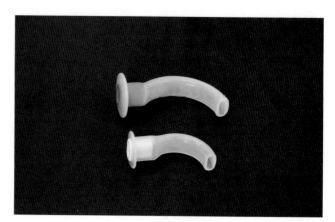

구강인두관

 구강인두관의 단계와 근거

단계	근거
1. 손을 씻는다.	
2. 대상자에게 목적과 절차를 설명한다.	• 대상자가 무의식 상태라도 절차를 설명한다. 의식이 있는 경우 구개반사를 자극하는 구강인두관은 사용하지 않는다.
3. 적당한 크기의 구강인두관을 선택한다.	
4. 금기가 아닌 경우(두부손상, 경추손상 등) 목을 과신전 시키기위해 큰 타올이나 작은 베개를 어깨 밑에 넣는다.	• 기도를 개방된 상태로 유지할 수 있다.
5. 장갑을 착용한다.	
6. 하악을 약간 앞으로 잡아당긴다.	• 혀가 구강인두를 폐쇄하지 않도록 도와준다.
7. 손가락이 서로 엇갈리는 방법(cross finger technique)을 이용하여 입을 벌린다.	• 구강인두관을 삽입하기 전 기도가 깨끗한지 사정한다. 설압자를 대용으로 사용하는 경우 설압자로 혀를 누르고 혀 위로 구강인두관을 삽입한다.
8. 다른 손으로 구강인두관을 잡고 끝이 입천정을 향하도록 넣어 혀 뒤쪽으로 가져간다.	• 혀를 눌러 혀가 뒤쪽으로 말리지 않도록 한다.
9. 구강인두관의 끝이 입의 뒤쪽에 있는 연구개에 도달했을 때, 곡선이 혀를 누르도록 180도 회전시켜 구개수(uvula)를 지나 구강인두로 삽입한다.	

구강인두관의 단계와 근거(계속)

단계	근거
10. 필요한 경우 구강 흡인을 한다.	
11. 구강인두관을 반창고로 고정한다.	
12. 대상자를 측위로 눕힌다.	• 구토물이나 분비물로 인한 흡인을 예방한다.
13. 손을 씻는다.	
14. 매 4시간마다 구강인두관을 제거하고 구강간호를 시행한다.	
15. 대상자의 상태와 수행내용을 기록한다.	

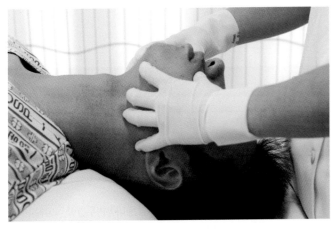

단계 4

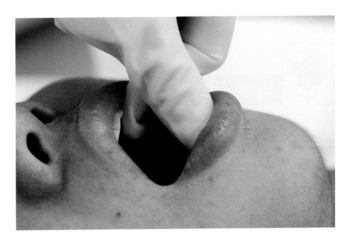

단계 7

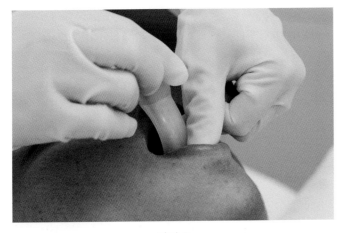

단계 8

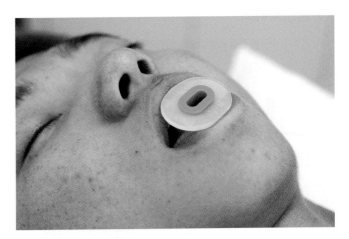

단계 10

2) 비강인두관

- **목적**
  - 구강인두관을 사용할 수 없거나 구개 반사가 민감하게 나타나는 대상자의 상부 기도를 유지하기 위함이다.
  - 비강인두 흡인 시 비강점막과 인두점막을 보호하기 위함이다.

- **준비물품**
  - 비강인두관
  - 수용성 윤활제, 거즈
  - 반창고
  - 일회용 장갑

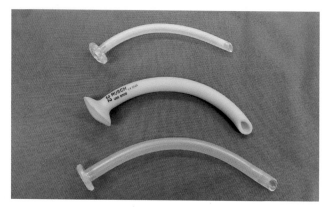

비강인두관

 비강인두관의 단계와 근거

단계	근거
1. 손을 씻는다.	
2. 대상자에게 목적과 절차를 설명한다.	• 대상자가 무의식 상태라도 절차를 설명한다.
3. 적당한 크기의 비강인두관을 선택한다.	• 대상자의 비공에서 귓불까지의 길이가 같은 비강인두관이 적당하며, 굵기는 비강 인두관의 외부 직경이 비공보다 약간 작아야 한다.
4. 금기가 아닌 경우 semi fowler's 체위나 fowler's 체위를 취해준다.	• 호흡이 용이해진다.
5. 장갑을 착용한다.	
6. 거즈에 수용성 윤활제를 따르고 비강인두관 전체에 윤활제를 바른다.	• 윤활제는 비강과 인두점막에 미치는 자극이나 불편감을 감소시켜 준다.

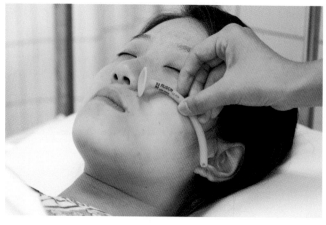

단계 3

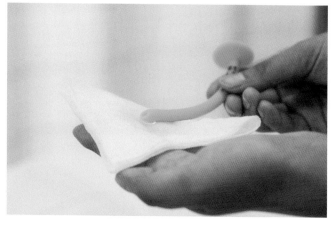

단계 6

비강인두관의 단계와 근거(계속)

단계	근거
7. 막히지 않은 쪽 비강으로 관을 삽입한다. 코 끝을 약간 밀어올리고 비인두의 곡선을 따라 관을 삽입한다.	• 비공이 막혔으면 다른쪽을 선택한다.
8. 관의 테두리(flange)가 비공에 닿으면 비강인두관의 끝이 정확히 하부인두(hypopharynx)에 위치한 것이다.	
9. 테이프로 테두리 부분을 고리모양으로 돌려 감고 가장자리는 윗입술 위쪽 뺨에 고정시킨다.	• 관이 빠지지 않게 한다.
10. 필요한 경우 비강흡인을 한다.	
11. 손을 씻는다.	
12. 적어도 8시간마다 반대쪽 비공으로 삽입부위를 교환한다.	• 점막 손상을 예방하기 위함이다.
13. 매 4시간마다 비강간호를 시행한다.	• 비강인두관을 삽입했던 비공에 바세린을 발라준다.
14. 대상자의 상태와 수행내용을 기록한다.	

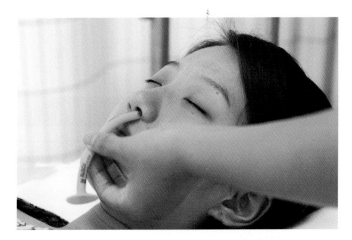

단계 7

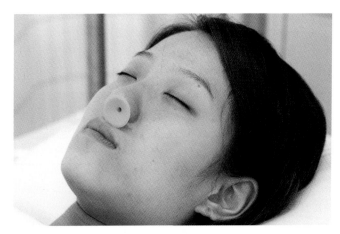

단계 8

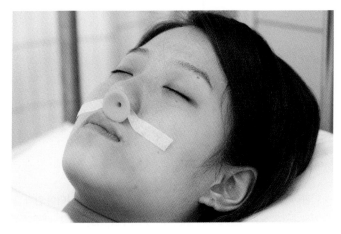

단계 9

3) 기관내관

- **목적**
  - 전신마취나 단기간 인공호흡기를 사용하는 대상자 혹은 응급상황에 처한 대상자의 기도를 유지하기 위함이다.
  - 산소를 공급하고 기도내 분비물을 제거하기 위함이다.

- **준비물품**
  - 후두경, 기관내관
  - 수용성 윤활제
  - 구강인두관
  - 곡반, 생리식염수
  - 청진기, 반창고, 주사기
  - 장갑

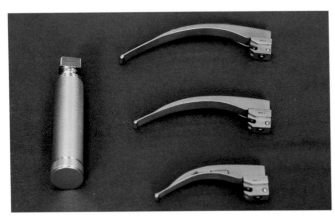

후두경

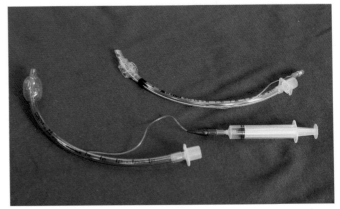

기관내관

기관내관의 단계와 근거

단계	근거
1. 손을 씻는다.	
2. 대상자에게 목적과 절차를 설명한다.	
3. 소생백(Ambu bag)과 마스크를 이용하여 100% 산소를 공급한다.	• 저산소증을 예방한다.
4. 후두경을 연결하고 램프가 켜지는지 확인한다.	
5. 적절한 크기의 튜브를 선택한 후 커프를 팽창시켜 새는지 확인한다.	
6. 곡반에 생리식염수를 따른다.	
7. 기관내관에 생리식염수나 수용성 윤활제를 바른다.	• 기관내관을 삽입하기가 쉽고, 점막의 손상을 줄일 수 있다.
8. 목을 과신전시키기위해 큰 타올이나 작은 베개를 어깨 밑에 넣는다.	• 구강, 인두, 기관이 일직선상에 놓이게 되므로 기관내관을 삽입하기 쉽다.
9. 구강을 벌리고 후두경을 입안에 넣어 기도를 확인한 후 기관내관을 삽입한다.	
10. 소생백을 연결한다.	
11. 청진으로 기관내관의 위치를 확인한다.	• 기관내관의 끝이 기관분기부에서 3cm 위에 오도록 삽입되어야 한다. 기관내관은 오른쪽 기관(trachea)으로 더 깊이 들어갈 수 있기 때문에, 양측 폐의 팽창 정도와 폐음의 크기가 동일한지 사정한다.

기관내관의 단계와 근거(계속)

단계	근거
12. 기관내관의 위치가 확인되면 커프에 공기를 넣어 팽창시킨다.	• 기관(trachea)의 괴사를 예방하기 위해 커프(cuff)의 의 압력을 자주 측정한다. 커프의 압력은 25mmHg을 넘지 않아야 한다.
13. 구강인두관을 삽입한다.	• 구강으로 삽입한 기관내관을 깨무는 것을 막아준다.
14. 기관내관을 테이프로 안전하게 고정시킨다.	• 기관내관이 빠지면 생명에 위협을 줄 수 있다.
15. 튜브가 빠지는 것을 관찰하기 위해 입술(혹은 비공) 위치에 있는 튜브에 길이를 표시해 둔다.	
16. 인공호흡기에 연결한다.	
17. 대상자를 측위로 눕힌다.	• 구토나 분비물로 인한 흡인을 예방하기위함이다.
18. 의사소통 수단을 제공한다.	• 대상자의 손이 닿을 수 있는 위치에 콜벨을 둔다. 종이나 그림판을 제공한다.
19. 가습기를 대어준다.	• 호흡기 점막이 건조해지는 것을 예방한다.
20. 구강에 튜브를 삽입한 경우 입 가장자리에 위치하도록 하며, 적어도 하루에 1회 정도 반대편 가장 자리로 이동시킨다. 비강으로 삽입한 경우 자주 비공을 관찰한다.	• 입 가장자리에 주는 압력을 줄여줄 수 있다.
21. 4시간마다 구강간호(혹은 비강간호)를 제공한다.	
22. 손을 씻는다.	
23. 대상자의 상태와 수행내용을 기록한다.	

단계 14(1)

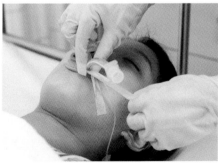

단계 14(2)

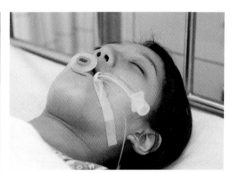

단계 14(3)

4) 기관절개관

- **목적**
  - 장기간 인공호흡기를 사용하는 대상자의 기도를 유지하기 위함이다.
  - 산소를 공급하고 기도내 분비물을 제거하기 위함이다.

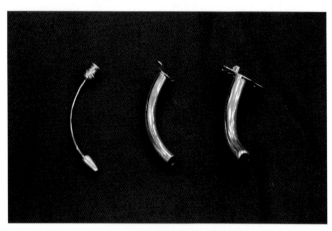

기관절개관 - 커프가 없는 것

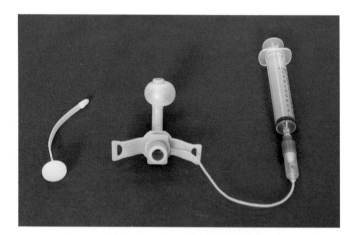

기관절개관 - 커프가 있는 것

기관절개관의 단계와 근거

단계	근거
1. 분비물 축적과 기도의 개방성을 확인하기 위해 자주 폐음을 사정한다.	
2. 감염의 위험을 최소화하기 위해 기관절개관 주위의 드레싱이 혈액이나 분비물로 오염되면 자주 교환한다.	
3. 저산소증을 최소화하기 위해 흡인 전, 중, 후 폐를 과산소화 시킨다.	• 저산소증을 예방한다.
4. 분비물 배출을 돕기 위해 체위변경, 기침, 심호흡을 하도록 격려한다.	
5. 가습요법으로 대상자의 호흡기 점막의 건조를 예방한다.	
6. 커프는 음식 섭취, 간헐적 양압호흡, 인공호흡기 사용 시에 팽창시킨다.	• 커프를 팽창시키는 경우에는 기관(trachea)의 손상을 예방하기 위해 일정한 간격으로 커프를 이완시켜야 한다.
7. 의사소통 수단을 제공한다.	• 기관절개관을 삽입하면 말을 할 수 없다. 대상자의 손이 닿을 수 있는 위치에 콜벨을 설치하고, 종이나 그림판을 제공한다.
8. 튜브가 빠지지 않도록 주의깊게 관찰한다.	
9. 대상자 침대 곁에 여유분의 기관절개관을 준비해둔다.	

2. 산소 요법

• **목적**
  – 저산소증(hypoxia)을 치료하기 위함이다.

• **준비물품**
  – 산소전달기구(비강 캐뉼라, 단순 마스크, 부분재호흡 마스크, 비재호흡마스크, 벤츄리 마스크)
  – 가습용기, 유속기
  – 산소튜브, 멸균증류수
  – 산소공급원

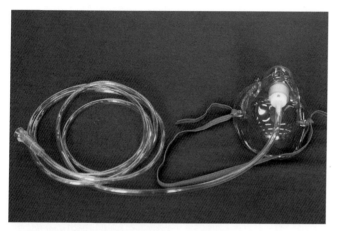

단순 마스크

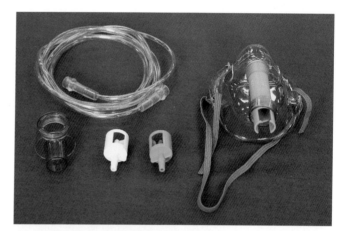

벤츄리 마스크

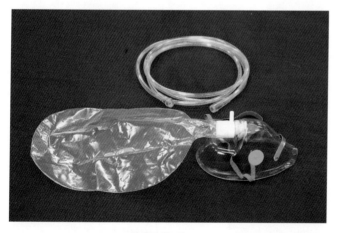

비재호흡 마스크

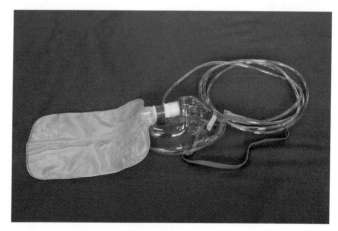

부분 재호흡 마스크

산소 요법의 단계와 근거

단계	근거
1. 손을 씻는다.	
2. 대상자에게 산소를 투여하는 목적과 주의사항을 설명한다.	• 대상자는 산소를 투여받는 중에도 호흡곤란이 있을 수 있다. 대상자가 산소요법의 목적과 주의사항을 이해하면 안전하게 치료를 받을 수 있다.
3. 처방된 산소전달 기구를 준비한다.	
4. 산소가습용기를 준비한다.	
a. 산소가습용기에 증류수를 적절한 양만큼 채운다.	• 산소가 대상자에게 공급되기 전에 가습용기를 통해 산소를 가습화시켜야 한다. 습기는 점막과 기도가 건조해지는 것을 예방한다. 그러나 산소 유입속도가 2L/min 이하인 경우는 가습시키지 않아도 된다.
b. 산소가습용기를 유속기(flow meter)에 연결한다.	
c. 산소튜브를 유속기의 출구에 연결한다.	
d. 유속기를 처방된 속도로 올린다.	

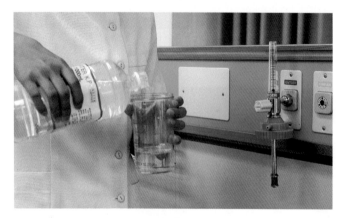

단계 4a

단계 4b

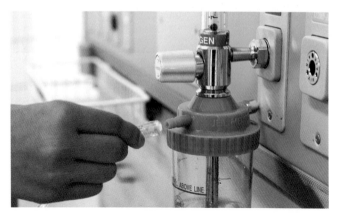

단계 4c

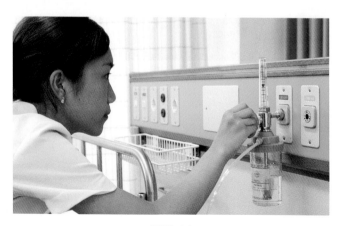

단계 4d

단계	근거
e. 산소가습용기에 거품방울이 생기는지 확인한다.	• 거품방울은 산소가 가습되고 있음을 의미한다.
5. 처방된 산소전달기구에 산소튜브의 다른 끝을 연결하고 산소전달기구를 통해 산소가 배출되는지 확인한다.	
6. 산소전달기구가 잘 맞고 제대로 기능하는지 살펴본다.	
7. 비강캐뉼라(Nasal cannula)	
a. 캐뉼라의 두 갈래 끝부분을 대상자의 양쪽 비강에 삽입한다.	• 6L/min 이상은 두통과 같은 불편감을 줄 수 있다.
b. headband를 귀뒤로 넘겨 캐뉼라가 적절한 위치에 놓이도록 한다.	
c. 대상자에게 입을 다물고 코로 숨을 쉬도록 격려한다.	• 캐뉼라 끝이 비공을 자극하여 불편감을 줄 수 있다.
d. 4시간마다 캐뉼라를 제거하여 깨끗이 닦아주며, 외비공의 자극 증상이나 출혈 유무를 확인한다. 외비공에 수용성 윤활제를 발라준다.	

단계 4e

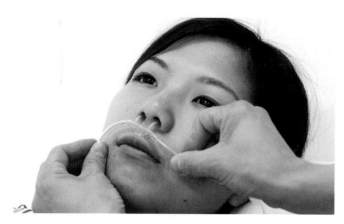

단계 7a

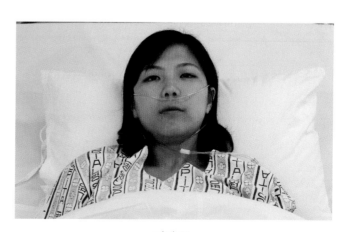

단계 7b

산소 요법의 단계와 근거(계속)

단계	근거
8. 단순마스크(Facial mask) 　a. 마스크로 대상자의 코와 입을 전부 감싸고, 밴드를 후두부에 잘 맞도록 고정시킨다. 　b. 산소를 계속 공급하는 경우 매 2~3시간마다 마스크를 벗기고 피부를 건조시키며, 마스크 안쪽을 마른 거즈로 닦는다. 마스크 주변에 파우더는 사용하지 않는다.	• 마스크가 느슨하면 산소가 누출되어 최적의 산소 농도가 주입될 수 없다. • 마스크가 얼굴을 압박하여 피부가 자극되기 때문이다. 파우더는 흡입될 위험이 높다.
9. 부분재호흡마스크(Partial rebreather) 　a. 마스크로 대상자의 코와 입을 전부 감싸고, 밴드를 후두부에 잘 맞도록 고정시킨다. 　b. 호기에서는 주머니가 팽창하고 흡기에서는 수축한다. 　c. 고농도의 산소를 투여할 경우 산소 독성 증상을 관찰한다.	• 고농도의 산소를 효과적으로 전달한다. • 기침, 호흡곤란, 흉골하부 통증과 작열감, 오심이 있는지 확인한다.
10. 비재호흡마스크(Nonrebreather) 　a. 마스크로 대상자의 코와 입을 전부 감싸고, 밴드를 후두부에 잘 맞도록	• 기도삽관을 하지 않고 가장 고농도의 산소를 투여하는 방법이다.

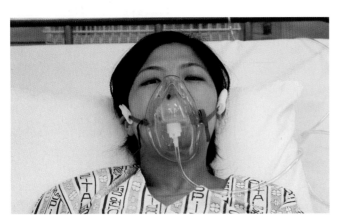

단계 8a

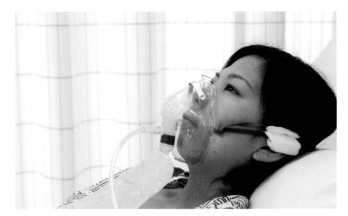

단계 9a

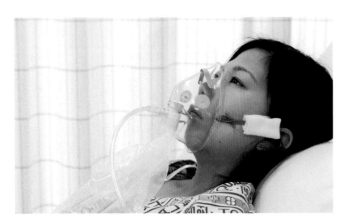

단계 10a

산소 요법의 단계와 근거(계속)

단계	근거

고정시킨다.

b. 호기에는 주머니가 팽창하고 흡기에는 수축한다.

11. 벤츄리 마스크(Venturi mask)

    a. 유속기의 속도에 따라 흡입되는 산소분압(FiO₂)이 달라진다.   • 대상자의 호흡 양상에 상관없이 정확한 양의 산소가 공급된다.

    b. 마스크를 조립하기위해 물품을 준비한다.

    c. 한 손으로 마스크를, 다른 한 손으로 jet adapter를 잡는다.   • jet adapter는 처방된 산소 농도에 따라 선택할 수 있다.

    d. 마스크 출구에 jet adapter를 끼운다.

    e. jet adapter에 가습 adapter를 삽입한다.

    f. 산소튜브 한쪽을 jet nipple에 끼운다.

    g. 산소 튜브의 나머지 한쪽은 산소 유속기에 끼운다

    h. jet adapter를 돌려 처방된 산소농도로 조절한다.

단계 11d

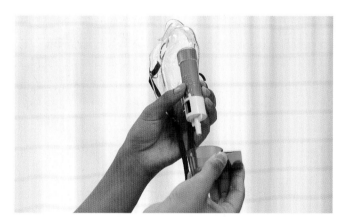

단계 11e

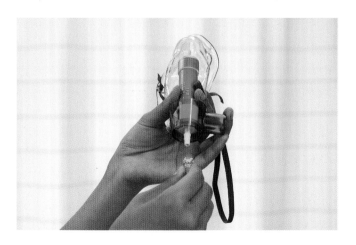

단계 11f

산소요법의 단계와 근거(계속)

단계	근거
i. 마스크로 대상자의 코와 입을 전부 감싸고, 밴드를 후두부에 잘 맞도록 고정시킨다.	
12. 대상자의 귀와 두피의 자극을 줄이기 위해 거즈 패드를 대준다.	• 거즈 패드는 귀뒤와 뼈돌출부의 피부를 보호하고 불편감을 줄여준다.
13. 치료 초기나 산소 투여 농도를 조정하기 위해 동맥혈 가스분석(ABGA)를 할 수도 있다.	• 동맥혈 가스분석은 동맥혈 산소분압과 산염기 상태를 알 수 있는 객관적 자료이다.
14. 대상자의 산소분압이 일정하지 않으면 의사의 처방에 따라 맥박산소측정기(pulse oximetry)를 사용할 수 있다.	• 맥박산소측정기는 혈액내 산소포화도를 알 수 있는 객관적 자료이다.
15. 손을 씻는다.	
16. 대상자의 반응을 자주 사정하고 기록한다.	• 호흡기 상태를 사정하기 위해 활력징후, 호흡음, 동맥혈 가스분석, 산소포화도, 의식수준을 자주 사정한다.

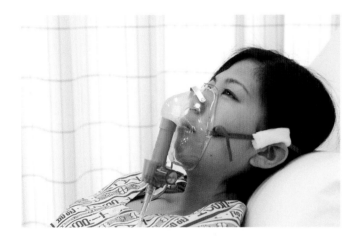

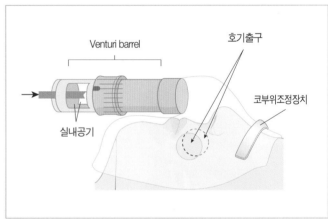

단계 11i

3. 환기 증진 기구

1) 강화 폐활량계

- **목적**
  - 흡기량을 증가시켜 폐포의 허탈을 예방하고 분비물을 제거하기 위함이다.

- **준비물품**
  - 폐활량계

강화 폐활량계의 단계와 근거

단계	근거
1. 손을 씻는다.	
2. 폐활량계를 준비한다.	
3. 대상자에게 목적과 절차를 설명한다.	• 심호흡을 증진시키고 폐 기저부의 분비물을 느슨하게 한다.
4. 대상자를 침대나 의자에 앉도록 한다.	• 폐가 쉽게 확장될 수 있다.
5. 폐활량계를 사용하기 전 폐를 청진한다.	• 폐활량계를 사용한 후 효과를 비교할 수 있다.
6. 대상자에게 한 손으로 폐활량계를 잡고 다른 한 손으로는 mouth piece를 잡도록 한다.	
7. 대상자에게 정상 호흡을 하도록 한 후 숨을 완전히 내쉬도록 한다.	
8. mouth piece를 입에 꽉 물고 목표량까지 천천히 깊게 들이마신다. 이때 코로 숨을 쉬지 않도록 한다.	• 폐의 완전한 팽창은 무기폐를 예방한다. 대부분의 폐활량계는 눈금이 표시되어 있어 목표량 까지 도달되었는지 확인할 수 있다.

단계 8

강화 폐활량계의 단계와 근거(계속)

단계	근거
9. 대상자에게 적어도 3초 정도 흡기를 유지하도록 한다.	
10. mouth piece를 제거하고 입술을 오므려 숨을 내쉰다.	
11. 잠깐씩 쉬면서 폐활량계를 반복하여 사용하도록 한다. 매 시간 10회 정도 시행한다.	• 과도환기와 피로를 줄여준다.
12. 폐활량계를 사용한 후 폐를 청진한다.	• 폐활량계를 사용하기 전에 측정한 폐음과 비교한다.
13. 처방된 흡입량과 대상자의 흡입량을 비교하고, 대상자의 상태와 수행내용을 기록한다.	

2) 마스크 및 소생백

- **목적**
  - 대상자의 환기를 유지하도록 돕는다.

- **준비물품**
  - 소생백, 마스크
  - 가습용기, 유속기
  - 산소튜브, 멸균증류수
  - 산소공급원

마스크 및 소생백

마스크 및 소생백의 단계와 근거

단계	근거
1. 손을 씻는다.	
2. 필요한 물품을 준비한다.	
3. 마스크와 소생백을 연결하고 소생백에 산소튜브를 연결한다.	
4. 산소유량계를 12~15L/min으로 올리거나 처방된 속도로 조절한다.	
5. 대상자의 목을 과도신전 시킨다.	• 기도 개방을 유지하기 위함이다.
6. 구강인두를 삽입한다.	• 혀로 인한 기도 폐쇄를 예방하기 위함이다.
7. 마스크를 입과 코에 맞도록 씌운다.	• 적절할 크기의 마스크를 선택해야 산소가 유출되지 않는다.

마스크 및 소생백의 단계와 근거(계속)

단계	근거
8. 엄지와 검지로 마스크의 위와 아래를 잡고 중지, 약지, 새끼 손가락으로 대상자의 턱을 위로 잡아당긴다.	• 마스크 사이로 산소가 새지 않도록 하며, 턱을 위로 잡아당겨 기도가 유지되도록 한다.
9. 다른 손으로 정상호흡 횟수에 근접한 속도로 소생백을 누른다.	• 소생백이 압박되면 산소가 대상자에게 유입된다.
10. 소생백을 압박할 때 대상자의 흉곽이 팽창되는 것을 확인한다.	• 대상자의 흉곽이 팽창되면 환기가 되고 있음을 의미한다.
11. 대상자가 호기를 할 시간을 준다.	• 폐의 과도팽창과 위의 팽만을 예방할 수 있다.
12. 대상자의 상태와 수행내용을 기록한다.	

단계 8

4. 분무에 의한 약물 투여

1) 정량식 흡입기(MDI: Metered Dose Inhaler)

- **목적**
  - 일정한 용량으로 약물을 투여하여 신속한 치료효과를 내기 위함이다.
  - 기도를 습윤화하기 위함이다.
  - 휴대가 간편하여 약물투여를 용이하게 하기 위함이다.

- **준비물품**
  - puff제제(MDI를 사용하는 기관지 확장 흡입제)

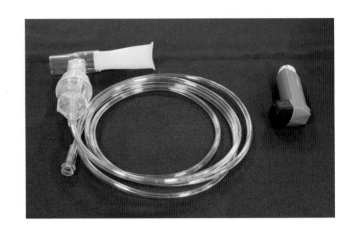

 정량식 흡입기의 단계와 근거

단계	근거
1. 손을 씻는다.	• 미생물 전파를 줄이기 위함이다.
2. 필요한 물품을 준비한다.	
3. 준비한 물품을 가지고 대상자에게 가서 간호사 자신을 소개한다.	
4. 손을 씻는다.	• 미생물 전파를 줄이기 위함이다.
5. 대상자의 이름을 개방형으로 질문하여 대상자를 확인하고, 입원 팔찌와 환자 기록지의 이름, 등록번호를 대조하여 재확인한다.	
6. 흡입기를 사용할 수 있는지를 사정하고 그 사용목적과 방법을 설명한다.	• MDI의 부작용과 과도한 사용을 유의하도록 설명한다.
7. 사용 직전에 흡입기의 뚜껑을 열어 엄지와 검지로 흡입기를 잡고 잘 흔든다.	• 약물이 고르게 잘 분산된다.
8. 대상자를 앉거나 서게 한다.	• 폐가 충분히 팽창되고 약물을 충분히 흡입하는 것을 가능하게 한다.
9. 흡입기를 입 바로 앞에 놓고 머리와 어깨가 수그러질 정도로 숨을 천천히 그리고 충분히 내쉬도록 한다.	• 숨을 충분히 내쉬는 것은 폐를 비게하여 연이은 깊은 흡기를 가능하게 한다.
10. 흡입구를 대상자의 입으로부터 2.5~5.0cm 정도 떨어지게 하여 세게 누르는 동시에 머리와 어깨가 등뒤로 젖혀질만큼 숨을 2~3초동안 천천히, 깊이 들여 마시게 한다. 흡입기를 누르는 시점과 숨을 들이마시는 순간이 일치해야 약물이 폐 속까지 도달하여 충분한 약효가 나타난다.	• 입으로부터 2.5~5.0cm정도 떨어져서 약물을 분사하는 것은 약이 안개를 형성하게 함으로써, 기도로 흡인하게 하여 대상자가 약을 삼키거나 약이 기도로 가는 대신 구강인두에 남아있게 되는 것을 막는다.

정량식 흡입기의 단계와 근거(계속)

단계	근거
11. 10초간 숨을 멈춘 후 흡입구를 입에서 떼내고 코를 통해 천천히 숨을 내쉬도록 한다.	• 10초간 호흡을 참는 것은 약의 흡수를 증진시킨다.
12. 2번째 시도는 적어도 2~5분이 경과 한 후 다시 반복한다.	• 첫 번째 흡입은 기도를 열어주고 염증을 감소시킨다. 두 번째, 세 번째 흡입은 약물의 흡수를 증진시킨다.
13. 입안을 물로 헹군다.	• 곰팡이류에 의한 구강감염은 흡인된 스테로이드제제가 구강 내에 남아 있을 때 있을 수 있다.
14. 흡입기를 분리하여 따뜻한 흐르는 물에 씻어 말린다.	• 흡입구 주변의 약물찌꺼기가 누적되면 사용하는 동안 약물의 적절한 분배를 방해할 수 있다.
15. 호흡이 쉬워졌는지, 호흡률, 부속근의 사용, 호흡음을 다시 사정한다.	• 추후사정은 흡입된 투약의 효과성을 평가하는 자료를 제공한다.

단계 10

2) 연무기(Nebulizer)

- **목적**
  - MDI에 비해 고농도의 많은 용량의 약물을 폐에 직접 투여하며, 기도를 습윤화하기 위함이다.

- **준비물품**
  - Medical gas, 생리식염수, Nebulizer, 처방된 약물
  - 5cc 주사기, O₂ line

 연무기의 단계와 근거

단계	근거
1. 손을 씻는다.	• 미생물 전파를 줄이기 위함이다..
2. 필요한 물품을 준비한다.	
3. 준비한 물품을 가지고 대상자에게 가서 간호사 자신을 소개한다.	
4. 손을 씻는다.	• 미생물 전파를 줄이기 위함이다..
5. 대상자의 이름을 개방형으로 질문하여 대상자를 확인하고, 입원 팔찌와 환자 기록지의 이름, 등록번호를 대조하여 재확인한다.	
6. 대상자가 똑바로 앉은 자세를 취하도록 한다.	• 폐가 충분히 팽창되도록 한다.
7. Nebulizer kit를 조립한다.	
8. 처방된 약물을 넣어주고 medical gas를 5~8L/min까지 올려준다.	
9. 분무가 되는 지를 확인한 후 대상자 입에 물게 한다.	• 호흡곤란이 심하여 비강산소요법을 받는 대상자는 별도의 O₂ flowmeter를 준비하여 Nebulizer 요법 시에도 산소요법을 중단하지 않아야 한다.
10. 대상자가 숨쉬는 것을 3초 동안 멈추고, 하는 과정을 약물이 모두 분무될 때까지 반복하도록 한다.	• 일부 약물은 심박동의 변화를 가져올 수 있으므로 분무과정동안 자주 맥박수를 측정하고 분무 전·후의 측정치를 기록한다.
11. 20~30분이 지난 후 분무가 끝났는지 확인한다.	
10. 입안을 물로 헹구게 한다.	• 구강내의 캔디다증을 예방하기 위해 시행한다.
11. Nebulizer를 분리하여 온수로 헹군 후 종이타올 위에 건조시킨다.	• 박테리아가 축적될 수 있는 가능성을 감소시킨다.
12. 각 약물에 따른 부작용을 관찰하고 기록한다.	

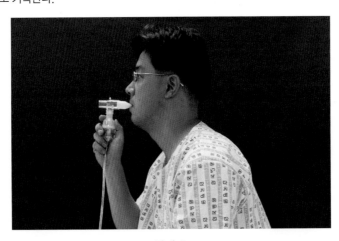

단계 9

5. 말초 산소포화도 측정과 심전도 모니터 적용

1) 말초 산소포화도 측정

 말초 산소포화도 측정의 단계와 근거

단계	근거
1. 손을 씻는다.	• 미생물 전파를 줄이기 위함이다.
2. 필요한 물품을 준비한다.	
3. 준비한 물품을 가지고 대상자에게 가서 간호사 자신을 소개한다.	
4. 손을 씻는다.	• 미생물 전파를 줄이기 위함이다.
5. 대상자의 이름을 개방형으로 질문하여 대상자를 확인하고, 입원 팔찌와 환자 기록지의 이름, 등록번호를 대조하여 재확인한다.	
6. 대상자에게 목적과 절차를 설명한다.	• 대상자의 협조를 얻기 위함이다.
7. 측정기계의 작동여부를 확인한 후 대상자의 손톱상태를 확인한다.	• 센서 고장 시 불이 들어오지 않으므로 부착 전 기능을 확인한다. • 동맥맥박에 따른 혈류를 감지하여 톤과 파형으로 나타나게 된다.
9. 센서를 손가락에 부착하여 발광부가 손톱에 닿도록 고정한다.	• 매니큐어가 있을 경우 말초 청색증을 사정할 수 없다.
10. 팔을 움직이지 않도록 교육하며 주의사항을 교육한다. 　1) 혈액 순환(perfusion)을 잘 측정할 수 있도록 팔을 많이 움직이지 말 것 　2) 강한 외부 빛이 센서에 비치지 않도록 　3) 손가락이 아프거나 습기 차면 보고할 것	• 움직임은 정확도가 떨어진다. • 햇볕 또는 과도한 빛은 센서를 방해하고 결과를 바꿀 수 있다.
11. 측정기의 산소포화도를 확인 후 심박수와 산소포화도의 위험수준을 조정한 후 알람 설정한 뒤 대상자에게 설명해 준다.	• 저산소증 95% 이하 ※환자의 상태에 따라 위험수준 setting 범위는 달라질 수 있다.
12. 케이블선이 꼬이거나 당겨지지 않도록 정리한 후 손을 물과 물비누를 이용하여 관리지침에 따라 시행한다	

2) 심전도 모니터 적용

 심전도 모니터 적용의 단계와 근거

단계	근거
1. 손을 씻는다.	• 미생물 전파를 줄이기 위함이다.
2. 필요한 물품을 준비한다.	
3. 준비한 물품을 가지고 대상자에게 가서 간호사 자신을 소개한다.	
4. 손을 씻는다.	• 미생물 전파를 줄이기 위함이다.
5. 대상자의 이름을 개방형으로 질문하여 대상자를 확인하고, 입원 팔찌와 환자 기록지의 이름, 등록번호를 대조하여 재확인한다.	
6. 대상자에게 목적과 절차를 설명한다.	• 대상자의 협조를 얻기 위함이다.
7. 전극을 부착한 위치를 선정한 후 피부상태를 확인한다.	• 접착식 전극 패드의 경우 피부발진 등이 유발될 수 있으므로, 부착할 부위에 발적, 발진 등이 있는지를 확인하고, 발진이 있을 경우 발진이 있는 부위를 피해서 부착한다. • 전극부착부위에 물기가 있거나 털이 있는 경우 접촉 불량으로 Noise 가 발생할 수 있다. • 피부는 깨끗하고 건조하게 한다.
8. 전극 부착부위를 잘 닦고 건조 시킨다.	• 피부준비가 부적절한 경우, 교류에 의한 전류방해로 인하여 교류파 심전도가 나타날 수 있다.
9. Alarm limit setting: 환자의 상태에 따라 심박수(60회/분 이하, 100회/분 이상을 기본적으로 설정) 한계를 정한다..	• 접지가 부적절하거나 전극에 바른 젤리가 부족하거나 말라서 피부 접촉이 불량할 경우 교류에 의한 전류방해로 인하여 교류파 심전도가 나타날 수 있다.
10. 주의점(경고음의 의미와 기계의 변동등)을 설명한다.	• lead II 의 유도 방향이 심장의 주된 축의 방향이며, 일반적으로 lead II 가 제일 큰 파형을 보이므로 EKG 상의 작은 변화도 눈에 잘 띄기 때문이다.
11. 대상자에게 경고음이 울리면 간호사가 확인할 것이라고 설명한다.	• 심전도 모니터는 전파장애가 적은 안전한 위치에 놓는다(심전도 모니터가 불안정하게 놓였을 때 부적절한 전극접지, 부적절한 피부 준비 등으로 발생할 수 있다)
12. 사용한 물품을 잘 정리한다.	• 폐기물품은 일반의료 폐기물 용기에 버린다.
13. 손을 씻는다.	
14. 간호기록지에 산소포화도 결과와 심박동의 수 심전도상의 리듬 양상을 기록한다.	

6. 기본 심폐소생술 및 제세동기 적용

 기본 심폐소생술 및 제세동기 적용의 단계와 근거

단계	근거
1. 정신을 잃은 대상자를 발견하면 양쪽어깨를 가볍게 흔들며 대상자의 의식을 확인한다.	• 대상자가 반응이 없고 호흡이 없거나 심정지 호흡처럼 비정상호흡을 하면 심정지 상태의 판단기준이다.
2. 반응이 없으면 "여기 빨간색 옷 입으신 분 119에 신고해 주십시오." "여기 검정색 옷 입으신 분 자동 제세동기 가져다 주십시오." 라고 지목하여 도움을 요청한다.	• 신고할 때 구조자는 응급의료상담원의 질문에 따라 장소와 상황, 도움여부에 답을 한다. 제세동 성공률은 발생 직후부터 1분마다 7~10%씩 감소하므로 신속하게 시행되도록 한다.
3. 가운데 3개의 손가락으로 간호사 몸과 가까운 쪽의 경동맥을 촉지한다.	• 자발호흡이나 맥박이 있는 경우 심폐소생술을 시행해서는 안된다.
4. 경동맥 맥박이 없는 경우 흉부압박을 시작한다. 가슴중앙부위를 확인한 후 압박지점에 한손의 손꿈치를 댄 후 손을 포개어 놓고 팔꿈치를 곧게 펴고 대상자와 수직이 되도록 압박을 실시한다.	• 효과적인 가슴압박은 심장과 뇌로 충분한 혈류를 전달하기 위한 필수적인 요소이다. • 정확한 심장 위치를 찾는다.
5. 압박은 분당 최소 100회의 속도로 30회를 실시하도록 한다. 이때 압박 후에는 이완이 충분히 되도록 한다.	• 양손을 사용하여 강하게 압박하기 위함이다.
6. 왼손을 이마에 대고 머리를 젖히고, 오른손은 둘째, 셋째 손가락으로 턱을 들어 기도를 유지한다.	• 압박하는 힘을 심장으로 정확하게 전달하기 위함이다.
7. 가슴이 올라오는지 고개를 옆으로 돌려 확인하며 인공호흡을 2회 실시한다.	• 분당 시행되는 흉부압박 수는 자발순환회복 및 신경기능을 유지한 생존율을 결정하는 중요한 요소이다. • 심장이 혈액으로 채워지도록 충분히 가슴을 이완시켜야 다음 심장 압박 시 심장과 뇌로 충분한 혈류가 전달되어 산소 공급이 이루어진다. • 흉부압박 속도를 유지하고 가슴압박 중단시간을 최소화하는 것은 생존율을 결정하는 중요한 요소이다.
8. 자동 체외 제세동기가 도착하면 전원을 켠 후 패드를 부착한다. (오른쪽 쇄골 아래, 왼쪽 심첨부위)	• 머리나 목에 외상의 증거가 없는 심정지 대상자는 '머리 젖히고 턱들기' 를 하여 기도를 개방한다.
9. 패드를 흉골(Sternum)과 심첨(Apex)에 부착한 후 심전도를 분석한다. "리듬 분석 중입니다. 모두 떨어지십시오" 또는 "리듬 분석 중입니다. 모두 물러나 주십시오"	• 성인 심폐소생술 중에 500~600ml(6~7ml/kg)의 1회 호흡량을 유지하기 위함이다. • 과환기를 유발하지 않도록 1초 동안 호흡을 불어넣는다. • 가슴압박과 인공호흡의 비율은 30:2로 한다.
10. 제세동을 해야 하는 경우 대상자에게서 모두 떨어지도록 주위 사람들에게 지시한 다음, 깜빡이는 버튼을 눌러 제세동을 실시한다.	• 심실세동의 가장 중요한 치료는 자동제세동기이다.

기본 심폐소생술 및 제세동기 적용의 단계와 근거(계속)

단계	근거
11. 제세동을 한 후 즉시 심폐소생술을 실시한다.	• 패드를 잘 부착시켜 심장에 최대의 전류를 정확하게 전달하기 위함이다. • 환자의 정확한 심전도 판독을 위함이다. 　(접촉한 사람의 리듬을 분석하지 않게 하기 위함이다)
12. 맥박은 경동맥을 촉지하여 확인 후 호흡과 맥박이 없다면 다시 제세동기를 사용하여 진단한다.	• 접촉한 사람이 동시에 전기적 충격을 받는 것을 예방하기 위함이다.
13. 119가 도착할때까지 흉부압박, 인공호흡, 제세동 과정을 반복한다.	• 제세동을 시행한 뒤에는 심장과 뇌로 혈류를 지속적으로 공급하기 위함이다.
14. 119가 도착하면 대상자상태와 실시한 수행과정을 인계한다.	• 심폐소생술팀이 환자의 상태를 정확하게 파악하게 하기 위함이다.

인공 기도(구강인두관)

평가일자 _____ 평가자 이름 _____

No	수 행 항 목	수행	미수행	비고
1	손을 씻는다.			
2	필요한 물품을 준비한다.			
3	준비한 물품을 가지고 대상자에게 가서 간호사 자신을 소개한다.			
4	대상자의 이름을 개방형으로 질문하여 대상자를 확인하고, 입원 팔찌와 환자 기록지의 이름, 등록번호를 대조하여 재확인한다.			
5	대상자에게 목적과 절차를 설명한다.			
6	금기가 아닌 경우(두부손상, 경추손상 등) 목을 과신전 시키기위해 큰 타올이나 작은 베개를 어깨 밑에 넣는다.			
7	장갑을 착용한다.			
8	하악을 약간 앞으로 잡아당긴다.			
9	손가락이 서로 엇갈리는 방법(cross finger technique)을 이용하여 입을 벌린다.			
10	다른 손으로 구강인두관을 잡고 끝이 입천장을 향하도록 넣어 혀 뒤쪽으로 가져간다.			
11	구강인두관의 끝이 입의 뒤쪽에 있는 연구개에 도달했을 때, 곡선이 혀를 누르도록 180도 회전시켜 구개수(uvula)를 지나 구강인두로 삽입한다.			
12	구강인두관을 반창고로 고정한다.			
13	대상자를 측위로 눕힌다.			
14	손을 씻는다.			
15	대상자의 상태와 수행내용을 기록한다.			

산소 요법(비강캐눌라)

평가일자 _____　평가자 이름 _____

No	수 행 항 목	수행	미수행	비고
1	손을 씻는다.			
2	필요한 물품을 준비한다.			
3	준비한 물품을 가지고 대상자에게 가서 간호사 자신을 소개한다.			
4	대상자의 이름을 개방형으로 질문하여 대상자를 확인하고, 입원 팔찌와 환자 기록지의 이름, 등록번호를 대조하여 재확인한다.			
5	대상자에게 목적과 절차를 설명한다.			
6	가습용기에 증류수를 적절한 양만큼 채운다.			
7	가습용기를 유속기(flow meter)에 연결한다.			
8	산소튜브를 유속기의 출구에 연결한다.			
9	유속기를 처방된 속도로 올린다.			
10	비강캐눌라에 산소튜브의 다른 끝을 연결하고 산소가 배출되는지 확인한다.			
11	캐눌라의 2갈래 끝부분을 대상자의 양쪽 비강에 삽입한다.			
12	headband를 귀뒤로 넘겨 캐눌라가 적절한 위치에 놓이도록 한 후 고정한다.			
13	대상자의 귀와 두피의 자극을 줄이기 위해 뼈돌출부에 거즈 패드를 대준다.			
14	손을 씻는다.			
15	대상자의 반응을 사정하고 기록한다.			

산소 요법(벤츄리 마스크)

평가일자 _____   평가자 이름 _____

No	수 행 항 목	수행	미수행	비고
1	손을 씻는다.			
2	필요한 물품을 준비한다.			
3	준비한 물품을 가지고 대상자에게 가서 간호사 자신을 소개한다.			
4	대상자의 이름을 개방형으로 질문하여 대상자를 확인하고, 입원 팔찌와 환자 기록지의 이름, 등록번호를 대조하여 재확인한다.			
5	대상자에게 목적과 절차를 설명한다.			
6	가습용기에 증류수를 적절한 양만큼 채운다.			
7	가습용기를 유속기(flow meter)에 연결한다.			
8	산소튜브를 유속기의 출구에 연결한다.			
9	유속기를 처방된 속도로 올린다.			
10	마스크를 조립하기 위해 물품을 준비한다.			
11	한 손으로 마스크를 다른 한 손으로 jet adapter를 잡고 마스크 출구에 jet adapter를 끼운다.			
12	jet adapter에 가습 adapter를 삽입한다.			
13	jet nipple에 산소 튜브 한 쪽을 끼운다.			
14	jet adapter을 돌려 처방된 산소농도로 조절한다.			
15	마스크로 대상자의 코와 입을 전부 감싸 고정시키고, 밴드를 후두부에 잘 맞도록 고정시킨다.			
16	대상자의 귀와 두피의 자극을 줄이기 위해 거즈 패드를 대준다.			
17	손을 씻는다.			
18	대상자의 반응을 사정하고 기록한다.			

분무에 의한 약물 투여(정량식 흡입기)

평가일자 ＿＿＿＿＿＿＿＿＿＿　　평가자 이름 ＿＿＿＿＿＿＿＿＿＿

No	수 행 항 목	수행	미수행	비고
1	손을 씻는다.			
2	처방된 약과 약카드를 확인한 뒤 준비물품을 대상자 곁으로 가지고 간다.			
3	대상자가 의식이 있고 협조가 가능한지를 확인한다.			
4	흡입기를 사용할 수 있는지를 사정하고 그 사용목적과 방법을 설명한다.			
5	사용 직전에 흡입기의 뚜껑을 열어 엄지와 검지로 흡입기를 잡고 잘 흔든다.			
6	대상자를 앉거나 서게 한다.			
7	흡입기의 흡입구를 대상자의 입으로부터 2.5~5.0cm정도 앞에 놓는다.			
8	대상자의 머리와 어깨가 수그러질 정도로 숨을 천천히 그리고 충분히 내쉬도록 한다.			
9	흡입구를 세게 누르는 동시에 머리와 어깨가 등뒤로 젖혀질 만큼 숨을 2~3초 동안 천천히, 깊이 들여 마시게 한다.			
10	흡입기를 누르는 시점과 숨을 들이마시는 순간이 일치하도록 돕는다.			
11	10초간 숨을 멈추도록 한 후 흡입구를 입에서 떼내고 숨을 쉬도록 한다.			
12	2번째 시도는 적어도 2~5분이 경과한 후 다시 반복한다.			
13	입안을 물로 헹군다.			
14	흡입기를 분리하여 따뜻한 흐르는 물에 씻어 말린다.			
15	호흡이 쉬워졌는지, 호흡률, 부속근의 사용, 호흡음을 다시 사정한다.			

분무에 의한 약물 투여(연무기)

평가일자 _____   평가자 이름 _____

No	수 행 항 목	수행	미수행	비고
1	손을 씻는다.			
2	처방된 약과 약카드를 확인한 뒤 준비물품을 대상자 곁으로 가지고 간다.			
3	대상자가 의식이 있고 협조가 가능한지를 확인한 후 목적과 방법을 설명한다.			
4	대상자가 똑바로 앉은 자세를 취하도록 한다.			
5	Nebulizer kit를 조립한다.			
6	처방된 약물을 넣어주고 medical gas를 5~8L/min까지 올려준다.			
7	분무가 되는 지를 확인한 후 대상자 입에 물게 한다.			
8	연무기 잡는 것을 도와주며 튜브연결이 확실하게 유지되도록 한다.			
9	대상자가 숨쉬는 것을 3초 동안 멈추고, 하는 과정을 약물이 모두 분무될 때까지 반복하도록 한다.			
10	분무과정 동안 맥박수를 자주 측정한다.			
11	20~30분이 지난 후 분무가 끝났는지 확인한다.			
12	입안을 물로 헹구게 한다.			
13	Nebulizer를 분리하여 온수로 헹군 후 종이타올 위에 건조시킨다.			
14	각 약물에 따른 부작용을 관찰하고, 분무 전·후의 맥박수를 기록한다.			

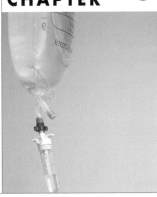

CHAPTER 13

흡인법

실습목록
1. 구강 흡인 및 비강 흡인   2. 기관 흡인

흡인은 분비물의 정도, 보유하고 있는 인공기도 종류, 대상자의 상태에 따라 다르게 적용된다. 구강인두 흡인과 비강인두 흡인은 상부기도의 분비물을 제거할 수 있으며, 기관내관 흡인과 기관절 개관흡인은 하부기도의 분비물까지 흡인할 수 있다. 흡인을 할 때에는 병원균이 기도내로 들어가지 않도록 멸균법을 준수해야 한다.

1. 구강 흡인 및 비강 흡인

• **목적**
 − 구강과 비강내의 분비물을 제거하여 기도의 개방성을 유지한다.
 − 분비물 축적으로 인한 감염을 예방한다.

• **준비물품**
 − 흡인압계, 흡인병, 흡인 튜브
 − 멸균 흡인 카테터(성인 #12-16)
 − 멸균 장갑
 − 멸균 생리식염수(약 100ml)
 − 멸균 용기(곡반이나 트레이)

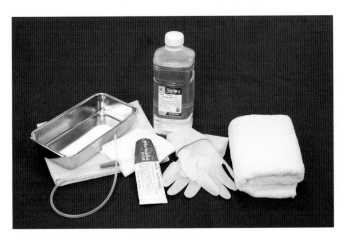

준비물품

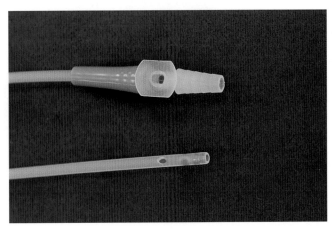

흡인카테터

구강 흡인 및 비강 흡인의 단계와 근거

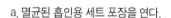

단계	근거
1. 손을 씻는다.	• 미생물 전파를 줄이기 위함이다.
2. 필요한 물품을 준비한다.	
3. 준비한 물품을 가지고 대상자에게 가서 간호사 자신을 소개한다.	
4. 손을 씻는다.	• 미생물 전파를 줄이기 위함이다.
5. 대상자의 이름을 개방형으로 질문하여 대상자를 확인하고, 입원 팔찌와 환자 기록지의 이름, 등록번호를 대조하여 재확인한다.	
6. 대상자에게 목적과 절차를 설명한다.	• 대상자의 협조를 얻기 위함이다.
7. 흡인압을 점검하고 다시 끈다.	
a. 흡인기를 켜고 적절한 압력을 유지하도록 조정한다.	• 압력이 높을 경우 점막을 손상시킬 수 있다.

	- 벽장치(wall suction)	- 이동식(portable suction)
	성인 : 100~150mmHg	성인 : 10~15mmHg
	아동 : 95~100mmHg	아동 : 5~10mmHg
	영아 : 50~95mmHg	영아 : 2~5mmHg

단계	근거
b. 비강인두 흡인시 수용성 윤활제를 준비한다.	
c. 필요시 산소공급 준비를 한다.	• 저산소증 증상이 나타날 때 빨리 산소를 공급할 수 있다.
8. 흡인 세트를 준비한다.	• 카테터는 흡인 경로 직경의 1/2 정도의 굵기가 좋다.
a. 멸균된 흡인용 세트 포장을 연다.	• 미생물의 전파를 예방한다.

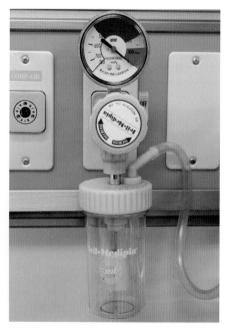

단계 7a (1)

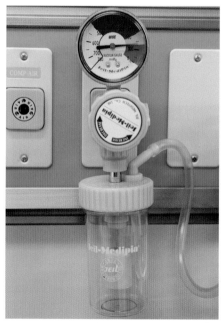

단계 7a (2)

구강 흡인 및 비강 흡인의 단계와 근거(계속)

단계	근거
b. 멸균 용기에 멸균 생리식염수를 따르거나 20ml 생리식염수를 무균적으로 개봉해둔다.	• 멸균 생리식염수는 흡인 후 카테터를 헹구는데 사용된다.
9. 대상자가 산소마스크를 쓰고 있으면 왼손(우세하지 않은 손)으로 마스크를 벗긴다.	
10. 카테터의 개봉부위를 약간 개봉한 후 카테터의 압력 조절구를 흡인 line과 연결한다.	
11. 멸균장갑을 낀다.	
12. 흡인 line을 잡을 손으로 흡인기를 켠 다음, 흡인 line을 들고, 흡인할 손으로 포장지 바깥쪽이 닿지 않도록 주의하며 카테터를 꺼낸다.	• 미생물의 전파를 차단하고 카테터를 멸균상태로 유지시킬 수 있다.
13. 코에서 귓불까지의 거리를 측정하고 카테터의 위치를 표시한다.	• 성인의 경우 대개 13cm 정도이다.

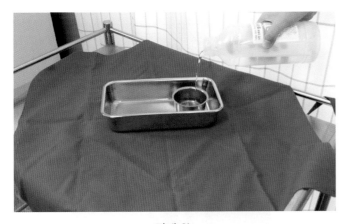

단계 8b

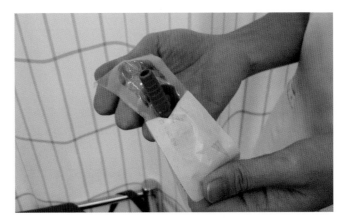

단계 10(1)

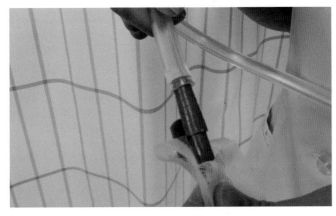

단계 10(2)

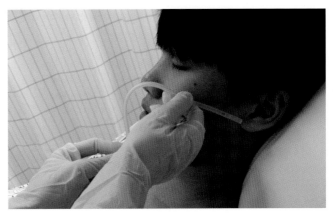

단계 13

구강 흡인 및 비강 흡인의 단계와 근거(계속)

단계	근거
14. 생리식염수가 담긴 멸균용기에 카테터를 담근다. 조절구멍을 엄지손가락으로 눌렀다 떼었다가 하면서 생리식염수 소량을 흡인해 카테터의 개방성과 흡인기 작동여부를 확인하면서 카테터 끝을 윤활시킨다.	• 카테터 내부를 생리식염수로 통과시켜 분비물이 쉽게 이동될 수 있도록 하며, 윤활제 역할을 하여 점막의 손상을 줄여준다.
15. 비강인두를 흡인할 때에는 카테터의 끝 6~8cm에 수용성 윤활제를 바른다.	• 구강흡인은 생리식염수를, 비강흡인은 수용성 윤활제를 사용한다.
16. 구강흡인	
a. 카테터를 입안으로 삽입하여 인두까지 밀어넣는다. 삽입하는 동안 흡인되지 않도록 흡인조절구를 엄지로 누르지 않는다.	• 카테터를 삽입하면서 흡인하면 점막을 손상시킬 수 있다.
b. 흡인을 할 때에는 왼손 엄지손가락으로 흡인 조절구를 누르고 오른손으로 카테터를 잡고 앞뒤로 부드럽게 회전시키며 흡인한다.	• 카테터를 부드럽게 돌려 흡인하면 흡인압이 점막에 골고루 전달되므로 더 깨끗이 흡인이 되며 한 부위의 점막에만 압력이 가해지지 않기 때문에 손상을 줄일 수 있다.
c. 대상자에게 기침을 하도록 격려하고, 필요하다면 반복하여 흡인한다.	• 기침은 기도에서 구강 안으로 분비물을 이동시킨다.
d. 용기에 있는 생리식염수를 흡인하여 카테터 내부를 씻는다.	• 분비물이 카테터 내에서 마른기 전에 깨끗이 씻어 미생물 전파의 가능성을 줄이고, 흡인기 압력이 쉽게 전달되도록 한다.

단계 14

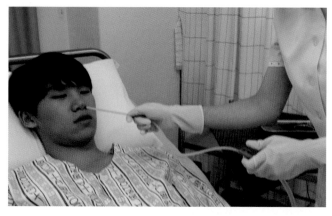

단계 17a

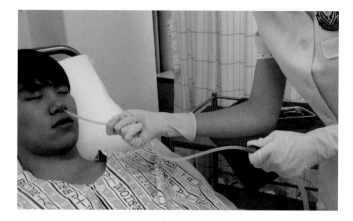

단계 17b

구강 흡인 및 비강 흡인의 단계와 근거(계속)

단계	근거
17. 비강 흡인	
a. 오른손으로 카테터를 잡고 흡기동안 비강바닥을 따라 카테터를 삽입한다. 삽입하는 동안에는 흡인하지 않는다.	
b. 흡인을 할 때에는 왼손 엄지손가락으로 흡인 조절구를 누르고 오른손으로 카테터를 잡고 앞뒤로 부드럽게 회전시키며 흡인한다.	
18. 용기에 담긴 멸균생리식염수를 통과시켜 카테터와 흡인 튜브를 세척한다.	
19. 진한 분비물이 묻어 있으면 멸균거즈로 카테터를 닦는다.	
20. 흡인을 반복해야 하는 경우에는 적어도 20~30초의 간격을 두어야 한다.	• 흡인간의 간격을 두어 정상호흡을 회복하도록 하여 저산소증을 예방하기 위함이다.
21. 1회 흡인 시간은 10~15초 이내로하며, 총 흡인시간은 5분을 초과하지 않는다.	• 시간이 길어지면 저산소증을 유발할 수 있다.
22. 흡인이 끝나면 카테터와 장갑, 용기에 남은 생리식염수는 버리고, 흡인장치를 잠근다.	
23. 산소마스크를 쓴 대상자였으면 다시 마스크를 씌운다.	
24. 흡인병은 자주 교환한다.	
25. 손을 씻고 물품을 정리한다.	
26. 흡인 전후 대상자의 호흡양상, 흡인시간, 분비물의 특성과 양을 기록한다.	

2. 기관 흡인

- **목적**
  - 기관내에 축적된 분비물을 제거하여 기도의 개방성을 유지한다.
  - 분비물 축적으로 인한 감염과 무기폐를 예방한다.

- **준비물품**
  - 흡인압계, 흡인병, 흡인 튜브
  - 멸균 흡인 카테터
  - 멸균 생리식염수, 멸균 용기, 또는 30ml 멸균 생리식염수
  - 멸균 장갑 1벌(혹은 멸균 장갑 1짝, 비멸균 장갑 1짝)
  - 가습 용기, 유속기, 산소 튜브
  - 소생백, 기관 삽관 모형
  - 손소독제, 수건, 간호 기록지

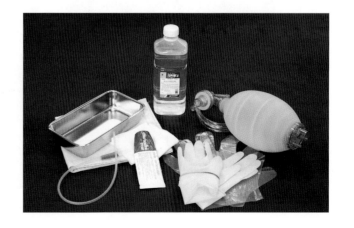

기관 흡인의 단계와 근거

단계	근거
1. 손을 씻는다.	• 미생물 전파를 줄이기 위함이다.
2. 필요한 물품을 준비한다.	
3. 준비한 물품을 가지고 대상자에게 가서 간호사 자신을 소개한다.	
4. 손을 씻는다.	• 미생물 전파를 줄이기 위함이다.
5. 대상자의 이름을 개방형으로 질문하여 대상자를 확인하고, 입원 팔찌와 환자 기록지의 이름, 등록번호를 대조하여 재확인한다.	
6. 대상자에게 목적과 절차를 설명한다. * 가능하면 식사 전에 흡인을 실시하여 aspiration을 예방하도록 한다 . 필요시에는 청진기를 이용하여 심호흡을 사정한다.	• 대상자의 협조를 얻기 위함이다.
7. 흡인압을 점검한다(성인: 110-150mmHg, 아동은 95-100mmHg).	• 높은 흡인압은 기관내 점막손상을 증가시킨다.
8. 흡인 시 체위는 의식 있는 대상자의 경우 반좌위(semi fowler's), 무의식 대상자는 측위(lateral position)에서 간호사와 얼굴을 마주보도록 한다.	• 반좌위는 중력으로 카테터가 용이하게 삽입되게 하고, 측위는 질식을 예방하고, 분비물이 중력에 의해 배액되는 것을 돕는다.
9. 무균용기가 들어있는 세트를 열어 용기에 일회용 생리식염수를 따른다. * 세트를 사용하지 않는 경우 일회용 생리식염수 30ml 를 개봉하여 사용한다.	• 멸균법을 유지하여 감염을 예방한다.
10. 카테터의 개봉부위를 약간 개봉한 후, 카테터와 흡인병이 연결되는 압력 조절구 쪽을 노출하여 흡인 line과 연결한다.	• 약간만 개방하여 오염을 방지한다.
11. 손을 씻는다.	• 미생물 전파를 줄이기 위함이다.

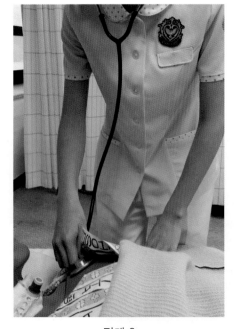

단계 6

단계 9

기관 흡인의 단계와 근거(계속)

단계	근거
12. 내과적 무균법으로 양손에 멸균장갑을 낀다. (필요에 따라 흡인 전 과환기 실시)	• 미리 산소화시키는 것은 저산소증을 예방한다. 과환기는 흡인으로 발생할 수 있는 무기폐를 감소시켜준다.
13. 흡인 line을 잡을 손으로 흡인기를 켠 다음 흡인 line을 들고, 흡인할 손으로 포장지 바깥쪽이 닿지 않도록 주의하며 카테터를 꺼낸다. (입구부위만 약 5~10cm 정도 개봉)	• 카테터의 멸균상태를 유지하고 오염을 방지한다.
14. 삽입할 카테터의 길이를 정한 후 끝을 생리식염수로 윤활시키고, 흡인 line을 잡은 손의 엄지손가락으로 연결관을 눌러보아 잘 통과하는지 확인한다.	• 생리식염수를 통과해서 카테터가 잘 들어가도록 하고 흡인기의 개방성을 확인한다.

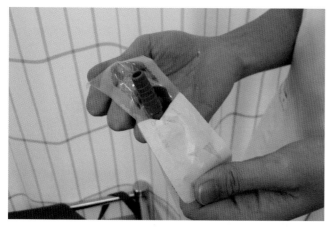

단계 10(1)

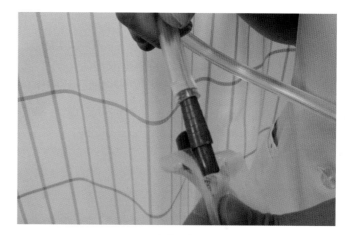

단계 10(2)

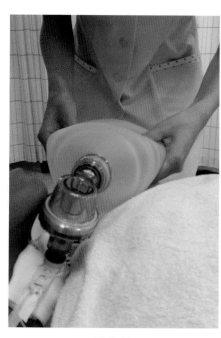

단계 12

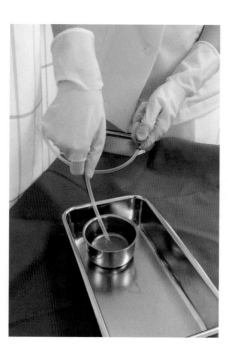

단계 14

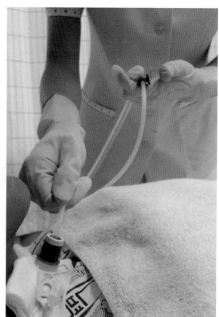

단계 15

기관 흡인의 단계와 근거(계속)

단계	근거
15. 연결관을 누르고 있던 엄지손가락을 떼고 나서 인공기도를 통해 카테터를 부드럽게 삽입한다. 카테터를 삽입할 때에는 흡인하지 않는다.	• 압력이 없는 상태에서 카테터를 삽입해야 기관점막의 손상을 막는다.
16. 흡인압이 점막에 골고루 전달될 수 있도록 연결관을 막고 카테터를 잡은 손 엄지와 검지로 카테터를 부드럽게 회전시키면서 위로 뺀다 (분비물 양상과 대상자의 저산소 상태 등을 살피면서 10~15초를 넘지 않도록 신속히 흡인한다).	• 카테터를 돌려 흡인하면 흡인압이 점막에 골고루 전달되므로 더 깨끗이 흡인이 되며 한 부위의 점막에만 압력이 가해지지 않기 때문에 손상을 줄인다. 회전시키는 것은 한 부분을 오랫동안 흡인하여 점막에 손상을 입히는 것을 방지한다. 10초나 그 이하로 흡인시간을 제한하는 것은 저산소증을 예방한다.
17. 흡인을 한 카테터는 무균용기(또는 일회용 생리식염수)에 있는 생리식염수를 다시 통과시킨다(분비물이 통과할 때 분비물의 양상을 관찰한다).	• 헹구어 내는 것은 진한 분비물을 제거한다.
18. 분비물이 깨끗이 제거되어 호흡이 원활해 질 때까지 3~4회 같은 방법으로 흡인을 시행하되 20-30초의 간격을 유지한다. (대상자의 심폐기능을 사정하여 기도청결 정도와 합병증을 사정한다)	• 저산소증을 예방한다.
19. 여러 번의 흡인이 끝나면 장갑을 벗고 흡인기를 끈 다음 물품을 정리한다.	• 미생물의 전파를 막기 위해 대상자의 분비물이 장갑 안쪽에 있도록 한다.
20. 손을 씻고 물품을 정리한다.	
21. 수행결과를 간호기록지에 기록한다.	• 법적 자료를 제공하고 다른 건강관리 팀원과 의사소통을 한다.

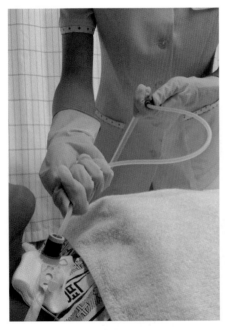

단계 16

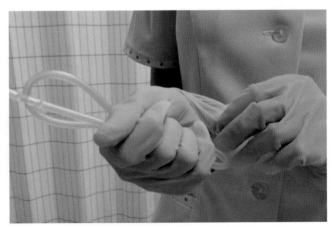

단계 19

구강 흡인 및 비강 흡인

평가일자 _____ 평가자 이름 _____

No	수 행 항 목	수행	미수행	비고
1	손을 씻는다.			
2	필요한 물품을 준비한다.			
3	준비한 물품을 가지고 대상자에게 가서 간호사 자신을 소개한다.			
4	대상자의 이름을 개방형으로 질문하여 대상자를 확인하고, 입원 팔찌와 환자 기록지의 이름, 등록번호를 대조하여 재확인한다.			
5	대상자에게 목적과 절차를 설명한다.			
6	흡인기를 켜고 적절한 음압을 유지하도록 조정한다.			
7	멸균된 흡인용 세트 포장을 열고, 멸균 용기에 멸균 생리식염수(약 100mL)를 따른다.			
8	멸균장갑을 착용한다.			
9	흡인 line을 잡을 손으로 흡인기를 켠 다음, 흡인 line을 들고, 흡인할 손으로 포장지 바깥쪽이 닿지 않도록 주의하며 카테터를 꺼낸다.			
10	코에서 귓불까지의 거리를 측정하여 카테터의 삽입 길이를 표시한다.			
11	생리식염수가 담긴 멸균용기에 카테터를 담근다. (비강인두를 흡인할 때에는 카테터의 끝 6~8cm에 수용성 윤활제를 바른다.)			
12	흡인 조절구를 열고 부드럽게 구강이나 비강으로 삽입한다.			
13	흡인 line을 잡은 손의 엄지손가락으로 흡인 조절구를 누르고, 카테터를 잡은 손의 엄지와 검지로 카테터를 앞뒤로 부드럽게 회전시키며 흡인한다.			
14	용기에 있는 생리식염수를 흡인하여 카테터와 흡인 튜브를 세척한다.			
15	진한 분비물이 묻어 있으면 멸균거즈로 카테터를 닦는다.			

구강 흡인 및 비강 흡인(계속)

No	수 행 항 목	수행	미수행	비고
16	흡인이 끝나면 카테터로 남은 생리식염수를 흡인 한 후 카테터를 분리시켜 카테터와 장갑은 버리고, 흡인장치를 잠근다.			
17	손을 씻고 물품을 정리한다.			
18	대상자의 상태와 수행 내용을 기록한다.			

 기관 흡인

평가일자 _____ 평가자 이름 _____

No	수 행 항 목	수행	미수행	비고
1	손을 씻는다.			
2	필요한 물품을 준비한다.			
3	준비한 물품을 가지고 대상자에게 가서 간호사 자신을 소개한다.			
4	대상자의 이름을 개방형으로 질문하여 대상자를 확인하고, 입원 팔찌와 환자 기록지의 이름, 등록번호를 대조하여 재확인한다.			
5	대상자에게 목적과 절차를 설명한다.			
6	대상자를 semi fowler's position을 취해 심호흡을 증진시킨다.			
7	흡인기를 켜고 흡인압을 점검한다.			
8	멸균된 흡인용 세트 포장을 열고, 멸균 용기에 멸균 생리식염수(약 100mL)를 따른다.			
9	소생백을 사용하여 100% 산소를 공급한다.			
10	멸균장갑을 착용한다.			
11	흡인 line을 잡을 손으로 흡인기를 켠 다음, 흡인 line을 들고, 흡인할 손으로 포장지 바깥쪽이 닿지 않도록 주의하며 카테터를 꺼낸다.			
12	생리식염수가 담긴 멸균용기에 카테터를 담근다.			
13	조절 구멍을 열고 누르고 있던 엄지손가락을 떼고 카테터를 잡은 손의 엄지와 검지로 카테터를 잡은 후 인공기도 안으로 부드럽게 삽입한다.			
14	흡인 line을 잡은 손의 엄지손가락으로 흡인 조절구를 막고 다른 쪽 손의 엄지와 검지로 카테터를 잡고 앞뒤로 회전시키며 천천히 빼내며 흡인한다.			
15	멸균 용기에 담긴 생리식염수를 통과시켜 카테터와 흡인 튜브를 세척한다.			

기관 흡인(계속)

No	수 행 항 목	수행	미수행	비고
16	흡인이 끝나면 카테터로 멸균용기에 남은 생리식염수를 모두 통과시키고 흡인튜브와 카테터를 분리시켜, 카테터와 장갑은 버린다. 흡인기를 잠근다.			
17	손을 씻고 물품을 정리한다.			
18	대상자의 상태와 수행내용을 기록한다.			

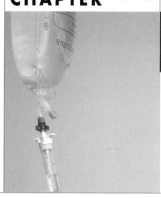

CHAPTER 14

기관 절개관 간호

1. 기관 절개관 간호

기관절개관을 삽입하고 있는 경우 감염의 위험이 높으므로 올바른 관리를 통해 감염 발생을 예방해야 한다. 또한 기관절개관이 올바른 위치에 놓여 있도록 유의해야 손상을 줄일 수 있다.

- **목적**
  - 기관 절개관 주위의 피부를 깨끗이 하고 감염을 예방한다.
  - 기도를 유지한다.

- **준비물품**
  - 멸균 4×4 거즈, 멸균면봉(3~5개), Y-거즈(튜브가드)
  - 과산화수소수, 멸균 생리식염수, 멸균 나일론 브러시
  - 드레싱 세트(Kelly, 종지3개(소독솜, 과산화수소+생리식염수, 생리식염수))
  - 소독된 내관 1개, 기관지 절개관 고정 끈, 가위
  - 멸균 흡인 카테터 세트
  - 수건 혹은 방수포, 곡반, ambu bag
  - 멸균장갑, 곡반, 손소독제, 간호기록지

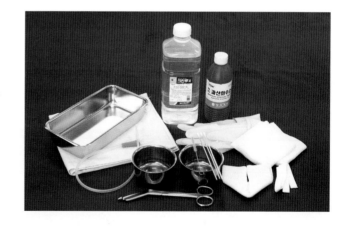

기관 절개관 간호의 단계와 근거

단계	근거
1. 손을 씻는다.	• 미생물 전파를 줄이기 위함이다.
2. 멸균된 드레싱세트를 무균적으로 열어서 소독된 내관을 넣는다.	
3. 소독솜과 Y-거즈 등 소독할 물품을 무균적으로 드레싱 세트 안에 넣고 필요한 물품을 준비한다.	
4. 준비한 물품을 가지고 대상자에게 가서 간호사 자신을 소개한다.	• 대상자의 불안감을 감소시키고 신뢰관계를 구축하기 위함이다.
5. 손을 씻는다.	• 미생물 전파를 줄이기 위함이다.
6. 대상자의 이름을 개방형으로 질문하여 대상자를 확인하고, 입원 팔찌와 환자 기록지의 이름, 등록번호를 대조하여 재확인한다.	
7. 대상자에게 목적과 절차를 설명한다.	• 대상자의 협조를 얻기 위함이다.
8. 대상자의 자세를 편하게 해주고 대상자 가슴 위에 방수포를 깐다.	• 높은 흡인압은 기관내 점막손상을 증가시킨다. • 반좌위는 카테터삽입에 용이, 측위는 질식예방, 분비물 배액이 용이함. • 대상자 옷의 오염을 방지한다.
9. 드레싱세트를 무균적으로 열고 멸균장갑을 무균적으로 양손에 낀다.	• 멸균법을 유지하여 감염을 예방한다.
10. 분비물을 제거하기 위해 기관 내 흡인을 실시한다.	• 흡인은 내관과 기도에 축적된 분비물을 제거한다.
11. 한 손으로 외관을 잡고 다른 손으로 잠금장치를 열어 내관을 조심스럽게 뺀다(내관 주변의 분비물의 양, 색, 냄새 등의 특성을 확인한다).	
12. 외관에 있는 분비물을 흡인한다.	• 남아 있는 분비물을 제거한다.
13. 외관 밑에 있는 사용한 Y-거즈를 빼내어 버린다.	
14. 손을 씻는다.	
15. 멸균장갑을 새로 무균적으로 바꿔 낀 후 한 손으로 소독된 내관의 끝을 잡고 삽입한 후 빠지지 않게 잠금장치를 확인한다.	• 외관을 잡고 내관을 분리하는 과정이 오염이 되었으므로, 무균법 준수를 위해서 새로 바꾼다.

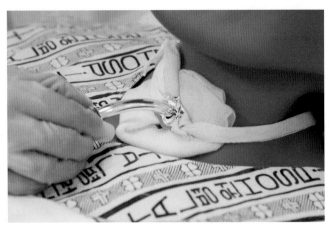

단계 11

단계 16

기관 절개관 간호의 단계와 근거(계속)

단계	근거
16. 섭자를 이용하여 기관절개관 주위와 피부를 소독솜으로 절개 부위에서 바깥쪽으로 닦는다. 솜은 한 번에 한 개씩 사용한다.	• 생리식염수는 피부에 자극이 없으며 멸균법을 유지한다.
17. 습기가 남아있는 기관절개 부위를 멸균 마른 거즈로 가볍게 두드리며 습기를 제거하고, Y 거즈를 끼운다.	• 개구부 주변 피부의 미생물 증식과 손상을 줄일 수 있다.
18. 장갑을 벗고 손소독제로 손위생을 10초 이상 실시한 후 기관절개관이 빠지지 않도록 손으로 잡은 후 다른 손으로 기존의 끈을 조심스럽게 가위로 잘라 제거한다(가위의 끝이 대상자 쪽으로 향하지 않도록 한다).	• 공기중의 세균감염을 막는다. • 날카로운 부분이 대상자를 향하게 되면 찌를 수도 있다.
19. 기관절개관이 빠지지 않도록 손으로 잡은 후 고정구에 새 끈을 넣어 목을 두른 후 고정한다.	• 너무 헐겁거나 꽉 조이지 않도록 한다.

단계 17

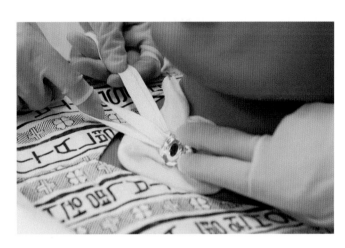

단계 19(1)

단계 19(2)

단계 19(3)

기관 절개관 간호의 단계와 근거(계속)

단계	근거
20. 사용한 물품을 정리한다.	
21. 내관을 과산화수소수 용액(과산화수소수:생리식염수=1:2)에 담가 놓는다.	• 과산화수소수는 마르고 딱지가 엉긴 분비물의 제거를 돕는다.
22. 멸균된 세척솔이나 긴 면봉을 이용하여 과산화수소수에 담겨 있는 내관을 깨끗이 닦는다.	• 분비물을 제거하고 멸균상태를 유지하기 위함이다.
23. 내관을 생리식염수로 헹구고, 물기가 마르도록 마른 거즈로 내관의 물기를 닦거나 말려 놓는다.	• N/S는 H$_2$O$_2$의 제거를 돕고 내관의 재삽입을 부드럽게 한다.
24. 손을 씻고 물품을 정리한다.	
25. 수행결과를 간호기록지에 기록한다.	

단계 22(1)

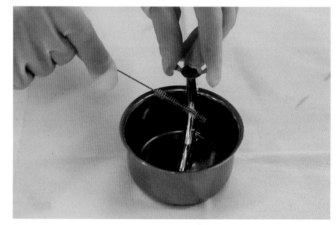

단계 22(2)

단계 22(3)

2. 기관 절개관 커프 팽창 간호

- **목적**
  - 기관절개관 삽입 직후
  - 인공호흡기 사용 중인 경우
  - 무의식 대상자에게서 구강이나 인두의 분비물 흡입을 예방

- **준비물품**
  - 5mL(혹은 10mL)의 주사기
  - 청진기
  - 커프의 압력을 측정하는 압력계

기관 절개관 커프 팽창 간호의 단계와 근거

단계	근거
1. 손을 씻는다.	
2. 5~10mL의 주사기에 공기를 재서 커프 내로 공기 누출을 방지하기 위해 최소량의 공기를 주입하며 숨을 들이마실 때 커프를 팽창시킨다.	• 기관절개관과 기관 사이에 틈이 없어야 공기가 기관절개관 밖으로 빠져 나오지 않는다.
3. 청진기를 기관 근처의 목에 대고 공기가 누출되는 소리의 유무를 확인한다.	
4. 공기 누출을 나타내는 소리가 없으면 0.2~0.3mL의 공기를 커프로부터 뺀다.	• 커프에서 0.2~0.3mL 공기를 빼내 주어 기관절개관의 팽창된 커프가 기관점막에 가해지는 압력을 감소시킬 수 있다.
5. 다시 한번 목 근처에 청진기를 대고 공기 누출의 소리가 없음을 확인한다. 아동의 기관은 탄력이 있기 때문에 커프를 팽창시키지 않아도 된다.	• 공기 누출이 없는 경우는 다음과 같다. a. 대상자의 목소리가 나지 않는다. b. 대상자의 입, 코, 기관절개 부위에서 공기가 움직이는 소리를 들을 수 없다. c. 대상자가 숨을 들이마실 때 기관 근처의 목을 청진하여 공기 누출 소리를 들을 수 없다.
6. 커프의 압력을 측정하기 위해 커프의 공기주입구(pillow port)를 압력계관에 연결한다.	
7. 압력계의 눈금을 읽는다. 압력은 14~20mmHg가 정상이다.	• 커프의 과도한 압력은 기관부종, 궤양, 괴사 등을 유발한다. • 과소 팽창은 부적절한 환기를 일으키며 혈액, 음식물 또는 분비물의 흡입을 초래한다.
8. 대상자의 호흡양상, 호흡음, 대상자의 반응을 사정한다.	
9. 손을 씻는다.	
10. 간호기록을 한다(커프의 팽창시간, 주입된 공기의 양을 기록).	

기관 절개관 간호

평가일자 _____   평가자 이름 _____

No	수 행 항 목	수행	미수행	비고
1	손을 씻는다.			
2	필요한 물품을 준비한다.			
3	준비한 물품을 가지고 대상자에게 가서 간호사 자신을 소개한다.			
4	대상자의 이름을 개방형으로 질문하여 대상자를 확인하고, 입원 팔찌와 환자 기록지의 이름, 등록번호를 대조하여 재확인한다.			
5	대상자에게 목적과 절차를 설명한다.			
6	드레싱 세트를 열고 과산화 수소용액과 멸균 생리식염수를 각각 용기에 따르고, 멸균 물품을 개봉한다.			
7	멸균 장갑을 착용한다.			
8	오른손으로 외관을 붙들고 왼손으로 key를 열어 내관을 조심스럽게 빼낸다.			
9	멸균된 세척솔로 내관 안과 밖의 분비물을 닦아낸다.			
10	멸균생리식염수로 내관을 충분히 헹구어 낸다.			
11	마른 거즈로 내관의 물기를 닦는다.			
12	외관에 있는 분비물을 흡인한다.			
13	왼손으로 외관 밑에 있는 기관 절개 드레싱을 제거한다.			
14	멸균장갑을 새로 바꿔낀다.			
15	내관을 외관 내에 삽입하고 고리를 잠근다.			
16	소독솜을 섭자로 잡고, 소독솜으로 절개부위에서 바깥쪽으로 닦는다.			
17	마른 거즈로 기관절개 부위를 건조시킨다.			

기관 절개관 간호(계속)

No	수 행 항 목	수행	미수행	비고
18	4×4 거즈를 V자 형으로 접어 피부와 외관 사이에 대어준다.			
19	장갑을 벗고 손소독제로 손을 닦는다.			
20	더러워진 끈의 한 쪽 끝 매듭을 푼다.			
21	새 끈(대상자의 목 둘레의 2배 정도)을 반으로 접어 가운데 부분을 절개관의 고정구에 아래에서 위로 통과시켜 고리를 만든 후 고리사이로 끈의 두 끝을 통과시켜 매듭을 만든다.			
22	새로운 끈의 양쪽 끝을 잡고 목을 한바퀴 돌아 반대 편 고정구 쪽으로 오게 한다.			
23	반대편 쪽의 더러워진 끈을 제거한 후 새로운 끈의 한쪽 끝을 고정구에 넣어 통과시키고 나머지 한쪽 끈과 매듭을 짓는다. 손가락 2개 정도가 들어갈 여유가 있어야 한다.			
24	장갑을 벗는다.			
25	물품을 정리한다.			
26	손을 씻고 대상자의 상태와 수행내용을 기록한다.			

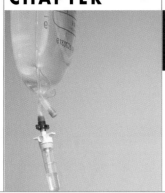

CHAPTER 15

배뇨 간호

실습목록

1. 단순 도뇨
2. 유치 도뇨
3. 소변 검사물 수집
4. 방광 세척

■ **배뇨간호**

도뇨(catheterization)는 소변을 제거하기 위하여 도뇨관을 요도를 통해 방광에 삽입하는 것을 말한다. 도뇨관의 크기는 French 규격으로 구분된다. 성인 여성은 약 14~16Fr가 사용된다. 도뇨에 사용하는 기구는 무균상태를 유지해야 한다. 비뇨기관은 점막으로 되어있고 세균번식에 적합한 온도이므로 전 도뇨과정은 철저한 무균법으로 행해야 한다. 도뇨 시에는 배횡와위나 절석위를 취하며 옆으로 누워야 할 경우에 무릎을 굽혀서 위쪽 다리를 들도록 한다. 체위를 취한 후에는 회음부위만 노출시키고 프라이버시를 고려해야 한다.

소변의 채집

• **무작위 채집**

멸균된 소변을 필요로 하지 않을 때 이루어진다. 소변기나 검사물 용기로 직접 수집될 수 있다. 여성이 생리 중인 경우 소변채집 시 생리 중이라고 표시한다.

• **중간 소변 채집**

비교적 미생물에 오염되지 않은 소변 채취가 요구될 때 사용된다. 대상자가 소변 보기 전에 소독솜으로 회음부 소독 후 소변을 조금 보다가 멈추고 준비된 용기에 소변 검사물을 채집하게 한다.

• **24시간 소변 채집**

신장에서 분비하는 소변의 양을 정확히 측정할 때 사용한다. 시작 시에 방광을 비우도록 하고 그후 24시간 동안 소변을 채집기에 모으도록 하고 24시간이 되었을 때 소변을 보게 하여 합친 후 검사실로 보낸다.

• **도뇨를 통한 채집**

단순도뇨를 통하여 소변을 채집하는 경우 소변이 채집기로 흐르도록 하여 채집한다. 유치도뇨를 통하여 소변을 채집하는 경우 주사기 삽입부위에 소독을 한 후 주사기를 통하여 소변을 채집한다.

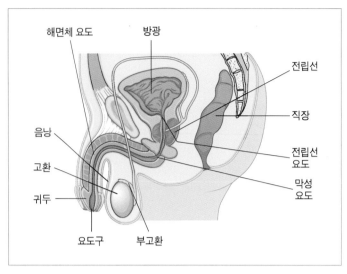

남성 비뇨기계

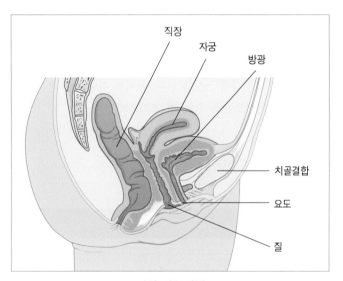

여성 비뇨기계

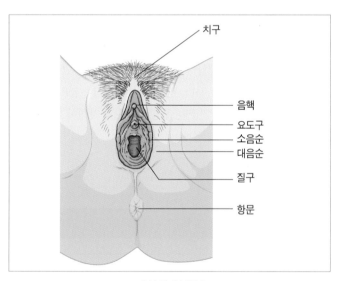

여성의 회음부

도뇨의 종류

종류	목적
단순 도뇨	1. 방광의 내용물을 비우기 위함이다. 　가. 요정체, 하복부종양, 실금 등으로 자연배뇨가 불가능한 경우 　나. 외음부 창상으로 자연배뇨 시 소변으로 오염될 우려가 있는 경우 　다. 내진 또는 하복부 수술 전 준비 　라. 방광세척 또는 약물을 주입하기 전 준비 2. 무균적으로 소변을 받아 검사하기 위함이다. 3. 배뇨 후 방광에 남아있는 잔뇨의 양을 재기 위함이다.

도뇨의 종류(계속)

종류	목적
유치 도뇨	1. 장기간 자연배뇨가 불가능할 때 도뇨를 위함이다.
	2. 하복부 수술 시 방광의 팽창을 막기 위함이다.
	3. 요도의 확장과 지혈을 시키기 위함이다.
	4. 방광내 세척이나 약물주입을 하기 위함이다.
	5. 시간당 소변량을 측정하기 위함이다.
방광 세척	1. 방광내의 혈괴(blood clot), 농 등을 씻어 내어 요정체를 해결한다.
	2. 방광내에 약을 주입하여 염증을 예방, 치료한다.
	3. 유치도뇨관이 막히지 않게 한다.
	4. 출혈을 방지한다.
	5. 감염예방 및 치유회복을 도모한다.

1. 단순 도뇨

- **준비물품**
  - 도뇨세트(겸자, 마른거즈, 종지, 공포)
  - 단순 도뇨관(성인: 14~16)
  - 멸균장갑, 일회용 장갑, 거즈
  - 소독솜, 이동감자, 수용성 윤활제(멸균)
  - 쟁반(tray), 곡반, 방수포(일회용) 또는 고무포와 반홑이불, 소변기
  - 손소독제, 간호기록지, 사이드램프

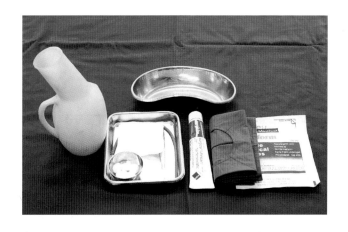

단순 도뇨의 단계와 근거

단계	근거
1. 손을 씻는다.	• 미생물 전파를 줄이기 위함이다.
2. 필요한 물품을 준비한다.	
3. 도뇨세트를 쟁반이나 드레싱 카트 위에 놓고 무균적으로 편다.	
4. 도뇨세트 속에 있는 종지(또는 드레싱세트 한 칸)에 소독솜을 넣고, 멸균 수용성 윤활제를 세트 안에 짜 넣는다.	
5. 무균법의 원칙에 따라 적당한 크기의 도뇨관을 세트 속에 넣은 후 세트를 싼다(여자: 14~16, 남자: 16~18).	

단순 도뇨의 단계와 근거(계속)

단계	근거
6. 준비한 물품을 가지고 대상자에게 가서 간호사 자신을 소개한다.	
7. 손을 씻는다.	
8. 대상자의 이름을 개방형으로 질문하여 대상자를 확인하고, 입원 팔찌와 환자 기록지의 이름, 등록번호를 대조하여 재확인한다.	
9. 대상자에게 목적과 절차를 설명한다.	• 대상지의 협조를 얻기 위함이디.
10. 커튼(스크린)으로 대상자의 사생활을 보호해 주고, 똑바로 눕도록 한 후 이불이나 홑이불을 덮어준다.	• 프라이버시 보호를 위함이다.
11. 방수포를 대상자 둔부 밑에 깔아 침구를 보호한다.	
12. 여자 대상자는 양 다리를 60cm 정도 벌린 배횡와위, 남자 대상자는 다리를 곧게 뻗은 앙와위를 취하도록 돕는다.	• 요도구를 가장 잘 노출시키는 자세로, 요도구가 잘 보여야 관을 쉽게 삽입할 수 있다.
13. 홑이불의 끝을 대상자의 복부 위로 접어 올려 회음부를 노출시키고, 대상자에게 다리를 움직이지 말라고 설명한다. 필요하면 사이드램프를 비춘다.	• 불필요한 노출을 피하고, 멸균 부위가 오염되지 않도록 하기 위함이다.
14. 세트와 곡반을 대상자 다리 사이에 놓고, 준비한 세트를 무균법 원칙에 따라 연다.	• 세트를 가까이에 두면 사용하기에 편리하여 시간이 절약되며, 오염 기회를 줄일 수 있음. 무균술은 미생물 전파를 예방한다.
15. 손소독제로 손을 씻은 후 멸균장갑을 착용한다.	
16. 멸균장갑을 낀 손이 오염되지 않게 공포로 회음부를 덮는다. 남자 대상자는 음경 위에 펴놓는다.	
17. 도뇨관의 끝이 막히지 않도록 주의하면서 도뇨관 끝 5~8cm에 수용성윤활제를 바르고(남자 12~18cm), 소독솜으로 외음부 주위를 닦을 때 찬 느낌이 있을 수 있음을 설명한다.	• 윤활제는 도뇨관 삽입 시 마찰을 줄이고 점막 손상을 예방하며, 쉽게 삽입되게 한다.
18. 소독솜으로 외음부 주위를 닦는다(한 번 닦을 때 마다 새 소독솜을 사용하여 위에서 아래로 닦는다.	

단계 17

단순 도뇨의 단계와 근거(계속)

단계	근거
① 여자 대상자인 경우	
19. 한 손의 엄지와 검지로 음순을 벌려서 요도를 노출시키며, 도뇨관을 삽입할 때까지 이 자세를 유지한다.	• 회음부의 소독 후에는 음순을 잡았던 손을 도뇨관 삽입 후까지 떼지 말아야 한다. 요도구 주위를 벌려야 잘 보인다.
20. 다른 손으로 겸자를 사용하여 소독솜을 잡고 대음순, 소음순, 요도구 순으로 위에서 아래 방향으로 닦는다. 각 부위를 닦을 때마다 새로운 솜을 사용한다.	• 피부가 겹친 부위는 바깥 부분을 먼저 소독하고 중심을 소독한다. 대음순→소음순→요도 순으로 소독한다. 오염이 덜 된 요도구 쪽에서 오염이 많이 된 항문쪽으로 닦아 요도구 감염을 예방한다.
② 남자 대상자인 경우	
19. 한 손의 엄지와 검지로 음경을 잡고 포피(Preputium)를 잡아내린다.	• 남자의 경우 음경을 세워야 요도가 바로 되며 포피 속에는 세균이 있을 수 있다.
20. 소독솜으로 요도구 중심부에서 바깥쪽 방향으로 3~4회 둥글게 닦아내며, 매번 새로운 솜을 사용한다.	• 닦은 후에 음순이나 음경에서 손을 떼면 다시 오염이 된다.

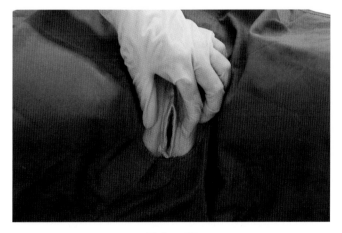

단계 ① 19

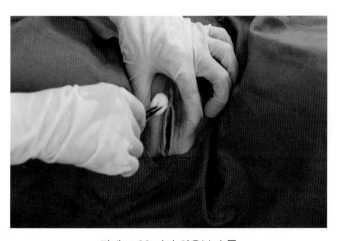

단계 ① 20 여자 회음부 소독

단계 ② 20 남자 회음부 소독

단순 도뇨의 단계와 근거(계속)

단계	근거
21. 대상자에게 구강 호흡을 하게 하면서 도뇨관을 삽입함을 설명한다.	• 천천히 깊게 숨을 쉬도록 하여 이완을 유도한다. 심호흡은 외항문 괄약근을 이완시켜 쉽게 도뇨관을 삽입하는데 도움이 된다.
22. 도뇨관이 오염되지 않게 잘 감아쥐고 요도 후상방으로 5~8cm 삽입한다. 남자의 경우 음경을 수직으로 들어 12~18cm 정도 삽입한다.	
23. 소변이 흘러나오기 시작하면 도뇨관을 2~4cm 가량 더 삽입하여 소변이 곡반 속으로 흘러나오게 한다.	• 도뇨관이 방광에 완전히 삽입되도록 하기 위함이다.
24. 소변이 흘러나오지 않게 되면 도뇨관을 천천히 돌리면서 빼어 세트에 넣고, 마른 거즈로 요도구와 회음부 주위를 닦는다.	• 방광이 비워질 때까지 배액을 계속한다. 검사물이 필요하면 30mL 정도 수집한다. 요정체가있는 경우 한번에 750~1,000mL 이상의 소변을 제거하지 않는다. 다량의 소변을 한꺼번에 제거하면 저혈압성 쇼크나 방광경련 등이 일어날 수 있다.
25. 공포를 치우고 장갑을 벗는다.	
26. 손을 씻는다.	
27. 대상자를 편안하게 해주고 일회용 장갑을 착용한 후 소변기에 곡반의 소변을 담아 양을 측정한다.	• 소변 검사물은 라벨을 붙여 검사실에 즉시 보내거나 냉장고에 보관한다(실온에 30분 이상 방치하면 미생물이 성장하여 검사결과에 영향을 미칠 수 있다).
28. 사용한 물품을 정리한다.	
29. 손을 씻는다.	• 미생물의 전파를 방지하기 위함이다.
30. 간호기록지에 기록한다. 　1) 시간과 날짜 　2) 도뇨를 시행한 이유 　3) 사용한 도뇨관의 크기 　4) 소변의 양, 색깔, 혼탁도 등 특성 　5) 대상자 반응 등	

단계 22

2. 유치 도뇨

1) 유치 도뇨관 삽입

- **준비물품**
  - 도뇨세트(혈관섭자(겸자), 마른거즈, 종지, 공포)
  - 유치도뇨관(성인: 14~16Fr.), 멸균장갑
  - 10mL 멸균주사기, 소독솜, 멸균증류수, 이동감자
  - 수용성 윤활제(멸균), 쟁반(tray), 곡반
  - 방수포(일회용) 또는 고무포와 반홑이불
  - 소변수집주머니
  - 손소독제, 간호기록지
  - (필요시)사이드램프, (필요시)홑이불

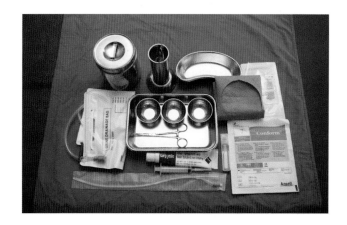

 유치 도뇨관 삽입의 단계와 근거

단계	근거
1. 손을 씻는다.	• 미생물 전파를 줄이기 위함이다.
2. 필요한 물품을 준비한다.	
3. 유치도뇨세트를 쟁반이나 드레싱 카트 위에 놓고 무균적으로 편다.	
4. 무균법의 원칙에 따라 유치도뇨세트 속에 있는 종지 하나(또는 드레싱세트 한 칸)에 소독솜, 다른 종지(한 칸)에 멸균증류수 약 10mL, 나머지 종지(한 칸)에 멸균 수용성윤활제를 넣고, 10mL 멸균 주사기와 적당한 크기의 도뇨관을 세트 안에 넣은 후 세트를 싼다. (여자: 14~16, 남자: 16~18)	
5. 준비한 물품을 가지고 대상자에게 가서 간호사 자신을 소개한다.	
6. 손을 씻는다.	
7. 대상자의 이름을 개방형으로 질문하여 대상자를 확인하고, 입원 팔찌와 환자 기록지의 이름, 등록번호를 대조하여 재확인한다.	
8. 대상자에게 목적과 절차를 설명한다.	• 대상자의 협조를 얻기 위함이다.
9. 커튼(스크린)으로 대상자의 사생활을 보호해 주고, 똑바로 눕도록 한 후 이불이나 홑이불을 덮어준다.	• 프라이버시 보호를 위함이다.
10. 방수포를 대상자 둔부 밑에 깔아 침구를 보호한다.	
11. 여자 대상자는 양 다리를 60cm 정도 벌린 배횡와위, 남자 대상자는 다리를 곧게 뻗은 앙와위를 취하도록 돕는다.	• 요도구를 가장 잘 노출시키는 자세임. 노출로 인한 당혹감이나 긴장감을 줄여준다.

유치 도뇨관 삽입의 단계와 근거(계속)

단계	근거
12. 홑이불의 끝을 대상자의 복부 위로 접어 올려 회음부를 노출시키고, 대상자에게 다리를 움직이지 말라고 설명한다. 필요하면 사이드램프를 비춘다.	· 다리를 움직이면 멸균영역을 유지하기 어렵다.
13. 세트와 곡반을 대상자 다리 사이에 놓고, 준비한 세트를 무균법의 원칙에 따라 연다.	· 세트를 가까이에 두면 사용하기에 편리하여 시간이 절약되며, 오염 기회를 줄일 수 있다. 무균술은 미생물 전파를 막을 수 있다.
14. 손소독제로 손을 씻은 후 멸균장갑을 착용한다.	
15. 멸균장갑을 낀 손이 오염되지 않게 공포로 회음부를 덮는다. 남자 대상자는 음경 위에 펴놓는다.	· 멸균영역 확보, 오염 예방, 노출 감소 등 목적으로 공포를 사용한다.
16. 도뇨관에 표시된 대로 정확한 양의 증류수를 주사기에 준비한다.	
17. 도뇨관의 풍선 주입구에 주사기를 연결하여 증류수를 주입하면서 도뇨관 풍선의 팽창 여부를 확인한 다음 다시 주사기 속으로 증류수를 뺀다. 도뇨관에 주사기를 그대로 꽂아둔다.	· 풍선이 새거나 부풀지 않으면 새 도뇨관으로 교환해야 한다.
18. 도뇨관의 끝이 막히지 않도록 주의하면서 도뇨관 끝 5~8cm에 수용성윤활제를 바르고(남자 12~18cm), 소독솜으로 외음부 주위를 닦을 때 찬 느낌이 있을 수 있음을 설명한다.	· 윤활제는 도뇨관 삽입 시 마찰을 줄이고 점막 손상을 예방하며, 쉽게 삽입되게 한다. 혈관섭자로 잠그면 소변이 흘러나와 세트를 오염시키는 것을 방지할 수 있다.
19. 도뇨관의 소변이 흘러나오는 출구를 혈관섭자(겸자)로 잠근다.	
20. 소독솜으로 외음부 주위를 닦는다(한 번 닦을 때 마다 새 소독솜을 사용하여 위에서 아래로 닦는다).	

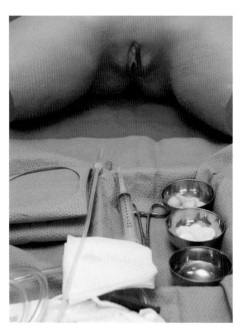

단계 13

유치 도뇨관 삽입의 단계와 근거(계속)

단계	근거
① 여자 대상자인 경우	
21. 한 손의 엄지와 검지로 음순을 벌려서 요도를 노출시키며, 도뇨관을 삽입할 때까지 이 자세를 유지한다.	• 회음부의 소독 후에는 음순을 잡았던 손을 도뇨관 삽입 후까지 떼지 말아야 한다. 요도구 주위를 벌려야 잘 보인다.
22. 다른 손으로 겸자를 사용하여 소독솜을 잡고 대음순, 소음순, 요도구 순으로 위에서 아래 방향으로 닦는다. 각 부위를 닦을 때마다 새로운 솜을 사용한다.	• 피부가 겹친 부위는 바깥 부분을 먼저 소독하고 중심을 소독한다. 대음순→소음순→요도 순으로 소독함. 오염이 덜 된 요도구 쪽에서 오염이 많이 된 항문쪽으로 닦아 요도구 감염을 예방한다.
② 남자 대상자인 경우	
21. 한 손의 엄지와 검지로 음경을 잡고 포피(Preputium)를 잡아내린다.	• 남자의 경우 음경을 세워야 요도가 바로 되며 포피 속에는 세균이 있을 수 있다.
22. 소독솜으로 요도구 중심부에서 바깥쪽 방향으로 3~4회 둥글게 닦아내며, 매번 새로운 솜을 사용한다.	• 닦은 후에 음순이나 음경에서 손을 떼면 다시 오염이 된다.

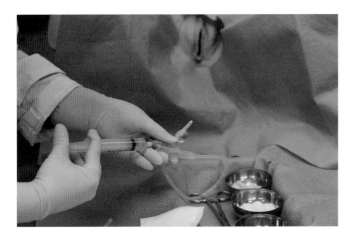

단계 17

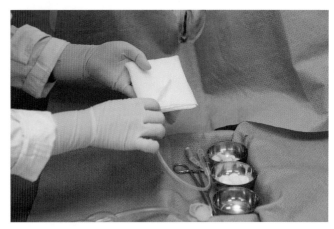

단계 18

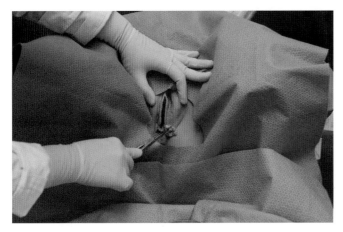

단계 ①-21

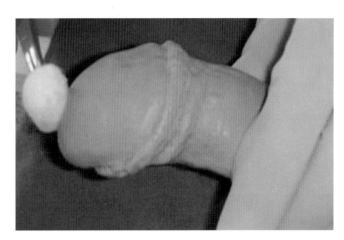

단계 ②-22

유치 도뇨관 삽입의 단계와 근거(계속)

단계	근거
23. 대상자에게 구강 호흡을 하게 하면서 도뇨관을 삽입함을 설명한다.	• 천천히 깊게 숨을 쉬도록 하여 이완을 유도한다. 심호흡은 외항문 괄약근을 이완시켜 쉽게 도뇨관을 삽입하는 데 도움이 된다.
24. 무균상태를 유지하며 혈관섭자(겸자)와 함께 도뇨관 뒤쪽을 감아쥐고 요도구 안으로 5~8cm 정도 부드럽게 삽입한다.(남자의 경우 음경을 수직으로 들어 12~18cm 정도 삽입한다). 만약 저항이 느껴지면 억지로 도뇨관을 삽입하지 않는다.	• 도뇨관을 억지로 힘을 주어 삽입하면 점막에 손상을 줄 수 있다.
25. 도뇨관 끝을 곡반에 대고 잠가둔 혈관섭자(겸자)를 풀어 소변이 나오는지 확인한 다음 소변이 흘러나오면 다시 혈관섭자(겸자)를 잠그고 도뇨관을 2~4cm 가량 더 삽입한 후 음순을 벌리고 있던 손을 뗀다.	• 도뇨관이 방광에 완전히 삽입되도록 하기 위함이다.

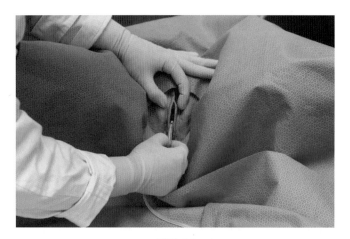

단계 24

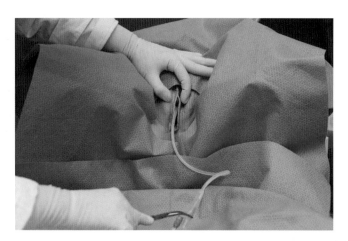

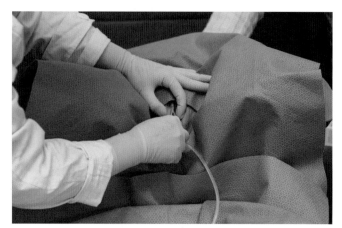

단계 25

유치 도뇨관 삽입의 단계와 근거(계속)

단계	근거
26. 도뇨관의 풍선 주입구에 연결된 주사기에 들어 있는 증류수를 주입한 후 주사기를 제거한다.	• 풍선을 부풀릴 때 저항이 느껴지거나 대상자가 통증을 호소하면 풍선이 완전히 방광 안에 있는 것이 아닐 수 있다. 이런 경우 주입한 증류수를 빼고 도뇨관을 약간 더 삽입한 후 다시 풍선을 부풀린다.
27. 도뇨관을 부드럽게 잡아당겨 도뇨관이 안전하게 방광 안에 있는지 확인한다.	• 당겨볼 때 저항이 느껴지면 방광 안에 고정되었음을 의미한다.

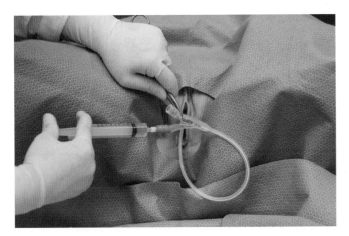

단계 26

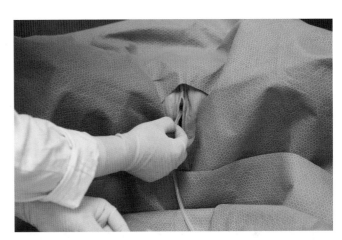

단계 27

유치 도뇨관 삽입의 단계와 근거(계속)

단계	근거
28. 공포를 치우고 장갑을 벗는다.	
29. 손을 씻는다.	
30. 소변수집주머니 아랫부분 조절기의 잠금 상태를 확인한 후 소변수집 주머니를 도뇨관과 연결한다.	
31. 잠가둔 혈관섭자(겸자)를 제거한 후 도뇨관을 대퇴 안쪽에 반창고로 고정시킨다(남자는 허벅지 위쪽 또는 하복부에 고정).	• 소변 배액을 최대화 하며, 부주의로 인해 도뇨관이 빠지는 것과 움직임으로 인해 요도가 자극되는 것을 예방하기 위함이다.

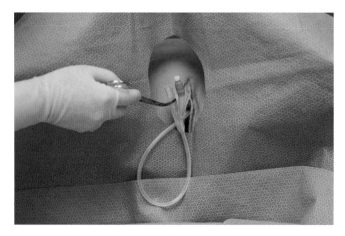

단계 28

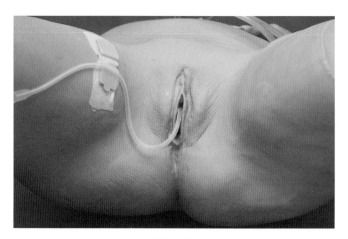

단계 31

유치 도뇨관 삽입의 단계와 근거(계속)

단계	근거
32. 소변수집주머니 윗부분 조절기가 열려있는지, 소변이 잘 나오는지를 확인하고, 소변수집주머니가 침상보다 낮게 위치하도록 침상틀에 고정한다. 이 때 바닥에 닿지 않도록 한다.	• 소변수집주머니가 방광보다 위에 위치하면 방광으로 소변이 역류해서 감염을 일으킬 수 있다.
33. 대상자에게 도뇨관 삽입 후 편안한지를 묻고, 소변수집주머니 관리 방법에 대해 설명한다.	
34. 사용한 물품을 정리한다.	
35. 손을 씻는다.	• 미생물의 전파를 방지하기 위함이다.
36. 간호기록지에 기록한다. 　1) 시간과 날짜 　2) 유치도뇨를 시행한 이유 　3) 사용한 도뇨관의 크기 및 종류(유형) 　4) 소변의 배출 여부와 양, 색깔, 혼탁도 등 특성 　5) 대상자 반응 등	

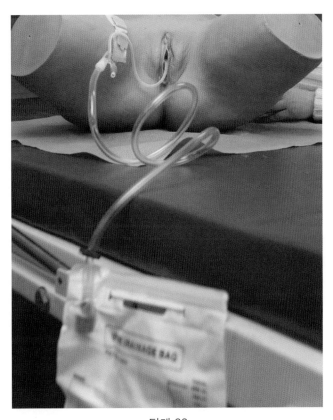

단계 32

2) 유치도뇨관 제거

- **준비물품**
  - 10mL 주사기
  - 일회용 장갑
  - 방수포
  - 거즈
  - 멸균 드레싱 세트(회음부 소독용)

유치 도뇨관 제거의 단계와 근거

단계	근거
1. 손을 씻는다.	• 미생물 전파를 줄이기 위함이다.
2. 필요한 물품을 준비한다.	
3. 준비한 물품을 가지고 대상자에게 가서 간호사 자신을 소개한다.	
4. 대상자의 이름을 개방형으로 질문하여 대상자를 확인하고, 입원 팔찌와 환자 기록지의 이름, 등록번호를 대조하여 재확인한다.	
5. 대상자에게 목적과 절차를 설명한다.	• 대상자의 협조를 얻기 위함이다.
6. 커튼(스크린)으로 대상자의 사생활을 보호해준다.	
7. 앙와위를 취하게 한 후 회음부를 노출시키고 대퇴나 하복부에 도뇨관을 고정했던 반창고를 떼어낸다.(남자의 경우 음경을 노출한다)	
8. 일회용 장갑을 착용한다.	
9. 방수포를 대상자 둔부 밑에 깐다.	
10. 풍선 주입구에 주사기를 끼우고, 도뇨관의 풍선을 확장시키기 위하여 주입한 증류수를 남김없이 제거한다.	• 도뇨관 제거 시 요도손상을 예방하기 위함이다.

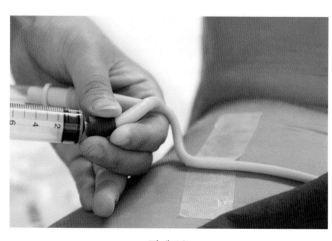

단계 10

유치 도뇨관 제거의 단계와 근거(계속)

단계	근거
11. 도뇨관을 엄지와 검지로 꼭 눌러 잡고 서서히 조심스럽게 제거한다.	• 제거하는 동안 소변이 흐르지않게 하기 위함이다.
12. 회음부 간호를 실시한다.	• 미생물의 전파를 방지한다.
13. 대상자를 편안하게 해주고 물품을 정리한다.	
14. 장갑을 벗고 손을 씻는다.	
15. 사용한 도뇨관과 소변수집주머니를 지정된 용기에 버린다.	
16. 도뇨관을 제거한 시간, 소변량과 특성, 대상자의 반응 등을 기록한다.	
* 주의사항 1) 도뇨관 제거 후 첫 자연배뇨 시간과 양을 기록한다. 2) 대상자의 배뇨양상을 관찰한다: 충분히 배뇨하는지, 실금 증상이 있는지, 열이 나거나 소변에서 냄새가 나는지, 작열감 또는 출혈이 있는지 확인한다. 3) 수분섭취와 골반저부근육강화운동을 권장한다.	• 도뇨관 제거 후 8시간 이내에 자연배뇨를 하지 못하면 의사에게 알린다.

3. 소변 검사물 수집

1) 단순 도뇨로 소변 검사물 채취

- 준비물품
  - 단순도뇨세트, 멸균장갑, 수용성 윤활제
  - 곡반, 검사물 용기, 방수포, 사이드 램프(필요한 경우)

 단순 도뇨로 소변 검사물 채취의 단계와 근거

단계	근거
1. 단순도뇨관 삽입절차 1~23번을 참조한다.	
2. 음순을 벌리고 있던 손을 떼어 도뇨관을 잡는다.	
3. 소변이 나오기 시작한 후 조금 있다가 멸균된 검사물 용기를 대어 30~60mL 담는다.	
4. 수집한 소변을 관찰한다.	
5. 도뇨관을 손가락으로 눌러 소변의 흐름을 멈춘 다음 도뇨관을 부드럽게 제거한다.	• 대상자의 몸이나 침구가 소변으로 오염되지 않도록 하기 위함이다.
6. 회음부에 윤활제가 묻어 있으면 닦아낸다.	• 대상자의 불편감을 감소시키고 회음부의 오염을 방지한다.
7. 멸균장갑을 벗고 도뇨세트를 다른 곳으로 치운 후 방수포를 제거한다.	• 미생물이 증식되기 전 검사가 이뤄져야 한다.
8. 대상자가 편안한 자세를 취할 수 있도록 도와준다.	
9. 즉시 검사물을 검사실로 보낸다.	
10. 손을 씻는다.	• 미생물 전파를 예방하기 위함이다.
11. 소변의 색, 냄새, 부유물 등을 간호기록지에 기록한다.	

1) 유치 도뇨로 소변 검사물 채취

- **준비물품**
  - 멸균드레싱세트
  - 10mL 멸균주사기, 멸균장갑
  - 곡반, 멸균된 검사물 용기
  - 방수포

유치 도뇨로 소변 검사물 채취의 단계와 근거

단계	근거
1. 손을 씻는다.	
2. 필요한 물품을 준비한다.	
3. 준비한 물품을 가지고 대상자에게 가서 간호사 자신을 소개한다.	
4. 대상자의 이름을 개방형으로 질문하여 대상자를 확인하고, 입원 팔찌와 환자 기록지의 이름, 등록번호를 대조하여 재확인한다.	
5. 대상자에게 목적과 절차를 설명한다.	• 대상자의 협조를 얻기 위함이다.
6. 커튼(스크린)으로 대상자의 사생활을 보호해준다.	
7. 도뇨관 끝에서 5~7cm 되는 아래 부분을 조절기로 잠간 잠궈 둔다.	• 방광에 소변이 고일 수 있는 시간을 확보한다.
8. 멸균장갑을 착용한다.	

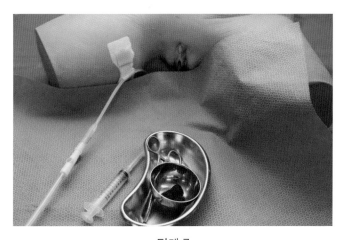

단계 7

유치 도뇨로 소변 검사물 채취의 단계와 근거(계속)

단계	근거
9. 소변을 채취한 곳(도뇨관 끝 쪽이나 배액관의 포트)을 소독솜으로 닦은 후 주사바늘을 무균적으로 삽입한다.	
10. 소변을 주사기로 뽑아 멸균된 검사물 용기에 담는다.	
11. 소독솜으로 주사바늘을 삽입한 부위를 닦는나.	
12. 배액관을 잠근 조절기를 푼다.	
13. 멸균장갑을 벗고 물품을 정리한다.	• 미생물이 증식되기 전 검사가 이루어져야 한다
14. 대상자의 정보가 기록된 라벨을 검사물 용기에 붙여 즉시 검사실로 보낸다.	
15. 손을 씻는다.	• 미생물 전파를 예방하기 위함이다.
16. 소변 채취시간, 소변의 색, 냄새, 부유물 등을 간호기록지에 기록한다.	

 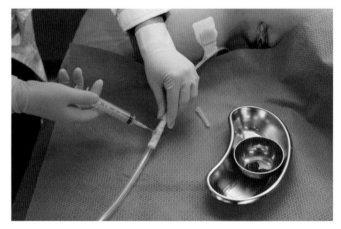

단계 9

4. 방광 세척

1) 단순 또는 개방식 방광 세척

- **준비물품**
  - 멸균세척세트(멸균용기, 곡반, 멸균세척용 주사기, 소독솜)
  - 알코올 솜, 일회용 장갑(필요시), 목욕담요, 방수포
  - 멸균세척용액(멸균생리식염수나 처방에 의한 용액, 실온 또는 체온과 비슷한 온도)
  - 배액관의 끝을 위한 멸균뚜껑(또는 멸균보호대)

단순 또는 개방식 방광 세척의 단계와 근거

단계	근거
1. 손을 씻는다.	
2. 필요한 물품을 준비한다.	
3. 준비한 물품을 가지고 대상자에게 가서 간호사 자신을 소개한다.	
4. 대상자의 이름을 개방형으로 질문하여 대상자를 확인하고, 입원 팔찌와 환자 기록지의 이름, 등록번호를 대조하여 재확인한다.	
5. 대상자에게 목적과 절차를 설명한다.	• 대상자의 불안과 두려움을 감소시키며 협조를 얻을 수 있다.
6. 커튼(스크린)으로 대상자의 사생활을 보호해준다.	
7. 대상자가 편안한 자세를 취하도록 도와주고 도뇨관과 배액관 사이의 연결부위를 노출시킨다. 도뇨관 밑에 방수포를 깐다.	• 방수포는 배출액으로부터 침구가 젖는 것을 보호한다.
8. 멸균된 물품을 열고 멸균장갑을 착용한다. 멸균된 용기에 멸균용액을 따른 후 주사바늘을 제거한 세척용 주사기에 세척용액 30~50mL를 준비한다.	• 미생물 전파를 예방하기 위함이다.
9. 소독솜으로 도뇨관과 배액관 연결부위를 소독한다.	• 방광조직으로 미생물 전파되는 것을 방지한다.
10. 도뇨관과 배액관을 분리한다. 배액관 끝은 멸균뚜껑(또는 멸균보호대)으로 씌워 놓는다. 도뇨관 끝에서 2.5cm 이상 떨어진 부분을 잡는다.	• 도뇨관과 배액관 끝 부분의 오염을 막기 위함이다.
11. 도뇨관 아래에 멸균곡반을 놓는다. 도뇨관에 세척용 주사기의 끝을 삽입하고 용액으로 조심스럽게 세척한다.	• 방광 내부의 손상을 줄이기 위함이다.
12. 주사기를 제거하고 압력을 유지하면서 중력에 의해 곡반 안으로 배출되도록 한다. 만약 배출되지 않는다면 도뇨관으로부터 용액을 조심스럽게 흡인한다. 세척목적을 달성할 때까지 세척을 반복한다.	• 방광으로부터의 세척과 배출은 중력에 의한다..

* 방광 점적 시에는 용액점적 후 도뇨관을 일정시간 동안 막는다.

단순 또는 개방식 방광 세척의 단계와 근거(계속)

단계	근거
13. 도뇨관 끝과 배액관 끝을 오염시키지 않은 상태에서 다시 연결한다. 장갑을 벗는다. 반창고로 안전하게 고정한다. * 방광 점적 시에는 일정 시간이 지난 뒤 조절기를 열고 방광내용물을 곡반으로 내보낸다.	
14. 물품을 정리하고 대상자를 편안하게 해준다. 손을 씻는다.	• 미생물 전파를 예방하기 위함이다.
15. 간호기록지에 기록한다. 1) 날짜와 시간, 절차 2) 배설된 양(세척에 사용한 용액의 양을 제외한 배출량), 색깔, 혼탁정도 등 3) 대상의 반응 등	• 배출물로 부터 세척용액의 합계를 빼면 정확한 배뇨량을 산출할 수 있다.

2) 지속적 또는 폐쇄식 방광 세척

- **준비물품**
  - 멸균 세척 용액 200mL 주머니(멸균 생리 식염수나 처방에 의한 용액, 실온이나 체온 정도의 온도, 처방에 따름)
  - 조절기와 점적통이 있는 멸균 세척관
  - IV걸대, 연결관(방광에 3-way foley catheter를 삽입하고 있는 경우는 제외)
  - 배액관과 소변 수집 주머니
  - 목욕 담요
  - 일회용 장갑

지속적 또는 폐쇄식 방광 세척의 단계와 근거

단계	근거
1. 손을 씻는다.	
2. 필요한 물품을 준비한다.	
3. 준비한 물품을 가지고 대상자에게 가서 간호사 자신을 소개한다.	
4. 대상자의 이름을 개방형으로 질문하여 대상자를 확인하고, 입원 팔찌와 환자 기록지의 이름, 등록번호를 대조하여 재확인한다.	
5. 대상자에게 목적과 절차를 설명한다.	• 대상자의 불안과 두려움을 감소시키며 협조를 얻을 수 있다.
6. 커튼(스크린)으로 대상자의 사생활을 보호해준다.	
7. 일회용 장갑을 착용한다.	

지속적 또는 폐쇄식 방광 세척의 단계와 근거(계속)

단계	근거
8. 멸균세척용액이 담긴 세척주머니에 멸균세척관을 연결한 후 조절기를 이용하여 세척액이 흐르지 못하게 막고, 대상자의 방광보다 75~90cm 위로 IV걸대에 주머니를 건다. 오염되지 않도록 하면서 세척관 끝에 보호마개를 제거하고 조절기를 연다. 용액으로 관 내부를 씻어내고 공기를 제거한다. 다시 잠근다.	• 방광팽창을 일으킬 수 있는 공기를 관으로부터 제거하기 위함이다.
9. 대상자의 둔부 아래 방수포를 깐다.	
10. 도뇨관의 장금장치를 잠근다.	
11. 도뇨관의 세척배출구를 멸균 소독솜을 닦은 후, 무균술을 사용하면서 3-way 유치도뇨관의 세척배출구에 세척관을 연결한다. 2-way 유치도뇨관을 삽입한 경우에는 연결관을 연결하여 사용한다.	• 방광의 미생물 전파를 방지한다.
12. 세척관의 조절기를 열고 처방된 속도로 처방된 양의 세척액을 주입한다(일반적으로 40~60방울/분).	• 과속으로 주입할 경우 심한 복통과 방광파열이 생길 수 있다.
13. 세척액 주입이 끝나면 조절기를 잠근다. 점적통이 비지 않도록 한다. 필요시 세척용액을 세트에 연결하여 계속한다.	• 도뇨관으로부터 관을 분리하지 않고, 세척액을 통과시켜 공기를 제거하지 않아도 된다.
14. 배액관의 조절기를 열어 소변수집주머니로 소변과 세척액이 배출되도록한다.	
15. 물품을 정리하고 대상자를 편안하게 해준다. 손을 씻는다.	• 미생물 전파를 예방하기 위함이다.
16. 간호기록지에 기록한다. 　1) 날짜와 시간, 절차 　2) 배설된 양(세척에 사용한 용액의 양을 제외한 배출량), 색깔, 혼탁정도 등 　3) 대상자의 반응 등	

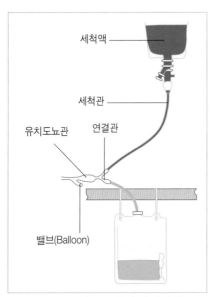

2-way 유치도뇨관의 방광세척

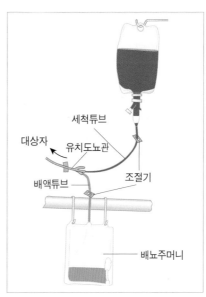

3-way(내관이 세개인) 유치도뇨관

단순 도뇨

평가일자 _____   평가자 이름 _____

No	수 행 항 목	수행	미수행	비고
1	손을 씻는다.			
2	필요한 물품을 준비한다.			
3	도뇨세트를 쟁반이나 드레싱 카트 위에 놓고 무균적으로 편다.			
4	도뇨세트 속에 있는 종지(또는 드레싱세트 한 칸)에 소독솜을 넣고, 멸균 수용성윤활제를 세트 안에 짜 넣는다.			
5	무균법의 원칙에 따라 적당한 크기의 도뇨관을 세트 속에 넣은 후 세트를 싼다.(여자: 14~16, 남자: 16~18)			
6	준비한 물품을 가지고 대상자에게 가서 간호사 자신을 소개한다.			
7	손을 씻는다.			
8	대상자의 이름을 개방형으로 질문하여 대상자를 확인하고, 입원 팔찌와 환자 기록지의 이름, 등록번호를 대조하여 재확인한다.			
9	대상자에게 목적과 절차를 설명한다.			
10	커튼(스크린)으로 대상자의 사생활을 보호해 주고, 똑바로 눕도록 한 후 이불이나 홑이불을 덮어준다.			
11	방수포를 대상자 둔부 밑에 깔아 침구를 보호한다.			
12	여자 대상자는 양 다리를 60cm 정도 벌린 배횡와위, 남자 대상자는 다리를 곧게 뻗은 앙와위를 취하도록 돕는다.			
13	홑이불의 끝을 대상자의 복부 위로 접어 올려 회음부를 노출시키고, 대상자에게 다리를 움직이지 말라고 설명한다. 필요하면 사이드램프를 비춘다.			
14	세트와 곡반을 대상자 다리 사이에 놓고, 준비한 세트를 무균법 원칙에 따라 연다.			
15	손소독제로 손을 씻은 후 멸균장갑을 착용한다.			

단순 도뇨(계속)

No	수 행 항 목	수행	미수행	비고
16	멸균장갑을 낀 손이 오염되지 않게 공포로 회음부를 덮는다. 남자 대상자는 음경 위에 펴놓는다.			
17	도뇨관의 끝이 막히지 않도록 주의하면서 도뇨관 끝 5~8cm에 수용성윤활제를 바르고(남자 12~18cm), 소독솜으로 외음부 주위를 닦을 때 찬 느낌이 있을 수 있음을 설명한다.			
18	소독솜으로 외음부 주위를 닦는다(한 번 닦을 때 마다 새 소독솜을 사용하여 위에서 아래로 닦는다.			
19	① 여자 대상자인 경우: 한 손의 엄지와 검지로 음순을 벌려서 요도를 노출시키며, 도뇨관을 삽입할 때까지 이 자세를 유지한다. ② 남자 대상자인 경우: 한 손의 엄지와 검지로 음경을 잡고 포피를 잡아내린다.			
20	① 여자 대상자인 경우: 다른 손으로 겸자를 사용하여 소독솜을 잡고 대음순, 소음순, 요도구 순으로 위에서 아래 방향으로 닦는다. 각 부위를 닦을 때마다 새로운 솜을 사용한다. ② 남자 대상자인 경우: 소독솜으로 요도구 중심부에서 바깥쪽 방향으로 3~4회 둥글게 닦아 내며, 매번 새로운 솜을 사용한다.			
21	대상자에게 구강 호흡을 하게 하면서 도뇨관을 삽입함을 설명한다.			
22	도뇨관이 오염되지 않게 잘 감아쥐고 요도 후상방으로 5~8cm 삽입한다. 남자의 경우 음경을 수직으로 들어 12~18cm 정도 삽입한다.			
23	소변이 흘러나오기 시작하면 도뇨관을 2~4cm 가량 더 삽입하여 소변이 곡반 속으로 흘러나오게 한다.			
24	소변이 흘러나오지 않게 되면 도뇨관을 천천히 돌리면서 빼어 세트에 넣고, 마른 거즈로 요도구와 회음부 주위를 닦는다.			
25	공포를 치우고 장갑을 벗는다.			
26	손소독제로 손을 씻는다.			
27	대상자를 편안하게 해주고 일회용 장갑을 착용한 후 소변기에 곡반의 소변을 담아 양을 측정한다.			

방광 세척(주사기를 이용한 경우)(계속)

No	수 행 항 목	수행	미수행	비고
28	사용한 물품을 정리한다.			
29	물과 비누로 손을 씻는다.			
30	간호기록지를 기록한다. 　1) 시간과 날짜 　2) 도뇨를 시행한 이유 　3) 사용한 도뇨관의 크기 　4) 소변의 양, 색깔, 혼탁도 등 특성 　5) 대상자 반응 등			

유치 도뇨

평가일자 _____　　평가자 이름 _____

No	수 행 항 목	수행	미수행	비고
1	손을 씻는다.			
2	필요한 물품을 준비한다.			
3	유치도뇨세트를 쟁반이나 드레싱 카트 위에 놓고 무균적으로 편다.			
4	무균법의 원칙에 따라 유치도뇨세트 속에 있는 종지 하나(또는 드레싱 세트 한 칸)에 소독솜, 다른 종지(한 칸)에 멸균증류수 약 10mL, 나머지 종지(한 칸)에 멸균 수용성윤활제를 넣고, 10mL 멸균 주사기와 적당한 크기의 도뇨관을 세트 안에 넣은 후 세트를 싼다(여자: 14~16Fr, 남자: 16~18Fr)			
5	준비한 물품을 가지고 대상자에게 가서 간호사 자신을 소개한다.			
6	손을 씻는다.			
7	대상자의 이름을 개방형으로 질문하여 대상자를 확인하고, 입원 팔찌와 환자 기록지의 이름, 등록번호를 대조하여 재확인한다.			
8	대상자에게 목적과 절차를 설명한다.			
9	커튼(스트린)으로 대상자의 사생활을 보호해 주고, 똑바로 눕도록 한 후 이불이나 홑이불을 덮어준다.			
10	방수포를 대상자 둔부 밑에 깔아 침구를 보호한다.			
11	여자 대상자는 양 다리를 60cm 정도 벌린 배횡와위, 남자 대상자는 다리를 곧게 뻗은 앙와위를 취하도록 돕는다.			
12	홑이불의 끝을 대상자의 복부 위로 접어 올려 회음부를 노출시키고, 대상자에게 다리를 움직이지 말라고 설명한다. 필요하면 사이드램프를 비춘다.			
13	세트와 곡반을 대상자 다리 사이에 놓고, 준비한 세트를 무균법의 원칙에 따라 연다.			
14	손소독제로 손을 씻은 후 멸균장갑을 착용한다.			

유치 도뇨(계속)

No	수 행 항 목	수행	미수행	비고
15	멸균장갑을 낀 손이 오염되지 않게 공포로 회음부를 덮는다. 남자 대상자는 음경 위에 펴놓는다.			
16	도뇨관에 표시된 대로 정확한 양의 증류수를 주사기에 준비한다.			
17	도뇨관의 풍선 주입구에 주사기를 연결하여 증류수를 주입하면서 도뇨관 풍선의 팽창 여부를 확인한 다음 다시 주사기 속으로 증류수를 뺀다. 도뇨관에 주사기를 그대로 꽂아둔다.			
18	도뇨관의 끝이 막히지 않도록 주위하면서 도뇨관 끝 5~8cm에 수용성윤활제를 바르고(남자 12~18cm), 소독솜으로 외음부 주위를 닦을 때 찬 느낌이 있을 수 있음을 설명한다.			
19	도뇨관의 소변이 흘러나오는 출꾸를 혈관섭자(겸자)로 잠근다.			
20	소독솜으로 외음부 주위를 닦는다(한 번 닦을 때마다 새 소독솜을 사용하여 위에서 아래로 닦는다).			
21	① 여자 대상자인 경우 　한 손의 엄지와 검지로 음순을 벌려서 요도를 노출시키며, 노도관을 삽입할 때까지 이 자세를 유지한다. ② 남자 대상자인 경우 　한 손의 엄지와 검지로 음경을 잡고 표피를 잡아 내린다.			
22	① 여자 대상자인 경우 　다른 손으로 겸자를 사용하여 소독솜을 잡고 대음순, 소음순, 요도구 순으로 위에서 아래 방향으로 닦는다. 각 부위를 닦을 때마다 새로운 솜을 사용한다. ② 남자 대상자인 경우 　소독솜으로 요도구 중심부에서 바깥쪽 방향으로 3~4회 둥글게 닦아 내며, 매번 새로운 솜을 사용한다.			
23	대상자에게 구강 호흡을 하게 하면서 도뇨관을 삽입함을 설명한다.			
24	무균상태를 유지하며 혈관섭자(겸자)와 함께 도뇨관 뒤쪽을 감아쥐고 요도구 안으로 5~8cm 정도 부드럽게 삽입한다(남자의 경우 음경을 수직으로 들어 12~18cm 정도 삽입한다). 만약 저항이 느껴지면 억지로 도뇨관을 삽입하지 않는다.			

유치 도뇨(계속)

평가일자 _____   평가자 이름 _____

No	수 행 항 목	수행	미수행	비고
25	도뇨관 끝을 곡반에 대고 잠가둔 혈관섭자(겸자)를 풀어 소변이 나오는지 확인한 다음 소변이 흘러나오면 다시 혈관섭자(겸자)를 잠그고 도뇨관을 2~4cm 가량 더 삽입한 후 음순을 벌리고 있던 손을 뗀다.			
26	도뇨관의 풍선 주입구에 연결된 주사기에 들어 있는 증류수를 주입한 후 주사기를 제거한다.			
27	도뇨관을 부드럽게 잡아 당겨 도뇨관이 안전하게 방광 안에 있는지 확인한다.			
28	공포를 치우고 장갑을 벗는다.			
29	손소독제로 손을 씻는다.			
30	소변 수집 주머니 아랫 부분 조절기의 잠금 상태를 확인한 후 소변 수집 주머니를 도뇨관과 연결한다.			
31	잠가 둔 혈관섭자(겸자)를 제거한 후 도뇨관을 대퇴 안쪽에 반창고로 고정시킨다(남자는 허벅지 위쪽 또는 하복부에 고정).			
32	소변 수집 주머니 윗부분 조절기가 열려 있는지, 소변이 잘 나오는지를 확인하고, 소변 수집 주머니가 침상보다 낮게 위치하도록 침상틀에 고정한다. 이 때 바닥에 닿지 않도록 한다.			
33	대상자에게 도뇨관 삽입 후 편안한 지를 묻고, 소변 수집 주머니 관리 방법에 대해 설명한다.			
34	사용한 물품을 정리한다.			
35	물과 비누로 손을 씻는다.			
36	간호기록지에 기록한다. 　1) 시간과 날짜 　2) 유치도뇨를 시행한 이유 　3) 사용한 도뇨관의 크기 및 종류(유형) 　4) 소변의 배출 여부와 양, 색깔, 혼탁도 등 특성 　5) 대상자 반응 등			

유치 도뇨관 제거

No	수 행 항 목	수행	미수행	비고
1	손을 씻는다.			
2	준비한 물품을 가지고 대상자에게 가서 간호사 자신을 소개한다.			
3	대상자의 이름을 개방형으로 질문하여 대상자를 확인하고, 입원 팔찌와 환자 기록지의 이름, 등록번호를 대조하여 재확인한다.			
4	대상자에게 목적과 절파를 설명한다.			
5	커튼(스트린)으로 대상자의 사생활을 보호해 준다.			
6	앙와위를 취하게 한 후 회음부(남자의 경우 음경)를 노출시키고 대퇴나 하복부에 도뇨관을 고정했던 반창고를 떼어낸다.			
7	일회용 장갑을 착용한다.			
8	방수포를 대상자 둔부 밑에 깐다.			
9	풍선 주입구에 주사기를 끼우고, 도뇨관의 풍선을 확장시키기 위하여 주입한 증류수를 남김없이 제거한다.			
10	도뇨관을 엄지와 검지로 꼭 눌러잡고 서서히 조심스럽게 제거한다.			
11	회음부 간호를 실시한다.			
12	대상자를 편안하게 해주고 물품을 정리한다.			
13	장갑을 벗고 손을 씻거나 손소독제를 사용한다.			
14	사용한 도뇨관과 소변 주머니를 지정된 용기에 버린다.			
15	도뇨관을 제거한 시간, 소변량과 특성, 대상자의 반응 등을 기록한다.			

방광 세척 -1) 단순 또는 개방식 방광 세척

No	수 행 항 목	수행	미수행	비고
1	손을 씻는다.			
2	필요한 물품을 준비한다.			
3	준비한 물품을 가지고 대상자에게 가서 간호사 자신을 소개한다.			
4	대상자의 이름을 개방형으로 질문하여 대상자를 확인하고, 입원 팔찌와 환자 기록지의 이름, 등록번호를 대조하여 재확인한다.			
5	대상자에게 목적과 절차를 설명한다.			
6	커튼(스크린)으로 대상자의 사생활을 보호해 준다.			
7	대상자가 편안한 자세를 취하도록 도와주고 도뇨관과 배액관 사이의 연결 부위를 노출시킨다. 도뇨관 밑에 방수포를 깐다.			
8	멸균된 물품을 열고 멸균장갑을 착용한다. 멸균된 용기에 멸균용액을 따른 후 주사바늘을 제거한 세척용 주사기에 세척용액 30~50mL를 준비한다.			
9	소독솜으로 도뇨관과 배액관 연결 부위를 소독한다.			
10	도뇨관과 배액관을 분리한다. 배액관 끝은 멸균 뚜껑(또는 멸균 보호대)으로 씌워 놓는다.			
11	도뇨관 아래에 멸균 곡반을 놓는다.			
12	도뇨관에 세척용 주사기의 끝을 삽입하고 용액으로 조심스럽게 세척한다.			
13	주사기를 제거하고 압력을 유지하면서 중력에 의해 곡반 안으로 배출되도록 한다. 세척 목적을 달성할 때까지 세척을 반복한다.			
14	도뇨관 끝과 배액관 끝을 오염시키지 않은 상태에서 다시 연결한다. 장갑을 벗는다. 반창고로 안정하게 고정한다.			
15	물품을 정리하고 대상자를 편안하게 해준다. 손을 씻는다.			
16	관찰한 내용을 기록한다(세척액 종류 및 양, 배출액의 양과 양상, 대상자 반응).			

방광 세척 -2) 지속적 또는 폐쇄식 방광 세척

No	수 행 항 목	수행	미수행	비고
1	손을 씻는다.			
2	필요한 물품을 준비한다.			
3	준비한 물품을 가지고 대상자에게 가서 간호사 자신을 소개한다.			
4	대상자의 이름을 개방형으로 질문하여 대상자를 확인하고, 입원 팔찌와 환자 기록지의 이름, 등록번호를 대조하여 재확인한다.			
5	대상자에게 목적과 절차를 설명한다.			
6	커튼(스트린)으로 대상자의 사생활을 보호해 준다.			
7	일회용 장갑을 착용한다.			
8	처방된 세척액이 담긴 주머니를 IV 걸대에 걸고 용액을 통과시켜 공기를 제거한다.			
9	대상자의 둔부 아래 방수포를 깐다.			
10	도뇨관의 장금 장치를 잠근다.			
11	도뇨관의 세척 배출구를 멸균 소독솜을 닦은 후 세척관을 연결한다.			
12	세척관의 조절기를 열고 처방된 속도로 처방된 양의 세척액을 주입한다.			
13	세척액 주입이 끝나면 조절기를 잠근다.			
14	배액관의 조절기를 열어 소변 수집 주머니로 소변과 세척액이 배출되도록 한다.			
15	물품을 정리하고 대상자를 편안하게 해 준다. 손을 씻는다.			
16	절차와 배설된 양과 대상자의 반응을 사정하고 기록한다.			
17	세척에 사용한 용액의 양과 배설량을 기록한다.			

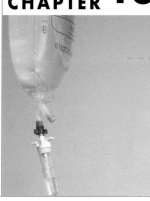

CHAPTER 16

배설 간호

관장의 종류

종류	목적
배출 관장(Cleansing enema): 장에서 내용물을 완전히 배출하기 위한 관장	1. 안전하고 효과적인 방법으로 직장내에 용액을 주입하여 장을 팽창시키고, 점막벽을 자극하여 연동운동을 일으켜 배변토록 한다. 2. 변비(constipation)나 변의 막힘(fecal impaction)을 치료하고 수술, 분만, 장관의 X-선 사진 준비를 위하여 대장하부에 있는 gas와 변을 제거한다. 3. 진단목적의 barium을 마셨거나 장내에 주입한 후의 세척과 gas로 인한 통증을 제거한다.
정체 관장(Retention enema): 관장액을 장시간 장내에 머무르게 하는 관장	● 종류 ① 영양관장(nutritive enema): 액체와 영양분 주입 ② 약물관장(medication enema): 구충, 해열, 진정, 진통의 목적 ③ 유류정체관장(oil-retention enema): 변을 부드럽게 해서 배변 유도 ④ 구풍관장(carminative enema): 가스배출 및 복부팽창 감소

1. 비눗물 배출 관장

- **준비물품**
    - 37.7~40.5℃의 관장용 비누액 500~1000mL
    - 관장 통과 연결관
    - 직장 튜브(20~30Fr)와 조절기
    - IV걸대
    - 방수포(고무포와 반홑이불)와 목욕 담요(홑이불)
    - 윤활제
    - 변기와 화장지
    - 일회용 장갑
    - 손소독제

 비눗물 배출 관장의 단계와 근거

단계	근거
1. 손을 씻는다.	• 미생물의 전파를 예방하기 위함이다.
2. 필요한 물품을 준비한다.	
3. 일회용 장갑을 낀 후 관장용 비누액(37.7~40.5℃)을 관장통에 넣는다.	• 장에 주입되는 용액의 온도는 체온보다 약간 높게 하는 것이 장의 연동운동을 최대한으로 자극할 수 있고 안전하다. 너무 뜨거우면 장점막을 손상시키고 찬 용액은 통증을 유발한다.
4. 직장 튜브 끝부분을 관장통 연결관에 연결하고 조절기를 풀어 용액을 흐르게 하여 튜브 안의 공기를 뺀 후 다시 잠근다.	• 대장에 공기가 들어가는 것은 해롭지 않지만 복압의 상승으로 용액 주입에 방해가 된다.
5. 직장 튜브 끝 10~15cm 부위에 윤활제를 바른 후 장갑을 벗는다.	• 윤활제는 직장관이 들어갈 때 괄약근의 손상을 예방한다.
6. 준비한 물품을 가지고 대상자에게 가서 간호사 자신을 소개한다.	

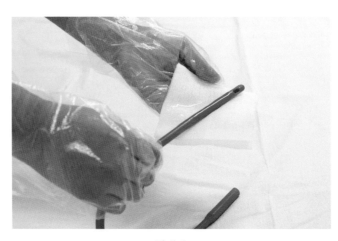

단계 5

비눗물 배출 관장의 단계와 근거(계속)

단계	근거
7. 손을 씻는다.	
8. 대상자의 이름을 개방형으로 질문하여 대상자를 확인하고, 입원팔찌와 환자 기록지의 이름, 등록번호를 대조하여 재확인한다.	• 안전 간호를 위한 대상자 확인 절차이다.
9. 대상자에게 목적과 절차를 설명한다.	• 불안을 감소시키고 능동적 협조를 얻을 수 있다.
10. 대상자의 사생활을 보호하기 위해 커튼(스크린)을 친다. 윗침구를 부채 모양으로 접어 내리고 목욕 담요(또는 홑이불)를 덮는다.	• 식사시간, 방문시간은 되도록 피하고 필요 이상의 노출을 방지한다.
11. 대상자의 둔부가 간호사 쪽을 향하도록 하여 좌측위나 심스(Sim's)위를 취하게 하고 둔부 밑에 방수포를 깐다.	• 직장과 S자 결장의 연결 부위의 각이 없어지면서 대상자가 편안해 하는 자세로, 긴장감 없이 관장 용액이 잘 들어간다.
12. 오른쪽 무릎을 가능한 한 많이 구부려 항문 주위가 충분히 노출되도록 한 다음 긴장을 풀도록 유도한다.	• 무릎을 구부리면 항문이 최대한 노출된다. 불필요한 노출은 대상자의 당혹감을 증가시킨다.
13. 일회용 장갑을 착용한다.	
14. 대상자에게 입을 벌리고 숨을 내쉬게 하면서 직장 튜브 끝을 대상자의 배꼽을 향하도록 하여 5~10cm 정도 삽입한다. (아동 5~7.5cm, 영아 2.5~3.5 cm)	• 복압을 낮추면 튜브 삽입이 원활하다. 튜브가 항문 내 괄약근으로 삽입되어야 하며 더 많이 삽입되면 장벽에 손상을 준다. 튜브의 삽입 각도는 정상적인 장의 굴곡 각도이다. 구강 호흡은 복부 근육을 이완시키고 용액을 잘 보유시킨다.
15. 직장 튜브 위치를 고정하고 관장액을 천천히 주입한다. 이 때 항문에서 40~45cm의 높이에 관장통을 둔다.	• 용액이 압력에 의하여 장내에 들어가며 용액의 압력은 관장통의 높이에 비례하며 장으로 들어가는 용액의 속도를 결정한다. 압력이 높으면 복통을 유발하므로 서서히 주입한다.
16. 용액이 주입되는 동안 불편감이 있을 수 있음을 설명하고, 주입 후 팽만감을 느끼는 것은 정상임을 설명한다.	

단계 14

단계 15

비눗물 배출 관장의 단계와 근거(계속)

단계	근거
17. 용액을 전부 주입한 후 직장 튜브를 항문에서 빼내면서 항문을 휴지나 거즈로 눌러 준다.	• 직장으로 공기가 들어가는 것을 막기 위함이다.
18. 직장 튜브를 말아 쥐고, 쥔 손의 장갑을 벗어 직장 튜브를 감싼 후 곡반에 놓는다.	
19. 휴지로 항문을 막아 주고 나머지 일회용 장갑을 안에서 밖으로 뒤집어 벗는다.	• 장갑에 묻어 있는 변이 주변 물건에 접촉하지 못하게 하기 위함이다. 미생물의 전파를 예방하기 위함이다.
20. 대상자에게 "10~15분간 대변을 참거나", "침대에 누워서 참을 수 있는 만큼" 참은 후에 화장실에 가야 함을 설명한다(필요하면 대상자의 배변을 돕는다. 대상자가 기동성이 없거나 대변 검사물이 필요하면 침상 변기나 의자 변기를 사용할 수 있도록 한다).	• 누워있는 자세는 중력을 덜 받으므로 변의를 참기가 쉽다. 용액이 직장 내에 오래 대기할수록 연동운동의 자극과 배변의 효과가 크다.
21. 대상자에게 대변을 본 후 그 결과를 알려야 함을 설명한다.	
22. 대변을 본 후 적어도 한 시간을 둔부 밑에 깐 방수포를 그대로 둔다.	• 관장 후 대변이 수시로 배출되는 경우가 많으므로 둔부 밑에 방수포가 필요하다.
23. 대상자를 편안하게 해주고 사용한 물품을 정돈한다.	
24. 손을 씻는다.	

25. 간호기록지에 기록한다.
    1) 관장의 종류
    2) 관장용액 및 주입량
    3) 관장에 대한 대상자의 반응(이상 반응 포함)
    4) 관장 결과(대변양, 대변 양상, 소요된 시간)	

단계 17

관장 수행 시 주의점

만약 관장이 "깨끗해질 때까지" 처방이 났을 때, 3L 이상이 1회 관장 series에 사용되어서는 안된다. 반복되는 관장은 장점막과 회음부를 자극하고 전해질을 상실하게 하고 대상자를 지치게 한다. 만약 관장액 이 계속 깨끗하게 나오지 않을 때 지속하지 말고 다시 의사와 상의해야 한다.

2. 글리세린 관장

- **목적**
  - 글리세린을 장시간 장내에 주입시켜 변을 부드럽게 배출 시킨다.

- **준비물품**
  - 관장용 글리세린액
  - 미온수(37.7~40.5℃)
  - 50mL 관장용 주사기
  - 카테터(10Fr) 또는 직장 튜브(14~20Fr)
  - 방수포(고무포와 반홑이불), 목욕 담요(홑이불)
  - 윤활제
  - 곡반
  - 침상 변기와 화장지
  - 일회용 장갑
  - 손소독제

글리세린 관장의 단계와 근거

단계	근거
1. 1~2는 비눗물 배출 관장과 같다.	
3. 일회용 장갑을 낀 후 주사기 내관을 빼고 주사기 앞부분을 손으로 막은 상태에서 글리세린과 온수를 1:1로 부어 관장액을 준비한다.	• 관장액이 너무 뜨거우면 장점막을 손상시키고 너무 차가우면 경련이 일어날 수 있다.
4. 주사기 내관을 꽂고 공기를 뺀 다음 카테터나 직장 튜브의 끝부분을 개봉하여 주사기에 연결하고 공기를 빼 준다.	
5. 카테터나 직장 튜브 끝 10~15cm 부위에 윤활제를 바른 후 장갑을 벗는다.	• 윤활제는 직장관이 들어갈 때 괄약근의 손상을 예방한다.
6. 6-14는 비눗물 배출 관장과 같다.	

글리세린 관장의 단계와 근거(계속)

단계	근거
15. 카테터나 직장 튜브 위치를 고정하고 관장액을 천천히 주입한다.	• 용액은 압력에 의해서 장내에 들어간다. 용액의 압력은 관장통의 높이에 비례하며 장으로 들어가는 용액의 속도를 결정한다. 압력이 높으면 복통을 유발하므로 서서히 주입한다.
16. 16-25는 비눗물 배출 관장과 같다.	

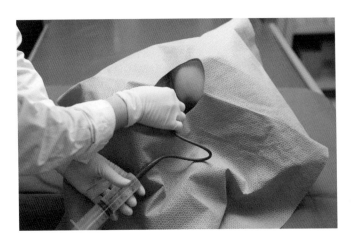 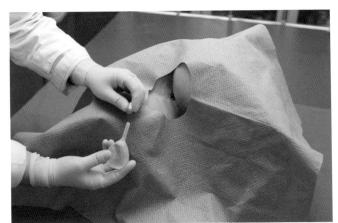

단계 15

비눗물 배출 관장

평가일자 _____ 평가자 이름 _____

No	수 행 항 목	수행	미수행	비고
1	손을 씻는다.			
2	필요한 물품을 준비한다.			
3	일회용 장갑을 낀 후 관장용 비누액(37.7~40.5℃)을 관장통에 넣는다.			
4	직장 튜브 끝부분을 관장통 연결관에 연결하고 조절기를 풀어 용액을 흐르게 하여 튜브 안의 공기를 뺀 후 다시 잠근다.			
5	직장튜브 끝 10~15cm 부위에 윤활제를 바른 후 장갑을 벗는다.			
6	준비한 물품을 가지고 대상자에게 가서 간호사 자신을 소개한다.			
7	손소독제로 손을 씻는다.			
8	대상자의 이름을 개방형으로 질문하여 대상자를 확인하고, 입원 팔찌와 환자 기록지의 이름, 등록번호를 대조하여 재확인한다.			
9	대상자에게 목적과 절차를 설명한다.			
10	대상자의 사생활을 보호하기 위해 커튼(스트린)을 친다. 윗 침구를 부채 모양으로 접어내리고 목욕 담요를 덮는다.			
11	대상자의 둔부가 간호사 쪽을 향하도록 하여 좌측위나 심스(Sims')위를 취하게 하고 둔부 밑에 방수포를 깐다.			
12	오른쪽 무릎을 가능한 한 많이 구부려 항문 주위가 충분히 노출되도록 한 다음 긴장을 풀도록 유도한다.			
13	일회용 장갑을 착용한다.			
14	대상자에게 입을 벌리고 숨을 내쉬게 하면서 직장 튜브 끝을 대상자의 배꼽을 향하도록 해서 5~10cm 정도 삽입한다(아동 5~7.5cm, 영아 2.5~3.5cm)			
15	직장 튜브 위치를 고정하고, 관장통을 항문에서 40~45cm의 높이에 둔 다음 관장액을 천천히 주입한다.			

비눗물 배출 관장(계속)

평가일자 _____   평가자 이름 _____

No	수 행 항 목	수행	미수행	비고
16	용액이 주입되는 동안 불편감이 있을 수 있음을 설명하고, 주입 후 팽만감을 느끼는 것은 정상임을 설명한다.			
17	용액을 전부 주입한 후 직장 튜브를 항문에서 빼내면서 항문을 휴지나 거즈로 눌러 준다.			
18	직장 튜브를 말아 쥐고, 쥔 손의 장갑을 벗어 직장 튜브를 감싼 후 곡반에 놓는다.			
19	휴지로 항문을 막아 주고 나머지 일회용 장갑을 안에서 밖으로 뒤집어 벗는다.			
20	대상자에게 "10~15분간 대변을 참거나", "침대에 누워서 참을 수 있는 만큼" 참은 후에 화장실에 가야 함을 설명한다(필요하면 대상자의 배변을 돕는다. 대상자가 기동성이 없거나 대변 검사물이 필요하면 침상 변기나 의자 변기를 사용할 수 있도록 한다).			
21	대상자에게 대변을 본 후 그 결과를 알려야 함을 설명한다.			
22	대변을 본 후 적어도 한 시간을 둔부 밑에 깐 방수포를 그대로 둔다.			
23	대상자를 편안하게 해주고 사용한 물품을 정돈한다.			
24	손을 씻는다.			
25	간호기록지에 기록한다. 　1) 관장의 종류 　2) 관장용액 및 주입량 　3) 관장에 대한 대상자의 반응(이상 반응 포함) 　4) 관장 결과(대변양, 대변 양상, 소요된 시간)			

글리세린 배출 관장

평가일자 _____ 평가자 이름 _____

No	수 행 항 목	수행	미수행	비고
1	손을 씻는다.			
2	필요한 물품을 준비한다.			
3	일회용 장갑을 낀 후 주사기 내관을 빼고 주사기 앞부분을 손으로 막은 상태에서 글리세린과 온수를 1:1로 부어 관장액을 준비한다.			
4	주사기 내관을 꽂고 공기를 뺀 다음 카테터나 직장 튜브의 끝부분을 개봉하여 주사기에 연결하고 공기를 빼준다.			
5	카테터나 직장 튜브 끝 10~15cm 부위에 윤활제를 바른 후 장갑을 벗는다.			
6	준비한 물품을 가지고 대상자에게 가서 간호사 자신을 소개한다.			
7	손을 씻는다.			
8	대상자의 이름을 개방형으로 질문하여 대상자를 확인하고, 입원 팔찌와 환자 기록지의 이름, 등록번호를 대조하여 재확인한다.			
9	대상자에게 목적과 절차를 설명한다.			
10	커튼(스크린)으로 대상자의 사생활을 보호해 주고 목욕 담요를 덮어 준다.			
11	대상자의 둔부가 간호사 쪽을 향하도록 하여 좌측위나 심스(Sims')위를 취하게 하고 둔부 밑에 방수포를 깐다.			
12	대상자의 둔부를 노출시키고 항문이 보이도록 사이를 벌리고 긴장을 풀도록 유도한다.			
13	일회용 장갑을 착용한다.			
14	카테터나 직장 튜브 끝을 대상자의 배꼽을 향하도록 해서 5~10cm 정도 삽입한다.			
15	카테터나 직장 튜브 위치를 고정하고 관장액을 천천히 주입한다.			

글리세린 배출 관장(계속)

평가일자 _____   평가자 이름 _____

No	수 행 항 목	수행	미수행	비고
16	용액이 주입되는 동안 불편감이 있을 수 있으며, 주입 후 팽만감을 느끼는 것은 정상임을 설명한다.			
17	관장액을 전부 주입한 후 휴지로 항문을 막으면서 직장 튜브를 항문에서 빼낸다.			
18	직장 튜브를 말아 쥐고, 쥔 손의 장갑을 벗어 직장 튜브를 감싼 후 곡반에 놓는다.			
19	휴지로 항문을 막아 주고 나머지 장갑을 벗는다.			
20	대상자에게 참을 수 있는 만큼 대변을 참은 후(10~15분 정도) 화장실에 가야 함과 대변을 본 후 그 결과를 알려야 함을 설명한다.			
21	대변을 본 후 적어도 한 시간을 둔부 밑에 깐 방수포(또는 고무포와 반홑이불)를 그대로 둔다.			
22	대상자를 편안하게 해주고 사용한 물품을 정돈한다.			
23	손을 씻는다.			
24	간호기록지에 기록한다. 　1) 관장의 종류 　2) 관장용액 및 주입량 　3) 관장에 대한 대상자의 이상 반응 　4) 관장 결과(대변양, 대변 양상)			

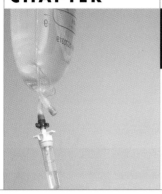

CHAPTER 17

장루 관리

실습목록
1. 장루 제품 교환
2. 장 세척

장루란 정상적인 대변 배설에 문제가 생겼을 때 수술을 통해 대변을 체외로 배설할 수 있도록 복벽에 만든 구멍을 말한다.

정상적인 장루는 점막으로 덮여 있어 점액이 끊임없이 분비되고 혈관분포가 많아 간호 시 출혈이 발생할 수 있다. 일반적으로 둥근 모양으로 선홍색을 띠고 축축하며, 수술직후에는 약간 부어 있다. 장루는 6~8주에 걸쳐 붓기가 빠지면서 서서히 줄어든다.

장루로 인해 제한되는 음식은 없으나 규칙적인 식사와 더불어 하루에 8잔에서 10잔 정도의 수분을 섭취하도록 한다. 또한 냄새 및 가스관리가 중요한데, 냄새조절을 위해서는 주머니를 자주 비워주고 가스필터가 부착되어 있는 주머니를 사용할 수 있으며, 가스관리를 위해서는 빨대사용, 껌 씹기를 삼가고 공기를 삼키는 기회를 줄인다.

장루 주위의 피부관리 기본원칙은 피부청결과 피부를 보호할 수 있는 적절한 기구를 사용하는 것이며 자극적인 변 배설물로부터 피부를 보호하는 것이다. 피부보호판이 있는 장루주머니는 편안하게 적합한 형태이어야 하며 장루 주변의 피부를 덮고 잘 봉해져야 한다. 피부 손상이 의심되거나 손상된 경우 장루용 피부보호 파우더와 피부보호 필름을 교대로 적용(크러스팅기법)하여 피부보호막을 만들어 보호한다. 장루의 위치에 따라 변은 묽거나 굳을 수 있다.

장루 관리 제품은 피부보호판과 주머니가 붙어 있는 일회용의 원피스 타입과 피부보호판과 주머니가 분리되어 있는 투피스 타입이 있다.

변의 굳기, 냄새, 가스 조절을 위해 고려할 식이

- 변을 굳게 하는 음식: 바나나, 쌀밥, 치즈, 빵, 요구르트, 감자, 고구마, 옥수수, 밤, 감, 국수
- 변을 묽게 하는 음식: 초콜릿, 생야채, 생과일, 양념이 많은 음식, 튀긴 음식, 기름기 많은 음식, 포도주스, 브로콜리, 시금치, 상추

- 변 냄새가 많이 나게 하는 음식: 생선, 계란, 마늘, 양념류, 콩류, 양배추, 양파, 브로콜리
- 가스가 많이 생기게 하는 음식: 맥주, 브로콜리, 탄산수, 오이, 양배추, 양파, 유제품, 시금치, 옥수수, 풋고추

1. 장루 제품 교환

- **목적**
  - 장루 주위의 피부청결을 유지하고 합병증을 예방하며 장루관리를 대상자 스스로 할 수 있도록 하기 위한 것이다.

- **준비물품**
  - 피부 보호판(Skin barrier), 주머니(pouch)
  - 곡선 가위, 자, 볼펜
  - 거즈, 휴지
  - 자극성이 적은 비누, 물, 스크린
  - 방수지
  - 장갑
  - 연고형 피부 보호제(Paste)
  - 필요시 피부 보호 파우더, 피부 보호 필름

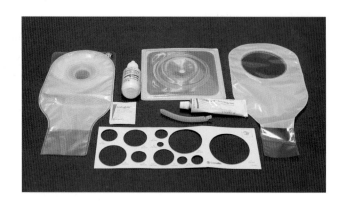

장루 제품 교환의 단계와 근거

단계	근거
1. 손을 씻는다.	
2. 필요한 물품을 준비한다.	
3. 준비한 물품을 가지고 대상자에게 가서 간호사 자신을 소개한다.	
4. 손을 씻는다.	
5. 대상자의 이름을 개방형으로 질문하여 대상자를 확인하고, 입원 팔찌와 환자 기록지의 이름, 등록번호를 대조하여 재확인한다.	
6. 대상자에게 목적과 절차를 설명한다.	
7. 스크린이나 커튼을 사용하여 프라이버시를 제공한다	
8. 일회용 장갑을 착용하고 방수지를 대상자 허리 밑에 깔아 침구를 보호한다.	
9. 대상자의 장루의 피부보호제와 부착용기가 새는지, 부착된 시간에 대해서 사정한다.	
10. 부착된 주머니와 보호막을 조심스럽게 제거하여 피부 상태를 관찰한다 (클립은 빼서 보관한다). 이때 한쪽 손으로 피부를 누르면서 위에서부터 부드럽게 떼어낸다.	
11. 분비물은 휴지로 닦아내고 장루 주위의 피부를 젖은 수건으로 닦거나 또는 비누와 물로 깨끗이 씻은 후 잘 말린다.	• 변 분비물의 박테리아는 절개부위에 감염을 일으키고 피부를 자극한다. 또한 비눗물이 남으면 주머니의 부착을 방해하여 변이 샐 수 있다.

장루 제품 교환의 단계와 근거(계속)

단계	근거
12. 장루의 크기를 자로 재어 피부 보호판 뒷면에 그린 후 가위로 오려낸다 (장루 크기보다 직경이 2~3mm 정도 크게 오린다).	• 약간 크게 오리는 것은 스토마가 자른 면으로 인해 상처를 입는 것을 방지하며 보호막에 단단하게 붙게 한다.
13. 오려진 피부보호막이 장루의 모양, 크기와 맞는지 맞추어 본 후 모양과 크기를 조정한다.	
14. 피부의 습기가 완전히 제거되었는지 확인한 후 보호막 뒷면의 종이를 떼어내고 오려낸 구멍주위나 장루주위에 연고형 피부보호제를 바른다.	
15. 피부 보호막을 장루의 인접부위부터 누르면서 피부에 밀착되게 붙인다.	
16. 피부 보호막에 붙어있는 플렌지(Flange)에 맞추어 약간의 공기를 주입한 후 주머니를 부착하고 안전하게 부착되었는지 주머니를 당겨본 후 클립을 채운다. 피부 보호막은 1주일 이상은 사용하지 않도록 하며, 피부 보호막이 녹기 시작하면 피부에 자극을 주거나 새기 쉬우므로 교환한다(장루에서 나오는 배설물의 양상, 날씨, 대상자의 땀 분비정도에 따라 교환시기가 달라진다).	
17. 주머니 안에 배설물이 1/3-1/2 가량 차거나 가스가 차면 클립을 열고 비운다.	
18. 주머니만 교환할 때에는 보호막이 떨어지지 않도록 보호막을 누르면서 떼어내고, 재 사용할 주머니는 비누와 물로 씻어 그늘에서 말린 후 사용한다.	
19. 물품을 정리하고 간호일지에 장루 크기, 색깔, 피부상태, 부착물의 종류, 배설물의 양상 등을 기록한다.	

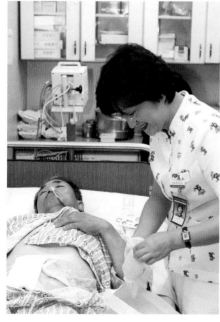

단계 8

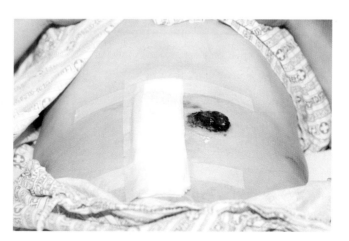

단계 10

단계	근거

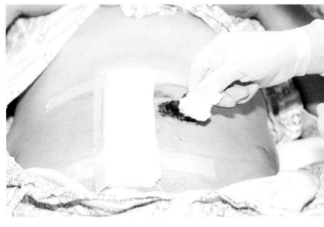

단계 11

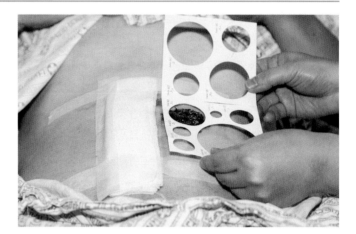

단계 12(1)

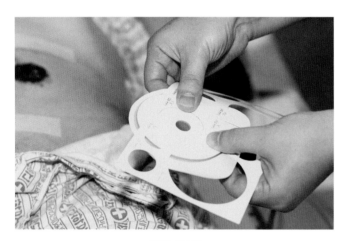

단계 12(2)

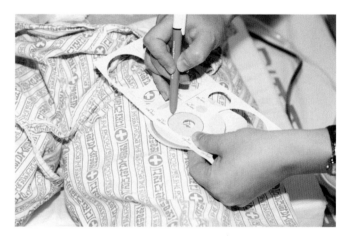

단계 12(3)

단계 12(4)

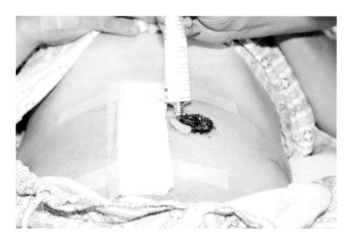

단계 14

장루 제품 교환의 단계와 근거(계속)

단계	근거

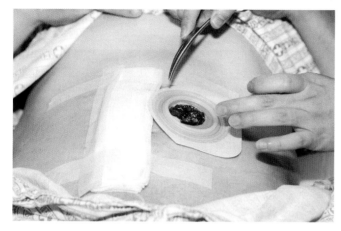

단계 15(1)

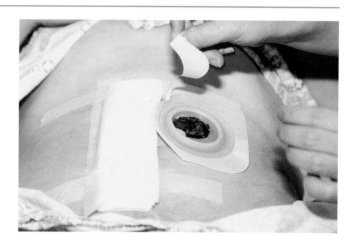

단계 15(2)

단계 15(3)

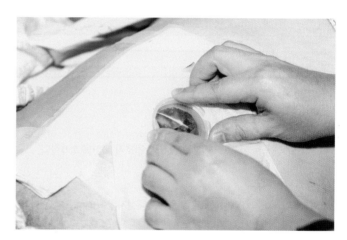

단계 16

2. 장 세척

장 세척은 장루를 통해 세척액을 주입함으로써 연동운동을 유발시켜 배변이 규칙적으로 일어나게 하는 방법이다. 장 세척은 하루나 이틀 간격으로 변을 배출시켜 불규칙하게 나오던 변과 가스로 인한 불편감을 감소시켜 장루보유자가 배변을 규칙적으로 조절함으로 삶의 만족감을 얻을 수 있도록 돕는 방법이며 변비를 예방하여 복압상승으로 인한 탈장이나 장루탈출을 방지할 수 있도록 한다.

장 세척은 하행결장루와 S장 결장루에서 장루합병증이 없고 대상자가 세척절차를 배울 수 있고, 수술 전의 배변습관이 규칙적인 경우에 가능하다. 따라서 장 세척 시행여부와 시작하는 시기는 의사나 장루전문간호사와 상의해야 한다.

장 세척은 식사 전후 1시간은 피하고, 가능하면 수술 전 배변과 비슷한 시기에 하는 것이 좋다. 세척은 하루나 이틀마다 시행하며 배변횟수에 따라 세척 간격을 조절한다.

- **목적**
  - 장루 보유자의 부착물 사용에 따른 불편감을 해소하고 형성된 배변 제거 및 규칙적 배변, 장 운동 시간을 규칙적으로 하기 위함이다.

- **준비물품**
  - 세척기(irrigator)
  - 세척주머니와 집게
  - 삽입관(cone)
  - 세척액(미지근한 물 500-1000cc)
  - 벨트
  - 수용성 윤활제
  - 비누와 물, 휴지
  - 교환할 장루간호제품

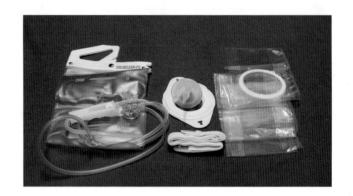

 장 세척의 단계와 근거

단계	근거
1. 손을 씻는다.	
2. 필요한 물품을 준비한다.	
3. 준비한 물품을 가지고 대상자에게 가서 간호사 자신을 소개한다.	
4. 손을 씻는다.	
5. 대상자의 이름을 개방형으로 질문하여 대상자를 확인하고, 입원 팔찌와 환자 기록지의 이름, 등록번호를 대조하여 재확인한다.	
6. 대상자에게 목적과 절차를 설명한다.	
7. 화장실이나 관장실에서 시행한다.	
8. 대상자에게 세척의 목적과 방법을 설명한다.	
9. 세척통에 500~1000cc의 미지근한 물을 채우고 삽입관을 연결한다.	
10. 세척통의 가장 아랫부분이 앉은 자세의 어깨 높이로 오도록 세척통을 건다.	
11. 대상자를 양변기나 의자에 앉힌다.	
12. 착용했던 부착물을 제거한다.	
13. 벨트를 착용하고 세척주머니를 부착시킨다.	
14. 세척주머니 끝을 변기에 넣고 세척관에 세척액을 통과시켜 세척관 내의 공기를 제거한다.	

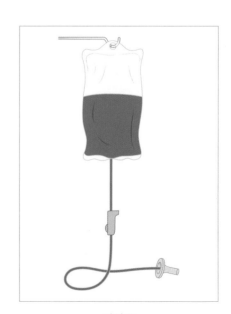

세척통

장 세척의 단계와 근거(계속)

단계	근거
15. 삽입관에 윤활제를 바른다. 16. 장루에 삽입관을 복부와 직각되는 방향으로 삽입한 후 세척액을 15분간 주입시킨다. 이때 몸은 이완시키고 심호흡을 하도록 한다(많은 양을 빠르게 주입하면 복통이나 오심이 있을 수 있으므로 주의한다). 17. 세척액이 모두 주입되면 조절기를 잠그고 삽입관을 그대로 5분 동안 잡고 있는다. 주입 시 복통이 있을 때는 주입을 잠시 중단하고 복부를 부드럽게 마사지 하면서 복통이 없어지면 다시 세척액을 주입한다. 18. 삽입관을 제거하고 1차 배설 후 물로 세척주머니를 씻고 세척주머니의 윗부분은 막고 주머니의 반을 접어 끝단을 클립으로 채운다. 19. 이차 배변까지는 30~40분 동안 기다린다. 20. 이차 배변이 완전히 끝나면 세척용액과 변 배설을 확인한다. 21. 세척주머니를 물로 씻고 제거한다. 22. 비누와 물로 피부를 청결히 한 후 건조시킨다. 23. 거즈나 간편한 주머니를 부착한다. 24. 물품을 정리하고 간호일지에 세척액 양, 배변 양상, 대상자 상태 등을 기록한다. 25. 세척주머니는 물로 깨끗이 씻어 주머니의 앞뒷면이 서로 닿지 않게 벌려서 그늘에 말린다. 물기가 마른 후 파우더를 가볍게 뿌려 주머니가 달라붙지 않도록 한다.	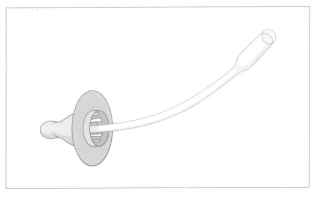 삽입관 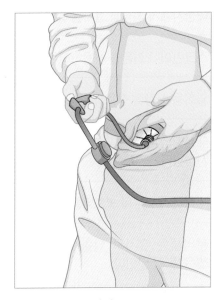 단계 17 주입시 복통이 있을 때는 주입을 잠시 중단하고 복부를 부드럽게 마사지 하면서 복통이 없어지면 다시 세척액을 주입한다.

세척액 주입이 어려울 때

- 삽입관의 각도를 조정하거나 세척자세를 바꾼다.
- 연결관이 꼬이지 않았는지 점검한다.
- 세척통의 높이가 적절한지 사정한다.
- 몸을 이완시키고 심호흡 시킨다.
- 검지에 윤활제를 묻혀 장루속으로 삽입하여 장 세척액 주입을 막고 있는 변이 나오도록 한다.

장루 제품 교환

평가일자 _____   평가자 이름 _____

No	수 행 항 목	수행	미수행	비고
1	손을 씻는다.			
2	필요한 물품을 준비한다.			
3	준비한 물품을 가지고 대상자에게 가서 간호사 자신을 소개한다.			
4	대상자의 이름을 개방형으로 질문하여 대상자를 확인하고, 입원 팔찌와 환자 기록지의 이름, 등록번호를 대조하여 재확인한다.			
5	대상자에게 목적과 절차를 설명한다.			
6	스크린이나 커튼을 사용하여 프라이버시를 제공한다.			
7	일회용 장갑을 착용하고 방수지를 대상자 허리 밑에 깔아 침구를 보호한다.			
8	대상자의 장루의 피부보호제와 부착용기가 새는지, 부착된 시간에 대해서 사정한다.			
9	부착된 주머니와 보호막을 조심스럽게 제거하여 피부 상태를 관찰한다.			
10	분비물은 휴지로 닦아내고 장루 주위의 피부를 비누와 물로 깨끗이 씻은 후 잘 말린다.			
11	장루의 크기를 자로 재어 피부 보호막 뒷면에 그린 후 가위로 오려낸다 (장루 크기보다 직경이 2~3mm 정도 크게 오린다).			
12	오려진 피부보호막이 장루의 모양, 크기와 맞는지 맞추어 본 후 모양과 크기를 조정한다.			
13	피부의 습기가 완전히 제거되었는지 확인한 후 장루주위에 연고형 피부보호제를 바른다.			
14	보호판 뒷면의 종이를 떼어 내고 피부보호막을 장루의 인접부위부터 누르면서 피부에 밀착하게 붙인다.			

장루 제품 교환(계속)

No	수 행 항 목	수행	미수행	비고
15	피부보호막에 붙어있는 플렌지(Flange)에 맞추어 주머니를 부착하고 약간의 공기를 주입한다. 안전하게 부착되었는지 주머니를 당겨본 후 클립을 채운다.			
16	물품을 정리하고 간호일지에 장루 크기, 색깔, 피부상태, 부착물의 종류, 배설물의 양상 등을 기록한다.			

장 세척

평가일자 _____ 평가자 이름 _____

No	수 행 항 목	수행	미수행	비고
1	손을 씻는다.			
2	필요한 물품을 준비한다.			
3	준비한 물품을 가지고 대상자에게 가서 간호사 자신을 소개한다.			
4	대상자의 이름을 개방형으로 질문하여 대상자를 확인하고, 입원 팔찌와 환자 기록지의 이름, 등록번호를 대조하여 재확인한다.			
5	대상자에게 목적과 절차를 설명한다.			
6	세척통에 500~1000cc의 미지근한 물을 채우고 삽입관을 연결한다.			
7	세척통의 가장 아랫부분이 앉은 자세의 어깨 높이로 오도록 세척통을 건다.			
8	대상자를 양변기나 의자에 앉힌다.			
9	착용했던 부착물을 제거한다.			
10	벨트를 착용하고 세척주머니를 부착시킨다.			
11	세척주머니 끝을 변기에 넣고 세척관에 세척액을 통과시켜 세척관 내의 공기를 제거 한다.			
12	삽입관에 윤활제를 바른다.			
13	장루에 삽입관을 복부와 직각되는 방향으로 삽입한 후 세척액을 15분간 주입시킨다.			
14	세척액이 모두 주입되면 조절기를 잠그고 삽입관을 그대로 5분 동안 잡고 있는다.			
15	삽입관을 제거하고 1차 배설 후 물로 세척주머니를 씻고 세척주머니의 윗부분은 막고 주머니의 반을 접어 끝단을 클립으로 채운다.			

장 세척(계속)

No	수 행 항 목	수행	미수행	비고
16	이차 배변까지는 30~40분 동안 기다린다.			
17	이차 배변이 완전히 끝나면 세척용액과 변 배설을 확인한다.			
18	세척주머니를 물로 씻고 제거한다.			
19	비누와 물로 피부를 청결히 한 후 건조시킨다.			
20	거즈나 간편한 주머니를 부착한다.			
21	물품을 정리하고 간호일지에 세척액 양, 배변 양상, 대상자 상태 등을 기록한다.			
22	모든 절차를 수행한 후 대상자에게 주의사항을 설명한다.			

PART IV

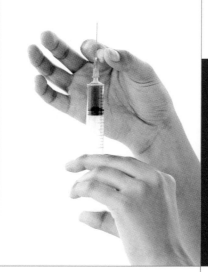

FUNDAMENTALS OF NURSING
PRACTICE GUIDE

대상자 안위 요구와 관련된 간호

본 단원에서는 대상자의 부동으로 초래할 수 있는 건강문제와 관련된 간호지식과 간호기술을 다루었다. 따라서 부동으로 초래되는 피부문제, 근육과 건 문제를 예방 및 관리할 수 있는 간호술 및 관련 지식, 움직임에 제한을 갖는 대상자의 이동과 운동을 돕는 간호방법을 중점적으로 다루었다.

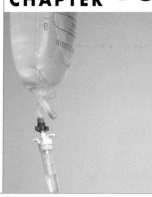

CHAPTER 18 통증 간호

통증의 정의(국제통증학회)

통증은 실제적 혹은 잠재적 조직손상과 관련된 불쾌한 감각적, 정서적 경험으로서 감각적, 정서적 및 인지적 차원으로 구성된 다차원적인 개념이다.

급성 통증과 암성 통증의 치료 가이드라인

• 대상자에 따라 개별적으로 치료한다.

• 진통제를 규칙적으로 투여한다.

• 사용하고 있는 아편양 제제에 대해서 알고 있어야 한다.

• 신생아나 소아에게 적절한 용량을 투여한다.

• 대상자를 세밀하게 추적한다.

• 아편양 진통제를 바꿀 때는 동일 진통용량을 사용한다.

• 부작용을 인식하고 치료한다.

• 통증을 평가하기 위하여 위약(placebo)을 사용하지 않는다.

• 내성을 치료한다.

• 신체의존성과 발현을 주의하고 금단을 예방한다.

• 습관성 중독과 신체의존성 또는 내성을 혼동하지 않는다.

• 대상자의 정신적인 상태에 주의한다.

1. 통증의 평가

통증은 대상자 본인이 느끼는 주관적인 증상이나 대상자의 치료결정에 중요한 역할을 하며 대상자의 삶의 질에 영향을 주기 때문에 보다 객관적인 평가 방법이 중요하다.

- **통증사정: PQRST system**
  ① P: 악화요인/완화요인(proven/palliative)
    · 통증의 종류를 파악한다.
    · 통증을 악화시키거나 완화시키는 요인들을 사정한다.
  ② Q: 통증의 양상(Quality)
    · 대상자가 표현하는 단어, 표정, 몸짓을 동시에 파악한다.
  ③ R: 통증의 부위(Region/Radiation)
    · 통증이 유발된 부위를 확인하고 방사통이 있는 경우 그 부위를 파악한다.
  ④ S: 통증의 정도(Severity)
    · 대상자에게 적절한 사정도구를 선택하여 측정한다.
    · Visual Analogue Scale(VAS)에 의해 측정 - 간단하여 통증 사정에 도움이 된다.
    · NRS(numeric rating scale)
  ⑤ T: 통증의 지속시간(Timing), 통증의 시작, 시간에 따른 변화
    · 통증의 지속시간을 파악하고 통증의 시간적 변화 즉, 지속적인지, 간헐적인지를 파악한다.
    · 통증을 사정할 때에는 처방된 약물명, 투여방법, 투여 시간 간격 및 약물로 인한 부작용을 포함시킬 뿐만 아니라 정서적, 영적인 문제가 있는지도 포괄적으로 조사해야 한다.

- **통증사정도구**
  – Visual Analogue Pain Rating Scale
    VAS는 비율화되어 연속선상에 선으로 나타내어 표시되었다. 척도는 10cm 길이로 각각 끝에 "참을 수 없는 통증"과 "통증없음"으로 나타난다. 대상자들은 통증 심각도를 표현하는데 있어 어느 한 지점을 표시하도록 요구되어 지고 완성하는데 30초 정도 주어진다.
  – VAS의 장점
    · 민감도가 높다.
    · 통증의 심각성의 표현의 재현이 가능하다.
    · 다른 통증측정방법과 상관성이 높다.
    · 5세 이상의 아동이나 언어가 곤란한 대상자에게도 적용이 가능하다.

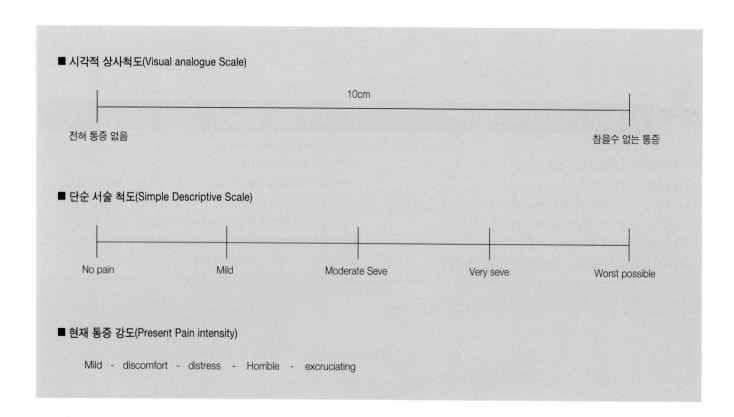

■ 시각적 상사척도(Visual analogue Scale)

10cm

전혀 통증 없음   참을수 없는 통증

■ 단순 서술 척도(Simple Descriptive Scale)

No pain   Mild   Moderate Seve   Very seve   Worst possible

■ 현재 통증 강도(Present Pain intensity)

Mild - discomfort - distress - Horrible - excruciating

■ 구술 평정 척도(Verbal Rating Scale)

통증 없음 - 약간 통증 - 중정도 통증 - 심한 통증 - 매우 심한 통증

5단계 통증 척도를 이용하여 통증의 강도 측정

■ 숫자 척도(Numeric scale)

단어 없이 통증정도를 숫자로 표시할 수 있으며 민감도가 높다. 그러나 단순 서술형 척도와 마찬가지로 통증을 단일개념으로 간주하여 측정하는 것이 단점이다.

▲ 숫자 척도(Noumerical Scale (Clinton,1992)

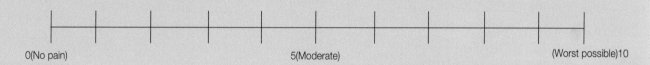

0(No pain)   5(Moderate)   (Worst possible)10

■ 도표 평정 척도(Graphic rating Scale)

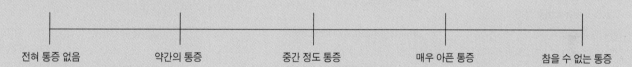

전혀 통증 없음   약간의 통증   중간 정도 통증   매우 아픈 통증   참을 수 없는 통증

■ 얼굴 통증 등급(Margoles MS,1983) : 소아에서 통증의 측정은 종종 어려워서 성인의 경우보다 좀 더 객관적인 방법에 의존하게 된다. 이는 통증의 강도에 따른 얼굴 표정의 변화에 따라 연계하여 나열하고 숫자로 표시한 것으로 말을 사용할 필요가 없어 6세까지의 소아 대상자에게 통증평가 시 특히 유용하여 단순하고 쉬운 장점이 있다.

〈Whaley와 Wong 등에 의한 얼굴 통증 등급(Face pain rating scale)〉

■ 부모용 통증 행동 관찰 척도

아동의 통증 사정 시 자가보고 능력의 제한과 여러 심리적 요소에 의해 정확한 사정에 어려움이 있으므로 부모의 관찰을 통한 부모용 통증 행동 관찰 척도를 이용해 아동의 임상적인 통증 사정을 시도.

▲ 부모의 통증 행동 관찰 척도

- 평소보다 좀 더 보채거나 불평합니까?
- 평소보다 좀 더 웁니까?
- 평소보다 잘 놀지 않습니까?
- 보통 아동이 하던 일을 하지 않습니까?
- 평소보다 좀 더 걱정스러워 합니까?
- 평소보다 좀 더 조용하게 있습니까?
- 평소보다 힘이 더 없어 보입니까?

- 먹기를 거절합니까?
- 평소보다 덜 먹습니까?
- 신체의 아픈 부위를 잡고 있거나 보호하려고 합니까?
- 신체의 아픈 부분을 닿지 않으려고 합니까?
- 평소보다 좀 더 끙끙거리거나 신음합니까?
- 평소보다 얼굴이 좀 더 상기되어 있습니까?
- 평소보다 좀 더 엄마와 가까이 있으려고 합니까?
- 보통 때에는 아동이 거절하던 약을 먹습니까?

 통증척도의 분류(통증의 평가)

주관적 호소의 측정	통증과 관련된 행동 관찰에 의한 방법	생리적 기능을 이용한 측정
언어 통증 등급 (Verval rating scale: VRS)	통증일기 형식	맥박
시각 통증 등급 (Visual analog scale: VAS)	통증행동척도(behavior scale)	발한검사
수치 통증 등급 (Numerical rating scale:NRS)	안면표정, 안면근육의 움직임의 관찰로 분석	생화학적 측정
그림 통증 등급 (Graphic rating scale : GRS)	얼굴표정, 신음소리, 수면 식욕 등의 무의식적인 증상 및 몸의 움직임, 사회 활동	체열촬영
맥길 통증 설문평가법 (McGill Pain Questionnaire : MPQ)	위축 정도 등의 평가	
기타의 방법 Cross-modality matching pain color matching pain drawing		

단순 차원의 통증 등급	다 차원의 통증 평가 도구들
구두 표현 등급 (Verbal Descriptor scale) 행태 등급 (Behavioral Rating Scale) 단순 수치 통증 등급 (Simple Numerical rating scale:SNRS) 숫자 등급 (Numerical rating scale:NRS) 점수 상자 등급 (Point Box Scale) 시각 통증 등급 (Visual analog scale: VAS) 통증 경감 등급 (Pain Relief Scale)	통증 일기 (Pain Diary) 통증 그림 (Pain Drawing) 얼굴 통증 등급 (The face pain scale) 기억 통증 평가 카드 (Memorial pain assesssment card) 단어로 표현한 자가보고 (Self-report:Use of word description) 다트 마우스 통증설문 (The dartmouth pain questionaire) 단축형 맥길통증 설문 (The short McGill pain questionaire) 웨스트 헤이브-예일 다차원적 통증도구 (The West Haven-Yale multidinensional pain invertory) 위스콘신 단순 통증 설문 (Wisconsin Brief Pain Questionaire) 벤드빌트 통증관리 도구 (The vandervilt pain management invertory)

대한통증학회(2000)

2. 비약물적 통증 관리

종류		기전	적용
피부 자극 (cutaneous stimulation)		관문통제이론으로 설명할 수 있는데, 피부 자극을 통해 대섬유가 활성화되면 척수의 관문을 닫아서 소섬유에 의해 전달되는 통증정보를 억제한다는 것이다. 일부학자들은 피부자극을 통해 인체내 천연 몰핀(morphine)인 엔돌핀(endorpine) 분비가 증가된다는 보고가 있다.	피부자극의 적용부위는 통증 바로 위나 그 주변부, 통증의 반대측(contra-lateral), 침술점, 유발점(trigger point), 통증과 떨어진 모든 부위 * 종류 표재성 마사지, menthol 도포, 경피적 전기신경자극, 손 마사지, 발 마사지 등
표재성 냉/온 요법	표재성 온요법	첫째 열은 손상부위의 혈액순환을 촉진시켜 염증 산물인 histamine, bradykinin, prostglandin 등을 제거하여 통증을 적게 한다. 둘째 열은 피부의 대섬유를 자극하여 척수의 통증 관문을 닫게 하며 셋째 근육을 이완시켜 긴장과 불안을 완화시키고 그에 따라 통증이 감소된다.	가정이나 병원에서 쉽게 활용할 수 있는 표재성 온요법으로는 더운 물주머니, 전열기 pad(건, 습열), 뜨거운 습포(moist compresses), 침수법(Immersion in water), 복사열 등
	표재성 냉요법	반사성 혈관수축으로 출혈이나 부종을 방지하거나 완화시키며, 신경섬유과 수용기의 온도저하로 피부 민감성이 감소된다. 냉 요법은 열 요법보다 효과가 길고 효소작용의 파괴로 염증을 감소시킨다.	냉요법은 이차적인 근육경련, 급성이지만 심하지 않은 손상, 석고붕대를 해야 할 외과적 수술 후 통증이나 부종을 경감 * 금기 냉(cold)에 대해 과민반응이 있는 대상자나 당뇨병 대상자 또는 Raynaud씨 질환 대상자에게는 사용하지 않는 것이 좋음

종류	기전	적용
심상요법	관문통제이론에서는 상상을 통해 충분한 감각자극이 들어오면 뇌간에서 금지신호를 투사하여 척수의 통증관문이 닫힌다고 설명하고 있으며, 또한 상상을 통해 불안도 낮출 수 있다.	종류:심상요법에는 가벼운 대화법, 단순한 증상 대치법, 표준화된 유도 심상법, 개별화된 심상법 등
이완술	통증과 불안 및 근육긴장은 서로를 더욱 강하게 하는 경향이 있어서 상태가 더욱 악화된다. 그러므로 골격근을 이완시키는 이완술을 이용하여 서로 연결된 고리를 차단시키고자 한다.	종류: Jacobson의 점진적 이완, Schultz와 Luthe의 자가발생훈련(autogenic training), Benson의 이완반응, 최면술, 요가, 선, 선험적 명상(Transcendental Meditation), 그리고 EEG, EKG, EMG등의 기계를 사용하는 생리적 회한법(biofeedback)등

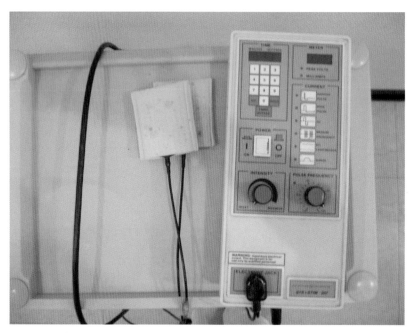

경피적 전기신경자극 기계(TENS)

3. 약물을 이용한 통증 관리

WHO 3단계 진통제 사다리

- 1단계- 경도의 통증 : 비아편양제제 ± 보조제
- 2단계- 중등도의 통증 : 약한 아편양제제 ± 비아편양제제 ± 보조제
- 3단계- 심한 통증 : 강한 아편양제제 ± 비아편양제제 ± 보조제

최근 다른 치료에 저항하거나 부작용이 심하게 나타나는 경우 경막외강이나 척수강 내로 아편양제제를 국소마취제와 함께 또는 다른 보조제와 함께 투여하는 방법이 통증치료에 효과가 좋아 이를 4단계 라고 한다.

※ By mouth / By the clock / By the ladder / For the individual

• 비마약성 진통제

비마약성 진통제 선택의 원칙

- 비마약성 진통제는 크게 Acetaminophen과 NSAIDs로 나눌 수 있다
- 부작용을 고려하여 사용할 약제가 결정되면, 진통효과를 확인해 가며 최대 투여량까지 증량하고 통증이 조절되지 않으면 WHO 삼단계 진통제 사다리의 다음 단계로 넘어가야 한다.
- 소염작용에 의해 발열 등 감염의 증후가 가려질 수 있으므로 감염의 가능성이 있는 경우 대상자 상태의 변화를 주시해야 한다.
- 약물 상호작용을 고려하여야 한다. Warfarin등의 항응고제, methotrexate, digoxin, lithium, 경구혈당강하제, aminoglycoside 항생제 등을 복용하는 대상자에서 이러한 약물의 혈중농도가 증가할 수 있다. 또한 aldactone과 병용할 경우에는 고칼륨혈증을 유발할 수도 있다.

• 비마약성 진통제의 요약

경한 통증

↓

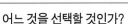

비마약성 진통제

↓

어느 것을 선택할 것인가?
- 부작용
- 대상자의 상태 및 기저 질환 여부
- 같이 쓰고 있는 약제

용량 결정
- 통증에 대한 반응을 보며 최대 용량까지 증량
- 계속 사용시 나타날 수 있는 부작용에 대해 관찰
- 최대 용량까지 써도 통증이 조절 안되면 WHO 삼단계 진통제 사다리 다음 단계로 감

마약성 진통제

- 아편제(opiate): 자연산(natural) 및 반합성제제
- 아편양제제(opioid): 자연산, 반합성 및 합성제제를 통칭하며, 아편양 물질수용체에 결합하는 모든 제제
- 마약(narcotic): 모르핀 유사약물 및 기타 남용이 가능한 약물

내성, 신체적 의존성 및 정신적 의존성

- 내성(tolerance): 약을 반복해서 사용하는 동안에, 투여 초기의 효과를 유지하기 위해 증량이 필요하게 되는 상태
- 신체적 의존성(physical dependence): 반복투여에 의해 체내에 약이 계속 존재하는 결과, 생체가 약의 존재에 적응해서 신체기능을 영위하도록 시키는 약의 특성
- ※ 금단증상(withdrawal): 약을 중단할 경우 약의 효과가 갑자기 소실하면서 신체 기능의 균형을 잃게 되어 나타나는 증상
- 정신적 의존성(psychological dependence): 약의 특정 작용을 체험하기 위해 약의 섭취에 대한 강한 욕구를 생체에 갖게 하고, 그 욕구 때문에 약을 찾아 헤매고, 약을 사용하여 효과의 체험을 강요하도록 하는 특성.
- ※ 마약중독(addiction): 정신적 의존성이 생기는 경우

마약성 진통제의 종류 및 분류

- 수용체 작용에 따른 분류
  - 완전작동제(full agonist)

    morphine, codeine, dihydrocodeine, hydromorphone, meperidine, hydrocodone, oxycodone, oxymorphone, pethidine, levophanol, methadone, fentanyl, tramadol
  - 부분 작동제(partial agonist)

    buprenorpine

  - 혼합형 작동-길항제(mixed agonist-antagonist)

    pentazocine, butorphanol, nalbuphine
  - 길항제(antagonist)

    naloxone

통증 관리 약물 투여 경로

- 경구투여
- 피하 지속 주입 혹은 정맥내 투여
- 피부접착형
- 구강점막 흡수형(oral transmucosal)
- 직장 내 투여
- 척수강 내 투여(경막외 및 지주막하 투여)
- 자가 통증 조절법(PCA: Patient-Controlled Analgesia)

4. 자가 통증 조절기를 이용한 통증 약물 간호

자가통증 조절기(patient-controlled analgesia: PCA Pump)는 자신의 통증을 가장 잘 판단하는 것은 대상자 자신이라는 이론에 근거하고 있다. 통증을 조절하기 위해 대상자에게 적극적인 역할을 취하도록 한다는 것이다. PCA는 의사에 의해 처방된 morphine과 같은 마약성진통제를 소량으로, 자주 자가정맥주입을 할 수 있도록 한다. 즉, 말기암, 수술, 분만 등의 상태로 통증이 오래 지속될 때 대상자의 통증조절을 위해 계속적으로 진통제 계통의 약물을 정맥주입하는 장치를 말한다.

간호사는 PCA가 불편감을 모두 제거해주는 것은 아니고 통증을 최소한으로 완화시켜 대상자가 휴식을 취하고 움직일 수 있도록 안위를 제공하는 것이라는 점을 인식하도록 해야한다.

PCA방법을 시작하기 전에 노인이나 쇠약자, 인지장애자 등은 주의 깊게 사정해야한다. 또한 마약중독이나 남용, 신경성질환, 저혈량증(hypovolemia), 신장 또는 폐기능부전의 병력을 가진 대상자는 PCA를 이용하여 통증을 조절하기에 적절하지 않다.

- **목적**
  - 통증의 정도에 따라 대상자 스스로 약물의 양을 조절하며 사용할 수 있도록 하기 위함이다.
  - 마약성진통제 요구량을 감소시키기 위함이다.
  - 일정량의 약물이 정맥을 통해 자동적으로 주입되도록 하기 위함이다.

- **준비물품**
  - PCA pump, PCA 관(tube)
  - 처방된 약물
  - 테이프

자가 통증 조절기를 이용한 통증 약물 간호의 단계와 근거

단계	근거
1. 필요한 물품을 준비한다.	• PCA의 조작방법과 치료의 의미를 이해하도록 해준다.
2. 대상자에게 PCA를 시작하기 전에 방법의 목적과 사용방법을 교육한다.	
3. PCA의 주입선을 설치한다.	
a. 미리 준비된 약물 바이알의 보호덮개를 제거하고 주사기와 연결한다.	

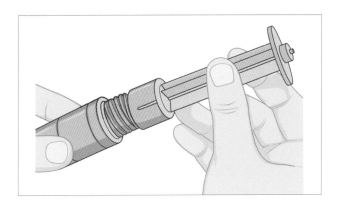

자가 통증 조절기를 이용한 통증 약물 간호의 단계와 근거(계속)

단계	근거
b. 주사기를 밀어 넣어 바이알의 공기를 제거한다.	
c. 주사기와 PCA관을 연결한다.	
d. Y연결관까지 PCA관에 수액을 채우고 관을 잠근다.	• 이는 사고에 의해 마약이 일차선으로 한꺼번에 들어가고 분출되는 것을 막기 위함이다.
	• 주사기를 삽입하는 펌프의 문은 열쇠로 열고 닫는다.
4. PCA pump에 바이알이 부착된 주사기를 삽입한다.	

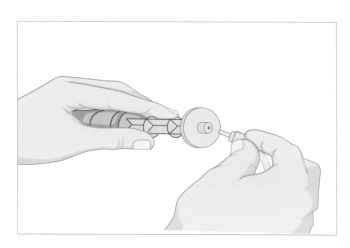

단계 3a, b, c

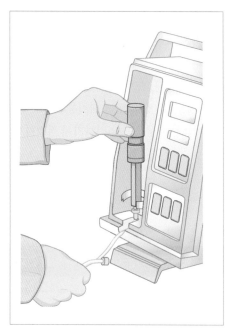

단계 4

자가 통증 조절기를 이용한 통증 약물 간호의 단계와 근거(계속)

단계	근거
5. 일차수액선에 PCA 주입선을 연결한다.	
6. 초기 부하용량(loading dose)을 주입한다.	• 부하용량에 따라 계산된 약용량의 용적에 근거하여 주입할 양을 맞춘다.
7. 주입을 시작한다.	• 대상자의 적극적인 협조에 의해서만 효과적이고 적절한 용량의 약물이 과용되지 않고 주입될 수 있다.
8. PCA pump 사용방법에 대해 이전에 교육한 것을 재확인한다.	• 주입하기 시작한 첫 24시간은 2시간마다 그 이후에는 4시간마다 대상자의 상태를 사정한다.
9. 대상자가 불편을 느낄때 버튼을 누르는 자가조절방법에 의해 약을 스스로 주입할 수 있도록 격려한다.	
10. 주사부위의 침윤, 정맥염, 주입선의 막힘 등을 확인한다.	
11. 관련된 모든 정보(자가통증조절방법 시작, 용량, 통증의 강도 등)를 기록한다.	

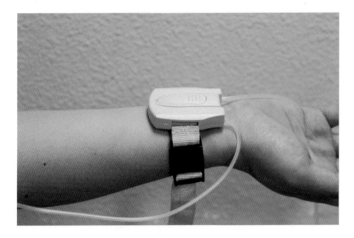

단계 5

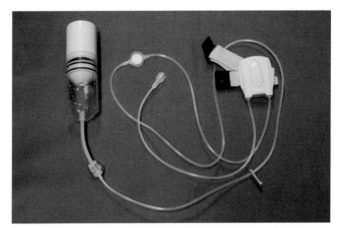

PCA pump

5. 경막외 카테터를 통한 통증 약물 간호(Epidural Analgesia)

경막외 공간에 통증조절 약물을 투여하는 것은 수술후 통증을 관리하는데 많이 사용되는 방법이며 경막외로 마약제제를 투여하는 것은 만성통증 특히 암대상자 통증관리에 사용되어질 수 있다. 경막외로 마약제를 투여하는 것은 부작용을 줄이면서 적은 마약제제로도 통증조절 효과를 낼 수 있는 방법이다.

경막외는 척추과 경막, 척추의 가장 외측의 보호층에 위치한다. 마약제가 경막외로 투여되면 척추의 후각에 있는 아편수용체에 연결된 지주막하 공간에 있는 척수액에 천천히 확산된다. 척추 후각에 마약제의 결합은 대뇌피질로의 통증전달을 차단하게 된다.

마취과 전문의 또는 마취사가 경막외 진통제 투여를 위해 카테터를 삽입하는데, 주로 하측 요추 부위가 된다. 보통 morphine sulfate 또는 fentanyl citrate가 투여된다.

경막외 카테터가 단기 사용을 위한 것이라면 고정을 위해서 봉합할 필요는 없다. 그러나 장기 사용을 위한 것이라면 피하조직으로 터털을 만들어서 신체의 다른 부위나 복강으로 출구를 내게 된다. 터널을 만드는 것은 감염의 위험을 줄이고 카테터가 잘못 위치를 잡는 것을 막는다. 이 두 경우 모두 카테터는 무균적인 폐쇄법으로 드레싱된다.

경막외 약물투여가 많은 이점이 있지만 카테터의 삽입위치가 척수이고 경막내로 카테터가 움직일 수 있고, 척주에는 주요 신경과 혈관이 지나감으로 대상자 관찰은 간호사에게 중요한 임무이다.

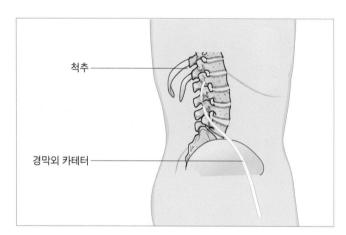

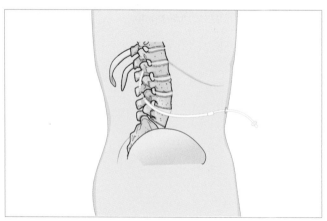

터널을 낸 경막외 카테터

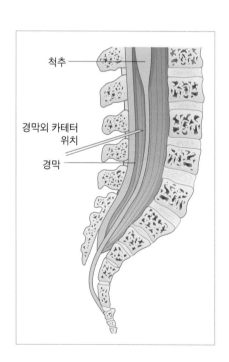

1) 경막외 카테터를 통한 통증 약물 간호(Epidural Analgesia)

경막외 카테터를 통한 통증 약물 간호의 단계와 근거

단계	근거
1. 대상자의 안위수준을 사정한다.	
2. 대상자의 비언어적 반응을 사정한다.	• 교감신경자극의 징후는 자주 있지만 표재성 통증이나 약한 수준에서 보통 정도의 급성통증을 경험하는 대상자에게 일반적으로 보여지는 것은 아니다. 만성통증을 경험하는 대상자는 뚜렷한 증상을 보이지 않는다.
3. 대상자의 통증의 특성과 강도를 사정한다.	• 객관적 지표는 대상자의 통증에 대한 표현만큼 신뢰롭지 못하다.
4. 1차로 투약하기 전에 기초선 설정을 위해서 의식수준을 포함한 대상자의 안정상태를 사정한다.	• 아편제 사용으로 인한 호흡기계 기능변화의 첫 번째 징후는 대부분의 경우 의식변화이다.
5. 기초선 설정을 위해서 호흡 양상, 깊이, 호흡률을 체크한다.	• 경막외 주사 후 24시간에서 일어날 수 있는 호흡기 저하의 징후는 느리고 낮고 불규칙한 호흡이다.
6. 기초선 설정을 위해서 혈압을 측정한다. 경막하 주사 후 한 시간 내에 약간의 혈압저하가 있을 수 있다.	• 아편제제 사용 후 저혈압은 보통 통증에 대한 반응에서 증진되어진 순환 카테콜라민 수준의 저하로부터 야기된다.
7. 대상자가 침상밖으로 나오기 전에 기동과 감각기능을 사정한다. 하지의 이상감각 간질거림과 마비, 기동 허약감을 체크한다.	• 기립성 저혈압 또는 허약 진정상태로 인한 낙상을 예방한다. 덧붙여서, 기동허약감의 빠른 시작은 경막외 카테터가 경막에서 지주막(subarachnoid) 공간으로 움직였을 수 있다는 지표가 된다. 카테터가 척수를 누른 게 되면 대상자는 이상감각을 느끼게 된다.
8. 경막외 카테터가 대상자 피부에 잘 고정되어 있는지 확인한다.	• 카테터의 이동과 잘못 자리잡는 것을 예방한다.
9. 경막외 주사부위가 발적되어 있는지 따뜻한지, 부었는지 분비물이 있는지 확인한다.	• 투입 부위의 피부감염은 경막외 카테터로 인해 생기는 가장 흔한 감염이다.
10. 지속적인 주입의 경우, 처방된 정량으로 약이 주입되고 있는지 확인한다.	
11. 지속적인 주입의 경우, 주입관이 막히지 않았는지 확인한다.	• 주입관은 경막외에 약이 잘 주입되도록 막히지 않아야 한다.
12. 대상자가 약에 알러지가 있는지 확인한다.	

2) 경막외 약물 주입

- **준비물품**
  - Bolus medication: 10~12ml syringe
  - 여과용 바늘, 20G, 1-inch needle
  - Povidone-iodine swabs
  - 처방된 미리 희석된 방부제 없는 마약제
  - 주입 Port를 표시하기 위한 Label

- **지속적 주입**
  - 처방된 IV infusion pump로 사용할 수 있도록 준비된 미리 희석된 방부제 없는 마약제
  - Infusion Pump
  - Y port 없는 IV관을 같이 쓸 수 있는 Infusion pump
  - 테이프
  - 주입관을 표시하기 위한 Label

 경막외 약물 주입의 단계와 근거

단계	근거
1. Bolus 주사 주입	
a. 경막외 카테터의 주입캡에 "경막하 주입선" 라벨을 가까이에 붙인다.	• 라벨을 붙이는 것은 마약제제가 바른 경로로 경막외에 들어가는 것을 확실하게 해준다.
b. 큰 주사기를 사용하여 미리 희석된 방부제 없는 마약제 용액을 여과용 바늘을 통해서 뽑는다.	• 충분한 용액량은 마약제가 최적수의 수용체에 도달하도록 한다. 방부제는 신경조직에 독성이 있을 수 있고 신경손상을 야기할 수 있다. 여과용 바늘은 작은 유리조각도 제거하게 된다.
c. 여과용 바늘을 20G 바늘로 바꾼다.	• 일반적인 바늘로 교체하는 것은 주사제 투입을 위해서 필요하다.
d. povidone-iodine으로 주입캡을 닦는다(알콜을 사용하지 않는다).	• 세척제로 닦는 것은 주사주입시 미생물의 침입을 막고 알콜은 통증을 일으키고 신경세포에 독성이 있다.
e. 주입캡을 멸균 거즈로 닦는다.	
f. 주입캡에 주사기를 넣고 흡입한다.	• 1ml이하의 맑은 용액의 흡입은 경막외 카테터가 잘 위치하고 있다는 지표이다.
g. 1ml이하의 맑은 용액이 흡입되면, 약을 천천히 주입한다 (1ml/30초의 율로).	• 천천히 약을 주입하는 것은 용액주입으로 인한 압력을 낮춤으로 불편감을 덜어준다.
h. 주입캡으로부터 바늘을 제거한다.	
i. 바늘을 수거함에 버리고 장갑을 벗고 손을 씻는다.	
2. 지속적 주입을 통한 약물주입	
a. "경막외 주입선" 이라는 라벨을 경막하 카테터와 연결된 정맥주입관에 붙인다. Y ports없는 주입관을 사용한다.	
b. 희석된 방부제 없는 마약제 용기를 infusion pump관에 붙인다.	• 주입관은 공기색전을 피하기 위하여 공기방울이 없어야 하고 용액으로 채워져 있어야 한다.

경막외 약물 주입의 단계와 근거(계속)

단계	근거
c. 주입관의 신체 중심에서 인접하는 끝을 pump에 부착하고 인접하지 않는 끝을 경막외 카테터에 연결시키고, 테이프를 붙이고 주입을 시작한다.	• Infusion pump는 용액을 주입관으로 밀어낸다. 테이프를 붙이는 것은 감염을 방지하도록 안전한 폐쇄체제를 유지하도록 한다.
d. 적정 용액이 잘 주입되는지 Infusion pump를 점검한다.	• 주입관의 개방성을 유지하도록 하고 대상자가 적정 용액을 주입받고 통증이 완화되도록 한다.

3. 장갑을 벗는다.

노인 대상자의 통증 조절 시 주의 사항

• 포괄적인 사정이 필요하다.
  - 통증에 대한 민감성이 저하되어 있다.
  - 통증 내구성이 높다고 생각한다.
  - 약의 필요성과 효과에 대해 잘못된 인식을 가지고 있다.
• multiple chronic disease에 따른 pain의 source의 다양성
• 시력, 청력, 인식력의 저하와 운동력의 변화가 있다.

• 해열진통제의 부작용: 위장, 신장 독성, 변비, 두통, 인식장애의 발현 빈도가 높다.
• 마약성 진통제: 최고 진통효과가 높고 진통 지속시간이 길다.
• 해독작용이 지연된다.
• 투여방법의 대안 모색
• 환경변화(집↔기관)에 따라 대상자 사정을 철저히 한다.

자가 통증 조절기

평가일자 _____   평가자 이름 _____

No	수 행 항 목	수행	미수행	비고
1	손을 씻는다.			
2	필요한 물품을 준비한다.			
3	준비한 물품을 가지고 대상자에게 가서 간호사 자신을 소개한다.			
4	대상자의 이름을 개방형으로 질문하여 대상자를 확인하고, 입원 팔찌와 환자 기록지의 이름, 등록번호를 대조하여 재확인한다.			
5	대상자를 확인하고 PCA를 시작하기 전에 방법의 목적과 사용방법을 설명해 pump의 조작방법과 치료의 의미를 이해하도록 한다.			
6	PCA의 주입선을 설치한다.			
7	미리 준비된 약물 바이알의 보호덮개를 제거하고 주사기와 연결한다.			
8	주사기를 밀어 넣어 바이알의 공기를 제거한다.			
9	주사기와 PCA관을 연결한다.			
10	Y연결관까지 PCA관에 수액을 채우고 관을 잠근다.			
11	PCA pump에 바이알이 부착된 주사기를 삽입한다.			
12	주사기를 삽입하는 펌프의 문을 열쇠로 열고 닫는다.			
13	일차수액선에 PCA 주입선을 연결한다.			
14	초기 부하용량(loading dose)을 주입한다.			
15	Y연결관의 조절기를 열어 주입을 시작한다.			
16	PCA pump 사용방법에 대해 이전에 교육한 것을 재확인한다.			
17	대상자를 감시하며 주사부위의 침윤, 정맥염, 주입선의 막힘 등을 확인하고 주입을 철저히 관찰한다.			
18	관련된 모든 정보(자가통증조절방법 시작, 용량, 통증의 강도 등)를 기록한다.			

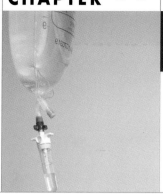

CHAPTER **19**

체위 관리

체위법을 시행할 때 간호사가 알아야 할 지침

1. 관절(joint)은 약간 구부린(flexion)상태를 유지하는 것이 좋다. 장시간 신전(extension)시키면 근육에 불필요한 긴장(strain)이 오기 때문이다.

2. 해부학적 체위(anatomical position)에 가까운 상태가 가장 좋은 체위이다.

3. 체위는 적어도 2시간마다 변경시켜야 한다. 한 부위에 장시간 압박이 가해지면 욕창이 생길 수 있다. 견딜 수 있는 압박의 강도에 대하여 개인차가 있는지는 아직 알려져 있지 않다.

4. 모든 대상자는 매일 적절한 량의 기동을 필요로 한다. 따라서 치료적인 이유로 금기인 경우를 제외한 모든 대상자에게 이를 시행하도록 도와야 한다.

5. 치료에 있어서 금기인 경우를 제외한 모든 대상자는 가능한 한 관절의 최대 범위운동(range of motion)을 같이 수행하여야 한다.

체위의 종류와 적용되는 곳

종류	적용되는 곳
해부학적 체위(anatomical position): 발바닥을 기저면으로 하고 기저면에 대해 수직으로 선 자세	① 척추검사 ② 자세검사 ③ 정맥류검사 ④ 골격 및 영양상태 검사
앙와위(supine position): 등을 기저면으로 하여 바로 누운 자세	① 휴식 또는 수면시에 편안함을 준다. ② 척추수술 또는 척추손상시 척추의 선열을 유지한다. ③ 요추천자(spinal tapping)후에 요통을 방지한다.
복위(prone position): 엎드린 상태에서 머리를 옆으로 돌린자세	① 척추 검사시 ② 등의 피로한 근육을 쉬게함 ③ 등에 외상을 입었을 때 ④ 상복부 및 기관의 분비물 제거
측위(lateral position): 옆으로 누워서 양팔을 앞으로 하고 무릎과 고관절을 굴곡시킨자세	① 배액과 호흡용이 ② 휴식 및 수면에 알맞는 체위
반복위(sim' s position): 측위와 유사하나 체중이 어깨와 장골의 앞쪽으로 가도록 누운 자세	① 관장 ② 등마찰 ③ 수면이나 휴식시
반좌위(fowler' s position): 대상자가 누운상태에서 침상의 머리 부위를 45°올린자세 (30°올린 것은 semifowler' s position, 90° 올린 것은 highfowler' s position이라함)	① 호흡곤란시 ② 흉부·복부 수술 후 호흡기능을 최대화 ③위관영양 대상자의 역류방지

1. 해부학적 체위(anatomical position)

해부학적 체위의 단계와 근거

단계	근거
1. 똑바로 서 있는 자세로 몸을 곧게 하고 팔을 아래로 내려 손가락을 펴서 손바닥이 앞으로 향하게 하여 양옆에 붙인다.	• 올바른 신체선열을 유지하기 위함이다.
2. 머리는 바로 세워 시선은 자신의 눈 높이에 둔다.	
3. 무릎을 약간 구부린 듯 하고 발끝은 앞을 향하도록 선다.	• 관절은 장시간 신전 시키면 근육에 긴장이 오므로 약간 구부린 상태가 좋다.

해부학적 체위의 단계와 근거(계속)

단계	근거

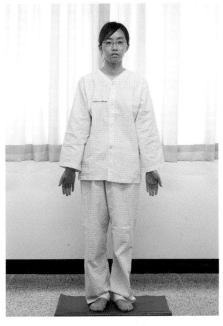

단계 3 - 전면

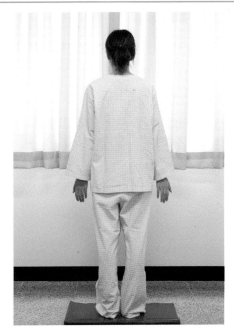

단계 3 - 후면

2. 앙와위(supine position)

앙와위의 단계와 근거

단계	근거

1. 대상자가 똑바로 눕도록 돕는다.

2. 대상자의 머리와 어깨에 적당한 크기의 베개로 지지해 준다.　　• 베개는 목의 과도신전을 예방하기 위함이다. 이때 베개가 너무 높으면 목이 굴곡되어 경축이 생길 수 있다.

단계 2

앙와위의 단계와 근거(계속)

단계	근거
3. 요추만곡 부위에 작은 베개를 사용한다.	• 요추만곡이 지지되고 요추의 굴곡을 예방한다.
4. 의식이 없거나 허약한 대상자에게는 trochanter roll을 대퇴의 대전자 부위에 대어준다.	• 대퇴의 외회전을 예방하기 위함이다.
5. 발치에 foot board나 베개를 대어 발을 지지해 준다.	• 오랫동안 앙와위로 누워있으면 족저굴곡이 되기 쉽다.
6. 만일 손가락이나 팔에 굴곡장애가 있거나 의식이 없는 경우에는 hand roll 이나 wrist splint를 사용한다.	• 손가락의 굴곡이나 경축을 예방하기 위함이다.
7. 무릎관절 아래와 팔꿈치아래에 작은 베개를 대어 준다.	• 하지에 혈액순환을 도와주고 팔의 부종을 예방하고 편안하게 해 준다.

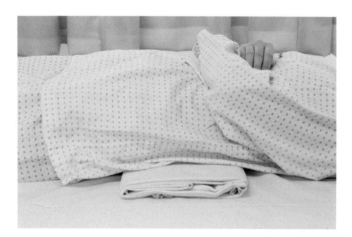

단계 3

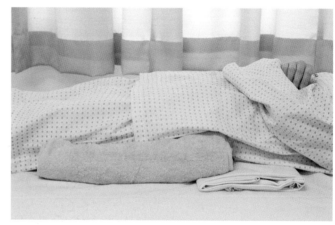

단계 4

단계 5

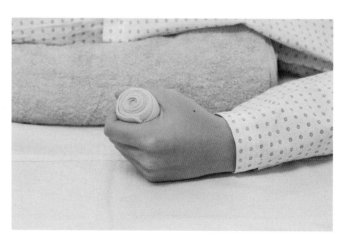

단계 6

앙와위의 단계와 근거(계속)

단계	근거

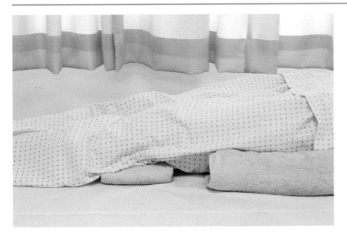

단계 7

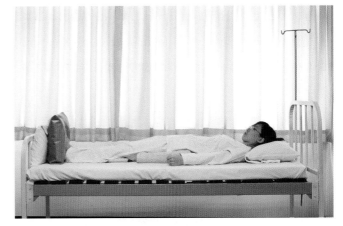

앙와위로 누워있는 모습

3. 복위(prone position)

복위의 단계와 근거

단계	근거

1. 대상자 배를 바닥에 대고 엎드리게 한다.

2. 머리를 옆으로 향하도록 돌리고 작은 베개를 베게한다.

• 의식장애가 있는 경우는 베개를 사용하지 않아야 분비물 배출이 용이하다.

단계 2

복위의 단계와 근거(계속)

단계	근거
3. 양쪽 팔을 구부려서 팔꿈치가 거의 머리 부위까지 오게 한다.	
4. 무릎에서 발목사이에 작은 베개를 대어준다.	• 무릎을 굴곡시키고 족저굴곡을 저게 해주기 위함이다.
5. 횡격막 아래에 작은 베개를 대어주어 척추가 일직선으로 유지되게 한다.	• 요추의 과신전을 예방하고 가슴 부위의 압박을 줄여준다.

단계 3

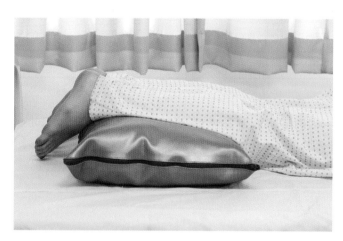

단계 4

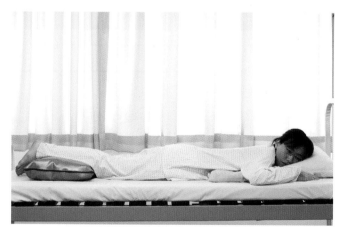

복위로 누워있는 모습

4. 측위(lateral position)

측위의 단계와 근거

단계	근거
1. 대상자가 옆으로 눕도록 도와준다.	
2. 머리와 어깨 밑에 베개를 대어 주어 척추가 일직선이 되도록 한다.	• 베개를 사용하므로써 척추의 측위 굴곡을 막고 목근육의 긴장을 예방하고 어깨도 편안해진다.
3. 위쪽 팔로 큰 베개로 안게 해 준다.	• 위쪽팔이 가슴을 누르면 폐활량이 감소되고 팔의 내회전과 어깨의 내전이 오기 쉽다.
4. 위쪽 다리 밑에 베개로 지지하여 침상과 평형 상태가 되도록 한다 (때로는 두 다리 사이에 베개를 집어넣는다).	• 내퇴의 내회전 방지하고 아래쪽 다리에 가해지는 압력을 줄여 혈전을 예방하게 된다.
5. 어깨가 hip과 같은 높이로 평형되게 한다.	
6. 허리 밑에 공간이 많이 있으면 작은 베개나 타올로 지지하여 허리가 뜨지 않도록 한다.	

단계 3

단계 4

측위로 누워있는 모습

5. 반복위(sim's position)

반복위의 단계와 근거

단계	근거
1. 대상자가 옆으로 눕도록 도와준다.	
2. 베개를 대상자 머리 밑에 놓는다(만약 무의식상태이거나 구강에 점액성 배액이 있으면 머리에 베개를 사용하지 않는다).	• 목의 측위 굴곡을 예방하고 두개골과 안면 및 귀에 cushion 역할을 한다.
3. 아래쪽에 있는 팔을 등뒤로 놓아 눌리지 않도록 한다.	• 팔의 혈액순환 장애가 생기지 않도록 하기 위함이다.
4. 위쪽 팔을 몸체에서 떼고 팔꿈치로 굴곡시킨다.	• 어깨의 내회전과 내전을 예방한다.
5. 베개를 이용하여 복부, 골반, 대퇴등을 지지한다.	
6. 다리를 구부리는데 위쪽 다리를 둔부와 무릎있는데에서 많이 구부리게 한다.	
7. 모래주머니나 타올로 발을 지지하여 foot drop를 어느 정도 예방할 수 있다.	

단계 3

단계 4

반복위의 단계와 근거(계속)

단계	근거

단계 5

반복위로 누워있는 모습

6. 반좌위(fowler's position)

반좌위의 단계와 근거

단계	근거
1. 침대머리를 올리기 전에 대상자의 무릎을 약간 구부린다.	• 무릎을 구부리면 침상머리를 올렸을 때 미끄러져 내리는 것이 예방된다.
2. 침상머리를 45° 높이로 올린다.	• 최대한의 폐확장을 시켜 호흡을 용이하게 해 준다.
3. 작은 베개를 머리 밑에 놓는다.	• 베개는 척추 만곡을 지지하는데 너무 높은 베개는 목의 굴곡을 초래한다.

단계 3

반좌위의 단계와 근거(계속)

단계	근거
4. 무릎밑에 베개를 댄다.	• 족저 굴곡을 예방한다.
5. 발치에 베개를 댄다.	
6. 팔아래를 베개로 받쳐준다.	

단계 4

단계 5

단계 6

반좌위로 누워있는 모습

7. 절석위(lithotomy position)

절석위의 단계와 근거

단계	근거
1. 대상자를 진찰대 위로 똑바로 눕게 한다.	
2. 둔부를 진찰대 하단에 오게 해준다.	
3. 다리를 벌린 후 진찰대 양편에 있는 발걸이에 다리를 올려놓게 한다.	

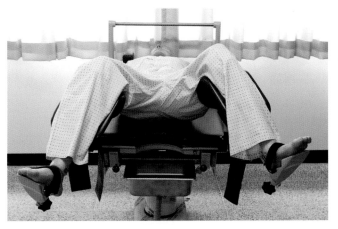

단계 3

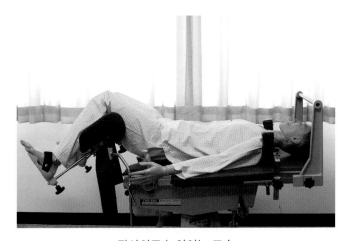

절석위로 누워있는 모습

8. 배횡와위(dorsal recumbent position)

배횡와위의 단계와 근거

단계	근거
1. 베개를 베고 침상에 등을 대고 눕는다.	
2. 양팔을 머리 위로 올린다.	
3. 다리를 약간 벌리고 발바닥이 침상에 놓여지게 무릎을 구부린다.	• 이 체위는 복벽에 긴장감을 감소시킨다.

배횡와위의 단계와 근거(계속)

단계	근거

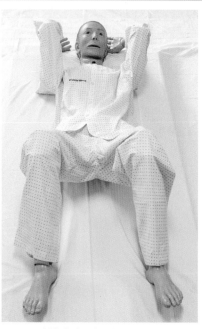

배횡와위로 누워있는 모습

9. 슬흉위(knee-chest position)

슬흉위의 단계와 근거

단계	근거

1. 무릎을 꿇은 자세로 대퇴는 다리와 직각이 되게 한다.

• 무릎은 어깨 넓이 정도로 벌려야 균형이 잘 잡히고 안정되어 있다.

2. 머리와 가슴 윗 부분은 침상에 대고 팔은 앞으로 펴서 팔꿈치에서 굽힌다.

단계 1

슬흉위의 단계와 근거(계속)

단계	근거

2. 머리와 가슴 윗 부분은 침상에 대고 팔은 앞으로 펴서 팔꿈치에서 굽힌다.

3. 머리는 옆으로 돌리고 체중을 무릎과 가슴에 의지하게 한다.

4. 춥거나 부끄럽지 않도록 잘 덮어준다.

단계 2

10. Trendelenburg position

 Trendelenburg position의 단계와 근거

단계	근거

1. 대상자를 바로 눕게 한다.

2. 침상 발치를 벽돌이나 의자로 괴어서 높이고 머리와 둔부가 다리보다
   낮게 한다.

※ 변형된 Trendelenburg position은 발치만 상승시킨다.

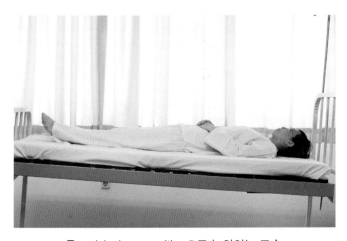

Trendelenburg position으로 누워있는 모습

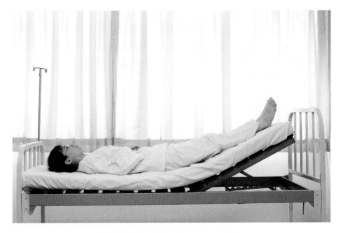

변형된 Trendelenburg position

11. Jack knife position

Jack knife position의 단계와 근거

단계	근거

복위(abdominal position)

1. 대상자를 엎드리게 하고 팔은 머리 위로 올리게 한다.

2. 대퇴부위를 올려서 대상자의 머리와 다리가 둔부보다 낮아지게 한다.

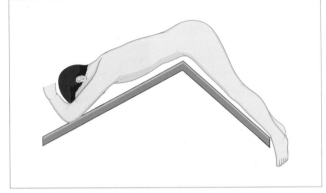

Jack knife position - 복위

배위(back position)

1. 대상자의 어깨가 상승되게 하여 등을 대고 눕게 한다.

2. 대퇴를 복부에 직각이 되게 구부린다.

3. 다리를 대퇴에 직각이 되게 구부린다.

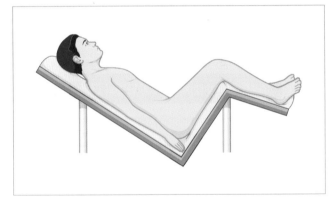

Jack knife position - 배위

측위(lateral positon)

1. 대상자를 침상가에 측위로 눕게 한다.

2. 대상자의 양쪽 무릎을 가능한 한 가슴에 닿도록 끌어올려 척추사이가 넓어지도록 한다.

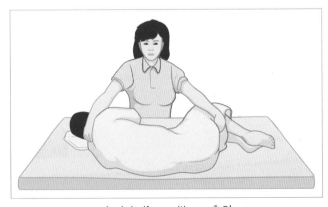

Jack knife position - 측위

앙와위(Supine Position)

평가일자 _____   평가자 이름 _____

No	수 행 항 목	수행	미수행	비고
1	손을 씻는다.			
2	필요한 물품을 준비한다.			
3	준비한 물품을 가지고 대상자에게 가서 간호사 자신을 소개한다.			
4	대상자의 이름을 개방형으로 질문하여 대상자를 확인하고, 입원 팔찌와 환자 기록지의 이름, 등록번호를 대조하여 재확인한다.			
5	대상자에게 목적과 절차를 설명한다.			
6	앙와위와 관련된 압박 부위를 사정한다.			
7	대상자를 앙와위로 한다.			
8	신체선열을 유지하기 위해 지지장치를 사용한다. 필요에 따라 대상자의 머리와 어깨 아래에 적당한 두께의 베개를 놓는다.			
	무릎에서 발목 아래까지의 하지 아래에 베개를 놓는다.			
	대퇴 부위 옆쪽에 Trochanter rolls을 놓는다.			
	만일 요추와 침상 사이의 공간이 있다면 요추 만곡 아래에 타월이나 작은 베개를 넣는다.			
	발을 지지하기 위해 발판을 놓는다.			
	상지가 마비되었다면 베개에 전박과 손을 얹는다.			
	대상자가 실재적, 잠재적으로 손가락과 손목 부위 굴곡이 있다면 hand roll이나 wrist/hand splints를 사용한다(13~15cm의 둘레를 가진 hand roll을 손바닥과 손가락이 굴곡된 사이에 넣는다).			
9	구두로 지식을 확인한다. 지지되지 못한 앙와위와 관련이 있는 선열이상: 앙와위를 적용하는 경우:			

복위(Prone Position)

평가일자 _____   평가자 이름 _____

No	수 행 항 목	수행	미수행	비고
1	손을 씻는다.			
2	필요한 물품을 준비한다.			
3	준비한 물품을 가지고 대상자에게 가서 간호사 자신을 소개한다.			
4	대상자의 이름을 개방형으로 질문하여 대상자를 확인하고, 입원 팔찌와 환자 기록지의 이름, 등록번호를 대조하여 재확인한다.			
5	대상자에게 목적과 절차를 설명한다.			
6	복위와 관련된 압박 부위를 사정한다.			
7	복위로 대상자를 지지해준다.			
8	대상자에게 자세의 지지장치를 사용한다.			
	입에서 분비물이 많이 나오면 베개를 빼고 대상자의 머리를 한쪽으로 돌린다.			
	유방아래와 장골능 사이의 공간에 작은 베개나 roll을 놓는다.			
	무릎 아래부터 발목 위까지의 하지 아래에 베개를 놓는다.			
9	구두로 지식을 확인한다. 복위를 적용하는 경우:			

측위(Lateral Position)

평가일자 _____ 평가자 이름 _____

No	수 행 항 목	수행	미수행	비고
1	손을 씻는다.			
2	필요한 물품을 준비한다.			
3	준비한 물품을 가지고 대상자에게 가서 간호사 자신을 소개한다.			
4	대상자의 이름을 개방형으로 질문하여 대상자를 확인하고, 입원 팔찌와 환자 기록지의 이름, 등록번호를 대조하여 재확인한다.			
5	대상자에게 목적과 절차를 설명한다.			
6	측위와 관련된 압박부위를 사정한다.			
7	측위로 대상자를 눕게 한다.			
8	신체선열을 유지하기 위한 지지장치를 사용한다. 머리와 목을 몸통과 같이 일직선에 두기 위해 대상자의 머리 밑에 베개를 놓는다.			
	대상자는 아래쪽 어깨가 굴곡되어 몸이 앞으로 넘어지지 않게 한다.			
	안정적인 체위를 위해 대상자 등에 접힌 베개를 놓는다.			
	아래쪽에 있는 팔을 앞으로 놓고 머리에 베고 있는 베개쪽으로 팔꿈치를 굽힌다.			
	위쪽에 있는 팔도 앞으로 하여 팔꿈치를 굽히고 베개로 받쳐준다.			
	손목을 신전시키고 왼손에는 hand roll을 쥐어준다.			
	아래쪽에 있는 다리는 일직선으로 편다.			
	위쪽에 있는 다리의 무릎을 구부리는데, 몸의 균형을 유지시키기 위해 약간 앞쪽으로 놓고 다리 밑에 가로로 길게 베개를 놓아 둔다.			
	허리선이 자연적으로 들어간 곳 아래에 접힌 타월을 놓는다.			
9	구두로 지식을 확인한다. 지지되지 않은 측위와 관련된 선열이상: 측위를 취하는 경우:			

반복위(Sim' s Position)

평가일자 _____　　평가자 이름 _____

No	수 행 항 목	수행	미수행	비고
1	손을 씻는다.			
2	필요한 물품을 준비한다.			
3	준비한 물품을 가지고 대상자에게 가서 간호사 자신을 소개한다.			
4	대상자의 이름을 개방형으로 질문하여 대상자를 확인하고, 입원 팔찌와 환자 기록지의 이름, 등록번호를 대조하여 재확인한다.			
5	대상자에게 목적과 절차를 설명한다.			
6	심스 체위에 관련된 압박 부위를 사정한다.			
7	옆으로 누운 상태에서 아래쪽 팔을 등뒤로 놓아둔다.			
8	신체선열을 유지하기 위한 지지기구를 사용한다. 구강 분비물이 없다면 대상자의 머리 아래에 작은 베개를 놓는다.			
	순환을 막지 않도록 팔을 몸에서 떨어진 곳에 놓는다.			
	어깨와 팔을 약간 굴곡하여 신체로 부터 약간 외전시킨다. 흉곽과 복부 사이, 팔의 상부와 침상사이의 공간에 베개를 놓는다.			
	복부와 골반과 대퇴 상부와 침상사이의 공간에 베개를 놓는다.			
	발의 아래에 지지기구를 놓는다.			
9	구두로 지식을 확인한다. 지지되지 않은 심스 체위와 관련된 선열 이상: 심스 체위를 적용하는 경우			

반좌위(Fowler's Position)

평가일자 _____ 평가자 이름 _____

No	수 행 항 목	수행	미수행	비고
1	손을 씻는다.			
2	필요한 물품을 준비한다.			
3	준비한 물품을 가지고 대상자에게 가서 간호사 자신을 소개한다.			
4	대상자의 이름을 개방형으로 질문하여 대상자를 확인하고, 입원 팔찌와 환자 기록지의 이름, 등록번호를 대조하여 재확인한다.			
5	대상자에게 목적과 절차를 설명한다.			
6	파울러씨 체위와 관련된 압박부위를 사정한다. 침상머리 올리기 전에 대상자에게 무릎을 약간 구부리게 한다. 침상머리를 들어 올릴때, 침상이 구부러지는 점 위에 대상자의 둔부를 똑바로 위치하게 한다.			
7	30~45°로 침상머리를 들어올린다.			
8	적절하게 선열을 맞추기 위해 지지기구를 제공한다. 등의 요추만곡 부위 아래에 작은 베개를 놓는다.			
9	대상자의 머리 아래에 작은 베개를 놓는다. 슬와 부분에 어떤 압박도 받지 않도록 하며 무릎이 굴곡되도록 한다 (무릎에서 발목까지의 하지에 베개를 놓는다).			
	대퇴부위의 옆에 Trochanter roll을 놓는다.			
	발판으로 대상자의 발을 지지한다. 발판은 발가락보다 조금위로 올라오게 한다.			
	발판은 뒤꿈치에서 2.5cm 떨어진 곳에 놓는다.			
	만일 대상자가 팔과 손을 정상적으로 쓸 수 없다면 팔과 손 둘 다 지지하기 위해 베개를 놓는다.			
10	구두로 지식을 확인한다. fowler's position 적용 경우:			

절석위(Lithotomy Position)

평가일자 _____   평가자 이름 _____

No	수 행 항 목	수행	미수행	비고
1	손을 씻는다.			
2	필요한 물품을 준비한다.			
3	준비한 물품을 가지고 대상자에게 가서 간호사 자신을 소개한다.			
4	대상자의 이름을 개방형으로 질문하여 대상자를 확인하고, 입원 팔찌와 환자 기록지의 이름, 등록번호를 대조하여 재확인한다.			
5	대상자에게 목적과 절차를 설명한다.			
6	대상자에게 LithotomyPosition을 취할 것을 알린다.			
7	대상자의 privacy를 지켜준다.			
8	진찰대에 등을 대고 눕게한다.			
9	둔부를 진찰대 하단에 위치하게 한다.			
10	진찰대 양쪽에 있는 발걸이에 발을 올려놓게 한다.			
11	구두로 지식을 확인한다. 적용되는 경우:			

배횡와위(Dorsal recumbent Position)

평가일자 _____ 평가자 이름 _____

No	수 행 항 목	수행	미수행	비고
1	손을 씻는다.			
2	필요한 물품을 준비한다.			
3	준비한 물품을 가지고 대상자에게 가서 간호사 자신을 소개한다.			
4	대상자의 이름을 개방형으로 질문하여 대상자를 확인하고, 입원 팔찌와 환자 기록지의 이름, 등록번호를 대조하여 재확인한다.			
5	대상자에게 목적과 절차를 설명한다.			
6	대상자에게 Dorsal recumbent Posotion을 취할 것을 알린다.			
7	대상자의 privacy를 지켜준다.			
8	등을 대고 눕게한다.			
9	다리를 어깨 넓이로 벌린다.			
10	발바닥을 침상에 붙이고 무릎을 구부린다.			
11	구두로 지식을 확인한다. 적용되는 경우:			

슬흉위(Knee-chest Position)

평가일자 _____   평가자 이름 _____

No	수 행 항 목	수행	미수행	비고
1	손을 씻는다.			
2	필요한 물품을 준비한다.			
3	준비한 물품을 가지고 대상자에게 가서 간호사 자신을 소개한다.			
4	대상자의 이름을 개방형으로 질문하여 대상자를 확인하고, 입원 팔찌와 환자 기록지의 이름, 등록번호를 대조하여 재확인한다.			
5	대상자에게 목적과 절차를 설명한다.			
6	대상자에게 Knee-chest position을 취할 것을 알린다.			
7	대상자의 privacy를 지켜준다.			
8	머리를 한쪽 옆으로 돌리고 가슴이 침상바닥이나 베개 위에 닿게 한다.			
9	무릎을 펴서 약간 벌리고 대퇴가 다리와 직각이 되게한다.			
10	팔을 머리 위로 펴고 팔꿈치를 구부린다.			
11	무릎과 가슴에 무게중심을 두게 한다.			
12	구두로 지식을 확인한다. 적용되는 경우:			

Trendelenburg' s Position

평가일자 _____ 평가자 이름 _____

No	수 행 항 목	수행	미수행	비고
1	손을 씻는다.			
2	필요한 물품을 준비한다.			
3	준비한 물품을 가지고 대상자에게 가서 간호사 자신을 소개한다.			
4	대상자의 이름을 개방형으로 질문하여 대상자를 확인하고, 입원 팔찌와 환자 기록지의 이름, 등록번호를 대조하여 재확인한다.			
5	대상자에게 목적과 절차를 설명한다.			
6	대상자에게 Trendelenburg' s Position을 취할것을 알린다.			
7	등을 대고 눕게한다.			
8	침상머리 쪽을 낮추고 침상다리 쪽을 높여준다.			
9	구두로 지식을 확인한다. 적용하는 경우: 금기하는 경우:			

Jack knife Position

평가일자 _____ 평가자 이름 _____

No	수 행 항 목	수행	미수행	비고
1	손을 씻는다.			
2	필요한 물품을 준비한다.			
3	준비한 물품을 가지고 대상자에게 가서 간호사 자신을 소개한다.			
4	대상자의 이름을 개방형으로 질문하여 대상자를 확인하고, 입원 팔찌와 환자 기록지의 이름, 등록번호를 대조하여 재확인한다.			
5	대상자에게 목적과 절차를 설명한다.			
6	대상자에게 Jack knife Position을 취할 것을 알린다.			
7	대상자의 privacy를 지켜준다.			
8	Abdominal Position ① 머리 위로 팔을 올리고 엎드려 눕게 한다.			
	② 무릎을 구부려 올려서 머리와 둔부보다 낮게 한다.			
9	Back Position ① 어깨가 약간 올라오게 등을 대고 눕힌다.			
	② 대퇴를 복부와 직각이 되게, 다리를 대퇴와 직각이 되게 구부린다.			

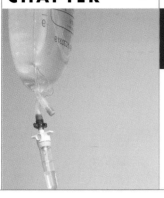

CHAPTER **20**

냉온 요법 간호

실습목록

1. 습열 적용
2. 건열 적용
3. 냉찜질 및 얼음 주머니

열·냉 적용의 치료적 효과

치료	생리적 반응	치료 효과	적용조건의 예시
열	혈관확장	· 상처부위 혈류량 증가 · 영양소 공급을 원활 · 노폐물 제거 · 상처조직의 정맥 울혈을 감소	· 염증이나 부종이 있는 신체 부위; 수술 부위; 감염된 상처; 관절염, 퇴행성 관절 질환; 국소 관절 통증; 요통, 생리통; 치질, 회음부 및 질 염증; 국소적 농양
	혈액점도 감소	· 상처부위로 백혈구와 항체 운반 증진	
	근육긴장 완화	· 근육이완 증진 · 경련이나 경직으로 인한 동통 감소	
	조직대사 증가	· 혈류증가; 국소적 열 제공	
	모세혈관 투과성 증가	· 노폐물 및 영양소 이동 증진	
냉	혈관수축	· 상처부위 혈류량 감소 · 부종 형성 방지 · 염증 감소	· 근골격 염좌, 경축, 골절, 근육 경련 등과 같은 외상 직후; 표피 열상이나 자상 후; 경미한 화상 후; 손상부위나 동통 부위가 악성으로 의심될 때; 주사 후 ; 관절염, 관절 외상 시
	국소마취	· 국소적 통증 감소	
	세포대사 감소	· 조직의 산소 요구량 감소	
	혈액점도 증가	· 손상 부위의 혈액 응고 증진	
	근육긴장 감소	· 동통 감소	

열·냉 적용 온도 범위

온도	섭씨 범위	화씨 범위
매우 뜨거움	41~46℃	105~115℉
뜨거움	37~41℃	98~105℉
따뜻함	34~37℃	93~98℉
미지근함	26~34℃	80~93℉
시원함	18~26℃	65~80℉
차가움	15~18℃	59~65℉
매우 차가움	15℃ 이하	59℉ 이하

1. 습열 적용

- **목적**
    - 혈관을 이완시킨다.
    - 상처치유를 증진시킨다.
    - 화농을 촉진한다.
    - 동통 및 근육경련을 완화한다.
    - 혈액순환을 증진한다.
    - 부종을 경감한다.
    - 체온을 상승시킨다.
- **준비물품**
    - All moist heat
      목욕 담요, 처방 용액, 마른 수건, 온도

    - Compress
      방수포, 테이프나 결절 테이프, 습열 히터나 infrared lamp, 물
    - Clean Compress
      깨끗한 용기, 깨끗한 거즈나 타올
    - Sterile Compress
      멸균용기, 멸균 거즈나 타올, 깨끗한 장갑, 멸균 장갑, 오염물질 쓰레기 주머니
    - Soak or sitz bath
      깨끗하거나 멸균된 대야나 좌욕기, 오염물질 쓰레기 주머니

습열 적용의 단계와 근거

단계	근거
1. 필요한 물품을 준비한다.	
2. 대상자를 따뜻하게 해준다.	
3. 적용부위 아랫부분에 방수포를 대어준다.	
4. 습열을 적용한다.	
a. 건강한 피부에 깨끗한 습열 적용하기	
(1) 깨끗한 용기에 용액을 붓는다.	
(2) 검온계로 온도를 측정한다.	• 적절한 온도로 화상을 예방하기 위함이다.

습열 적용의 단계와 근거(계속)

단계	근거

(3) 용액 내에 거즈나 타올을 넣는다.

(4) 용기에서 거즈나 타올을 꺼낸다.

(5) 거즈나 타올을 꼭 짜서 적용 부위에 가볍게 놓는다.

(6) 깨끗하거나 건조한 드레싱을 덮고 건조한 목욕타올을 덮는다.

(7) 테이프나 끈으로 고정시킨다.

(8) 위 과정을 5분 간격으로 반복하거나 처방대로 시행한다.

b. 개방된 피부에 멸균된 습열 적용하기

(1) 멸균된 용기에 용액을 붓는다.

(2) 내측 전박에 소량의 용액을 부어 온도를 측정한다.
  용액은 따뜻하게 느껴져야 한다.

(3) 용액에 멸균된 거즈를 넣는다. 포장을 열고 용액을 붓는다.

(4) 드레싱을 열고 불필요한 부분을 제거한다.

(5) 멸균장갑을 착용한다.

(6) 용기에서 거즈를 꺼낸다.

(7) 거즈를 꼭 짜서 적용 부위에 가볍게 놓는다.

(8) 건조한 멸균드레싱을 덮는다.

(9) 테이프나 끈으로 고정시킨다.

(10) 위 과정을 5분 간격으로 반복하거나 처방대로 시행한다.

c. 건강하거나 개방된 피부에 온침수법 적용하기

(1) 깨끗한 수건으로 건강한 피부나 개방된 부위를 깨끗하게 하고
  비누와 물 또는 멸균된 거즈와 멸균된 물로 씻어낸다.

(2) 따뜻한 용액을 깨끗하거나 멸균된 용기에 붓는다.

(3) 드레싱을 열고 불필요한 부분을 제거한다.

(4) 적용부위를 용액에 담근다.

(5) 10분 간격으로 용액을 새로 바꿔주도록 한다.

(6) 5~10분 간격으로 치료에 대한 참을성이 있는지 대상자를 사정한다.

(7) 총 20분간 열적용을 시행하도록 한다.

d. 건강하거나 개방된 피부에 좌욕 적용하기

(1) 좌욕기나 멸균된 좌욕대야에 40.5~43℃의 물이나 소독액을
  1/3 정도 채운다.

습열 적용의 단계와 근거(계속)

단계	근거
(2) 대상자에게 목적과 절차를 설명하고, 미리 소변을 보도록 한다.	
(3) 좌욕기나 좌욕대야에 둔부가 잠기도록 앉아 있도록 하며, 좌욕하는 동안 대상자의 어깨와 무릎 위에 목욕담요를 덮어준다.	• 한기와 노출로부터 보호한다.
(4) 2~3차례 수온을 측정하여 더운물을 첨가한다.	
(5) 1회 15~30분 동안, 1일 3~4회 시행한다.	
(6) 대상자를 혼자 남겨두지 않으며, 좌욕하는 동안 어지럽거나 쇠약감을 호소하면 즉시 중단한다.	

5. 습열을 제거하고 대상자의 피부를 말린 다음 개방성 상처가 있을 경우에는 멸균법을 이용하여 드레싱한다.

6. 다음과 같은 사항을 기록한다.

   a. 상처부위 및 특성, 통증 및 배액 양, 색, 점도, 냄새

   b. 피부 통합성, 피부색, 온도, 치료도중 및 치료 후 30분 경과 시 까지 적용부위 민감도

   c. 관절가동범위

   d. 적용 온도, 부위, 시간

   e. 대상자의 반응

주의 사항

온요법을 적용하려는 부위에 출혈, 발적, 염증 반응, 체온 상승 등이 있을 경우에는 문제를 악화시킬 수 있으므로 적용하지 않도록 한다. 개방된 상처가 있을 경우에는 감염을 방지하기 위해서 멸균법을 적용해야 한다.

온요법 금기 사항

- 급성 염증성 과정
- 악성 종양
- 출혈 가능성
- 열 적용으로 부종이 증가될 가능성
- 허약
- 무의식
- 피부자극에 둔감
- 동맥 및 정맥 기능의 부전
- 금속장치 소지자
- 임신부의 복부
- 고환
- 음낭 위
- 개방 상처가 있는 대상자의 경우

2. 건열 적용

- **목적**
  - 혈관을 이완 시킨다.
  - 상처 치유를 증진시킨다.
  - 화농을 촉진한다.
  - 동통 및 근육경련을 완화한다.
  - 혈액 순환을 증진시킨다.
  - 부종을 경감시킨다.
  - 체온을 상승시킨다.

- **준비물품**
  - 전기 온수 패드, 전기 열 패드
  - 수건이나 주머니 커버
  - 목욕타올
  - 끈이나 패드

건열 적용의 단계와 근거

단계	근거
1. 필요한 물품을 준비한다.	
2. 열 적용을 준비한다.	
a. 전기 온수 패드	
(1) 전기 온수 패드의 온도를 40.5~43℃로 설정한다.	
(2) 주머니 커버가 없을 경우에는 수건으로 패드를 싸준다.	• 대상자의 피부를 보호하기 위함이다.
b. 전기열 패드	
(1) 온도를 저온이나 중간온도로 설정한다.	
(2) 주머니 커버가 없을 경우에는 수건으로 패드를 싸준다.	
3. 건강한 피부에 열요법을 적용한다.	• 적용 부위의 화상을 예방하기 위함이다.
4. 테이프나 끈으로 고정시킨다.	
5. 5분 간격으로 치료부위를 관찰하고 대상자를 사정한다.	
6. 20~30분간 열 패드를 적용하거나 의사의 지시에 따르도록 한다.	
7. 사용한 물품을 정리하고 사용방법, 적용부위, 적용시간을 기록한다.	

RICE Acronym

R est

I ce

C ompression

E levation

Recipe Acronym

R est

E levation

C ompression

I ce

P roper

E xercise

3. 냉찜질 및 얼음 주머니

- **목적**
  - 혈관을 수축시켜 지혈을 돕는다.
  - 상처부위의 멍, 부종, 통증을 예방한다.
  - 체온을 낮춘다.

- **준비물품**
  - All compress, bags, and packs
    주머니 커버, 타올, 테이프나 끈, 목욕타올, 보온유지를 위한 목욕담요
  - Cold compress
    타올이나 거즈, 처방용액, 얼음, 용기, 청결한 냉습포를 위한 목욕용 온도계
  - Ice bag
    얼음주머니, 얼음 조각, 물, 재사용 가능한 상업용 팩, 일회용 얼음 팩, 전기 냉각 기구, 거즈 붕대 및 탄력 붕대

냉찜질 및 얼음 주머니의 적용 단계와 근거

단계	근거
1. 필요한 물품을 준비한다.	• 불필요한 노출을 피하고, 대상자에게 보온, 안위감, 프라이버시를 유지시켜준다.
2. 적절한 신체선열을 유지하고 치료부위만 노출시킬 수 있도록 대상자의 체위를 취해준다.	
3. 냉요법 적용을 준비한다.	
a. **냉습포**(Cold compress)	
(1) 얼음과 물을 용기에 넣는다.	
(2) 용액의 온도를 측정한다.	
(a) 청결한 습포: 목욕용 온도계 사용	
(b) 멸균 습포: 손등에 용액을 소량 부어 보아 차갑게 느껴지도록 한다.	
(3) 거즈나 타올을 용액에 넣는다.	
(4) 압력을 주어 용액을 짜낸다.	
b. **얼음주머니**(Ice pack)	
(1) 물로 주머니를 채운 후 물을 버린다.	• 새는 곳이 있는지를 확인하기 위함이다.
(2) 얼음과 물을 주머니의 1/2~2/3 가량 채운다.	

냉찜질 및 얼음 주머니의 적용 단계와 근거(계속)

단계	근거
(3) 주머니 속의 공기를 제거한다.	
(4) 안전하게 잠근다.	
(5) 주머니를 건조하게 닦는다.	
(6) 타올이나 커버를 씌운다.	

c. 상업용 팩

(1) 제빙기에서 팩을 꺼낸다.

(2) 팩을 타올이나 커버로 싸주거나 대상자의 피부를 덮어주도록 한다.

d. 전기냉각기

(1) 모든 연결부위를 점검하고 온도를 설정한다(기관의 정책, 의사의 지시, 제조사의 설명서를 참조한다).

(2) 냉수 흐름 패드를 대상자에게 필요한 부위에 감아 준다.

(3) 거즈나 탄력 붕대로 패드를 감아준다.

4. 피부가 노출되어 있거나 적용도구에 커버가 씌워 있지 않을 경우에는 상처부위에 타올이나 멸균 타올을 덮어준 후 냉요법을 적용한다.

• 직접 냉요법이 적용될 경우 조직 손상이 초래될 수 있으므로 피부 위에 냉요법을 직접 시행하지 않도록 한다. 손상된 조직에 냉감이 전해지도록 적용한다.

5. 끈이나 테이프를 사용하여 고정시킨다.

6. 정해진 시간이 지나면 냉요법을 제거한다: 적용 부위가 무감각할 경우 치료를 중단한다. 치료 시간은 다양하다(Lindsay(1990)는 10분 이내를, McDowell(1994)등은 30분 이내임을 주장함).

7. 주변을 정돈하고 다음의 사항을 기록한다.

a. 적용부위와 시간, 체온

b. 피부상태: 출혈, 멍, 부종, 통합성, 피부색, 접촉에 대한 민감도

c. 통증수준

d. 대상자의 반응

냉요법 금기 사항

• 혈액순환이나 조직의 영양 공급이 부족한 경우
• 피부색이 푸르거나 차거나 무감각한 경우
• 조직의 체액이 축적된 경우
• 저체온
• 근육긴장이나 경직이 있는 경우

• 지나치게 허약한 경우
• 무의식
• 냉에 대한 과민 반응
• 개방 상처가 있을 경우

습열 요법

평가일자 _____ 평가자 이름 _____

No	수 행 항 목	수행	미수행	비고
1	손을 씻는다.			
2	필요한 물품을 준비한다.			
3	준비한 물품을 가지고 대상자에게 가서 간호사 자신을 소개한다.			
4	대상자의 이름을 개방형으로 질문하여 대상자를 확인하고, 입원 팔찌와 환자 기록지의 이름, 등록번호를 대조하여 재확인한다.			
5	대상자에게 목적과 절차를 설명한다.			
6	적용부위 아랫부분에 방수포를 대어준다.			
7	습열을 적용한다. a. 건강한 피부에 깨끗한 습열 적용하기 　(1) 깨끗한 용기에 용액을 붓는다. 　(2) 검온계로 온도를 측정한다. 　(3) 용액 내에 거즈나 타올을 넣는다. 　(4) 용기에서 거즈나 타올을 꺼낸다. 　(5) 거즈나 타올을 꼭 짜서 적용 부위에 가볍게 놓는다. 　(6) 깨끗하거나 건조한 드레싱을 덮고 건조한 목욕타올을 덮는다. 　(7) 테이프나 끈으로 고정시킨다. 　(8) 위 과정을 5분 간격으로 반복하거나 처방대로 시행한다. b. 개방된 피부에 멸균된 습열 적용하기 　(1) 멸균된 용기에 용액을 붓는다. 　(2) 내측 전박에 소량의 용액을 부어 온도를 측정한다. 용액은 따뜻하게 느껴져야 한다. 　(3) 용액에 멸균된 거즈를 넣는다. 포장을 열고 용액을 붓는다. 　(4) 드레싱을 열고 불필요한 부분을 제거한다. 　(5) 멸균장갑을 착용한다. 　(6) 용기에서 거즈를 꺼낸다. 　(7) 거즈를 꼭 짜서 적용 부위에 가볍게 놓는다. 　(8) 건조한 멸균드레싱을 덮는다. 　(9) 테이프나 끈으로 고정시킨다. 　(10) 위 과정을 5분 간격으로 반복하거나 처방대로 시행한다.			

습열 요법(계속)

No	수 행 항 목	수행	미수행	비고
8	c. 건강하거나 개방된 피부에 온침수법 적용하기 　(1) 깨끗한 수건으로 건강한 피부나 개방된 부위를 깨끗하게 하고 비누와 　　물 또는 멸균된 거즈와 멸균된 물로 씻어낸다. 　(2) 따뜻한 용액을 깨끗하거나 멸균된 용기에 붓는다. 　(3) 드레싱을 열고 불필요한 부분을 제거한다. 　(4) 적용부위를 용액에 담근다. 　(5) 10분 간격으로 용액을 새로 바꿔주도록 한다. 　(6) 5~10분 간격으로 치료에 대한 참을성이 있는지 대상자를 사정한다. 　(7) 총 20분간 열적용을 시행하도록 한다.			
	d. 건강하거나 개방된 피부에 좌욕 적용하기 　(1) 좌욕기나 멸균된 좌욕대야에 40.5~43℃의 물이나 소독액을 1/3정도 　　채운다. 　(2) 대상자에게 목적과 절차를 설명하고, 미리 소변을 보도록 한다. 　(3) 좌욕기나 좌욕대야에 둔부가 잠기도록 앉아 있도록 하며, 좌욕하는 동 　　안 대상자의 어깨와 무릎 위에 목욕담요를 덮어준다. 　(4) 2~3차례 수온을 측정하여 더운물을 첨가한다. 　(5) 1회 15~30분 동안, 1일 3~4회 시행한다. 　(6) 대상자를 혼자 남겨두지 않으며, 좌욕하는 동안 어지럽거나 쇠약감을 　　호소하면 즉시 중단한다.			
9	다음과 같은 사항을 기록한다. a. 상처부위 및 특성, 통증 및 배액 양, 색, 점도, 냄새 b. 피부 통합성, 피부색, 온도, 치료도중 및 치료 후 30분 경과 시 까지 적용 부위 민감도 c. 관절가동범위 d. 적용 온도, 부위, 시간 e. 대상자의 반응			

건열 적용

평가일자 _____   평가자 이름 _____

No	수 행 항 목	수행	미수행	비고
1	손을 씻는다.			
2	필요한 물품을 준비한다.			
3	준비한 물품을 가지고 대상자에게 가서 간호사 자신을 소개한다.			
4	대상자의 이름을 개방형으로 질문하여 대상자를 확인하고, 입원 팔찌와 환자 기록지의 이름, 등록번호를 대조하여 재확인한다.			
5	대상자에게 목적과 절차를 설명한다.			
6	열 적용을 준비한다. a. 전기 온수 패드 (1) 전기 온수 패드의 온도를 40.5~43℃로 설정한다. (2) 주머니 커버가 없을 경우에는 수건으로 패드를 싸준다. b. 전기열 패드 (1) 온도를 저온이나 중간온도로 설정한다. (2) 주머니 커버가 없을 경우에는 수건으로 패드를 싸준다.			
7	건강한 피부에 열요법을 적용한다.			
8	테이프나 끈으로 고정시킨다.			
9	5분 간격으로 치료부위를 관찰하고 대상자를 사정한다.			
10	20~30분간 열 패드를 적용하거나 의사의 지시에 따르도록 한다.			
11	사용한 물품을 정리하고 사용방법, 적용부위, 적용시간을 기록한다.			

냉찜질 및 얼음 주머니

평가일자 _____ 평가자 이름 _____

No	수 행 항 목	수행	미수행	비고
1	손을 씻는다.			
2	필요한 물품을 준비한다.			
3	준비한 물품을 가지고 대상자에게 가서 간호사 자신을 소개한다.			
4	대상자의 이름을 개방형으로 질문하여 대상자를 확인하고, 입원 팔찌와 환자 기록지의 이름, 등록번호를 대조하여 재확인한다.			
5	대상자에게 목적과 절차를 설명한다.			
6	적절한 신체선열을 유지하고 치료부위만 노출시킬 수 있도록 대상자의 체위를 취해준다.			
7	냉요법 적용을 준비한다. a. 냉습포(Cold compress) 　(1) 얼음과 물을 용기에 넣는다. 　(2) 용액의 온도를 측정한다. 　　· 청결한 습포: 목욕용 온도계 사용 　　· 멸균 습포: 손등에 용액을 소량 부어 보아 차갑게 느껴지도록 한다. 　(3) 거즈나 타올을 용액에 넣는다. 　(4) 압력을 주어 용액을 짜낸다.			
	b. 얼음주머니(Ice pack) 　(1) 물로 주머니를 채운 후 물을 버린다. 　(2) 얼음과 물을 주머니의 1/2~2/3 가량 채운다. 　(3) 주머니 속의 공기를 제거한다. 　(4) 안전하게 잠근다. 　(5) 주머니를 건조하게 닦는다. 　(6) 타올이나 커버를 씌운다.			
	c. 상업용 팩 　(1) 제빙기에서 팩을 꺼낸다. 　(2) 팩을 타올이나 커버로 싸주거나 대상자의 피부를 덮어주도록 한다.			

냉찜질 및 얼음 주머니(계속)

No	수 행 항 목	수행	미수행	비고
8	d. 전기냉각기 　(1) 모든 연결부위를 점검하고 온도를 설정한다(기관의 정책, 의사의 지시, 제조사의 설명서를 참조한다). 　(2) 냉수 흐름 패드를 대상자에게 필요한 부위에 감아 준다. 　(3) 거즈나 탄력 붕대로 패드를 감아준다.			
9	피부가 노출되어 있거나 적용도구에 커버가 씌워 있지 않을 경우에는 상처부위에 타올이나 멸균 타올을 덮어준 후 냉요법을 적용한다.			
10	끈이나 테이프를 사용하여 고정시킨다.			
11	정해진 시간이 지나면 냉요법을 제거한다: 적용 부위가 무감각할 경우 치료를 중단한다.			
12	주변을 정돈하고 다음의 사항을 기록한다. a. 적용부위와 시간, 체온 b. 피부상태: 출혈, 멍, 부종, 통합성, 피부색, 온도, 접촉에 대한 민감도 c. 통증수준 d. 대상자의 반응			

CHAPTER 21

욕창 간호

욕창 예방 프로그램은 욕창이 발생할 위험이 있는 대상자의 욕창 발생률을
감소시키기 위한 활동을 기술하고 필요한 자원을 할당하는 지침을 말한다.

1. 위험요인이 있는 대상자의 파악

욕창은 신체의 일정한 부위(주로 뼈 돌출부)에 압력 혹은 마찰과 응전력이 결합한 압력이 지속적 또는 반복적으로 가해짐으로써 모세혈관의 순환장애로 인한 허혈성 조직괴사로 생기는 피부나 하부 조직의 손상상태를 말한다. 욕창발생의 가장 중요한 직접적인 원인은 정상혈액순환보다 높은 압력이 장시간 지속적으로 가해질 때 발생하는 압력으로, 마찰(friction)과 응전력(shearing force), 기동성, 발생부위의 습한 정도와 온도, 감각손실, 마비유무, 영양상태, 당뇨, 전신감염 등의 전신질환, 의식의 유무 등이 있다. 이러한 욕창의 위험요인이 있는 대상자를 파악하고 욕창을 예방하기 위해서는 선별검사와 위험사정도구를 이용하는 것은 매우 중요하다.

■ 위험사정도구의 특징

선별검사는 경비, 침해성, 이용상의 편이성, 신뢰도, 예측 타당도 등에 따라 매우 다양하다. 평정척도가 가장 흔히 이용되는 선별검사 도구이다. 평정척도는 비용이 매우 저렴하고 비침습적인 장점이 있으나 상태를 정확하게 평가하는 것이 필수적이다. 일반적으로 사용되는 예측 타당도는 민감도, 특이도, 예측력 등이다. 위험사정도구는 다음과 같은 것이 있다.

■ 위험사정도구

Braden Scale(표 24-1)

Braden Scale(1987)은 욕창발생의 위험을 확인하는데 현재 임상에서 가장 많이 사용하는 도구로 감각인지, 마찰력, 응전력, 습기정도, 활동정도, 기동력, 영양상태의 여섯 새 세부항목으로 구성되어 있다. 각 변수는 세 개 또는 네 개의 하위범주를 가지고 있고 각 점수는 4~23점까지 분포되어 있다. Braden 점수가 낮을수록 위험요인이 더 높음을 의미하며, 18점 이하이면 욕창발생 위험군으로 분류한다. 도구의 총점이 9점 이하인 경우는 최고위험군, 10~12점은 고위험군, 13~14점은 중등도 위험군, 15~18점은 저위험군으로 분류된다. 노인 대상자의 경우는 17점이나 18점 정도도 욕창발생 위험이 높은 것으로 고려해야 한다. 타 도구에 비해 Braden 도구는 사정하는 위험요인의 수가 적어 편리성과 효율성이 높고 대상자나 의료시설에 관계없이 정확하며 민감도와 특이도가 많은 연구에서 확인되었다. 총점을 기준으로 환자를 분류함은 욕창발생 위험도에 따라 필요한 예방적인 행위를 결정하고 중재 후 성과를 평가할 때 유용하다.

2. 욕창 피부 사정

- 욕창 피부 사정 시 욕창 사정 도구를 이용한다.
- 욕창 단계에 따른 피부 사정을 매일 실시하고, 체위변경 시 마다 뼈 돌출부 같은 욕창호발 부위의 발적 유무를 확인한다.
- 방이 너무 덥거나 추우면 안 되기 때문에 사정을 시작하기 전에 환경을 조절한다. 더위는 피부 홍조의 원인이 될 수 있으며, 추위는 피부가 창백해지거나 청색이 되는 원인이 될 수 있기 때문이다.
- 압력을 받는 부위가 하얗거나 붉은 얼룩이 생겼는지 관찰한다. 변색은 이 부위의 혈액순환이 안 되어 나타날 수 있는데,

이러한 현상은 순환이 회복될 때 몇 분 안에 사라질 수도 있지만, 일반적으로 변색부위의 마사지는 금기할 것을 권고한다.

■ 압력을 받는 부위가 찰과상이나 표피박리가 있는지 관찰한다. 찰과상은 지면으로 피부가 문질러졌을 때 마찰력에 의해 발생할 수 있다(예: 대상자를 잡아당길 때). 표피박리는 피부가 신체 분비물이나 배설물과 장시간 접촉했을 때 또는 피부가 겹쳐지는 부위에 습기가 있을 때 발생할 수 있다.

■ 압력을 받는 부위의 피부표면 온도를 촉진한다(손을 따뜻하게 하고). 정상적으로 온도는 주변의 피부온도와 같기 때문에 온도가 증가되는 것은 비정상이며 염증 때문이거나 그 부위에 혈액이 정체되었기 때문일 것이다.

■ 뼈의 융기가 눌린 부위에 스펀지 같이 느껴지는 부종이 있는지 만져본다.

Norton Scale

Norton 욕창 위험 사정도구는 1962년에 처음 고안되어 1988년에 수정되었으며, 욕창의 주요 위험 요인을 일반적인 신체상태, 정신상태, 활동력, 기동력, 실금의 다섯 가지로 구분한다. 이 다섯 가지 변수들은 각각 1~4점까지 점수가 매겨져 있는 네 개의 하위범주로 구성되어 있으며, 점수가 낮을수록 욕창 발생 위험률이 높음을 의미하는 것이고, 14점 이하는 욕창 발생 가능성이 높은 것으로 해석한다.

〈위험요인 사정〉

위험요인 사정은 측정 도구를 이용하여 대상자의 점수를 단순히 결정하는 과정이다. 정확한 사정을 위해서는 지식에 기초한 간호 판단 뿐 아니라, 욕창 발생에 기여하는 요소들에 대한 충분한 지식을 통하여 사정도구에 나타난 위험요인을 통합적으로 볼 수 있어야 한다.

3. 환자사정

간호사는 대상자가 가지고 있는 개별적인 위험요인이 무엇인지 결정해야 한다. 압력은 욕창 발생의 원인이기 때문에 계면압력을 제거하거나 감소시키는 것이 필수적이다. 앙와위, 좌위, 수술 체위 등 욕창을 유발할 수 있는 체위가 무엇인지 파악해야 한다. 예를 들어 많은 시간 휠체어에 앉아 있는 사람은 좌골결절에 욕창이 발생할 가능성이 높다. 이런 대상자들에게 침상에서 압력을 경감시키는 도구를 이용하는 것은 도움이 되지 않을 것이다.

전단력, 마찰력, 진균감염 등 욕창을 유발시키는 문제를 함께 갖고 있는 경우는 압력 자체만을 제거하는 것으로 불충분

그림 21-1

하므로 이런 경우에 해당하는 예방적 중재를 적용해야 한다.

4. 중재

체위변경 자체가 압력의 강도를 감소시키지는 못하지만 욕창 발생의 또 다른 요인인 압력의 지속시간을 감소시키므로 예방적인 효과를 갖게 된다.

체위변경 시 측위로 눕는 것은 대전자 부위에 심한 압력을 직접 가하기 때문에 피해야 하며 대신에 30° 정도의 측위가 권장된다(그림 21-1).

발꿈치도 침대와 닿지 않도록 베개 등을 이용하여 압력을 받지 않게 보호해야 한다. 지지 표면을 이용한 경우도 발꿈치 아래의 계면압력을 감소시키는 정도가 약하므로 베개와 지지 표면을 함께 이용하는 것이 좋다.

과거에 욕창예방을 위해 사용된 도구들이 지금은 사용되지 않고 있다. 예를 들면 도넛링은 실제적으로 주위조직에 압력을 집중시키기 때문에 압력경감 도구로 이용하지 않는 것이 좋다.

〈지지표면〉

지지표면(support surface)의 이용은 계면압력(skin-resting surface interface pressure)의 경감 혹은 감소에 있어서 초석이 되었다. 이 제품들은 접촉면을 최대화 하고 넓은 부위로 체중을 재분배함으로써 조직 계면압력을 감소시킨다.

압력을 경감시키거나 감소시키기 위한 계획을 수립하고 시행하였다면 체위변경, 지지 표면 등을 포함한 모든 중재 방법의 효과성을 평가해야 한다. 적어도 24시간 내에 홍반의 정도가 감소하는 것이 보여야 한다. 증상의 진전이 전혀 없거나 새로운 허혈조직이 발견된다면 현재 제공하고 있는 중재방법을 재평가해야 한다.

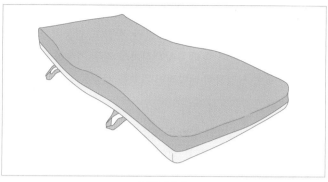

그림 21-2

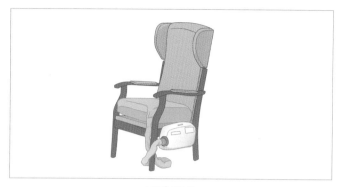

그림 21-3

■ 정적 압력 경감 기구 Static pressure-relieving device

이 기구는 공기, 물, 젤을 포함한다. 이들 재료들은 폼 또는 폴리에스테르 섬유에 내구성과 지지력을 보강하여 결합시켜 만든다. 이 도구들은 체중에 따라 신체를 감싸며 피부와의 접촉면을 증가시켜 표면에 부과되는 체중을 분산시키므로 압력을 감소시킨다. 정적 압력경감 기구는 매트리스나 쿠션으로 대치되거나 깔게 된다. 빈번하게 체위변경이 되어야 하는 대상자들이나 대상자 스스로가 체위변경을 할 수 있는 대상자에게 적합하다. 이런 기구로는 water-filled flotation cushion 또는 waffle air mattress와 같은 간단한 것과 공기 침대와 같은 것들이 있다(그림 21-2).

장점

- 저-중정도의 압력을 경감시킨다.
- 마찰력과 전단력을 감소시킨다.
- 공기로 가득찬 매트리스는 무게가 가볍다.
- 단순 기능만 하므로 비용 부담이 적다.

단점

- 물 또는 젤로 채워진 매트리스들은 무거울 수 있다.
- 구멍이 뚫리는 등의 손상이 있을 수 있다.
- 더 정교한 기구들은 비싸다.
- 액체의 흐름이 대상자의 이동을 어렵게 만들 수 있다.
- 물로 채워진 기구들은 물의 온도 유지가 요구된다.
- 효과적인 압력 완화를 위해 모니터링이 요구된다.

■ 역동적 압력 경감 기구 Dynamic of Alternating pressure-relieving system

이 시스템은 신체의 한 부분에서 다른 부분으로 부과되는 압력이 자동적으로 이동된다. 변환 압력점의 한 사이클은 모세혈관 압력으로부터 이루어진다. 이 기구들은 적절한 수분과

전기적인 펌프로 보통 공기를 포함하는 기구 내에서 세포나 분자를 팽창 또는 압축시키는 역할을 한다. 이 기구는 움직이지 못하는 대상자나 악액질 또는 비만한 대상자에게 가장 적합하다. 몇몇 기구들은 아주 미세한 구멍으로 공기가 통과할 수 있도록 low air loss system을 가지고 있다. 더 정교하게 만들어진 시스템들은 동적 모드와 정적 모드를 함께 가지고 있다. 정적 모드는 대상자를 이동시켜야 하거나 어떤 처치가 필요할 때 이용할 수 있다(그림 21-3).

장점

- 높은 압력 감소 효과가 크다.
- 체위변경의 빈도를 줄일 수 있다.
- 전단력과 마찰력을 감소시킨다.
- 일부 기구들은 동적 모드에서 정적 모드로 전환 가능하다.
- 일부 기구들은 열을 막고 습기를 증발시킨다.

단점

- 가격이 비싸다.
- 날카로운 물체에 의해 손상을 입거나 구멍이 날 수 있다.
- 계속적으로 전기적인 에너지나 힘이 요구된다.

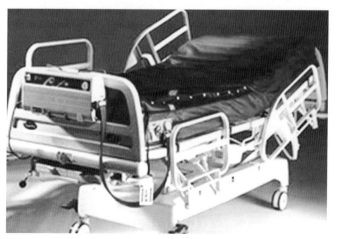

그림 21-4

• 규칙적인 움직임이 대상자에게 피곤함을 유발할 수도 있다.

■ 특수 침대 Specialty bed

이 침대는 기술적으로 대상자가 자세를 취하기 쉽고 압력을 최대한 줄일 수 있도록 고안된 것으로 대상자가 치료적인 체위를 취하도록 도우면서 운동효과를 가지고 있는 것도 있다 (그림 21-4).

장점

• 압력 감소 효과가 가장 뛰어나다.
• 편안함을 증가시킨다.
• 접촉면이 안전하며 이동시에는 편안함을 제공한다.

단점

• 가격이 비싸다.
• 계속적으로 전기가 공급되어야 한다.
• 날카로운 물체에 의해 손상을 입을 수 있다.
• 움직인다는 느낌이 피곤함을 유발할 수도 있다.

실 습 목 록

만성상처인 욕창은 압력, 응전력, 마찰이나, 습기등의 외적 요인 뿐만 아니라 영양결핍이나 나이, 조직관류장애등의 내적 요인의 영향을 받아 발생할 수 있으며 욕창관리에서 예방은 중요하다.

욕창 호발부위는 뼈가 돌출되어 있거나 체중이 부하되는 곳으로 특히 천골, 미골, 대전자, 좌골, 골반, 발꿈치, 팔꿈치, 척추, 무릎, 귀, 후두부 등이며 특히 부동대상자의 경우 지속적인 체중부하가 되는 곳을 사정하여 예방적인 간호를 제공한다.

욕창 치료지침은 다음과 같다

• 욕창부위에 직접적인 압박을 최소화한다. 최소 2시간마다 대상자의 체위를 변경한다. 체위변경 계획표를 작성하고, 차트에 체위변경에 대한 내용을 기록한다.
• 매일 드레싱 교환으로 욕창부위를 세척한다. 세척 방법은 욕창의 단계와 기관의 프로토콜에 따라 다르다.
• 욕창을 외과적 무균술을 적용하여 세척하고 드레싱한다. 알콜과 같은 소독약 사용은 혈관을 수축시켜 상처부위에 혈류를 감소시키기 때문에 피한다.
• 만일 욕창에 감염이 발생하였다면, 배액 표본을 채취하여 소독약제에 대한 감수성을 알아 본다.
• 압력을 감소시키기 위해 비록 조금이라 하더라도 움직이도록 대상자에게 교육한다.
• 대상자의 상태에 문제가 없다면 관절가동범위(ROM)운동을 제공한다.

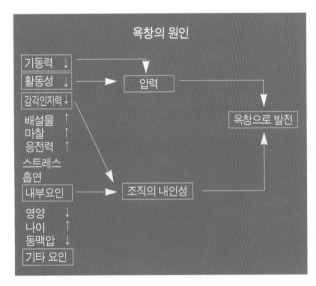

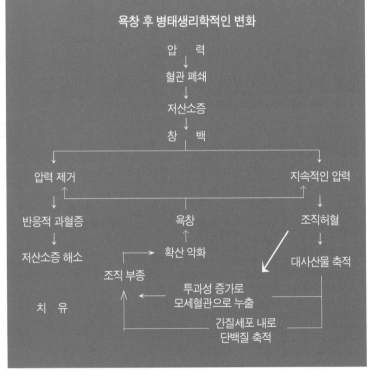

욕창의 단계

1단계

표피가 손상된 단계이다. 일반적으로 뼈 돌출부위에 회복되지 않는 홍반(non-blanchable redness)이 나타난다. 이 부위에는 통증이 있을 수 있으며, 단단하거나 부드럽고 주변조직에 비해 따뜻하거나 차갑게 느껴질 수 있다.

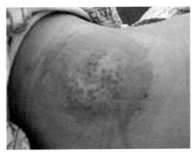

(출처: 고대안암병원 서희원 상처장루전문간호사, 2010)

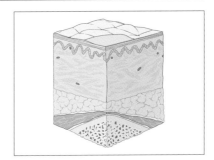

2단계

표피는 물론 진피가 부분적으로 손상된 단계이다. 붉은색을 띠는 얕은 궤양 또는 장액성 수포가 나타난다. 단, 이 부위에 멍이 있는 경우 2단계보다 심한 심부조직 손상을 의심해야 한다.

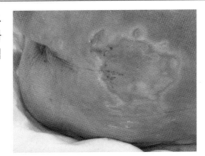

(출처: 고대안암병원 서희원 상처장루전문간호사, 2010)

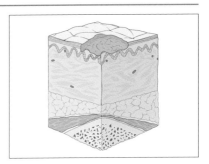

3단계

표피와 진피는 물론 피하조직까지 손상된 단계이다. 피하조직이 관찰되나 근육, 건, 뼈는 노출되지 않았고, 괴사조직 및 사강이 존재할 수 있다.

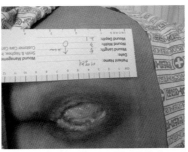

(출처: 고대안암병원 서희원 상처장루전문간호사, 2010)

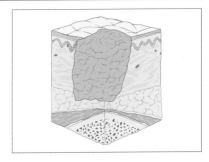

4단계

근막 이하의 조직이 손상된 단계이다. 근육이나 건, 뼈 등이 노출되며, 괴사조직 및 사강이 존재할 수 있다.

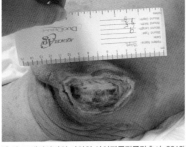

(출처: 고대안암병원 서희원 상처장루전문간호사, 2010)

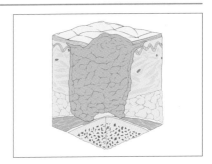

욕창의 단계(계속)

심부 조직손상 의심

피부의 일부분이 보라색이나 적갈색으로 변색되어 있거나, 혹은 혈액이 찬 수포가 나타난 상태이다. 주위조직에 비하여 단단하거나 물렁거리고 통증을 유발할 수 있으며, 따뜻하거나 차갑게 느껴질 수 있다. 증상이 심해지면 확실한 심부조직 손상으로 진행될 수 있다.

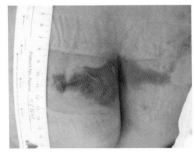
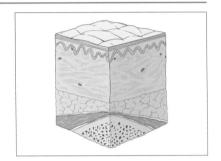

(출처: 고대안암병원 서희원 상처장루전문간호사, 2010)

미분류 욕창

전층 피부손상 상태이나, 상처기저부가 괴사조직으로 덮혀 있어 조직 손상의 깊이를 알 수 없으므로 단계를 분류할 수 없는 상태이다.

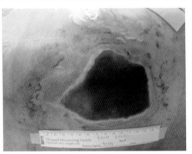
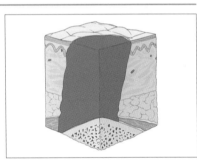

(출처: 고대안암병원 서희원 상처장루전문간호사, 2010)

욕창 간호의 단계와 근거

단계	근거
1. 적어도 하루에 한 번 피부를 사정한다.	• 피부 사정은 위험을 줄일 중재계획과 중재결과를 평가하는데 필요한 정보를 제공한다.
2. 온수와 순한 청결제로 피부를 닦는다.	• 뜨거운 용액과 비누는 피부를 건조하게 만들고 자극적이다.
3. 목욕 후 moisturizer를 뿌리고, 발적된 뼈 돌출부위는 마사지해서는 안된다.	• 피부건조를 예방하고 마사지는 조직손상의 원인이 된다.
4. 적당한 습도를 유지한다.	• 40% 미만의 저 습도는 피부를 건조시킨다.
5. 실금을 관리한다.	• 실금으로 인한 습기에 노출된 피부는 보다 더 상해우려가 높다.
6. 체위를 변경한다.	
a. 2시간마다 체위변경하기	• 한 부위에 지속적으로 가해진 압력은 피부 통합성 파괴의 원인이 된다.
b. 전자가 직접 닿는 측위보다는 30° 측위를 취한다.	• 전자에 직접 가해진 압력은 전자부위의 피부 통합성을 파괴한다.
c. 15분마다 체중을 다른 부위에 싣는다.	• 특히 대상자가 좌위로 있을 때, 조직 통합성 파괴 예방을 위해 짧은 간격으로 감압이 요구된다.
d. 필요하다면, 베게를 이용한다.	• 베게는 뼈 돌출부위간의 직접적인 마찰을 예방한다.
7. 변색, 얼룩진 부위를 촉진한다.	• 피부 온도변화는 검게 착색된 피부를 갖는 대상자들에게 욕창 1단계의 중요한 초기 징후이다.
8. 변색부위 지속시간을 모니터링한다. a. 적절한 변경 간격을 결정 b. 변색부위 모니터링	• 체위변경 간격이 2시간, 발적이 15분 동안 지속된다면, 저산소증 시간은 대략 30분이다. 권장되는 체위변경간격은 변경 간격-저산소증 시간이다: 2시간 - 30분 = 1시간 30분
9. 특별한 체위가 요구되는 상황을 제외하고 침대머리는 30° 미만으로 올린다.	• 머리거상 각도 제한은 조직 상해를 줄인다.
10. 공간을 지지하고 보호할 기구를 사용한다.	• 감압기구는 욕창 유병율과 중증도를 줄인다.
11. 관절범위 운동과 보행을 격려한다.	• 기동성과 활동성의 증진은 욕창 위험을 줄일 수 있다.
12. 대상자의 영양상태를 사정한다. 욕창과 관련된 대상자의 영양상태 사정에는 체중변화, 혈중 알부민 수치, 총 백혈구 수치가 포함된다. 임상적으로 혈중 알부민 수치가 3.5mg/dl 미만이고, 총 백혈구 수가 1800mm^3 미만, 체중 감량이 15% 이상은 영양실조를 의미한다. 적어도 3개월마다 사정해야 하며, 비타민과 미네랄 결핍징후를 구강과 피부에서 관찰해야 한다.	• 피부통합성 유지 및 욕창 예방을 위해 영양상태를 사정해야 한다. 영양실조는 욕창 형성의 위험 요인이다.
13. 욕창 위험 요인과 예방에 대해 대상자를 교육하고 지지한다.	• 효과적인 욕창 예방은 건강관리기관의 건강관리 전문가의 노력과 가정에서 가족과 대상자의 예방중재 수행에 달려 있다.

〈표 24-1〉 욕창 사정 도구(Braden Scale)

대상자 이름 _____ 평가자 이름 _____ 사정일자 _____

1점	2점	3점	4점
감각인지: 압력으로 인한 불편감에 반응할 수 있는 능력			
1. 완전 제한됨. 의식수준 상실과 진정작용에 의해 통증자극에 무반응(신음, 움찔함, 잡기행위 못함) 또는 신체표면 대부분에 통증 느끼지 못함	2. 매우 제한됨. 단지 통증자극에 반응. 신음, 안절부절하는 양상을 제외한 불편감, 의사소통 못함. 또는 신체 1/2 이상이 통증을 느끼지 못하는 감각인지 손상	3. 약간 제한됨. 언어에 제한적 반응 그러나 불편감이나 체위변경 표현 못함 또는 사지 한쪽 또는 두쪽에 통증, 불편감 느끼지 못하는 감각손상	4. 장애 없음. 언어에 반응. 감각, 통증에 대한 언어구사, 불편감 표현에 제한 없음
습기: 피부가 습기에 노출되는 정도			
1. 지속적으로 습함. 땀, 소변 등으로 항상 축축한피부. 돌리거나 움직일때 마다 축축함. 기저귀를 매일 착용 교환해 주어야 함	2. 습함. 피부가 매우 축축하나 항상 습하지는 않다. 린넨은 적어도 교대시간마다 교환 필요	3. 때때로 습함. 때때로 축축하며 하루에 한번 린넨 교환 필요	4. 거의 습하지 않음. 거의 피부는 습하지 않으며 건조하다. 린넨은 단지 정해진 간격으로 교환해도 됨
활동성: 신체 활동 정도			
1. 침상안정. 침상에 활동이 제한 계속적으로 침대에 누워 있어야 함	2. 의자에 앉을 수 있음. 보행능력에 제한 또는 보행할 수 없음. 체중을 견딜 수없고 의자나 휠체어 도움의 필요	3. 때때로 보행함. 근거리를 도움을 받거나 혼자서 하루 동안 걸을 수 있음	4. 정상. 하루에 적어도 2번 정도는 방을 나가며, 2시간 동안 보행 가능
기동성: 자세를 조절하고 변화시킬 수 있는 능력			
1. 전혀 없음. 도움 없이는 몸이나 사지를 전혀 움직이지 못함	2. 매우 제한됨. 신체를 미세하게 움직이지만 혼자서 체위변경 가끔은 몸이나 사지를 움직이나 자주 움직이지 못하고 의존적임	3. 약간 제한됨. 몸통, 사지를 혼자서 약간씩 자주 움직일 수 있음	4. 정상. 도움 없이 자주 그리고 크게 자세를 바꿈
영양: 일상적인 음식섭취 양상			
1. 불량 완전식품 먹지 못함. 거의 권장 식품의 1/3이상 먹지 못함. 하루에 단백질(고기와 유제품) 2번 미만 섭취. 음료 섭취 불량. 유동성 식품 섭취 못함. 또는 금식, 5시간 이상 동안 정맥 주입 중, 맑은 유동식 섭취	2. 부적절함 완전식품 거의 먹지 못함. 권장식품의 1/2 정도 섭취. 하루에 고기, 유제품 포함 하루 3번 섭취. 때때로 식이 보충제 섭취. 또는 위관영양 섭취, 유동식을 최대 권장량에 못 미치는 양 섭취	3. 적절함 완전식품 반 이상 섭취. 고기, 유제품 등 단백질 하루 4번 섭취. 때로 식사 거르지만 권장 식이 보충제 복용 또는 위관영양, 필수영양소 대부분을 TPN으로 섭취	4. 양호 대부분 완전식품 섭취. 결코 식사 거르지 않음. 보통 단백질 하루 4번 이상 섭취. 때때로 간식 먹음. 식이 보충제 필요하지 않음
마찰과 전단력			
1. 문제 있음 움직이는데 중정도 이상 최대의 도움 요구. 시트에 항상 마찰. 자주 침대나 의자에서 미끄러짐. 타인의 도움으로 체위변경 자주해야 함. 강직, 경축으로 항상 마찰	2. 잠재적 문제 있음 최소의 도움으로 움직일 수 있음. 움직이는 동안 피부는 시트, 의자, 억제대, 다른 기구에 미끄러지듯 마찰됨. 대부분 의자 침대에서 좋은 자세 유지하지만 가끔 미끄러짐	3. 문제 없음 침대, 의자에서 혼자서 움직이며, 움직이는 동안 근력 유지됨. 침대, 의자에서 항상 좋은 자세 취함	

※ 6개의 하부영역 각각을 점수를 낸다. 최대점수는 23점이며 이는 욕창형성의 위험이 없음을 나타낸다.
　16점 이하의 점수는 욕창 형성의 위험이 있음을 나타낸다.

욕창 형성 위험 사정

평가일자 _____ 평가자 이름 _____

No	수 행 항 목	수행	미수행	비고
1	손을 씻는다.			
2	필요한 물품을 준비한다.			
3	준비한 물품을 가지고 대상자에게 가서 간호사 자신을 소개한다.			
4	대상자의 이름을 개방형으로 질문하여 대상자를 확인하고, 입원 팔찌와 환자 기록지의 이름, 등록번호를 대조하여 재확인한다.			
5	대상자에게 목적과 절차를 설명한다.			
6	욕창 형성과 관련된 일반적 위험 요인을 확인한다.			
7	압박 부위의 피부를 사정한다.			
8	대상자에 따른 잠재적인 압박 부위를 사정한다.			
9	Norton 또는 Braden 측정도구에 따른 욕창위험 점수를 산정한다.			
10	색이 변하거나 반점이 생긴 대상자의 피부를 촉진한다.			
12	대상자의 영양과 관련된 자료를 사정한다.			
13	대상자나 가족의 욕창에 대한 위험 요인에 대한 이해정도를 사정한다.			
14	체위 변환에 대한 대상자의 내구력을 사정한다.			
15	욕창 위험 요인 사정과 예방적 조치에 대한 것을 기록한다.			

CHAPTER 22

상처 간호

피부는 신체내 가장 큰 기관으로 크게 표피, 진피, 피하층으로 나눌 수 있으며, 신체를 외부 환경으로부터 보호한다. 상처는 재생이나 반흔 조직 형성과정을 통해 치유되며 상처치유과정은 크게 염증기, 증식기, 성숙기로 나눌 수 있다.

상처를 분류하는 방법은 그 기준에 따라 여러 가지 방법이 있으며 크게 급성상처와 만성상처로 나뉜다. 급성상처에는 수술, 외상, 화상에 의한 상처가 포함되며, 만성상처의 대표적인 예는 욕창, 당뇨발 등을 들 수 있다.

상처의 사정은 드레싱 방법을 선택하고 치유과정을 사정하기 위한 방법으로 상처의 종류, 크기, 조직손상단계, 기저부의 색깔, 상처가장자리의 개방성 유무, 삼출액의 양상, 상처주위의 피부상태 통증 및 감염 여부를 포함한다.

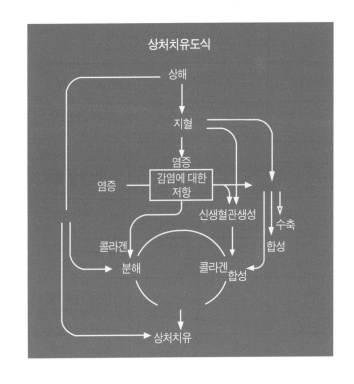

상처 치유 과정

- **방어기**

  피부 통합성이 손상될 때 시작되며 4~6일 걸린다.

  - 지혈 - 혈관수축, 혈소판의 응집으로 출혈은 멈춘다. 응괴는 섬유소를 형성한다. 가피형성은 감염 유기체 침입을 예방한다.
  - 항염증반응 - 상처에 혈류증가, 세포질에 혈관투과성 증가는 홍반과 부종을 국소화한다.
  - 백혈구 상처에 침윤
    - 중성호성 백혈구는 박테리아와 파편을 탐식하고 나서 며칠 내로 죽는다. 남겨진 효소삼출액은 박테리아를 공격하거나 조직치유를 방해한다.
    - 단핵구는 거대세포가 된다.
    - 거대세포는 탐식작용에 의해 파편을 제거하고 아미노산과 당을 재생함으로써 상처치유를 돕는다.
  - 상피세포는 상처경계에서 응괴와 가피 기저면으로 대략 48시간동안 움직인다.

- **증식기**

  손상된 부위를 채워주는 세포의 기질을 생산하고 상처기저부를 다시 덮는 과정으로 신생혈관생성, 육아조직형성, 수축, 상피화 과정이 이루어진다. 신생혈관은 결합조직과 콜라겐 합성을 위해 필요한 산소, 영양소를 제공, 교원질 섬유가 손상되기 위운 약한 혈관을 지지한다.

  조직 재건은 방어단계 3~4일째에 이루어지며, 2~3주 동안 지속된다.

  - 섬유아세포 - Vit B와 C를 돕는 기능을 한다. 산소와 아미노산은 교원질을 합성한다. 주기능은 교원질 생성으로 육아조직형성에 가장 중요한 세포이다.
  - 교원질 - 상처조직의 힘과 상처의 구조적 통합성을 제공한다.
  - 상피세포 - 손상된 세포를 복제하기 위해 분화한다(장내 점막세포는 원주상피세포형상을 띠게 된다. 증식기에는 만들어진 육아조직이 교원질의 분해와 새로운 교원질의 합성을 반복하면서 강화된다.).

- **성숙기**

  이러한 최종 치유단계는 교원질 상처가 강화되기까지 1년 이상이 걸린다.

상처 치유 지연, 감염 위험을 증가시키는 요인

요인	위험 증가 원인
고령	노령에 따른 신체적 변화는 면역 체계를 변화시키고 이는 병원체에 대한 저항 감소, 피하조직 손실의 원인이 된다.
비만	지방 피하 조직은 혈액투과성을 감소시킨다. 지방 조직은 상처에 긴장을 준다.
당뇨	당뇨에 수반되는 혈관변화는 말초조직에 혈류를 감소시킨다. 고혈당은 백혈구의 기능장애 원인이 된다.
손상된 순환	상처에 부적당한 영양소, 혈구, 산소를 공급하는 원인이 된다.
영양실조	만성질환 또는 알코올 중독은 종종 영양실조의 원인이 되며, 이는 항염증반응, 신생조직형성을 저해한다.
면역억제 치료	항염증반응과 교원질 합성을 줄인다.
항암치료	백혈구 생성과 면역반응을 방해한다.
스테로이드	항염증반응, 조직 생성률과 신생 모세혈관 성장을 느리게 한다.
방사선	상처 부위 방사선은 조직 혈류 공급을 줄인다.
과다한 스트레스	코티졸 수치 증가는 림프구 수 감소, 교감신경 흥분에 위한 카테콜라민 분비로 혈관 수축과 혈류 공급을 줄인다.

상처 유형에 따른 분류

유형과 종류	원인	고려사항
피부 통합성 상태		
피부와 점막이 손상된 개방성 상처	날카로운 물건에 의한 상처 (수술 절개, 정맥천자, 총상)	상처로 인한 미생물 침입에 따른 피부손상 상처에 혈류 체액 손실 신체 기능 손실
피부통합성이 손상되지 않은 폐쇄성 상처	둔탁한 물건에 의한 상처 신체를 삐게 하거나 꼬이게하는 조치 (뼈 골절, 내장기관 손상)	내출혈 가능성 다친 부위의 신체기능 손실
원인에 따른 분류		
치료를 위한 의도적 상해	수술 절개 신체에 바늘 삽입	보통 감염가능성 최소화하는 무균법 수행 상처 경계가 원만하고 청결함
예기하지 못한 비의도적 상해	외상 상처(창상, 화상, 욕창)	무균적이지 않은 상황에서 발생하며, 상처 경계는 원만하지 않음
상처의 중증도에 따른 분류		
진피층만 관련된 표재성 상처	피부표면의 마찰 결과 (찰과상, 1도 화상)	감염가능성 조직, 기관상처 없음 손상되지 않은 부위에 혈류 공급
진피층 심부조직, 기관을 꿰뚫는 상처	이물질이나 기구가 의도하지 않게 심부조직에 들어감	이물질 오염으로 감염가능성 내, 외출혈 원인 기관손상으로 일시적 또는 영구 기능손실
내부장기에 이물질이 있는 천공된 꿰뚫는 상처	꿰뚫는 상처와 같음	감염가능성 손상은 관통된 조직 기관에 따라 다름 폐 - compromised oxygenation 대혈관 - 출혈, 장 - 대변에 의한 복강오염
청결 정도에 따른 분류		
병원체가 없는 청결상처	위장기관, 호흡기관, 구강인두강을 수술하지 않은 외과적 상처	감염위험성 낮음
청결 -오염상처: 무균상태이지만 정상적으로 상주하는 미생물들이 신체강내에 침입	위장 또는 호흡기계 또는 구강인구강을 수술 하는 외과적 상처	청결상처보다 감염 위험높음
오염 상처: 미생물 출현 가능성이 있는 상처	개방성, 외상성 상처 무균이 지켜지지 않은 외과적 상처	건강하지 않은 조직과 염증 나타남 감염위험성 높음
상처부위 박테리아로 감염된 상처	적절하게 치유되지 않거나 유기체가 자라는 상처, 오래된 외상성 상처 감염된 부위의 수술절개(장 파열)	상처에 감염징후 나타남 (염증, 화농성 배액, 피부 분리)
미생물을 포함한 상처	만성상처(혈관상처, 욕창, 울혈)	상처치유 느림 감염 위험성 높음
상처 기전에 따른 분류		
열상: 불규칙하게 상처난 조직 파열	중한 외상성 상처 (창상, 기계로 인한 산업재해, 깨진 유리에 의한 조직 파열)	오염된 물건에 의한 상처 깊은 상처는 합병증 수반
찰과상: 마찰에 의한 피부 표면이 긁힌 표재성 상처	낙상(벗겨진 무릎, 팔꿈치) 상처조직 제거하는 피부과적 시술	표재성 신경 노출로 통증 심부조직 관련 없음 오염물질 노출로 감염가능성
타박상: 둔탁한 물건에 의한 폐쇄성 상처, 부종, 변색, 통증증상 나타남	신체에 둔탁한 힘에 의한 조직내 출혈	내부장기가 상처범위에 관련 될수록 중상 일시적인 신체기관 기능손실 원인이 됨 조직내 국소화된 출혈은 혈종형성

상처 치유의 최적 조건

- 적절한 습도
- 침윤, 독성물질로부터의 보호
- 감염이 없음

- 적정온도: 37도
- 괴사된 부육 조직 제거
- 드레싱 교환 시 손상방지

드레싱 방법과 드레싱 제품을 선택시 고려할 사항은 상처의 형태, 감염여부, 상처의 위치, 삼출액 정도, 괴사조직의 제거와 간호시간, 대상자의 안위정도 및 비용이 포함된다.

상처 관리의 원칙

관리순서
- 발생요인 파악하여 제거한다.
- 상처치유를 위한 전신상태를 향상시킨다.
- 적합한 국소요법을 한다.

국소상처의 원리
- 방해 요인을 없앤다.
- 괴사조직을 제거한다.
- 감염을 발견하고 치료한다.

- 지나친 삼출물을 흡수한다.
- Dead Space를 채운다.
- 치유될 때까지 상처 가장자리의 개방성을 유지한다.
- 감염이나 외상으로부터 상처를 보호한다.

적합한 환경을 유지한다.
- 상처표면과 상처기저부를 습윤하게 유지한다.
- 외부의 온도변화와 충격으로부터 보호한다.

감염된 상처의 관리

상처배양
가) 적응: 감염의 증상과 징후가 있는 경우
　　　　 상처치유에 진전이 없는 경우
　　　　 뚜렷한 이유없이 상처에 많은 양의 삼출물이 있는 경우

나) 배양방법
순서: 생리식염수로 세척 상처 가장자리를 마사지
　　　 - 상처 배액을 배양

항생제 치료: 전신적, 국소적 항생제

1. 상처 배양

상처에서 불결하고 곪은 냄새, 상처주변의 염증 징후, 배액이 없던 상처에서 배액이 되기 시작, 열감 등이 나타나면 배양을 고려한다.

- **준비물품**
  상처 배양 Bottle, 생리식염수, 장갑, 30cc 주사기, 드레싱 세트, 18G 주사바늘

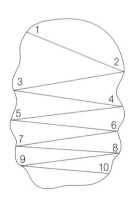

단계 7. 상처 배양 부위

상처 배양의 단계와 근거

단계	근거

단계

1. 필요한 물품을 준비한다.

2. 30cc 주사기에 18Gage 주사 바늘을 꼽아 생리식염수를 준비한다.

3. 대상자의 환부를 노출시킨다.

4. 준비한 주사기의 생리식염수를 이용하여 상처 기저부를 세척한다.
   상처기저부 조직의 감염여부를 기 위해 삼출물을 항균성분이 없는
   세척액으로 세척한다.

5. 기저부에 남은 세척액을 마른 멸균거즈로 닦아 낸다.

6. 상처가장자리를 마사지 한다.

7. 배양병에서 배양 막대기를 뽑아 'Z' 기법을 이용하여 상처의 끝에서 끝으로
   이동하면서 상처부위를 배양한다.

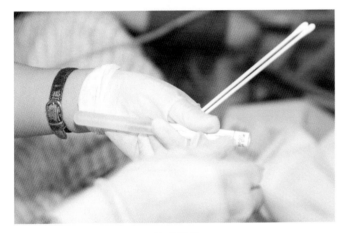

단계 7(1)

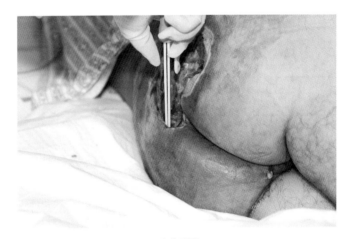

단계 7(2)

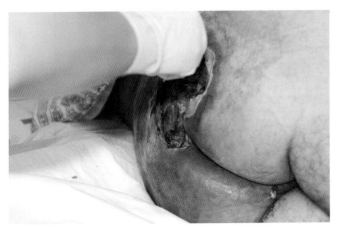

단계 7(3)

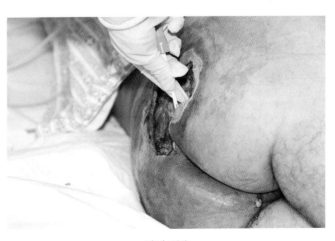

단계 7(4)

단계	근거
8. 배양병에 배양막대기를 넣는다.	
9. 배양병에 대상자 이름을 적고 검사실에 보낸다.	
10. 기록지에 적는다.	

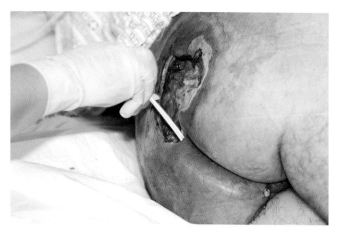

단계 7(5)

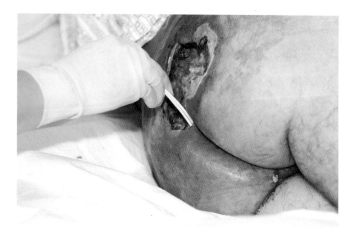

단계 7(6)

단계 8

드레싱의 부합 조건

- 생리학적 환경유지
- 가스교환 가능
- 세균 감염 방지
- 삼출물 제거가 용이

- 육아조직과 상피화된 조직의 손상 없이 드레싱 제거 가능
- 상처안으로 독성물질 침입방지
- 체온과 가까운 온도 유지

2. 상처 드레싱

- **목적**
  - 상처를 깨끗하게 하고 병원균의 침입을 막아준다.
  - 상처의 혈액, 분비물, 배액을 흡수시킨다.
  - 압박을 가하며 부종과 출혈을 막아준다.
  - 약제의 적용을 도와준다.
  - 상처조직에 습기와 보온을 제공하여 괴사조직을 제거한다.
  - 물리적. 화학적 손상으로부터 상처부위를 보호한다.
  - 보기 흉한 부위를 가려주어 안위를 도모한다.

- **준비물품**
  - 멸균 드레싱 set(섭자, bowl, 소독솜)
  - 멸균 gauze
  - 외과용 패드
  - 각 목적에 맞는 드레싱 제품
  - 소독액, 생리식염수
  - 30cc 주사기, 18G 바늘
  - 수술용 칼과 홀더
  - 일회용 장갑, 멸균 장갑
  - 마스크
  - 반창고, 멸균 가위, 면봉, 설압자
  - 멸균포, 방수포
  - 곡반 또는 드레싱 폐기용 방수백

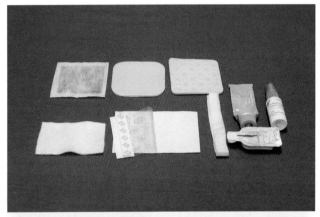

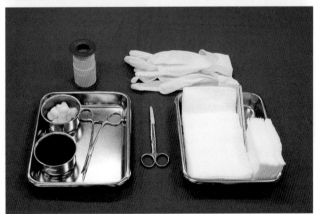

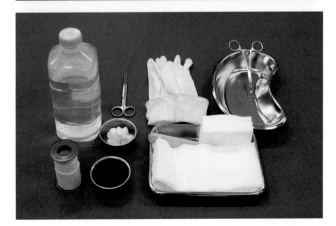

상처 드레싱의 단계와 근거

단계	근거
1. 치료받을 상처의 위치와 크기를 사정한다.	
2. 드레싱할 부위가 잘 노출될 수 있도록 적절한 체위를 취한다.	
3. 드레싱을 버릴 방수백 입구를 소매처럼 접어서 닿기 쉬운 곳에 둔다.	
4. 손을 씻는다.	
5. 상처주변의 피부를 깨끗이 한다.	
6. 괴사조직이 있는 경우 세균 성장의 배지가 되고 상처 치유를 방해하므로 제거가 원칙이다.	
7. 세척액으로 피부를 잘 닦는다. 깨끗한 상처는 환부의 안에서 밖으로 원을 그리고 닦고, 더러운 상처는 환부의 밖에서 안으로 닦되, 한번 사용한 소독솜은 버리고 이 과정을 3회 반복한다.	
8. 상처주위의 피부를 마른 거즈로 가볍게 두드려서 말린다.	

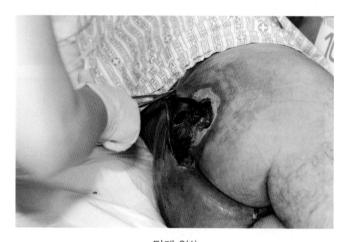

단계 6(1)

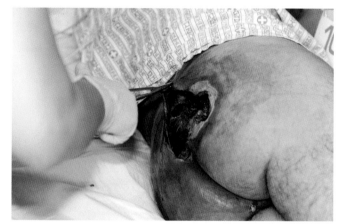

단계 6(2)

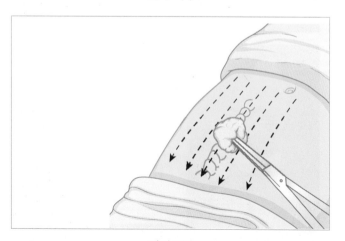

단계 7(1)

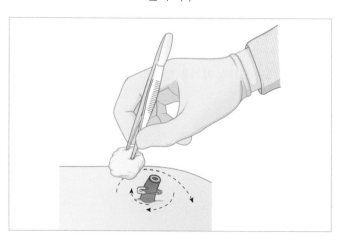

단계 7(2)

상처 드레싱의 단계와 근거(계속)

---

a. Dry-to-Dry Dressing: 상처를 보호한다. 드레싱 제거 시 거즈에 흡착된 괴사조직, 삼출물이 제거된다.

드레싱 제품의 종류

① 거즈 드레싱(gauze dressing)

거즈를 그냥 사용할 수도 있으며 소독제나 식염수에 묻혀 습윤한 상태로 사용할 수도 있다. 쉽게 구할 수 있기 때문에 현재도 많이 사용되고 있으나, 상처에 달라 붙어 제거 시 손상을 입힐 수도 있으며 섬유가 남아 'foreign body' 반응을 일으키고 저온효과를 나타내고 자주 교환해야해 비효율적이므로 사용을 최소화해야 한다.

② 투명필름 드레싱(Transparent polyurethane film dressing)

습윤 치유환경 조성을 위해 가장 처음 소개된 드레싱 재료이다. 폴리우레탄 성분 반투과성 막으로 상처기저부와 외부 환경 간의 산소와 수증기의 교환은 가능하지만 방수성이어서 외부로부터의 세균 침입을 방어할 수 있다. 상품에 따라 정도의 차이는 있으나 매우 얇고 투명하며 탄력성이 있다. 이러한 특성은 드레싱 적용 후 간편함과 편리함을 주며 상처 관찰을 용이하게 한다. 상처의 외적 손상을 막아 주고 상처에 딱지가 앉거나 건조 가피가 생기는 것을 예방하여 습윤 치유환경을 조성해 줄 수 있다. 투명필름 드레싱은 마찰이 있는 부분의 욕창 예방과 정맥주사 삽입부위 드레싱에 주로 많이 사용된다. 또한 1도화상, 1단계 욕창, 수포, 레이저 치료를 받은 상처, 찰과상에 주로 쓰인다. 흡수력이 없으므로 삼출물이 많은 상처에는 적용하지 않는다.

제품명(회사명)
ⓐ OpSite Flexigrid, OpSite Flexifix (Smith & Nephew)
ⓑ Tegaderm (3M)

③ 하이드로콜로이드 드레싱(Hydrocolloid dressing)

팩틴(pectin), 젤라틴(gelatin), 카르복시 메틸셀루로스(carboxymethyl-cellulose)가 주성분으로 상처의 삼출물과 만나면 젤을 만든다. 초기 하이드로콜로이드는 완전폐쇄 드레싱제품 이였지만 현재 대부분의 제품은 반투과성 필름 층으로 되어있다. 삼출물이나 수분과 접촉하면 반고형성 젤로 변화하며 드레싱 교환시 새로 형성된 육아조직에 손상을 주지 않고 제거할 수 있다. 그러나 이러한 젤이 누런 고름과 같이 보일 수도 있고 냄새가 좋지 않은 단점이 있다. 삼출물이 중정도이고 상처가 넓고 편평한 경우의 2단계 욕창 등에 적용할 수 있고 얇은 하이드로콜로이드 드레싱은 마찰 부위의 욕창 예방을 위해서도 이용할 수 있다.

제품명(회사명)
ⓐ Comfeel plus ulcer , Comfeel transparent (Coloplast)
ⓑ Duoderm CGF, Duoderm extra thin, Duoderm paste (Convatec)
ⓒ Tegasorb (3M)

④ 하이드로젤 드레싱(Hydrogel dressing)

펙틴, 카르복시 메틸셀루로스, 프로필렌 글리콜(propylene glycol)과 물이 주성분인데 상품에 따라 물이 94%를 차지하는 것부터 글리세린이 96%를 차지하는 것까지 매우 다양하다. 젤 드레싱은 무정형이므로 튜브에 들어있는 것이 많으나 웨이퍼 형태로 개발된 것도 있다. 무정형의 젤 드레싱은 상처를 가습하며 특히 괴사 조직에 습기를 제공하여 자가 분해를 도모한다. 건조한 상처에 가습을 제공하는 역할을 하므로 삼출물이 많은 상처에는 적합하지 않다.

제품명(회사명)
ⓐ Intrasite gel(Smith & Nephew)
ⓑ Duoderm hydroactive gel(Convatec)
ⓒ Purilon gel(Coloplast)

⑤ 폼 드레싱(Foam dressing)

접착성 또는 비접착성 표면을 가지고 있으며 중정도 이상의 삼출물이 있는 상처에 적용하는 것이 좋다. 상처와 닿지 않는 부분은 방수상태인 것이 많으므로 외부로부터의 상처오염을 예방할 수 있으며 비접착성 표면인 경우는 테잎이나 투명필름 드레싱 등의 이차드레싱으로 고정해야한다. 삼출물이 없는 건조한 상처에는 적용하지 않는다. 그러나 충분하지는 않지만 압력을 감소시키기 위해서는 건조한 상처에도 사용할 수 있다.

제품명(회사명)
ⓐ Allevyn standard, Allevyn adhesive, Allevyn heel(Smith & Nephew)
ⓑ Medifoam(먼디파마)
ⓒ Mepilex, Mepilex border, Mepilex lite(Mölycke/C&C medical)
ⓓ Polymen(Ferris/신신제약)

⑥ 알지네이트 드레싱(Alginate dressing)

자기 분자량의 15~20배 용량의 삼출물을 흡수할 수 있으며 지혈 효과가 있다. 세포의 재생을 촉진하는 습윤 상처 치유 환경을 형성하며 드레싱 교환 시 발생할 수 있는 대상자들의 불편감을 최소화하고 상피세포와 육아조직의 손상을 막아준다. 동공이나 주변 조직의 잠식이 있는 경우 팩킹 드레싱으로 이용하기 편리하다. 드레싱 교환 시 드레싱 잔여물이 상처에 남을 수 있으므로 세척이 필요하다. 고정을 위해 이차 드레싱을 필요로 한다.

제품명(회사명)

ⓐ Kaltostat(Convatec)

ⓑ Seasorb(Coloplast)

ⓒ Algisite M(Smith & Nephew)

⑦ 하이드로화이버 드레싱(Hydrofiber dressing)

흡수능력이 뛰어나 거즈의 5배, 알지네이트의 2배인 1g 당 30g의 수분을 흡수할 수 있어 삼출물이 많은 상처에 적용할 수 있고, 깊이가 있는 상처에 팩킹할 수 있으며, 고정을 위해 이차 드레싱이 필요하다.

제품명(회사명)

ⓐ Aquacel (Convatec)

⑧ 컴퍼지트 드레싱(Composite dressing)

폼, 하이드로 화이버, 하이드로콜로이드의 별개의 구성요소들이 물리적으로 한 가지 드레싱 속으로 혼합돼 다양한 작용을 나타낸다. 중정도의 삼출물을 흡수할 수 있으며 깊이가 있는 상처에는 먼저 필러 드레싱으로 채운 다음 이차 드레싱으로 사용할 수 있다.

제품명(회사명)

ⓐ Versiva (Convatec)

⑨ 항균 드레싱(Antimicrobial dressing)

은이나 요오드(iodine)를 포함한 제품으로 감염된 상처를 관리하는데 도움을 준다. 은이 포함된 제품은 은이온 (Ag+)이 상처로 직접 유출되어 균의 수를 감소시키고 냄새 제거의 효과가 있으며, 요오드가 포함된 제품은 0.9% 요오드가 상처 안으로 유출되어 감염을 조절해준다. 필러나 커버 드레싱으로 적용할 수 있다.

제품명(회사명)

ⓐ Aquacel Ag (Convatec)

ⓑ Actisorb plus (J & J)

ⓒ Acticoat, Acticoat absorbent (Smith & Nephew)

ⓓ Iodosorb (Smith & Nephew)

상처 드레싱의 단계와 근거(계속)

단계	근거

a. Dry-to-Dry Dressing: 상처를 보호한다. 드레싱 제거 시 거즈에
   흡착된 괴사조직, 삼출물이 제거된다.

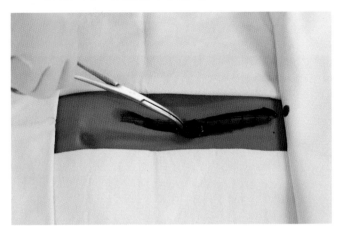

단계 9a(1)

단계 9a(2)

b. Wet-to-Dry Dressing: 용액으로 괴사조직을 부드럽게 한후 거즈가
   마르면서 괴사조직이 거즈에 흡착되어 드레싱 제거 시 상처의 괴
   사조직이 제거된다.

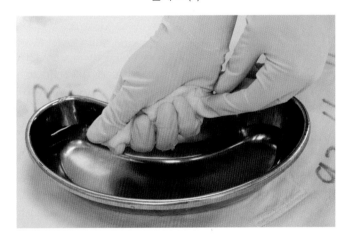

단계 9b(1)

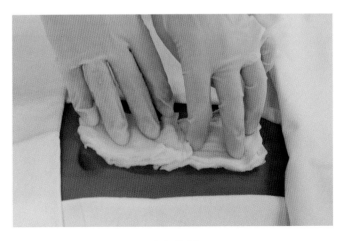

단계 9b(2)

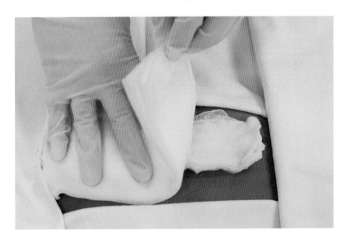

단계 9b(3)

상처 드레싱의 단계와 근거(계속)

단계	근거

c. Wet-to-Wet Dressing : 괴사조직이나 배액량이 많지 않고 육아조직으로 치유되어가는 상처에 적절하다. 상처표면이 계속 젖어 있으므로 육아조직의 손상을 줄이며 드레싱 제거 시 상처의 괴사조직이 떨어져 나간다.

d. 투명드레싱 : 산소와 수증기를 통과하고 물과 세균침입을 차단한다. 외상과 감염인자로부터 상처를 보호한다. 상처표면이 호흡할 수 있는 일시적 피부로 작용한다.

※ 삼출물이 있는 상처에는 부적합하다.

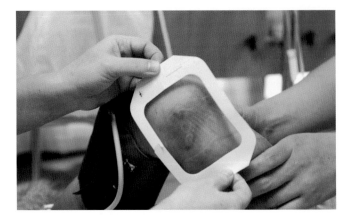

단계 9d

e. 하이드로 콜로이드와 하이드로젤 드레싱 : 중정도로 깊은 상처를 치유하기 위해 상처에 습한 환경을 유지한다. 괴사된 상처의 자가분해성 조직을 제거한다. 쿠션효과를 제공하여 뼈돌출부위 아래의 피부와 상처를 보호한다. 방사선으로부터 피부를 보호하는데 사용한다. 국소투약에 대한 매개체로서 이용한다. 무정형 젤은 상처표면위에 약 0.5~1cm 두께로 적용하거나 상처위에 하이드로젤 sheet를 놓는다. 거즈, 하이드로콜로이드, 폼등과 같은 2차 드레싱으로 덮는다.

※ 감염된 상처에는 사용이 부적합하다.

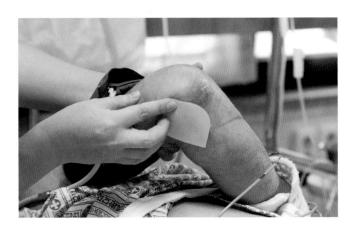

단계 9e

f. 폼드레싱 : 많은 양의 분비물 상처에 상처흡수제로서 사용한다. 습기와 독립된 환경을 제공해주므로 상처표면을 보호한다. 상처를 잘 수화시켜 대상자에게 적은 불편감으로 빠르게 상처를 치유한다.

단계 9f

상처 드레싱의 단계와 근거(계속)

단계	근거
g. 칼슘 알지네이트 드레싱: 많은 양의 상처삼출물을 흡수한다. 상처의 냄새를 조절하며 지혈하고 통증을 완화한다. 상처의 팩킹에 이용된다. 거즈, 하이드로콜로이드, 폼등과 같은 2차 드레싱으로 덮는다.	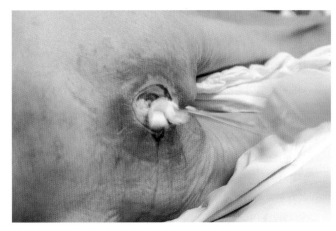 단계 9g

3. 상처 세척

- **목적**
  - 상처 세척의 목적은 상처 기저부의 치유를 저해하는 괴사조직과 이물질 및 화농성 삼출액을 제거하여 상처치유를 촉진하기 위해서다.
  - 이때 세척액은 섬유아세포에 해를 주지 않는 생리식염수가 가장 이상적이다.
  - 괴사성 상처 세척시에는 세게 압력을 가한다. 세척액의 양은 상처의 크기에 따라 다르다. 세척장치의 압력은 8~15psi로 유지해야 한다. 혈관, 근육, 건, 뼈가 외부로 드러났을 때는 센 압력으로 상처 세척을 해서는 안 된다. 이식부위에는 세척법을 적용하지 말아야 하며, 항응고 치료를 받고 있는 대상자에게는 사용 시 주의를 기울여야 한다.
  - 출혈이나 혈액 장액성 배액이 발견되면 다음 상처 세척 시 더 약한 압력으로 씻어낼 것을 계획하고 담당의사와 병동 관리자에게 출혈 사실을 알린다.
  - 배액이 있고, 괴사조직이 발견되는 경우에는 세척용액의 양을 늘리거나, 세척압력을 높이거나 세척이 끝난 다음 드레싱을 하기전에 세척액과 괴사조직이 깨끗하게 제거되었는지 확인한다.

- **준비물품**
  - 멸균 세척세트(멸균용기, 세척기, 곡반), 세척액
  - 멸균장갑, 깨끗한 일회용 장갑
  - 멸균드레싱 세트
  - 멸균거즈
  - 방수백, 방수포
  - 주사기, 멸균카테터
  - 외과용패드, 가운, 보안경

상처 세척의 단계와 근거

단계	근거
1. 손을 씻고 필요한 물품을 준비하여 대상자의 침상곁에 둔다.	
2. 대상자의 상처 부위에 세척액을 흘려보낼 수 있는 체위를 취해준 후 세척 부위를 노출하고 방수포를 깔아준다.	• 오염이 적게 된 부위에서 많이 된 부위로 중력을 이용하여 세척액을 흘려보낸다.
3. 세척할 부위의 드레싱을 제거하여 적절하게 버린 후 부위를 닦아내고 분비물을 제거한다.	
4. 세척기의 끝을 상처에서 2.5cm 정도 위에 유지시키고 멸균카테터 이용시 상처안으로 삽입하여 상처를 적당한 속도로 부드럽게 상처가 깨끗해질 때까지 세척한다. 깨끗한 상처는 육아조직과 상피세포의 손상을 최소화 하기 위해 주사기의 바늘을 빼고 낮은 압력으로 부드럽게 세척한다. 오염되었거나 괴사조직이 있는 상처는 18G 바늘을 꽂은 30cc 주사기에 세척액을 넣어 8~15mmHg 정도의 압력으로 조직의 손상을 최소화하면서 상처표면의 괴사조직과 세균을 제거하도록 돕는다.	

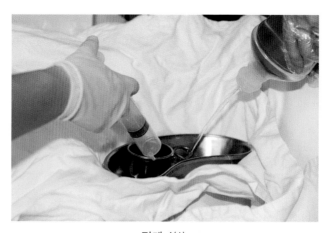

단계 4(1)

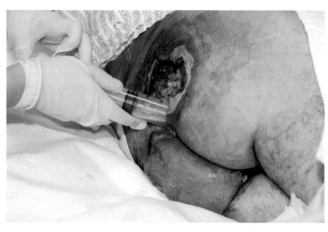

단계 4(2)

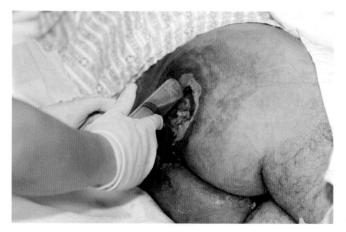

단계 4(3)

상처세척의 단계와 근거(계속)

단계	근거
5. 마른 거즈로 상처부위의 용액을 건조시킨다.	
6. 더러워진 물품은 병원의 방침에 따라 처리한다.	
7. 세척한 상처 조직의 양상, 배액의 양상, 세척 결과, 드레싱 교환, 대상자의 반응을 기록한다.	

상처 세척제

- Normal saline: 세척과 수분공급을 하는 생리용액 삼출물이나 괴사조직이 있는 경우 사용
- Povidone Iodine(Betadine): 손상받지 않은 상처, 깨끗한 상처에 사용할 때 광범위한 소독효과를 냄. 상처에 1~10% 사용, 아세포(fibroblast)에 독성, iodine에 과민반응
- Alcohol: 단시간에 뛰어난 소독력, 그람양성/음성균에 효과를 냄. 개방창상에 사용금지, 피부건조 및 자극

- Hydrogen-peroxide: 발생기 산소를 생성하여 효과를 냄. 오염되었거나 괴사된 조직의 세척과 조직제거에 사용, 그람양성/음성균에 효과를 냄.
  공동(cavity)과 누(sinus tract)에 사용금지, 아세포에 독성, 고농도를 구강에 사용할 때 점막 자극
- Acetic acid: 녹농균(Psuedomonas aeruginosa)에 효과, 아세포(fibroblast)에 독성

욕창 단계에 따른 드레싱의 적용 및 결과

단계	상태	드레싱	comment	기대결과	고려사항
I	정상	none film, adherent hydrocolloid	시각적 사정가능 상처나는 것으로부터 보호 시각적 사정불가능	진피 손상없이 7-14일 걸림	수분공급 영양공급 감압 매트리스나 쿠션사용
II	청결	composite film hydrocolloid hydrogel sheet	폐쇄성 seal 일 경우 7일마다 교환. 흡수성으로 거즈나 adherent film으로 이차 드레싱 해야 함	상피세포 재생과 상피세포 성장 으로 치유	이전 단계 참고 실금 관리

III	청결	hydrocolloid
		hydrogel foam
		exudate absorbers
		  calcium alginate
		  wound pastes
		gauze, fluffy
		growth factors
			2단계 참고
			1/4 inch 두께로 거즈나
			hydrocolloid로 덮기
			2차 드레싱 통해 변형되면 교환
			거즈나 hydrocolloid로 덮기
			생리식염수 사용
			거즈 사용
				육아조직형성과 상피세포 재생
				으로 치유
					이전 단계 참고
					전기자극
					감압 요구 사정

IV	청결	hydrogel
		hydrocolloid plus
		  hydrocolloid
		  paste/beads
		calcium alginate
		gauze
		growth factor
			청결 3단계 참고
			청결 3단계 참고
			상처 부위 치유하는 데 중요
			청결 3단계 참고
			손상된 궤양 깊게 팩킹
			거즈 사용
				육아조직 형성과 상피세포 재생
				으로 치유
				구축으로 표면이 속보다 빨리
				봉합되고 사강을 형성
					봉합을 위한 외과적 시술 상담
					1,2,3 청결 단계 참고

V	eschar	adherent film hydrocolloid gauze 그리고 처방된 용액 none	eschar 연화 기능 eschar 연화 기능 배액 흡수하며 Dakin's 사용하면 악취 제거 드물다, eschar 건조하고 정상이면 어떤 드레싱도 하지 않는다. eschar는 생리적 덮개역할을 함.	eschar는 치유가 진행되면서 경계선이 들림	이전 단계 참고 피부박리 위한 외과적 시술 거즈드레싱으로 덮힌 효소가 욕창 debride하기 위해 사용될 수 있음.

4. 상처 배액 간호

▪ 상처 배액 제품의 종류

상처 배액은 염증반응의 결과로 상처의 삼출액이 나오게 하는 것으로, 삼출액은 혈관에서 빠져 나온 세포들과 체액으로 이루어져 있으며 조직의 안이나 바깥쪽에 축적된다. 이러한 삼출액을 상처 배액(Wound drainage)이라고 하며, 상처 배액관의 종류는 헤모백, J-P 흡인백, 펜로즈 배액관 등이 있다. 배액을 촉진시키기 위해 상처의 안이나 근처에 삽입되는 배액관은 농양이 생기는 위험을 줄여주고 상처치유를 증진한다. 이때 간호사는 배액의 양, 색깔, 냄새, 농도 등을 사정해야 한다. 양과 색깔은 상처의 위치와 크기에 따라 다르며, 일반적으로 큰 상처는 작은 상처보다 배액이 더 많다. 배액은 상처나 드레싱 위 저장용기 또는 누워 있는 대상자의 아랫부분까지도 사정하여야 한다.

● 헤모백(Hemovac)

폐쇄배액법으로 200, 400, 800mL의 배액통을 연결하여 진공흡인으로 분비물을 당겨 제거하게 되어, 상처로 미생물이 들어오는 것을 방지하고 배액의 양을 정확하게 측정할 수 있다. 헤모백은 통에서 분비물을 비운 후 손으로 눌러 음압으로 흡인시키는 기구로 다량의 분비물이 배액되는 수술상처에 사용된다. 배액관은 수술 시 상처에 삽입되며 수술후 보통 3~7일 정도 사용한다.

간호사는 상처흡인을 유지시킬 책임이 있으며 육아조직 형성으로 배액이 잘 안 되는 삼출물 배액을 도와주어 상처치유를 촉진시키도록 한다.

● J-P 흡인백

수술 부위의 과도한 배액을 흡인하기 위해 실리콘으로 만든 원형의 폐쇄배액 기구이다. 보통 100~200mL 용기로 되어 있다.

● 펜로즈 배액관(Penrose drain)

개방배액법(Open drainage system)으로 상처 부위의 옆쪽을 절개하여 배액관을 주입한 후, 배액관 끝 부위에 안전핀을 꽂아 상처내부로 미끄러져 들어가는 것을 방지하는 배액관이며 보통 유연한 고무, 실리콘 또는 프라스틱제품으로 만들어져 있다.

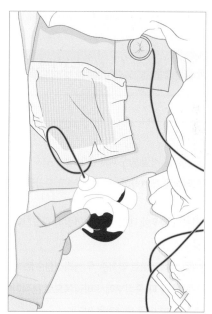

헤모백

J-P 흡인백

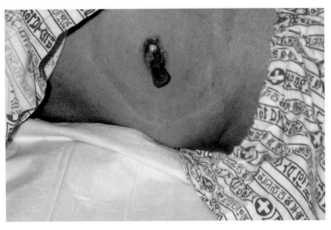

펜로즈 배액관(1)

펜로즈 배액관(2)

1) 배액 상처 간호(펜로즈 배액관 삽입 부위)

- **목적**
  - 수술 상처로부터 배액을 흡인하여 상처치유를 증진시킨다.
  - 배액을 통하여 감염의 위험과 피부의 손상을 감소시킨다.

- **준비물품**
  - 상처드레싱 교환 재료, 소독솜
  - 멸균 안전핀
  - 복대
  - 멸균 가위
  - 멸균 장갑, 깨끗한 장갑

배액 상처 간호(펜로즈 배액관 삽입 부위)의 단계와 근거

단계	근거
1. 손을 씻는다.	
2. 더러워진 드레싱을 버릴 방수백을 손이 닿는 위치에 놓는다.	
3. 더러워진 드레싱을 제거하여 방수백에 넣고 장갑을 버린다.	• 드레싱이나 절개피부 주변으로부터 미생물이 절개부위에 들어가지 않도록 한다.
4. 감염이나 치유의 징후에 대해 상처를 면밀히 관찰한다.	• 감염 시 종종 부위는 발적되고 부어오르게 된다.
5. 멸균 장갑을 낀다.	
6. 배액관 주위를 세척액으로 닦아준 후 생리식염수로 깨끗이 닦는다.	
7. 배액관 주위를 닦을 때 중심부에서 바깥쪽으로 움직이며 닦는다.	• 감염의 기회를 줄인다.
8. 멸균 섭자로 필요한 만큼 배액관을 당긴다.	
9. 안전핀을 피부수준으로 옮긴다.	
10. 당겨낸 부분의 배액관은 멸균 가위로 잘라낸다.	
11. 배액관 주위를 마른 멸균 4X4 거즈와 외과용 패드로 드레싱한다.	• 패드 드레싱은 배액관을 통해서 분비물이 배출되면 이를 흡수하며, 피부손상을 줄이게 되고, 감염의 기회를 줄인다.
12. 드레싱을 테잎으로 고정하거나 몽고메리 테잎을 다시 묶는다.	
13. 드레싱 물품을 치운 후 손을 씻는다.	
14. 상처의 상태, 간호 및 치료 내용, 대상자의 반응 등을 기록한다.	

2) 상처 배액 체계의 유지(헤모백, J-P 흡인백)

- **목적**
  - 상처로부터 배액을 흡인하여 상처치유를 증진시킨다.
  - 배액을 통하여 감염의 위험과 피부의 손상을 감소시키고, 드레싱 교환 횟수를 줄인다.

- **준비물품**
  - 소독솜, 눈금 있는 용기
  - 섭취 및 배설량 기록지
  - 상처드레싱 교환 재료
  - 지시된 멸균 세척 용액
  - kelly
  - 깨끗한 장갑, 멸균장갑
  - 방수포
  - 헤모백 또는 J-P흡인백

상처 배액 체계의 유지(헤모백, J-P 흡인백)의 단계와 근거

단계	근거
1. 손을 씻는다.	
2. 방수포를 깐다.	
3. 흡인백을 안전하게 잡고 소독솜으로 배출구 부위를 닦은 후 kelly로 흡인관을 잠그고 뚜껑을 연다.-배액이 역행되는 것을 방지한다.	
4. 흡인백을 거꾸로 들어 눈금 있는 용기에 분비물을 부어 놓는다.	
5. 흡인백을 완전히 눌러 음압이 유지된 상태에서 닫는다. -상처 흡인백 속에 음압을 주어 흡인력이 생기도록 한다.	

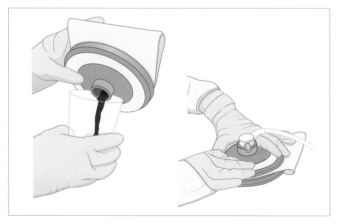

단계 4, 5

6. 흡인관의 kelly를 제거한다.

7. 배액관이 꼬이거나 당기지 않게 흡인 용기가 상처보다 아래에 위치하도록 고정한다.

8. 배액기능, 배액의 양과 특성, 대상자의 반응 등을 기록한다.

Gauze Dressings

평가일자 _____ 평가자 이름 _____

No	수 행 항 목	수행	미수행	비고
1	손을 씻는다.			
2	필요한 물품을 준비한다.			
3	준비한 물품을 가지고 대상자에게 가서 간호사 자신을 소개한다.			
4	대상자의 이름을 개방형으로 질문하여 대상자를 확인하고, 입원 팔찌와 환자 기록지의 이름, 등록번호를 대조하여 재확인한다.			
5	대상자에게 목적과 절차를 설명한다.			
6	드레싱할 상처의 위치와 크기를 사정한다.			
7	프라이버시를 유지한다.			
8	대상자가 편안한 자세를 잡도록 한다.			
9	필요하다면 마스크를 하고 보안경을 착용한다.			
10	장갑을 착용한다.			
11	피부와 평행하게 잡아당기면서 테이프를 상처에서 제거한다.			
12	장갑을 착용한 손으로 조심스럽게 거즈를 한번에 한 층씩 제거하고 배농관이 빠지지 않도록 조심한다. 제거된 드레싱을 폐기용 주머니에 안전하게 버린다.			
13	장갑을 벗는다.			
14	멸균된 드레싱 세트를 상처 가까이에 놓는다.			
15	드레싱을 실시한다. A. Dry dressing 　- 드레싱 세트를 열고 멸균된 장갑을 착용한다.			

Gauze Dressings(계속)

No	수 행 항 목	수행	미수행	비고
15	- 상처모양, 배농관, 피부통합성을 사정한다.			
	- 세척 용액으로 상처를 세척한다.			
	: 한 번 세척할 때 한 번의 세척솜을 사용한다.			
	: 오염이 적게된 부위부터 많이 된 부위로 닦는다.			
	- 상처를 말리기 위해서 마른 거즈로 오염이 적게 된 부위에서 많이 된 부위로 한번에 1개씩 사용하여 닦는다.			
	- 처방된 소독제 및 연고를 세척과 동일한 방법으로 바른다.			
	- 멸균 거즈를 상처부위에 댄다.			
	: 느슨하게 짜여진 거즈로 상처부위를 덮는다.			
	: 배농관이 있으면 배농관이 나오도록 Y자로 미리 자른 거즈를 대주고 배농관을 거즈밖으로 내 놓는다.			
	: 다른 거즈를 더 얹는다.			
	: 톡톡하게 짜여진 거즈를 제일 윗면으로 하여 덮는다.			
	B. Wet-to-dry dressing			
	- 멸균된 용기에 처방된 용액을 붓는다. 그리고 성긴망을 가진 멸균거즈를 담그어 놓는다.			
	- 멸균된 장갑을 착용한다.			

Gauze Dressings(계속)

No	수 행 항 목	수행	미수행	비고
15	- 처방된 방부제로 상처를 세척한다.			
	- 용액이 떨어지지 않게 습윤된 거즈를 상처표면에 놓는다. 상처가 깊다면 forcep을 사용하여 부드럽게 거즈로 채운다.			
	- 마른 멸균 거즈를 젖은 거즈위에 댄다.			
	- 큰 드레싱 패드나 거즈로 덮는다.			
16	테이프 또는 붕대로 드레싱을 고정시킨다.			
17	장갑, 마스크, 보안경을 벗는다.			
18	대상자를 편안하게 하고 손을 씻는다.			
19	상처모양, 대상자반응, 배농양상을 기록한다.			

욕창 상처 드레싱

평가일자 _____ 평가자 이름 _____

No	수 행 항 목	수행	미수행	비고
1	손을 씻는다.			
2	필요한 물품을 준비한다.			
3	준비한 물품을 가지고 대상자에게 가서 간호사 자신을 소개한다.			
4	대상자의 이름을 개방형으로 질문하여 대상자를 확인하고, 입원 팔찌와 환자 기록지의 이름, 등록번호를 대조하여 재확인한다.			
5	대상자에게 목적과 절차를 설명한다.			
6	대상자의 안위수준을 사정하고 진통제가 필요한지를 사정한다.			
7	장갑을 착용한다.			
8	대상자가 드레싱을 제거하기 쉬운 자세를 취하도록 한다.			
9	욕창과 욕창 주변 조직을 사정한다.			
	- 색깔, 습윤정도, 욕창주변 조직의 모양, 그리고 욕창 그 자체를 사정한다.			
	- 최대 수직, 수평의 길이를 측정한다.			
	- 멸균된 면봉으로 욕창의 깊이를 사정하고 주변조직을 탐침으로 조사한다.			
10	따뜻한 멸균된 물로 욕창 주변 피부를 세척한다.			
11	가볍게 거즈나 타올로 두드려서 말린다.			
12	욕창을 생리식염수로 세척한다. - 깊은 조직을 세척하기 위해서는 세척주사기를 이용한다.			

욕창 상처 드레싱(계속)

No	수 행 항 목	수행	미수행	비고
13	드레싱을 수행한다.			
	- 욕창 부위의 괴사조직에 도포한다.			
	- 괴사조직을 멸균도구를 이용하여 제거한다.			
	- 건조한 상처: gel제제나 하이드로 콜로이드나 투명드레싱을 수행한다.			
	- 사강이 있는 상처: alginate나 hydrofiber 등으로 사강을 채우는 1차 드레싱 후 거즈, foam 등을 이용하여 2차 드레싱으로 덮는다.			
	- 분비물이 많은 상처: 흡수력이 뛰어난 alginate, hydrofiber, foam 등을 이용하여 드레싱을 수행한다.			
14	장갑을 벗는다.			
15	대상자를 욕창부위가 눌리지 않도록 자세를 잡게 한다.			
16	손을 씻는다.			
17	욕창의 모양과 치료를 기록한다.			

상처 배액 체계유지 ─휴대용 상처 흡인백(헤모백, J-P 흡인백)─

평가일자 _____ 평가자 이름 _____

No	수 행 항 목	수행	미수행	비고
1	손을 씻는다.			
2	필요한 물품을 준비한다(소독솜, 눈금 있는 용기, 일회용 장갑).			
3	준비한 물품을 가지고 대상자에게 가서 간호사 자신을 소개한다.			
4	대상자의 이름을 개방형으로 질문하여 대상자를 확인하고, 입원 팔찌와 환자 기록지의 이름, 등록번호를 대조하여 재확인한다.			
5	대상자에게 목적과 절차를 설명한다.			
6	배액 기능을 점검한다.			
7	흡인백을 안전하게 잡고 소독솜으로 배출구 부위를 닦은 후 뚜껑을 연다.			
8	흡인백의 내용물을 눈금이 있는 용기에 받아 놓는다.			
9	소독솜으로 배출구와 뚜껑을 닦는다.			
10	흡인백을 완전히 눌러 음압이 유지된 상태에서 닫는다.			
11	배액관이 꼬이거나 당기지 않도록 적절하게 고정한다.			
12	대상자를 편안하게 해주고 물품을 정리한다.			
13	배액의 양과 색깔을 확인한다.			
14	기록지에 기록한다(배액기능, 배액량, 색깔, 대상자의 반응).			
15	구두로 지식을 확인한다. - 배액 양상 기록방법			

CHAPTER 23

붕대법과 바인더

실습목록

1. 붕대법

2. 바인더(binder) 감기

- **목적**

  - 붕대법과 바인더의 목적은 압박을 통해 신체 부위의 운동을 제한하여 치유를 돕고 상처 또는 외과적 절개부위를 지지한다. 또한 부목이나 견인과 같은 특수기구를 유지하며 관절부위를 고정하는데도 이용된다. 또한 부종을 감소시키고 예방하며 보온을 유지한다.

- **준비용품**

  - 붕대, 바인더, 멸균 거즈 및 패드
  - 드레싱 세트, 반창고 또는 클립이나 안전핀

1. 붕대법

붕대를 감을 때는 대상자와 마주 보고 감아야 균등한 힘과 적절한 방향을 유지할 수 있으며, 붕대법은 인대 및 관절 근육의 긴장을 피하도록 약간 관절을 구부린 상태의 정상체위를 유지하면서 붕대를 감는다. 붕대는 말단에서 중심부 쪽으로 붕대를 감아야 정맥혈 귀환이 잘 되며, 혈액순환에 지장을 주지 않는 범위의 압력을 주어 붕대를 감되 압력이 모든 부위에 같은 정도로 가해지도록 한다.

붕대를 감을 때 신체부위 말단은 노출해야 혈액순환 상태를 관찰할 수 있으며, 드레싱과 상처의 오염을 막기 위해 드레싱의 전후방 5cm 정도를 덮도록 감는다.

붕대법의 단계와 근거

단계	근거
1. 대상자의 피부상태, 순환상태, 감각, 움직임, 뼈 돌출부위를 사정한다.	
2. 금기가 아니라면 관절은 약간 굴곡시킨다. 관절의 굴곡은 인대와 근육의 긴장을 줄인다.	
3. 정상선열을 유지하는 편안한 자세 취한다.	• 기형과 상해 위험을 감소한다.
4. 거즈나 면패드 사용으로 마찰을 방지한다(발가락 사이).	• 피부 표면 간의 마찰과 통합성 파괴를 방지한다.
5. 벗겨지지 않게 말단부에서 시작해서 몸통으로 감는다.	• 정맥 귀환을 돕고, 부종, 순환부전을 최소화한다.
6. 순환부전 증상을 붕대 감은 말단부위에서 확인한다. (냉감, 창백, 무감각, 저림, 느린 말초혈액 귀환, 부풀어 오름)	• 심각한 합병증 예방을 위해 순환부전을 주의한다.
7. 사지 말단 부위를 모두 붕대 감지 않는다.	• 사지의 말초순환 사정을 가능하게 한다.
8. 손을 씻은 후 손상된 부위의 상태 적용부위, 순환상태나 신경학적 문제와 대상자의 안위수준 등을 기록한다.	

유형	설명	사용목적	
환행대(circular)	전에 감은 붕대를 완전히 겹치게 감는다.	전에 감은 붕대를 완전히 겹치게 감기, 붕대를 신체에 고정할 때 붕대를 신체에 고정할 때, 손가락이나 손목 같은 부분을 감을 때 붕대법의 시작과 끝 부분을 환행대로 감는다.	
나선대(spiral)	앞에 감았던 붕대를 반이나 2/3겹치게 나선을 그리며 감아 올라간다.	손목 전완, 하퇴와 같은 원통모양의 신체를 감을 때	
나선절전대 (spiralreverse)	전에 나선형으로 감은 붕대를 절반 위치에서 다시 감아 내려온다.	전완, 대퇴, 종아리와 같은 cone 모양의 신체를 감을 때, 거즈와 flannel이 늘어나지 않은 밴드 사용할 때	
8자대	상행과 하행을 반복하며 사선으로 감는다. 이전에 감았던 붕대를 8자를 그리며 교차해서 감는다.	팔꿈치, 무릎, 발목과 같은 관절을 감을 때, 효과적으로 부동 유지하면서 편안하게 함.	
맥수대(recurrent)	처음에 신체 말단부위를 두 번 단단히 감는다. 밴드 끝을 위쪽으로 수직이 되게 중앙에서 감는다. 밴드를 신체 말단 부위쪽으로 겹쳐지도록 감는다.	머리, 다리와 같은 균일하지 않은 신체를 감을 때	

2. 바인더(binder) 감기

바인더는 신체 특정 부위에 맞도록 고안된 천 종류로 만들어진 붕대이다. 대부분의 바인더는 탄력성 있고 면, muslin 또는 프란넬로 만들어져 있다.

가장 흔한 바인더의 유형은 유방, 복부 바인더 그리고 T-binder 이다. 유방바인더는 탄탄하게 맞는 소매없는 조끼 같은 모양으로, 유방 수술 후 부위를 지지하기 위해 사용한다. 복부바인더는 수술 후 대상자가 기침하거나 움직일 때 절개부위에 긴장을 초래하기 쉬운 복부수술 부위를 지지하기 위해서 적용된다. T-binder는 T자와 같이 보이는 바인더로 항문부와 회음부 드레싱

적용시 그 부위를 지지하기 위해서 사용되며 생식기의 남녀 모양이 다름에 따라 Single-T-binder는 여성 대상자에게, double -T-binder는 남성 대상자에게 적용된다.

T-binder의 벨트는 대상자의 허리를 감게 되고 수직의 꼬리는 대상자의 뒤에서 앞으로 다리를 통과하여 허리 앞의 벨트부분에 고정하게 된다.

적절하게 적용된 붕대와 바인더는 대상자의 신체부위에 긴장을 초래하지 않는다. 예를 들어 복부 바인더는 정상적인 흉곽 팽창을 방해하지 않도록 적용되어야 한다.

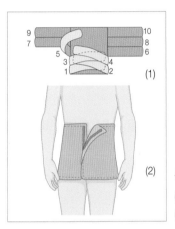

복부 바인더
(1) Scultetus
(2) Straight

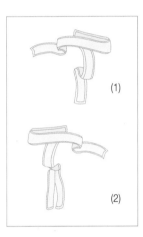

T-binder
(1) 여성용(Single T-binder)
(2) 남성용(double T-binder)

바인더(binder) 감기의 단계와 근거

단계	근거

1. 바인더 감기

  a. 복부 바인더

  (1) 대상자를 머리는 살짝 올리고, 무릎은 약간 굽힌 앙와위를 취하게 한다.   • 복부 장기의 근육긴장을 최소화한다.

  (2) 바인더 중앙쪽으로 바인더 끝쪽을 접어 포개어 놓는다.   • 대상자가 불편한 자세에 있는 시간을 줄인다.

  (3) 대상자의 복부 절개 부위와 드레싱을 간호사가 지지하는 동안 침대 난간을 잡고 대상자가 간호사에서 먼 쪽으로 몸을 굴리도록 한다.   • 복부 절개 부위를 지지해 주면 대상자의 통증과 불편감을 줄이게 된다.

  (4) 대상자 밑에 바인더의 접혀진 끝 부분을 놓는다.   • 불편을 최소화하면서 바인더를 중앙에 배치한다.

  (5) 대상자에게 접혀진 쪽으로 굴러오게 한다.

  (6) 침대 먼 쪽으로 바인더 끝을 평평하게 편다.   • 바인더를 평평하게 하는 것은 대상자의 피부통합성을 증진하고 안위를 증진시킨다.

  (7) 대상자가 앙와위를 하게 한다.   • 앙와위를 유지하게 하는 것은 바인더를 잠글 때 흉부 확장과 적절한 상처지지를 용이하게 한다.

  (8) 앙와위를 취한 대상자를 치골결합과 늑골 가장자리를 경계로 바인더를 중앙에 놓이게 한다.   • 폐 확장 감소를 줄이도록 복부위에 바인더를 감는다.

  (9) 바인더를 잠근다. 대상자의 복부 중앙 위에서 바인더 한쪽을 잡아당긴다. 바인더 한쪽을 잡아당기는 동안 바인더 다른 한쪽을 중앙으로 잡아당겨 안전핀으로 고정한다.   • 지속적인 상처 지지와 안위를 유지한다.

  (10) 대상자의 안위를 사정한다.   • 바인더 위치가 적당한지 본다.

  (11) 필요하면 바인더를 조정한다.   • 흉부 확장과 안위를 증진한다.

  b. Single-T & double-t binders

  (1) 대상자를 배횡와위를 취하게 하고 하지는 약간 굴곡시키고, 골반은 외측으로 약간 회전한다.   • 회음부 기관의 긴장을 최소화한다.

  (2) 엉덩이를 올리게 하고 대상자 허리에 band를 수평으로 감는다. 바인더의 수직의 꼬리를 엉덩이까지 수직이 되게 내린다. 허리 band에 포개어서 앞쪽으로 해서 감고, 안전핀으로 고정한다.   • 바인더 배치를 용이하게 한다.

  (3) 바인더 적용:

  (a) T-binder : 수직의 꼬리를 회음부 드레싱 위에 놓이게 하고, 연결해서 수평 band 중앙 위 아래로 놓이게 한다. 허리 band 위로 끝이 놓이게 하고 안전핀으로 고정한다.   • Sigle-T & Double-T binder는 회음근육과 기관을 지지하고, 회음부, 치골부 위쪽 드레싱 고정을 용이하게 한다. 드레싱 유지와 회음부를 지지하도록 조정한다.

  (b) Double-T binder : 수직의 꼬리를 회음부나 치골 부위 드레싱 위에 오게 하고, 한 바인더의 꼬리는 고환을 지지하고 다른 쪽은 남성생식기를 위쪽으로 지지한다. 뒤의 끝을 잡아당겨 수평으로

바인더(binder) 감기의 단계와 근거(계속)

단계	근거
묶은 끈의 아래쪽으로 가게 한다. 수평으로 놓인 안전핀으로 전체를 고정한다.	
(4) 앙와위, 좌위, 서있는 자세에서 대상자의 안위를 사정한다. 필요하면 핀과 바인더 꼬리를 조정한다. 꼬리는 쪼이지 않게 하고, 조직주위에 마찰이 생기면 패드를 더 대준다.	
(5) 대변, 소변보기 전에 바인더를 제거하고, 용변을 본 후 바인더를 다시 채우도록 한다.	• 바인더의 청결은 감염 가능성을 줄인다.
c. 유방 바인더	
(1) 바인더의 armhole에 팔을 집어 넣는다.	• 바인더 착용을 쉽게 한다. 앙와위는 가슴의 정상적인 해부학적 자세를 취하게 하고, 치유와 안위를 증진한다.
(2) 침대에서 앙와위를 하게 한다.	
(3) 필요하다면 가슴 아래로 패드를 댄다.	
(4) 안전핀을 사용해서 유두 선상에서 binder를 고정한다. 바인더 모두가 잠길 때까지 유두 위 아래쪽으로 고정한다.	• 수평으로 놓인 핀은 불균등한 압력과 국소화된 자극을 줄인다.
(5) 견장이 잘 맞는지, 바인더 크기를 줄이는 허리선의 dart를 적절하게 조정한다.	• 대상자의 가슴을 지지한다.
(6) 유방 바인더를 착용한 상태로 자가간호 수행기술을 교육한다.	• 자가간호는 퇴원계획의 중요 내용이다.
2. 피부통합성을 사정하기 위해 계획한 기간 착용 후 바인더를 제거한다.	• 피부통합성 손상을 적절한 시기에 파악하게 한다.

붕대법

평가일자 _____   평가자 이름 _____

No	수 행 항 목	수행	미수행	비고
1	손을 씻는다.			
2	필요한 물품을 준비한다.			
3	준비한 물품을 가지고 대상자에게 가서 간호사 자신을 소개한다.			
4	대상자의 이름을 개방형으로 질문하여 대상자를 확인하고, 입원 팔찌와 환자 기록지의 이름, 등록번호를 대조하여 재확인한다.			
5	대상자에게 목적과 절차를 설명한다.			
6	대상자의 피부 통합성을 사정한다.			
7	대상자의 외과적 드레싱을 사정한다.			
8	대상자의 순환상태를 사정한다.			
9	대상자를 편안한 자세를 취하도록 한다.			
10	우세한 손에 탄력붕대의 롤을 쥐고 다른 손으로 신체의 원위부에 붕대의 시작부위를 가볍게 잡는다. 계속해서 우세한 손으로 붕대의 롤을 옮기면서 감는다.			
11	신체의 원위부에서 근위부로 신체의 모양에 따라 다양한 기법으로 붕대를 감는다.			
12	1/2 내지 2/3의 붕대 넓이가 겹쳐지도록 감는다.			
13	붕대감기의 시작과 끝은 환행대로 마무리하고 끝부분은 클립이나 핀으로 고정한다.			
14	손을 씻는다.			
15	대상자의 원위부의 순환상태를 사정한다.			
16	대상자의 상처 상황, 드레싱의 통합성, 붕대 사용, 대상자의 순환상태를 기록한다.			

바인더(binder) 감기

평가일자 _____ 평가자 이름 _____

No	수 행 항 목	수행	미수행	비고
1	손을 씻는다.			
2	필요한 물품을 준비한다.			
3	준비한 물품을 가지고 대상자에게 가서 간호사 자신을 소개한다.			
4	대상자의 이름을 개방형으로 질문하여 대상자를 확인하고, 입원 팔찌와 환자 기록지의 이름, 등록번호를 대조하여 재확인한다.			
5	대상자에게 목적과 절차를 설명한다.			
6	대상자의 흉부와 복부에 지지의 필요가 있는지 확인한다. 대상자의 심호흡과 효과적 객담배출 능력을 사정한다.			
7	대상자의 피부통합성을 검사한다.			
8	대상자의 드레싱상태를 사정한다.			
9	대상자의 안위정도 수준을 사정한다.			
10	적절한 바인더의 종류와 크기를 결정할 수 있는 정보를 수집한다.			
11	손을 씻고, 일회용 장갑을 낀다.			
12	적절한 방법으로 바인더를 감는다.			
	a. 복부바인더			
	b. Sing-T & double-T-binder			
	c. 유방바인더			
13	일회용 장갑을 벗는다.			
14	손을 씻는다.			
15	적용 부위의 피부통합성과 순환정도를 사정한다.			

바인더(binder) 감기(계속)

No	수 행 항 목	수행	미수행	비고
16	대상자의 안위수준을 사정한다.			
17	대상자의 일상생활 수행에 도움이 필요한 정도를 확인한다.			
18	바인더의 적용, 대상자피부의 조건, 혈액순환정도, 드레싱의 통합성 대상자의 안위수준을 기록한다.			

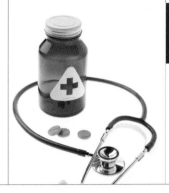

CHAPTER 24

■ 수술 간호

실습목록
1. 수술 전 사정
2. 수술 전 교육
3. 신체적 준비(Physical preparation)
4. 수술 후 간호

수술주기 간호는 수술 전·중·후 동안 간호사의 역할을 말한다. 수술 준비와 수술동안 및 수술 후 회복이 이루어지는 병실, 외래 수술실, 수술장, 회복실 및 병실 등 모든 장소에서 간호의 계속성이 유지되어야 한다.

수술 주기 동안 간호사는 수술 전 건강상태를 사정하고 수술 전 교육을 실시한다. 수술 과정 중에는 안전하고 정확한 간호가 요구되며 수술 부위 치유 및 합병증 예방을 위해서 직접 간호 및 교육, 상담을 수행한다.

수술 유형

유형	특성	예
· 위험 정도에 따라		
대수술(Major)	· 광범위한 신체 부위의 재건이나 조직 절제 등 큰변화를 초래하는 수술	· 관상동맥 우회술, 대장절제술, 폐엽 절제술
소수술(Minor)	· 신체 일부에 경미한 변화 초래	· 백내장, 안면 성형, 피부 이식
· 긴급성에 따라		
선택수술(Elective)	· 대상자의 선택에 따라 수행	· 탈장 재건, 유방 복원
긴급수술(Urgent)	· 대상자의 생존을 위해 필요하며 악화되어 생길 수 있는 문제 예방	· 담낭절제술, 혈관재건술, 장절제술
응급수술(Emergent)	· 대상자의 생명을 구하거나 신체 부위를 보전하기 위해 즉시 수행	· 파열된 충수 제거, 외상으로 인한 절단 복원, 내출혈 조절
· 목적에 따라		
진단적 수술(Diagnostic)	· 진단을 확정하기 위한 외과적 절제, 검사를 위해 조직 제거	· 시험적 개복술, 유방 생검, 기관지경 검사
제거수술(Ablative)	· 병리적 변화가 있는 신체 부분의 절제 또는 제거	· 충수절제술, 담낭절제술, 유방절제술
완화수술(Palliative)	· 질병 증상의 강도를 완화 또는 감소	· 결장개구술, 괴사조직 제거, 악성 종양 절제
형성수술(Constructive)	· 선천적 기형으로 상실되거나 감소된 기능 회복	· 구개 파열 교정, 심실 중격 봉합
재건수술(Reconstructive)	· 외상 또는 질병 과정의 결과로 감소된 기능을 회복	· 골절의 내부 고정, 흉터 제거, 유방 재건
이식수술(Transplant)	· 기능 이상의 기관 또는 조직을 다른 사람, 동물들의 조직, 기관으로 이식	· 신장, 간, 심장, 각막 이식
미용수술(cosmetic)	· 외모 개선을 위해 수행	· 쌍꺼풀 성형, 코 성형

1. 수술 전 사정

• **목적**
  – 수술 중 및 수술 후 위험 요인을 규명하고 대상자 간호를 계획하기 위함이다.

• **준비물품**
  – 청진기
  – 혈압기
  – 맥박 측정기
  – 체온계
  – 시계
  – 체중계
  – 수술 전 사정지

수술 전 사정의 단계와 근거

단계	근거
1. 의사소통 능력을 사정한다(시력, 청력, 언어 등).	
2. 수술 및 마취에 대해 설명한다.	
3. 체중, 키, 활력 징후를 사정한다.	
4. 신체검진을 시행한다(EEG, 말초 맥박, 신경학적 상태, 의식 수준, 근골격, ROM, 피부통합성, 수분유지 상태).	• ROM이 제한적일 경우 예기치 않은 상처를 예방하기 위해 수술 체위를 고려해야 한다.
5. 정서 상태를 평가한다(불안, 대처 능력, 가족지지도).	
6. 검사결과를 평가한다(CBC, 전해질, 소변검사, 그 외 진단적 검사 등).	• 검사 결과는 신체의 주요 계통을 사정할 수 있다.
7. 마지막 음식물 섭취 시간을 평가한다.	• 전신 마취 시행의 경우 식도 괄약근의 이완으로 위 내용물이 역류하여 질식할 수 있다.

2. 수술 전 교육

• **목적**
- 수술에 대한 불안을 감소시킨다.
- 수술 후 합병을 예방 한다.

• **준비물품**
- Stretcher나 침대, 담요, 베게
- 제모제, 거즈, 종이수건, 스크린 또는 커튼, 1회용 장갑
- 폐활량계(incentive spirometer), 손소독제, 간호기록지
- 수술 전 교육 양식

수술 전 교육의 단계와 근거

단계	근거
1. 손을 씻는다.	• 미생물 전파를 줄이기 위함이다.
2. 필요한 물품을 준비한다.	
3. 준비한 물품을 가지고 대상자에게 가서 간호사 자신을 소개한다.	
4. 손을 씻는다.	• 미생물 전파를 줄이기 위함이다.
5. 대상자의 이름을 개방형으로 질문하여 대상자를 확인하고, 입원 팔찌와 환자 기록지의 이름, 등록번호를 대조하여 재확인한다.	
6. 대상자에게 담당의에게 수술에 대한 설명을 듣고 수술동의서 작성하였는지 확인한다.	• 정보를 불충분하게 받은 경우 합병증에 더 취약하고 위험률이 높다.
7. 수술에 대한 불안감 정도를 사정하고 필요시 불안 완화간호를 실시한다.	• 불안을 감소시킨다.

Incentive spirometer 사용방법 교육

단계	근거
8. 대상자에게 목적(수술 후 심호흡, 기침, incentive spirometer 가 필요한 이유)과 절차를 설명한 후 대상자를 좌위/반좌위를 취하게 한다.	• 수술 후 폐합병증 예방을 위한 교육 폐확장이 잘 되도록 하기 위함이다.
9. incentive spirometer 사용법을 설명한다. －최대한 숨을 내쉬고 호스를 입에 문 후, 최대한 흡기를 하여 ball 이 기준선에서 5초 정도 유지할 수 있도록 한다.	• 대상자 스스로 자가간호에 대한 책임을 갖도록 하기 위함이다.
10. 대상자가 스스로 Incentive spirometer 를 사용해 보도록 하며 관찰한다.	• 폐를 부풀게 하고 점액분비물을 증가시킨다. 기구의 적절한 기능을 증진한다. 폐 확장을 최대로 하고 숨을 들이마셔 멈추는 것은 압력을 증가시켜 폐포의 허탈을 방지한다.
11. 대상자의 처방된 최대 흡식량을 확인하고, 처방난 흡식량을 indicator 가 지정한다.	• 폐의 팽창을 증진시킨다.

수술 전 교육의 단계와 근거(계속)

단계	근거
12. 수술 후 사용 빈도 수술부위 지지방법 등에 대해 설명한다. 　- 5~10회 반복, 1회 사용 시 마다 휴지기를 가지도록 설명하고 　　과대환기 시 두통과 어지러움 발생할 수 있으므로 1시간에 　　10분씩 사용하도록 설명한다. 　- 심리적으로 격려해준다.	• 수술 후 무기폐를 예방하기 위함이다. • 과대환기 시 두통과 어지러움 발생 우려가 있다. • 대상자의 편안함과 지지를 제공한다.
수술부위 피부준비 (제모제를 사용하는 경우-부위:복부)	
13. 대상자에게 수술부위 피부준비의 목적과 절차를 설명한 후 　커튼(스크린)으로 대상자의 사생활을 보호해 준다.	• 정보를 불충분하게 받은 경우 합병증에 더 취약하고 위험률이 높다. 　대상자의 사생활을 보호한다.
14. 일회용 장갑을 착용 후 제모제 피부 민감성 반응검사를 한다.	• 미생물 전파를 감소한다. 　대상자의 알레르기 유발물질로부터 보호할 수 있다.
15. 피부반응 확인 결과 발진이 없으면 누운 자세에서 복부를 노출시킨 　후 제모제를 수술부위 전체에 바르고, 문지르지 않도록 한다.	• 먼지를 제거하고 피부에 있는 미생물을 감소시킬 수 있다.
16. 제품설명서에서 제시하는 일정 시간이 지난 후에 제모제를 닦아낸다. 　(시간 엄수 중요)	• 시간 경과 시 발적 등 과민반응이 발생할 수 있다.
17. 일회용 장갑을 벗고 손소독제로 손위생을 실시한다.	• 미생물 전파를 감소한다.
18. 수술부위(복부전체, 유두선부터 서혜부 윗부분까지) 제모 여부를 　확인한다.	• 먼지를 제거하고 피부에 있는 미생물을 감소시킬 수 있다.
19. 필요한 경우 샤워를 하도록 설명한다.	• 피부에 상주하는 미생물 수 감소를 위함이다.
20. 대상자를 편안하게 해주고 사용한 물품을 정리한다.	
주의사항 설명	
21. 전일 물을 포함한 어떤 음식도 경구섭취하지 않도록 금식을 교육하며 　장 준비를 하도록 설명한다.	• 전신마취로 인해 위 괄약근이 이완되면 위내용물이 식도나 기관으로 　역류되어 흡인 위험성이 있다. 　수술 중 분변 배출로 인한 수술 부위 감염의 위험을 감소시킨다.
22. 보청기, 의치나, 장신구, 안경, 콘텍트렌즈, 화장, 속옷,등 제거, 수술 　가기 전 대, 소변보기 등을 교육하고 확인한다.	• 수술 중 흡인가능성이 있다. 　수술 중 감염 기회를 줄이기 위함이다. 　수술 중 수술 후 조직 관류를 사정하기 위함이다.
23. 귀중품은 규정에 따라 사물 보관함에 넣고 잠그거나 가족이 보관하도록 　설명한다.	• 귀중품 도난을 예방한다.
24. 사용한 물품을 정리한 후 손을 씻는다.	• 미생물 전파를 감소한다.
25. 수행 결과(수술부위 상태, 피부준비, 수행내용, 교육내용 등)를 대상자의 　간호기록지에 기록한다.	

3. 신체적 준비(Physical preparation)

- **목적**
  - 감염을 최소화 한다.
  - 수술 및 마취로 인한 상처를 최소화한다.

- **준비물품**
  - 가운
  - 정맥주사 용액, 카테터, 알코올솜, 테잎, tourniquet
  - 항 색전 스타킹(antiembolism stockings)
  - 압박기구(필요시)
  - 장갑, 수건, 협자(Clippers)
  - 수술 전 체크리스트

신체적 준비(Physical preparation)의 단계와 근거

단계	근거
1. 대상자가 수술 가운으로 갈아입도록 한다.	
2. 화장, 메니큐어, 머리핀, 장신구 등을 제거한다.	• 수술동안이나 및 수술 후 조직 관류를 사정하기 위함이다.
3. 귀중품은 보관함에 잠그거나 가족이 보관한다.	
4. 대상자와 혈액 종류를 확인한다.	
5. 수술 8시간 전부터 금식시킨다.	• 전신마취하에서는 위의 괄약근이 이완되어, 위 내용물이 식도나 기관으로 역류될 수 있다.
6. 처방된 약물은 복용하도록 한다.	
7. 처방대로 장준비(청결 관장 등)가 되었는지를 확인한다.	• 수술 당일 입원하는 경우에는 집에서 관장이 이루어져 있어야 한다.
8. 수술 동의서가 완전한지 확인한다.	• 수술 동의서는 필수적이다. 대부분의 경우 주치의가 동의서를 받고, 간호사는 내용이 완전한지 여부와 대상자가 이해하고 있는지를 확인한다.
9. 필요한 검사결과지를 확인한다(ECG, X-ray 등).	
10. 수혈이 필요할 경우 의사가 처방한 혈액과 준비된 혈액이 일치하는지 확인한다.	
11. 활력 징후를 측정한다.	
12. 소변을 보게 한다.	
13. 정맥주사를 시작한다.	
14. 수술 전 투약을 처방대로 시행한다.	
15. 항색전 스타킹을 착용하게 한다.	• 항색전 스타킹은 부동 기간 중 혈액 순환을 증진시키고, 색전의 위험을 감소시킨다.
16. 처방이 있을 경우 일련의 압박 스타킹을 더 적용하도록 한다.	• 일련의 압박 스타킹은 발목위쪽부터 다리의 혈액 순환을 증진시킨다.
17. 절개 부위의 모발을 clip한다.	• 피부감염 증상이나 찰과상이 있을 경우 수술 부위의 감염 위험성이 증가한다. 모발 제거가 필수적일 경우 수술 당일에 감염위험성을 최소화

신체적 준비(Physical preparation)의 단계와 근거(계속)	
단계	**근거**
	시킬 수 있도록 모발을 clipping 한다. 면도는 감염위험성을 증가시킨다 (Jepsen and Bruttomesso, 1993). 대상자는 수술 전날 항세균 비누로 샤워하도록 한다.
18. 도뇨관을 삽입한다.	
19. 콘택트렌즈, 안경, 의치 등을 제거하고 모자를 착용하게 한다.	• 모자는 수술동안 감염기회를 최소화시킨다. 플라스틱이나 투명 비닐 모자는 수술 동안 열손실을 감소시킬 수 있다.
20. stertcher를 이용하여 대상자를 수술실로 이송시킨다.	

4. 수술 후 간호

- **목적**
  - 대상자의 호흡음을 깨끗하게 한다.
  - 활력 징후를 수술 전과 비교하여 비슷하게 유지하게 한다.
  - 동통을 감소 시킨다.
  - 체액균형을 이루게 한다.
  - 수술 후 48~72시간 이내에 정상장음이 있게 한다.
  - 절개 부위 상처에 분비물이 없게 한다.
  - 수술로 인한 스트레스에 적응하도록 한다.

- **준비물품**
  - 수술 침상
  - 청진기, 혈압기, 체온계
  - IV 걸대
  - 곡반
  - 손수건, 타올
  - 방수패드
  - 구강위생도구
  - 베게
  - 휴지
  - 산소주입 기구
  - 흡인 기구

수술 후 간호의 단계와 근거	
단계	**근거**
1. 수술 침상을 만들어 침대의 높이를 올려놓는다.	• 대상자 이송을 용이하게 하기 위함이다.
2. 대상자를 stretcher에서 침대로 옮기도록 돕는다.	
3. 산소, 정맥주입, 배액관, 도뇨관 등을 점검한다.	
4. 산소를 공급한다. 대상자가 기면상태이거나 수면상태인 경우에는 머리를 신전시키고 측위를 취하게 해 준다.	• 혀로 질식되는 위험을 최소화하기 위함이다.
5. 활력 징후를 측정한다(회복실 및 수술 전 활력 징후와 비교해본다).	• 전실과정에서 활력 징후가 변화할 수 있다.

단계	근거
6. 기침 및 심호흡을 장려한다.	• 마취, 투약, 삽관 등은 기도를 자극하여 분비물 및 무기폐 등을 발생시킨다.
7. 비위관을 삽입하고 있을 경우에는 위치를 확인한다.	
8. 드레싱 외부 및 배액 상태를 1시간 간격으로 사정한다. 드레싱이 없을 경우에는 상처부위를 사정한다.	• 수술 당일은 출혈이 되기 쉽다. 드레싱은 깨끗하고 건조해야 한다.
9. 방광팽만 정도를 사정한다. 유치도뇨관이 있을 경우 위치 및 배액이 원활한지를 사정한다.	
10. 섭취량 및 배설량을 사정한다.	• 수분 및 전해질 대사 이상은 대수술의 잠재적인 합병증이다.
11. 신체의 바른 선열을 유지할 수 있도록 한다. 수술 부위가 긴장하지 않도록 한다.	• 봉합 부위의 스트레스를 감소시킨다. 대상자의 이완 및 안위를 도모한다.
12. 침상 난간을 올려주고 간호사를 부를 수 있는 벨이 손에 닿을 수 있도록 해 준다.	
13. 동통 조절을 위한 약물이 필요한지를 사정한다.	• 수술 후 처음 24~48시간 동안은 3~4시간 간격으로 동통 조절을 위한 약물이 필요하다. 적절한 동통 조절을 위하여 호흡, 기침, 운동이 필요하다.
14. 활력 징후 사정을 4시간 간격이나 처방대로 시행한다.	• 처음 48시간 내에 38℃ 이상이면 무기폐, 정상적인 감염 반응, 탈수 등을 의심할 수 있다. 3일 이후 37.7℃ 이상은 상처 감염, 폐렴, 정맥염 등을 의심할 수 있다. 혈압이나 맥박의 변화는 심혈관계 합병증을 의심할 수 있다.
15. 최소 2시간 간격으로 구강간호를 시행한다. 허용될 경우 얼음 조각을 제공한다.	• atropine과 같은 수술 전 투약은 구강건조를 초래할 수 있다. 구강 간호 및 얼음 조각은 안위를 도모한다.
16. 체위변경, 기침, 심호흡을 최소 2시간 간격으로 하도록 장려한다.	
17. 처방된 경우 강화폐활량계를 사용하게 한다.	
18. 도뇨관이 없을 경우 수술 후 8시간 이내에 배뇨해야 함을 알린다.	• 척수마취나 경막외 마취를 시행한 경우에는 방광 팽만의 위험이 증가한다. 배뇨곤란이 있거나 방광 팽만이 있을 경우에는 도뇨가 필요하다.
19. 가능한 범위에서 운동을 장려한다.	• 운동은 합병증 예방, 혈액순환 증진, 폐확장, 연동 운동에 도움이 된다. 갑작스런 체위변경은 체위성 저혈압을 유발시킬 수 있다.
20. 맑은 유동식에서 일반식으로 오심 구토가 발생하지 않는 범위에서 식이를 점차 변경한다.	• 마취 및 수술로 인하여 오심, 구토가 발생할 수 있다. 구강 섭취가 가능할 경우 정맥 주입을 중단할 수 있도록 한다. 장음이 돌아올 때까지 NPO시킨다.
21. 외모나 신체 기능에 적응할 수 있도록 하며, 퇴원 계획에 대상자나 가족을 참여시킨다(상처간호, 투약, 활동 제한 범위, 합병증 예방 등).	• 유방절제술, 장루술, 절단 및 수술이 불가능한 암 등은 불안 및 우울을 초래할 수 있다. 신체기관 상실(예, 자궁)에 대한 슬픔 반응은 정상적인 과정이다.

수술 전 교육

평가일자 _____   평가자 이름 _____

No	수 행 항 목	수행	미수행	비고
1	대상자 및 가족에게 수술 일시, 장소, 대기 장소, 수술 예상 시간 등을 알려준다.			
2	수술 전 일반적인 사항을 설명한다(정맥 투여, 도뇨 관 삽입, 관장, 수술부위 모발 제거, 검사결과, 수술실 이송, 수술 전 투약)			
3	수술 전 일반적 투약은 중단해야 함을 알린다.			
4	수술 전 감각을 설명한다(혈압기 커프의 조이는 느낌, ECG leads, 수술실의 냉감, 모니터 부착).			
5	동통 조절 방법을 설명한다(PCA 펌프).			
6	수술 후 상황에 대해 설명한다(빈번한 활력 징후 사정, 체위 변경, catheter).			
7	복부에 지지대를 사용하여 기침하는 방법을 교육한다.			
8	침대에서 좌위를 취하는 방법을 교육한다.			
9	심호흡 및 기침 방법을 교육한다.			
10	강화폐활량계 사용 방법을 교육한다.			
11	발 운동을 교육한다.			
12	발 운동을 교육한다.치료적인 적응 전략을 강화시킨다. 비효율적일 경우 대안을 모색한다.			

신체적 준비

평가일자 _____   평가자 이름 _____

No	수 행 항 목	수행	미수행	비고
1	손을 씻는다.			
2	필요한 물품을 준비한다.			
3	준비한 물품을 가지고 대상자에게 가서 간호사 자신을 소개한다.			
4	대상자의 이름을 개방형으로 질문하여 대상자를 확인하고, 입원 팔찌와 환자 기록지의 이름, 등록번호를 대조하여 재확인한다.			
5	대상자에게 목적과 절차를 설명한다.			
6	대상자가 수술 가운으로 갈아입도록 한다.			
7	화장, 메니큐어, 머리핀, 장신구 등을 제거하도록 한다.			
8	귀중품은 보관함에 잠그거나 가족이 보관하도록 한다.			
9	대상자와 혈액 종류를 확인하도록 한다.			
10	수술 8시간 전부터 금식시킨다.			
11	처방된 약물은 복용하도록 한다.			
12	처방대로 장준비(청결 관장 등)가 되었는지를 확인한다.			
13	수술 동의서가 완전한지 확인한다.			
14	필요한 검사결과지를 확인한다(ECG, X-ray 등).			
15	수혈이 필요할 경우 의사가 처방한 혈액과 준비된 혈액이 일치하는지 확인한다.			
16	활력 징후를 측정한다.			

신체적 준비(계속)

No	수 행 항 목	수행	미수행	비고
17	소변을 보게 한다.			
18	정맥주사를 시작한다.			
19	수술 전 투약을 처방대로 시행한다.			
20	항 색전 스타킹을 착용하게 한다.			
21	처방이 있을 경우 일련의 압박 스타킹을 더 적용하도록 한다.			
22	절개 부위의 모발을 clip한다.			
23	도뇨관을 삽입한다.			
24	콘택트렌즈, 안경, 의치 등을 제거하고 모자를 착용하게 한다.			
25	stertcher를 이용하여 대상자를 수술실로 이송시킨다.			

 수술 후 간호

No	수 행 항 목	수행	미수행	비고
1	손을 씻는다.			
2	필요한 물품을 준비한다.			
3	준비한 물품을 가지고 대상자에게 가서 간호사 자신을 소개한다.			
4	대상자의 이름을 개방형으로 질문하여 대상자를 확인하고, 입원 팔찌와 환자 기록지의 이름, 등록번호를 대조하여 재확인한다.			
5	대상자에게 목적과 절차를 설명한다.			
6	수술 침상을 만들어 침대의 높이를 올려둔다.			
7	대상자를 stretcher에서 침대로 옮기도록 돕는다.			
8	산소, 정맥주입, 배액관, 도뇨관 등을 점검한다.			
9	산소를 공급한다. 대상자가 기면상태이거나 수면상태인 경우에는 머리를 신전시키고 측위를 취하게 해 준다.			
10	활력 징후를 측정한다(회복실 및 수술 전 활력 징후와 비교해본다).			
11	기침 및 심호흡을 장려한다.			
12	비위관을 삽입하고 있을 경우에는 위치를 확인한다.			
13	드레싱 외부 및 배액 상태를 1시간 간격으로 사정한다. 드레싱이 없을 경우에는 상처부위를 사정한다.			
14	방광팽만 정도를 사정한다. 유치도뇨관이 있을 경우 위치 및 배액이 원활한지를 사정한다.			
15	섭취 및 배설량을 사정한다.			

수술 후 간호(계속)

No	수 행 항 목	수행	미수행	비고
16	신체의 바른 선열을 유지할 수 있도록 한다. 수술 부위가 긴장하지 않도록 한다.			
17	침상 난간을 올려주고 간호사를 부를 수 있는 벨이 손에 닿을 수 있도록 해 준다.			
18	동통 조절을 위한 약물이 필요한지를 사정한다.			
19	활력 징후 사정을 4시간 간격이나 처방대로 시행한다.			
20	최소 2시간 간격으로 구강간호를 시행한다. 허용될 경우 얼음 조각을 제공한다.			
21	체위변경, 기침, 심호흡을 최소 2시간 간격으로 하도록 장려한다.			
22	처방된 경우 강화폐활량계를 사용하게 한다.			
23	도뇨관이 없을 경우 수술 후 8시간 이내에 배뇨해야 함을 알린다.			
24	가능한 범위에서 운동을 장려한다.			
25	맑은 유동식에서 일반식으로 오심 구토가 발생하지 않는 범위에서 식이를 점차 변경한다.			
26	외모나 신체 기능에 적응할 수 있도록 하며, 퇴원 계획에 대상자나 가족을 참여시킨다(상처간호, 투약, 활동 제한 범위, 합병증 예방 등).			

CHAPTER 25

관절범위 운동(ROM: range of motion)

실습목록

1. 능동적 관절범위 운동   2. 수동적 관절범위 운동

관절범위 운동은 관절의 가동성을 유지하며 근육의 위축을 예방하고 건과 근육의 경축을 예방하기 위해 실시한다. 정상범위운동을 도움없이 스스로 진행할 경우는 능동적 관절운동(Active ROM)이라고 하고, 간호사의 도움으로 관절운동을 수행할 경우를 수동적 관절운동(Passive ROM)이라고 한다.

관절운동을 할 때는 매번 관절의 움직임이 원활한지, 저항을 느끼거나 통증이 있는지 등 관절의 움직임을 사정한다. 관절운동을 할 때 포함해야 할 중요한 관절은 목, 척추, 어깨, 팔꿈치, 손가락, 무릎, 발목, 발가락 등이다.

관절의 종류

관절의 종류	기능
• 차축관절(Pivot joint) • 평면관절(Plane joint) • 구상관절(ball - and socket joint) • 접번관절(hinge joint) • 안상관절(saddle joint) • 과상관절(condylois joint)	• 원판상 관절두와 이에 맞는 관절와 사이에 존재하며 차 바퀴와 같이 도는 운동을 가능하게 함 • 두 관절면이 평면이어서 활주 운동만 가능하게 함 • 관절두가 구상이며 관절와는 오목하여 모든 운동이 가능함 • 홈이 있는 관절두와 이에 맞는 관절 사이에 존재하는 관절로 굴곡신전운동이 가능함 • 양쪽 관절의 표면이 말안장과 같으며 과상관절과 유사하나 보다 자유로움 • 관절두가 타원이며 관절와가 오목하여 굴곡과 신전, 외전과 내전 및 회선운동이 가능함

관절범위 운동 시 고려 사항

- 각 관절의 운동이 가능한 범위까지 운동하게 한다.
- 한 손으로 운동시킬 관절은 확실하게 잡고, 다른 손으로 운동을 시킨다.
- 천천히 부드러운 움직임으로 모든 운동을 시행한다.

- 관절의 움직임이 유연하지 않음을 느끼거나 대상자가 불편함을 호소할 때는 움직임을 멈춘다.
- 관절가동역 유지에는 각 관절을 3회 각 가동역에 걸쳐 운동시키고, 상황에 따라 1일 2~3회 행한다.

관절범위 운동 수행 시 사정 사항

- 관절의 운동정보
- 대상자의 불편감
- 관절의 부종이나 발적

- 관절과 연결된 근육의 발달정도와 다른 신체부위 근육의 상대적인 크기
- 대상자의 운동에 대한 내성

※ 노인인 경우 피로하지 않게 운동 중 몇 번의 휴식을 갖는 것이 좋다.

관절 운동의 종류

- 굴곡운동(flexion): 두 뼈 사이의 각도가 감소하는 것으로 관절을 굽히는 운동이다.
- 신전운동(extension): 두 뼈 사이의 각도가 증가하는 것으로 관절을 곧게 펴는 운동이다.
- 과대신전(hyperextension): 두 뼈 사이의 신전이 최대로 되는 운동이다.
- 외전운동(abduction): 사지가 신체의 중심으로부터 멀어지는 운동이다.
- 내전운동(adduction): 사지가 몸의 중심을 향하게 돌리는 운동이다.

- 회전운동(rotation): 중심 축을 두고 뼈가 도는 것으로 내회전과 외회전이 있다.
- 순환운동(circumduction): 굴곡, 신전, 내전, 외전의 연속운동이다.
- 회내운동(pronation): 손바닥이 땅바닥을 향하도록 회전하는 운동이다.
- 회외운동(supination): 손바닥이 위쪽 또는 앞쪽을 향하도록 회전하는 운동이다.

1. 능동적 관절범위 운동(Active ROM)

능동적 관절운동의 목적은 관절의 가동 여부를 사정하고, 관절의 가동성을 유지하며, 근육의 크기, 긴장도, 힘을 유지하며 근육의 위축과 경축을 예방하여 대상자 스스로 가능한 한 일상생활을 수행해 내도록 하는 것이다.

능동적 ROM 훈련과 일상 생활 활동(ADL) 결합

관절 훈련	일상 생활 활동	운동
목	머리를 "예" 하며 끄덕이기	굴곡
	머리를 "아니오" 하며 흔들기	회전
	오른쪽 귀를 오른 어깨쪽으로 기울이기	외측굴곡
	왼쪽 귀를 왼쪽 어깨로 기울이기	외측굴곡
어깨	머리 위 조명 켜기	굴곡
	침대 곁 책 꽂기	신전
	방향제 뿌리기	외전
	머리카락 묶기	굴곡
팔꿈치	먹기, 목욕, 수염 깎기, 몸단장하기	굴곡, 신전
팔목	먹기, 목욕, 수염 깎기, 몸단장하기	굴곡, 신전, 외전, 내전
손가락과 엄지손가락	미세 운동 조정이 요구되는 모든 활동 (쓰기, 먹기, 취미활동)	굴곡, 신전, 외전, 내전
엉덩이	걷기	굴곡, 신전
	측위로 눕기	굴곡, 신전, 외전
	측위에서 바로 눕기	신전, 내전
	발을 안쪽으로 돌리기	내회전
	발을 밖으로 돌리기	외회전
무릎	걷기	굴곡, 신전
	측위에서 앞뒤로 움직이기	굴곡, 신전
발목	걷기	배측굴곡, 척측굴곡
	발가락을 참상 머리쪽으로 움직이기	배측굴곡
	발가락을 침상 발치쪽으로 움직이기	척측굴곡
발가락	걷기	신전, 굴곡
	발가락 흔들기	내전, 외전

2. 수동적 관절범위 운동(Passive ROM)

수동적 관절운동의 목적은 관절운동의 유연성을 유지하여 경직
과 구축을 방지하기 위해 운동제공자가 대상자의 가동범위의 운
동을 실시하는 것이다.

수동적 관절범위 운동의 단계와 근거

단계	근거

단계

1. 상처 배액관이나 피부 병변이 있다면 장갑을 낀다.

2. 대상자가 편안한 자세를 취하도록 돕고, 앉는 자세나 누운 자세를 취하도록 한다.

3. 능동적 보조 또는 수동적 관절운동범위 훈련을 수행할 때, 관절에 근접한 말단부, 기저부를 들어줌으로써 사지의 말단부를 손으로 감싸쥐거나, 손을 컵 모양으로 쥐어서 관절을 지지함으로써 관절을 지지한다.

4. 개요화된 순서대로 훈련을 수행한다. 각 운동은 훈련 중 5번 반복한다.

  a. 목

    (1) 굴곡: 턱을 흉부 쪽으로 굽히기(ROM: 45°)

    (2) 신전: 머리를 직립자세로 되돌리기(ROM: 45°)

    (3) 과신전: 머리를 등쪽으로 굽히기(ROM: 10°)

    (4) 측면 굽힘: 머리를 각 어깨쪽으로 기울이기(ROM: 40~45°)

근거

• 머리에서 발가락방향으로 훈련을 수행하는 것이 쉽다.

• 모든 방향에서 적절한 ROM은 시야 확보와 일상생활에서의 독자적 생활 수준을 증가시킨다. 목의 굴절 경축이 발생하면 대상자의 목은 영구히 턱이 앞쪽으로 굴곡되거나, 실제적으로 가슴에 닿을 수 있다. 궁극적으로 대상자의 신체선열 변화, 시야 변화, 일상생활에서의 독자적 기능이 감소한다.

단계 3(1)

단계 3(2)

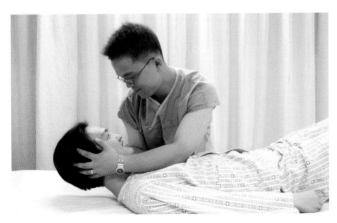

단계 4a(1)

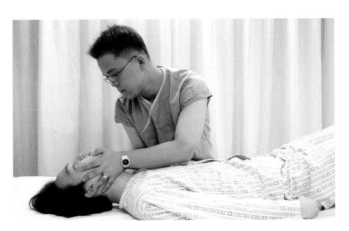

단계 4a(2)

수동적 관절범위 운동의 단계와 근거(계속)

단계	근거

(5) 회전: 머리를 원운동으로 돌리기(ROM: 360°)
(6) 머리를 측면으로 돌리기
 	
b. 어깨
  (1) 굴곡: 팔을 측면으로부터 머리쪽으로 들기(ROM: 180°)
  (2) 신전: 팔을 신체측면으로 되돌려 놓기(ROM: 180°)
  (3) 과신전: 팔꿈치는 편 상태로 팔을 몸 뒤쪽으로 들기(ROM: 45-60°)
  (4) 외전: 팔을 측방으로 들어 머리 위로 들어올리기. 손바닥은
     머리 반대쪽으로 향하기(ROM: 180°)
  (5) 내전: 팔을 측방으로 가능한 한 신체를 교차하게 끌어들이는 운동
     (ROM: 320°)
  (6) 외회전: 팔꿈치는 구부린 채로 엄지손가락이 머리 측면 위에 닿도록
     팔을 들어올리기(ROM: 90°)
	
	• 능동적인 어깨 훈련은 삼각근의 근력증진, 목발, 보행기 사용에 유익하다.
	• 굳어버린 어깨는 머리 위로 팔을 들 수 없고 드레싱하기 어렵다.

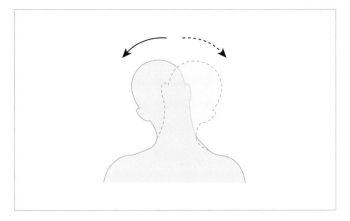

단계 4a(4)

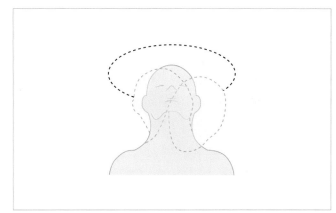

단계 4a(5)

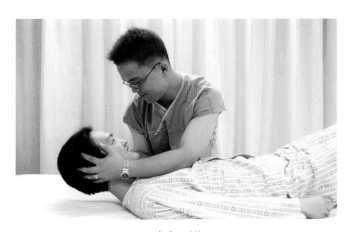

단계 4a(6)

수동적 관절범위 운동의 단계와 근거(계속)

단계	근거

(7) 내회전: 팔꿈치는 구부린 채로 엄지손가락이 등쪽으로 향하게
　　팔을 움직임으로써 어깨 돌리기(ROM: 90°)

(8) 회전: 팔을 완전히 원을 그리며 휘돌리기(ROM: 360°)

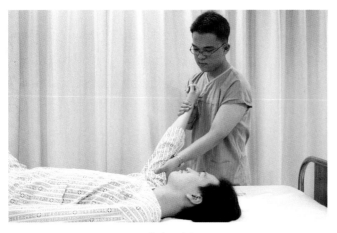

단계 4b(1)

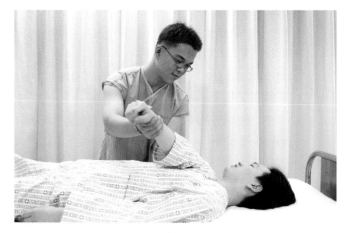

단계 4b(5)

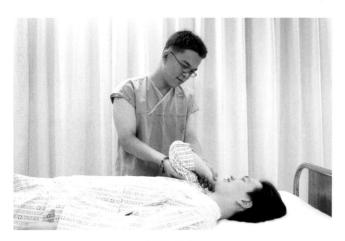

단계 4b(6)

수동적 관절범위 운동의 단계와 근거(계속)

단계	근거

c. 팔꿈치

(1) 굴곡: 팔꿈치를 굽혀서 전완이 견관절 쪽으로 향하게 올리기
   (ROM: 150°)

(2) 신전: 손을 아래로 내리고 팔꿈치를 펴기(ROM: 150°)

(3) 과신전: 팔을 신전시킨 상태에서 전완을 등쪽으로 젖히기
   (ROM: 10~20°)

• 주관절의 완전 굴곡 또는 완전 신전 고정은 대상자의 일상생활에서의
독자적 행동을 제한한다.

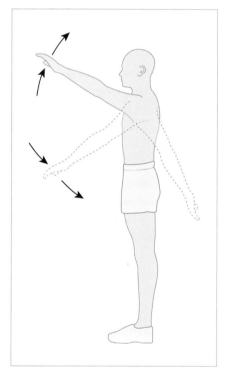

단계 4b (3)

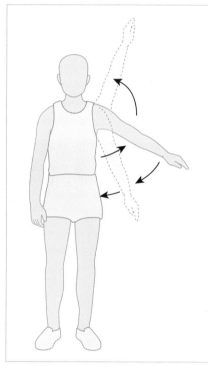

단계 4b (4)

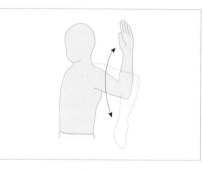

단계 4b (7)

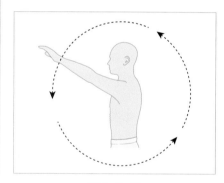

단계 4b (8)

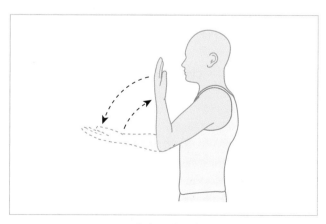

단계 4c (1, 2)

수동적 관절범위 운동의 단계와 근거(계속)

단계	근거
d. 전완 　(1) 회외: 전완과 손을 뒤집어 손바닥이 위로 향하게 하기(ROM: 70~90°) 　(2) 회내: 전완을 뒤집어 손바닥을 바닥으로 하기(ROM: 70~90°) e. 손목 　(1) 굴곡: 손바닥이 전완 안쪽을 향하게 굽히기(ROM: 80~90°) 　(2) 신전: 손바닥을 움직여서 손가락, 손, 전완이 같은 평면에 　　놓이게 하기(ROM: 80~90°) 　(3) 과신전: 손등을 젖히기(ROM: 80~90°) 　(4) 외전(요골 굴곡): 손목을 중앙에서 엄지 손가락 쪽으로 굽히기 　　(ROM: 30°) 　(5) 내전(척골 굴곡): 손목을 5번째 손가락 쪽으로 굽히기(ROM: 30~50°)	• 전완은 회외에서 회내로 움직인다. • 손목이 약간 굴곡상태로 고정되면 대상자의 쥐는 능력이 쇠약해진다. • 손목 근력은 목발을 사용하는데 필수이다.

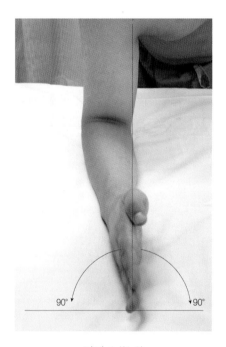

단계 4d(1,2)

수동적 관절범위 운동의 단계와 근거(계속)

단계	근거
f. 손가락 (1) 굴곡: 주먹 쥐기(ROM: 90°) (2) 신전: 손가락 펴기(ROM: 90°) (3) 과신전: 손가락을 손등 쪽으로 굽히기(ROM: 30~60°) (4) 외전: 손가락을 펴기(ROM: 30°) (5) 내전: 손가락을 모으기(ROM: 30°)	• 손가락과 엄지 손가락의 유연성은 물건을 쥐는데 요구된다. (목발을 쥐거나 식기도구를 사용할 때) 신전되지 않으면, 굴곡 상태를 유지하려는 것이 자연적인 성향이다(CVA 대상자는 완전굴곡을 예방하기 위해 손에 쥘 딱딱한 물건이 필요하다).

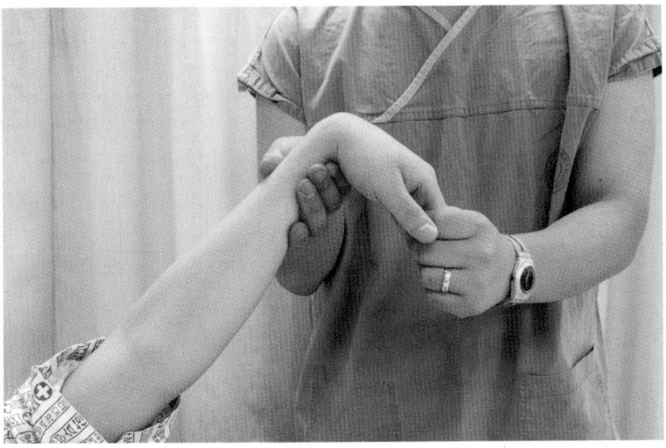
단계 4e (1)

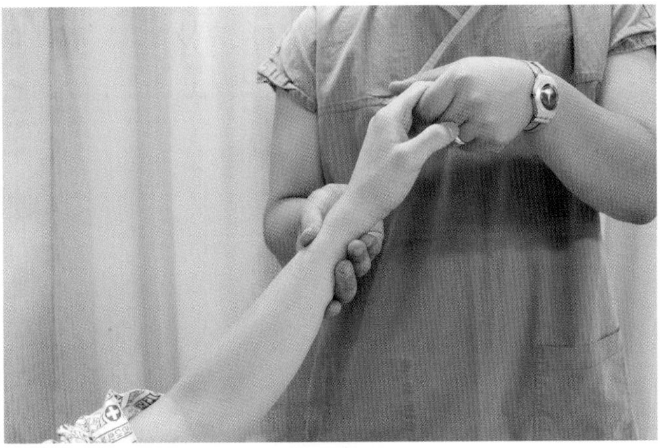
단계 4e (4)

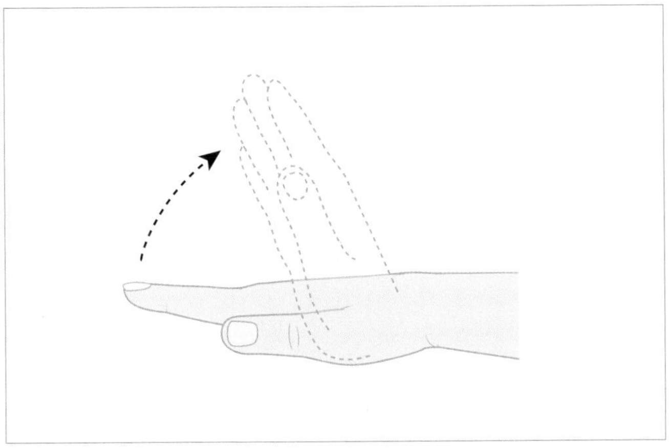
단계 4e (3)

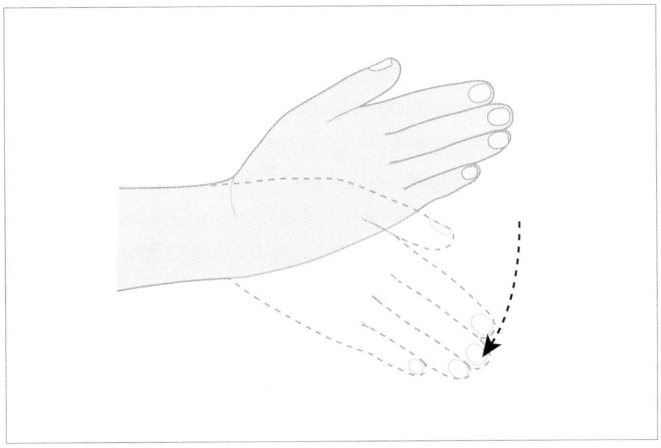
단계 4e (5)

수동적 관절범위 운동의 단계와 근거(계속)

단계	근거

g. 엄지손가락

　(1) 굴곡: 엄지 손가락을 손바닥을 교차하게 굽히기(ROM: 90°)

　(2) 신전: 엄지손가락을 손으로부터 곧게 펴기(ROM: 90°)

　(3) 외전: 엄지손가락을 측방으로 신전하기

　　　(보통 손가락을 외전시킬 때처럼)(ROM: 30°)

　(4) 내전: 엄지손가락을 모으기(ROM: 30°)

　(5) 대립: 엄지손가락으로 같은 손 각 손가락을 만지기

• 엄지손가락의 유연성은 미세운동 조정을 유지한다.

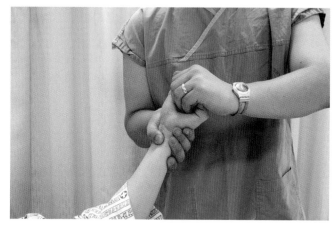

단계 4f (1)

단계 4f (3)

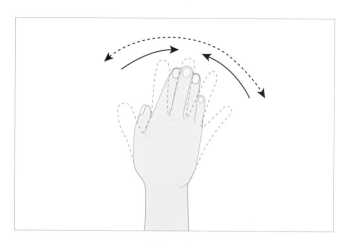

단계 4f (4,5)

수동적 관절범위 운동의 단계와 근거(계속)

단계	근거

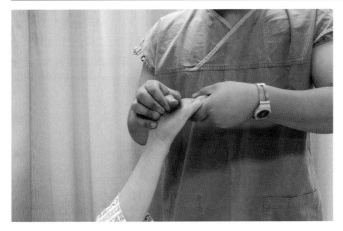

단계 4g (1)

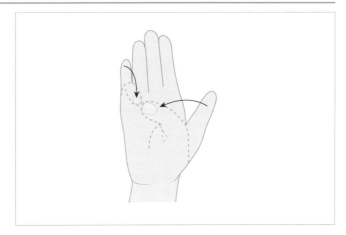

단계 4g (5)

h. 고관절

(1) 굴곡: 다리를 위쪽으로 굽히기(ROM: 90~120°)

(2) 신전: 다리를 굴곡상태에서 펴기(ROM: 90~120°)

(3) 과신전: 다리를 등쪽으로 신전하기(ROM: 30~50°)

(4) 외전: 다리를 몸 측방으로 벌리기(ROM: 30~50°)

(5) 내전: 다리를 정중앙으로 모으기(ROM: 30~50°)

(6) 내회전: 발과 다리를 다른 다리 쪽으로 굽히기(ROM: 90°)

(7) 외회전: 발과 다리를 다른 다리 쪽에서 원상태로 하기(ROM: 90°)

(8) 회전: 다리를 원을 그리며 돌리기(ROM: 360°)

• 하지의 적절한 ROM은 대상자가 안정된 걸음으로 걷도록 돕는다. 고관절 구축은 불안정한 걸음, 보행을 어렵게 할 수 있다.

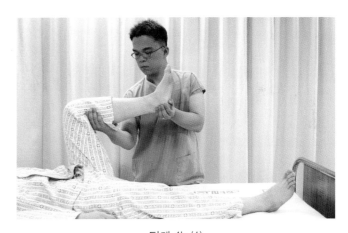

단계 4h (1)

30° 까지
과신전

단계 4h (3)

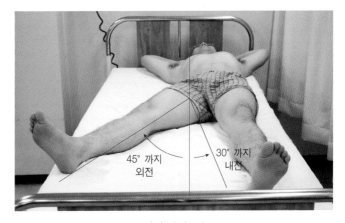

45° 까지
외전

30° 까지
내전

단계 4h (4,5)

단계	근거
I. 무릎	
(1) 굴곡: 발뒤꿈치를 대퇴 후면으로 굽히기 (고관절 굴곡과 함께 이루어짐)(ROM: 120~130°)	• 경직된 슬관절은 심각한 불능의 원인이 된다. 슬관절이 완전 신전되면 대상자는 다리를 곧게 뻗은 상태로 앉게 된다. 무릎이 굴곡된 상태로 굳어지면 대상자는 걸을 때 절게 되며 발이 바닥에 닿을 수가 없다.
(2) 신전: 다리를 곧은 자세로 되돌리기(ROM: 120~130°)	
J. 발목	
(1) 족저굴곡: 발가락이 아래쪽을 향하게 굽히기(ROM: 45~50°)	• 발목의 기형은 대상자의 도보 능력을 손상시킨다.
(2) 배측 굴곡: 발가락이 위쪽을 향하게 굽히기(ROM: 20~30°)	

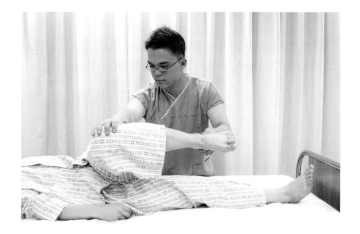

단계 4g (6)

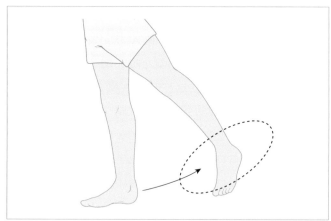

단계 4g (6)

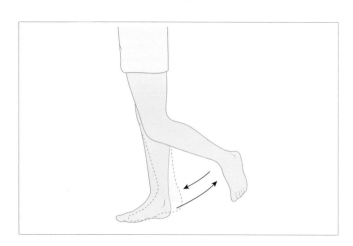

단계 4i (2)

수동적 관절범위 운동의 단계와 근거(계속)

단계	근거

K. 발

(1) 내번: 발바닥이 내방으로 향하게 하기(ROM: 10° 미만)

(2) 외번: 발바닥이 외방으로 향하게 하기(ROM: 10° 미만)

(3) 굴곡: 발가락을 아래쪽으로 오므리기(ROM: 30~60°)

(4) 신전: 발가락을 굴곡상태에서 곧게 펴기(ROM: 30~60°)

(5) 외전: 발가락을 쫙 펴기((ROM: 15° 미만)

(6) 내전: 발가락 모으기(ROM: 15° 미만)

• 발가락의 적절한 ROM은 안정된 걸음과 기저면 안정을 유지한다. 하지의 적절한 ROM은 대상자가 보행할 수 있게 한다.

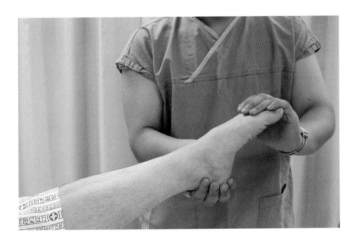

단계 4j (1)

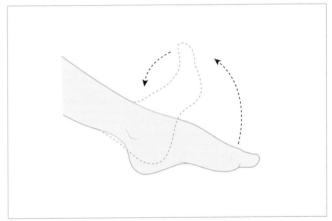

단계 4j (2)

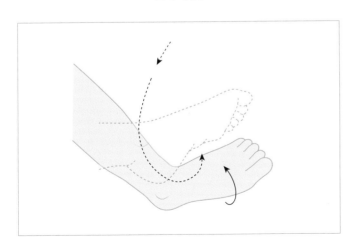

단계 5k (1, 2)

CHAPTER 26

대상자 이동 돕기

신체활동은 신체적인 안녕과 정서적인 안녕에 기여하는 인간의 기본적 요구이다. 움직이지 못하는 대상자의 체위를 변경하거나 이동을 할 때 신체역동기전의 기본적인 원리를 이용하면 대상자의 움직임을 쉽게 도울 수 있어 간호사가 자신감을 갖게 하여 준다.

스스로 움직일 수 없는 대상자의 경우 체위를 변경하거나 운동을 할 때 이를 전적으로 간호사에게 의존하게 된다. 신체 각 부위의 동작에 대하여 여러 가지의 방법이 적용될 수 있다.

대상자 이동을 위한 간호사의 신체역학 지침

- 대상자를 이동시키고자 할 때 주변인이나 건강요원의 도움을 얻을 수 있는지를 고려한다. 이는 두사람이 같이 일할 수 있다면 일의 부담을 반으로 경감시킬 수 있기 때문이다.

- 대상자 이동 시에 가능한 한 대상자의 도움을 받는다. 이는 간호사의 부담을 줄이는 반면 대상자의 기동능력을 향상시킨다.

- 등과 목, 골반과 다리를 정렬하고 몸의 꼬임을 방지한다. 몸이 꼬이면 손상의 위험이 높아진다.

- 무릎을 구부리고 다리를 넓게 벌린다. 넓은 기저면을 확보하는 것은 안정감있게 일하도록 하는데 필요하다.

- 대상자에게 가능하면 자신의 몸을 밀착시킨다. 이는 이동에 소요되는 힘을 적게 한다.

- 허리를 사용하지 말고 팔과 다리를 쓴다. 다리 근육은 신체 중 크고 강한 근육이므로 손상 없이 일을 수행할 수 있게 한다.

- 대상자를 들기보다는 자신에게 시트 등을 이용해서 끌어당긴다. 끌어당기는 것은 들어 올리는 것보다 힘이 덜 소요된다. 또한 시트를 이용하게 되면 응전력을 감소시켜 대상자의 피부손상을 줄인다.

- 대상자 이동을 시도하기 전에 간호사의 복부와 둔부 근육을 긴장시킨다. 일 수행 전 근육을 긴장시키게 되면 손상을 줄이게 된다.

- 두 사람 이상이 대상자를 이동시킬 때, 가장 무거운 부위를 드는 간호사가 이동을 위한 숫자를 셈으로서 조정자 역할을 담당한다. 이는 여럿이 대상자를 들 때 동시에 대상자를 드는 것이 일의 부담을 줄이기 때문이다.

대상자 기동을 돕는 기본적인 세 가지 지침

- 대상자 기동시 대상자의 적절한 근육의 힘, 조절력, 조정능력과 관절운동의 범위에 기반을 둔다.
- 움직이고자 하는 대상자의 동기를 고려한다.
- 기동에 관여되는 환경적 제한을 제거한다.

대상자 이동 돕기의 지침

- 대상자의 능력과 한계를 사정한다.
- 대상자에게 능력이 허락되는 만큼만 수행토록 한다.
- 안전장치를 고려한다(이동벨트 이용 등).
- 신체 공학을 이용한 원리를 따른다.
- 운동은 부드럽고 리듬감 있게 유지시킨다.
- 손상을 예방한다(피부의 마찰, 관절의 밀림, 근육을 부여잡기).
- 대상자가 적절한 신체 정열을 유지하고 안전상태를 유지하도록 한다.

대상자 이동 시 두 사람이 대상자의 이동을 도울 경우, 만약의 경우 손을 놓칠 경우를 대비하여 손을 맞잡을 때 다음과 같이 손잡는 모양이 "ㄹ" 모양과 "ㅁ" 모양으로 잡을 수 있다.

"ㅁ" 모양 손잡이

"ㄹ" 모양 손잡이

1. 침상가로 대상자 옮기는 방법

침상가로 대상자 옮기는 방법의 단계와 근거

단계	근거
1. 간호사는 대상자를 움직이기 위하여 침상 한쪽에 대상자 가까이에 선다.	• 이동에 소요되는 힘을 줄인다.
2. 대상자는 무릎을 구부리도록 한다.	• 하지의 무게를 덜 수 있다.
3. 간호사는 한쪽 다리를 앞으로 내밀고 다른쪽 다리와 무릎을 구부리면서 침상위에 팔을 놓는다.	• 넓은 기저면을 확보한다.
4. 간호사의 한쪽 팔을 대상자의 어깨와 목 밑에 넣고 다른쪽 팔을 둔부 밑에 넣는다.	
5. 간호사 자신의 몸무게를 앞쪽 발에서 뒤쪽 발로 옮기면서 자세를 구부리며 대상자를 자기쪽의 침상가로 끌어온다.	• 대상자를 끌어올리는 것보다 당기는 것이 힘이 덜 든다.
6. 대상자의 무릎을 펴주면서 하지와 몸체의 선열을 맞춘다.	

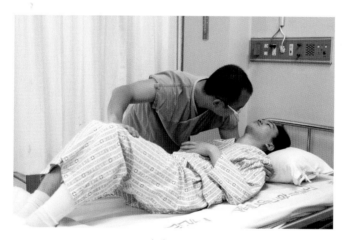

단계 2, 3, 4

2. 대상자를 일으켜 침상가에 앉히는 방법

대상자를 일으켜 침상가에 앉히는 방법의 단계와 근거

단계	근거
1. 간호사는 대상자의 침상 머리쪽에 발을 비껴 벌리고 선다.	
2. 간호사의 팔을 대상자 어깨 밑에 넣고 양쪽 견갑골 사이를 지지한다.	• 몸의 대칭(symmetry)상태를 유지한다.
3. 다른 팔로 침상 끈을 잡아 당기면서 대상자를 일으켜 앉힌다. 이때 간호사의 체중이 대상자의 머리쪽 다리에서 반대편 다리로 옮겨진다.	• 간호사의 체중의 반작용을 이용한다.
4. 대상자의 역동적 평형(dynamic equilibrium)을 누워있는 평형에서 앉은 평형으로 유도하고 다리 근육의 운동을 보완하기 위하여 대상자를 침상가에 앉히고 다리운동(dangling)을 시킨다. 이때 되도록 대상자의 능동적인 참여와 협조를 구하기 위하여 방법과 절차를 자세히 설명해야 한다. 수술 대상자인 경우에는 동통을 해소시킨 후에 실시하는 것이 바람직하다.	

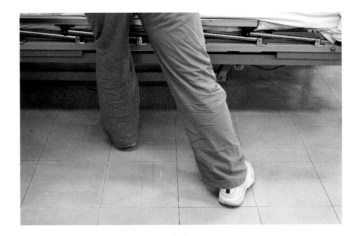

단계 1

단계 2

단계 3

대상자를 일으켜 침상가에 앉히는 방법의 단계와 근거(계속)

단계	근거

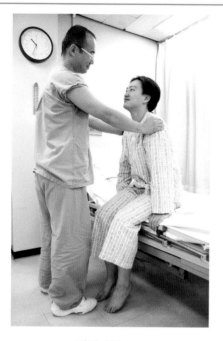

단계 4(1)

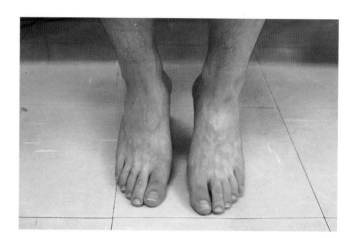

단계 4(2)

3. 대상자를 침상 머리로 옮기는 방법

1) 대상자가 도움을 줄 수 있을 때

대상자를 침상 머리로 옮기는 방법(대상자가 도움을 줄 수 있을 때)의 단계와 근거

단계	근거

1. 간호사의 한쪽 발끝이 침상 머리쪽을 향 하도록 하여 침상 옆에 비껴 선다.

2. 대상자의 무릎을 세워 발바닥이 침요에 닿게 한다.　　• 올라갈 때 체중을 양 발에 안정감 있게 지탱하기 위함이다.

3. 대상자의 양팔은 위로 쭉 펴서 침상 난간을 잡고 턱은 가슴에 댄다.　　• 올라갈 때 머리가 젖혀지지 않도록 하기 위함이다.

4. 대상자가 간호사의 구령에 맞추어 팔을 잡아 당기고 다리에 힘을 주어　　• 미끄러져 올라가는 것이 들어올리는 것보다 쉽다.
　무릎을 펴면서 올라간다.

5. 간호사는 대상자의 요구에 따라 적절한 도움을 준다.　　• 될수록 대상자 자신이 스스로하게 하면 대상자가 성취감을 갖게 된다.

6. 양 어깨 밑에 한쪽 팔을 넣어 약간의 도움만 주거나 양 어깨와 둔부 또는
　대퇴 밑에 팔을 넣어 도와줄 수 있다.

대상자를 침상 머리로 옮기는 방법의 단계와 근거(계속)

단계	근거

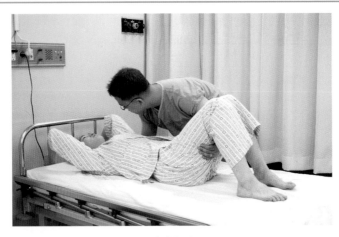

단계 2, 3

2) 대상자가 도움을 줄 수 없을 때

대상자를 침상 머리로 옮기는 방법(대상자가 도움을 줄 수 없을 때)의 단계와 근거

단계	근거

1. 간호사의 한쪽 발끝이 침상 머리쪽을 향하도록 하여 침상 옆에 비껴 선다.

2. 대상자의 무릎을 세워 발바닥이 침요에 닿게 한다.

3. 간호사가 대상자의 양 어깨 밑에 한쪽 팔을 넣고 다른 팔은 둔부 밑에 넣어
   반대편에 선 보조자와 두 손을 맞잡는다.

4. 구령에 맞추면 팔을 잡아당기고 다리에 힘을 주어 체중을 침상 상부로
   옮기면서 대상자를 침상머리로 옮긴다.

4. 체위를 변경할 때 돕는 방법

1) 앙와위에서 측위로 눕도록 돕는 방법

침상안정을 하는 대상자는 흔히 앙와위를 취하나 매 두 시간마다 체위변경을 해야 한다. 체위변경을 할 때는 시술이 끝난 후 대상 자가 침상의 정중선에 편하게 눕게 되도록 하는 것이 중요하다.

 체위를 변경할 때 돕는 방법(앙와위에서 측위로 눕도록 돕는 방법)의 단계와 근거

단계	근거
1. 누이고자 하는 반대쪽에 간호사가 다리를 비껴 벌리고 선다 (좌측위일 때는 오른 편에).	• 반대편으로 옮기기 쉽다.
2. 대상자의 무릎을 세우고 팔을 가슴위에 얹는다.	• 옆으로 옮길 때 등 밑으로 팔이 들어가지 않게 하기 위함이다.
3. 양 어깨 밑과 둔부 밑에 간호사의 팔을 넣는다.	
4. 누이고자 하는 쪽 어깨가 침상의 정중선에 오도록 잡아 당겨 옮긴다.	• 시술 후 대상자는 침상 가운데 눕게 된다.
5. 대상자의 두 다리를 펴고 누이고자 하는 쪽 다리를 밑으로 하여 발목을 포갠다.	• 다리가 꼬이는 것을 막기 위함이다.
6. 어깨와 둔부에 양 손을 대고 옆으로 돌린다. 이때 대상자의 상태에 따라 술 자가 눕히고자 하는 쪽으로 돌아가게 할 수도 있고 보조자의 도움을 받을 수도 있다.	• 대상자의 앞쪽에서 시술하는 것이 바람직하다.
7. 각 신체 부위를 적절하게 지지한다.	
1) 머리 밑에 적절한 높이의 베개를 대 준다.	• 목 근육은 과도한 신전을 예방한다.
2) 양 팔을 몸 앞쪽으로 놓고 베개를 대주며 위쪽 팔을 얹는다.	• 늑간근의 신전을 돕는다.
3) 아래쪽 다리를 펴고 위쪽 다리는 고관절과 슬관절에서 90도로 구부리게 하여 베개를 받혀 준다.	• 아래쪽 다리에 압박을 해소하고 몸의 균형을 유지한다.
4) 등뒤에 베개로 단단히 지지한다.	• 몸이 뒤로 젖혀지는 것을 방지한다.

2) 앙와위에서 복위로 눕도록 돕는 방법

체위를 변경할 때 돕는 방법(앙와위에서 복위로 눕도록 돕는 방법)의 단계와 근거

단계	근거
1. 침상 양쪽에 간호사가 선다.	
2. 대상자의 무릎을 세우고 팔을 가슴위에 얹는다.	
3. 어깨 밑과 둔부 밑에 간호사의 팔을 넣어 서로 맞잡는다.	
4. 한쪽 어깨가 반대편 어깨 있던 자리까지 오도록 한편으로 옮긴다.	• 복위를 취하면 침상의 가운데에 눕게 된다.
5. 보조자로 하여금 대상자의 다리를 펴서 발목을 포개고 두 팔은 위로 쭉 펴게 한다. 간호사는 이때 어깨 밑과 둔부 밑에 있는 팔로 대상자를 계속 지지 한다. 필요하면 보조자는 복부를 지지할 pad를 침요 위에 놓는다.	• 어깨와 머리 사이의 공간을 이용한다. 떨어지지 않게 하기 위함이다. 복위를 취한 후에 pad를 넣으려면 간호사의 손이 복부를 만져야 하기 때문이다.
6. 간호사가 팔을 빼면서 대상자를 엎어 눕힌다.	
7. 대상자의 팔을 편안한 위치로 놓는다. 이때에 팔꿈치를 침요에 붙인 채로 해야 한다.	• 견갑관절의 탈구를 막기 위함이다.
8. 각 신체부위를 적절하게 지지한다.	
a. 머리는 옆으로 돌린다. 필요하면 작은 베개를 대준다.	• 호흡을 할 수 있게 하기 위해서 큰 베개는 목을 과다하게 굴곡시킨다.
b. 남자는 복부밑에 작은 pad를 대준다.	• 음낭 주위의 압력을 완화시킨다.
c. 발목 밑에 작은 베개를 대준다.	• 족저굴곡을 예방하기 위함이다.

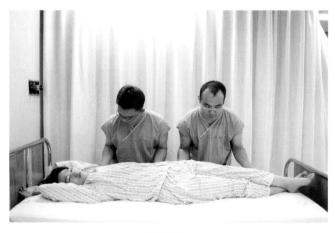

단계 5

5. 침상에 누운 자세로 대상자를 옮기는 방법

침상에 누운 자세로 대상자를 옮기는 방법

• **목적** – 대상자를 수평으로 유지한 상태로 효율적으로 옮기기 위함이다.

단계	근거
1. 이동들것(stretcher, wheel)의 머리쪽으로 침상 발치에 붙여 60°까지 되도록 놓거나 간격을 조금 띄어 잇대어 놓는다.	• 정사각형을 이루므로 대상자의 머리를 든 간호사가 들것의 머리부분까가는 거리와 대상자의 발을 든 간호사가 들것의 발치가지 가는 거리를 똑같게 하기 위함이다.
2. 대상자를 옮기는 세 사람은 대상자 침상옆에서 대상자를 향하여 선다.	
3. 머리쪽에 선 사람이 「하나」를 부를 때 세 사람은 무릎을 굽히고 팔을 대상자의 밑에 넣는다. 첫번 사람은 한쪽 팔을 목 뒤와 어깨 밑에 넣고 다른 한쪽 팔을 등에 넣는다. 가운데 사람은 한쪽 팔을 대상자 등의 아래 부분에 넣고 다른 한 팔은 둔부 아래에 넣는다. 침상의 발치쪽에 있는 사람은 한쪽 팔은 대상자의 둔부에 넣고 한쪽 팔은 다리 아래에 넣는다.	
4. 「둘」을 부르면 대상자를 침상가로 옮긴다. 운반자는 등의 긴장을 피하고 몸을 대상자와 가깝게 한다.	• 간호사의 중력 중심과 대상자가 가깝게 하기 위함이다.
5. 「셋」을 부를 때 대상자를 안고 선다.	• 구부리는 것보다 똑바로 서면 힘이 덜 든다.
6. 일어나 몇 발자국 걸어서 들것 옆에 선다. 들것을 잇대어 놓았을 때는 2~3 발자국 함께 뒤로 물러선 다음 들것을 대상자 밑으로 밀어 넣는다.	
7. 「넷」을 부를 때 무릎을 굽히면서 팔꿈치를 들것에 댄 채 대상자를 들것에 일단 놓는다.	• 한꺼번에 들것 가운데로 옮기면 대상자가 심히 흔들리게 되므로 이를 피하기 위함이다.
8. 「다섯」을 부를 때 각 운반자는 팔을 뻗혀서 대상자가 들것의 가운데에 가도록 한다. 대상자가 들것에서 굴러 떨어지지 않도록 주의해야 한다.	
9. 「여섯」을 부를 때 함께 팔을 뺀다.	

단계 2

단계 5

6. 홑이불을 이용한 대상자 이동 방법

홑이불을 이용한 환자 이동방법의 단계와 근거

기동하지 못하는 대상자를 옮길 때 홑이불을 많이 사용한다. 이 때에 두 사람이 필요하며 홑이불을 대상자의 어깨에서 둔부까지 깐다. 각자가 옆에서 홑이불을 단단히 잡고 원하는 방향으로 홑이불을 움직여서 위로 들어 올리거나 침상의 가장자리로 끈다.

대상자를 옆으로 돌릴 때에는 팔과 다리를 먼저 안전하게 한 다음 한쪽 홑이불만을 잡아 당겨서 돌아 눕도록 한다. 이때 대상자가 굴러 떨어지지 않도록 주의해야 한다.

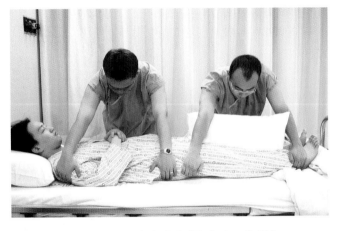

홑이불을 이용하여 대상자를 측위로 할때(1)

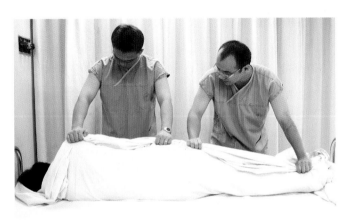

홑이불을 이용하여 대상자를 측위로 할때(2)

7. 이동차에서 침상으로 대상자를 옮기는 방법

1) 움직임이 가능한 대상자를 옮길 때

이동차에서 침상으로 대상자를 옮기는 방법(움직임이 가능한 대상자를 옮길 때)의 단계와 근거

단계	근거
1. 침상과 이동차의 높이를 같도록 맞춘다.	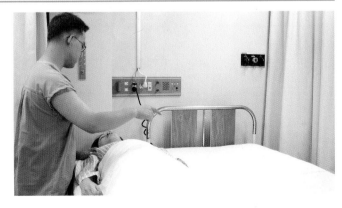
2. 대상자의 무릎과 둔부를 굴곡시키고 대상자의 발바닥이 이동차 침상을 짚도록 한다.	
3. 이동차에서 침상쪽으로 발을 들어 옮기도록 대상자를 지지한다.	
4. 대상자가 이동차에 짚은 발로 몸통을 지지하도록 하여 둔부와 몸통을 침상으로 옮기도록 지지한다.	
5. 대상자의 몸이 침상 중앙에 오도록 한다.	

단계 1

이동차에서 침상으로 대상자를 옮기는 방법(움직임이 가능한 대상자를 옮길 때)의 단계와 근거(계속)

단계	근거

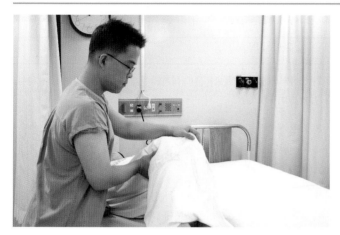

단계 2(1)

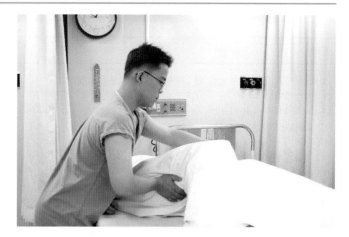

단계 2(2)

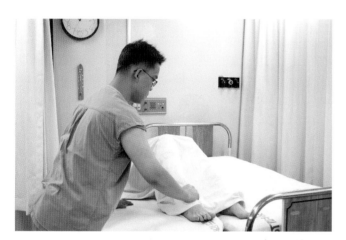

단계 3

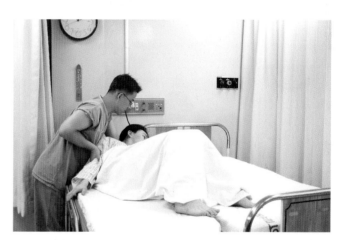

단계 4(1)

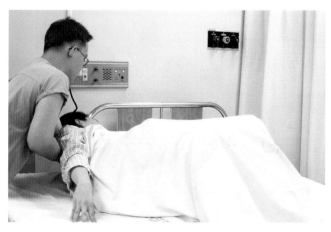

단계 4(2)

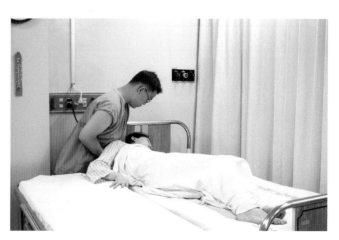

단계 5

2) 움직일 수 없는 대상자를 옮길 때

이동차에서 침상으로 대상자를 옮기는 방법(움직일 수 없는 대상자를 옮길 때)의 단계와 근거

단계

1. 대상자가 움직일 수 없을 때 이동을 도울 건강요원을 찾는다.

2. 셋이서 대상자를 옮길 때 셋 중 두 명의 의료요원은 옮겨질 침상쪽에 위치해야 한다.

3. 침상의 높이를 이동차와 같게 조정하고 침상과 이동차가 움직이지 않도록 고정한다.

4. 대상자 이동을 도울 홑이불을 대상자 밑에 깐다.

5. 홑이불 끝을 각 이동을 도울 의료요원들이 말아서 쥔다.

6. 침상에 있는 의료요원은 한쪽 무릎을 뒤에 위치시켜 기저부를 넓게 확보한다.

7. 이동차에 있는 의료요원은 대상자의 둔부와 어깨에 두 손을 위치시킨다.

8. 서로 신호를 맞추어 침상에 있는 두 의료요원이 홑이불을 들어 자신앞으로 당기고 이동차에 있는 의료요원은 홑이불을 팽팽하게 유지하도록 잡고 있다.

9. 대상자가 침상위에 올라가면 이동차에 있는 의료요원은 이동차위로 올라가 대상자와의 거리를 가깝게 유지한다.

10. 이동차를 치우고 대상자를 침대 중앙에 위치시킨다.

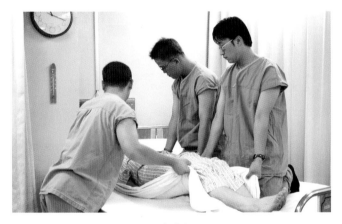

단계 2

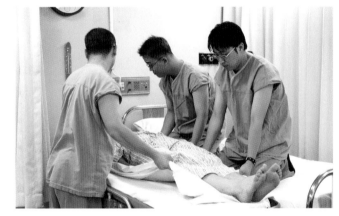

단계 6, 7

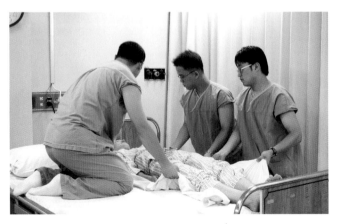

단계 8, 9

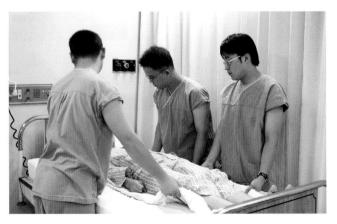

단계 10

8. 누워있는 대상자가 의자(휠체어)에 앉는 것을 돕는 방법

누워 있는 대상자가 의자(휠체어)에 앉는 것을 돕는 방법의 단계와 근거

단계	근거
1. 설 수 있는 경우	
a. 대상자를 침상가에 일으켜 앉게 한 후 구두와 가운을 착용하게 한다.	
b. 의자의 등쪽이 침상의 발치 쪽을 향하여 직각이 되도록 붙여 놓는다.	
c. 간호사는 대상자를 향하여 서서 의자 쪽에 가까운 다리를 앞으로 내밀어 비껴 벌린다.	• 기저면을 넓게 하기 위함이다.
d. 간호사는 대상자의 허리를 잡는다.	
e. 대상자가 바닥을 딛고 간호사는 앞쪽 다리의 무릎을 대상자 무릎에 대고 대상자를 세운다.	• 대상자의 무릎에 힘을 주기 위함이다.
f. 간호사는 지신의 기저부위를 유지하면서 대상자를 90°로 돌려 의자 앞에 서게 한다.	
g. 대상자를 의자 앞에 앉힐 때 대상자의 양 무릎에 간호사의 한쪽 무릎을 대고 대상자와 같은 동작으로 무릎을 구부린다.	• 간호사의 체중을 대상자의 체중에 대하여 반작용하여 안정감있게 하기 위함이다.
2. 설 수 없는 경우	
a. 대상자를 침상가에 일으켜 앉게 한 후 구두와 가운을 착용하게 한다.	

단계 1a

단계 1c

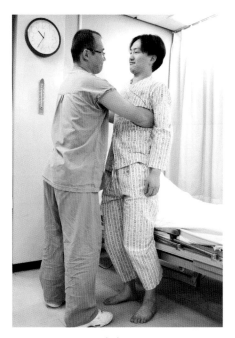

단계 1e

누워 있는 대상자가 의자(휠체어)에 앉는 것을 돕는 방법의 단계와 근거(계속)

단계	근거
b. 침상발치에 침상과 60° 각도로 약간 띄어 휠체어를 놓는다.	• 대상자를 받쳐 든 두 사람이 의자 양쪽에 이르는 거리가 같다 (정삼각형이 되므로).
c. 보조자와 함께 대상자의 겨드랑 밑에 각각 한쪽 어깨를 넣고 팔은 대상자의 등 뒤에서 맞 잡는다. 무릎을 굽히고 다른 쪽 팔은 대상자의 대퇴 밑에 넣어 맞잡고 똑바로 일어 선다.	• 대상자가 두 간호사의 중력 중심선과 가깝다.
d. 몇 발자국 움직여 두 간호사는 의자의 양옆에 선다. 휠체어의 앞다리를 각각 한 발로 움직이지 않도록 고정시킨다.	
e. 무릎을 굽히면서 대상자를 휠체어 위에 앉힌다.	

단계 1g

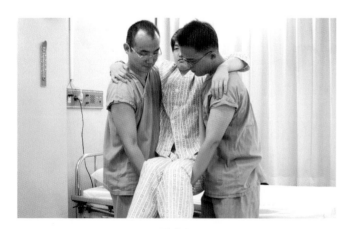

단계 2c

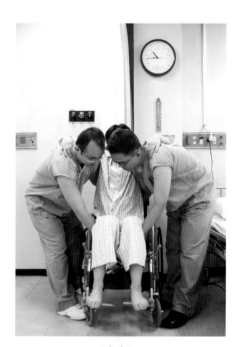

단계 2e

대상자를 일으켜 침상가에 앉히기

평가일자 _____ 평가자 이름 _____

No	수 행 항 목	수행	미수행	비고
1	움직이기 전에 간호사는 대상자의 침상 머리 쪽에 발을 비껴 벌리고 선다.			
2	대상자 머리 쪽에 간호사의 팔을 어깨 밑에 넣는다.			
3	침상의 머리부분을 향해 선 발에서 침상발치에 놓인 발쪽으로 체중을 옮겨 싣는다.			
4	대상자를 침상가에 앉히고 다리운동(dangling)을 시킨다.			
5	대상자가 어지러움을 호소하는지 사정한다.			
6	구두로 지식을 확인한다.			

침상 머리쪽으로 대상자 옮기기(대상자가 도움을 줄수 있는 경우)

평가일자 _____   평가자 이름 _____

No	수 행 항 목	수행	미수행	비고
1	침상과 대상자의 자세를 교정한다.			
	- 수평 위로 침상머리를 내린다.			
	- 간호사의 허리 높이로 침상을 올린다.			
	- 침상을 고정하고 반대편의 침대 난간을 올린다.			
	- 베개를 침상의 머리 부분으로 옮긴다.			
2	간호사의 근육 과로를 막기 위해 대상자의 도움을 구한다.			
	- 대상자가 효과적으로 밀치도록 둔부와 무릎의 굴곡과 발의 위치를 대상자에게 알려준다.			
	- 움직이는 동안 양손으로 침상의 머리 부분을 붙잡고 당길 것			
	- 움직이는 동안 손과 팔로 신체의 상부를 들어 올릴 것			
	- 움직이는 동안 양손으로 머리 위의 그네를 잡는 것과 들어 올릴 것, 당길 것			
3	간호사는 두 발을 약간 벌리고 서되, 침상 가까이에 있는 발을 앞쪽에 놓고, 발 앞쪽으로 몸무게를 싣는다. 둔부로부터 몸통을 앞으로 경사지게 하고 둔부, 무릎 그리고 발목을 굽힌다.			
	- 한쪽 팔을 견갑골 아래에 두고, 다른 쪽 팔은 대퇴 아래에 넣는다.			
	- 대상자를 팔로 밀치면서 침상 상부 쪽으로 체중을 옮긴다.			

침상 머리쪽으로 대상자 옮기기(대상자가 도움을 줄수 있는 경우)(계속)

No	수 행 항 목	수행	미수행	비고
4	대상자의 안위를 돕는다.			
	- 침상 머리를 올리고 대상자의 새로운 자세에 대한 적절한 지지기구를 제공한다.			
5	구두로 지식을 확인한다.			

침상 머리쪽으로 대상자 옮기기(대상자가 도움을 줄수 없는 경우)

평가일자 _____ 평가자 이름 _____

No	수 행 항 목	수행	미수행	비고
1	침상과 대상자의 자세를 교정한다.			
	- 수평 위로 침상머리를 내린다.			
	- 간호사의 허리 높이로 침상을 올린다.			
	- 침상을 고정하고 반대편의 침대 난간을 올린다.			
	- 베개를 침상의 머리 부분으로 옮긴다.			
2	간호사 1인이 도울 경우 - 머리쪽 손과 팔을 대상자의 머리 밑으로 넣어 반대편 액와부를 붙잡고 다른 손은 대퇴 아래를 받친다.			
	간호사 2인이 도울 경우 - 각자 자신의 상박을 대상자의 대퇴와 어깨 밑에서 서로 마주 잡아 깍지를 낀다(가능하다면 대상자에게 무릎을 구부리고 발바닥을 침상 바닥에 대도록 한다).			
3	간호사의 자세를 적절하게 취하고 대상자를 옮긴다. - 간호사는 두 발을 약간 벌리고 서되 침상 가까이에 있는 발을 앞쪽에 두고, 발 앞쪽으로 몸무게를 싣는다. 둔부로부터 몸통을 앞으로 경사지게 하고 둔부, 무릎 그리고 발목을 굽힌다.			
	- 간호사 2인이 돕는 경우 한 사람의 구령에 맞춰 동시에 침상 상부쪽으로 체중을 옮긴다.			
4	대상자의 안위를 돕는다. - 침상 머리를 올리고 대상자의 새로운 자세에 대한 적절한 지지 기구를 제공한다.			
5	구두로 지식을 확인한다.			

체위 변경 시 대상자를 돕는 방법(앙와위에서 측위로 변경하기)

평가일자 _____   평가자 이름 _____

No	수 행 항 목	수행	미수행	비고
1	움직이기 전에 대상자와 간호사의 자세를 적절하게 취한다.			
	- 대상자를 누이려는 반대쪽에 간호사가 다리 비껴 벌리고 선다 (예, 좌측위는 오른편).			
	- 대상자는 무릎을 세우고, 양팔을 가슴 위에 놓는다.			
	- 대상자의 양어깨 밑과 둔부 밑에 간호사의 팔을 넣는다.			
	- 누이려는 쪽 어깨가 침상의 정중선에 오도록 대상자를 옮긴다.			
	- 누이려는 쪽 다리가 밑으로 가도록 발목을 포갠다.			
2	반대편 침상의 난간을 먼저 올린다.			
3	간호사는 둔부, 복부, 다리, 팔의 근육을 단단하게 하고 어깨와 둔부에 팔을 대고 돌린다.			
4	각 신체 부위를 지지한다(지지된 측위).			
5	구두로 지식을 확인한다.			

체위 변경시 대상자를 돕는 방법(앙와위에서 복위로 변경하기)

평가일자 _____   평가자 이름 _____

No	수 행 항 목	수행	미수행	비고
1	움직이기 전에 대상자와 간호사의 자세를 적절하게 취한다.			
	- 대상자를 누이려는 반대쪽에 간호사가 다리 비껴 벌리고 선다 (예, 좌측위는 오른편).			
	- 베개를 침상 머리 부분으로 옮기고 대상자의 무릎을 세운다. 양팔은 가슴 위에 놓는다.			
	- 대상자의 양어깨 밑과 둔부 밑에 간호사의 팔을 넣는다.			
	- 누이려는 쪽 어깨가 침상의 정중선에 오도록 대상자를 옮긴다.			
2	반대편 침상의 난간을 먼저 올린다.			
3	대상자의 팔을 머리 위로 뻗어 올려 두 손을 살며시 잡도록 한다.			
4	간호사는 둔부, 복부, 다리, 팔의 근육을 단단하게 하고 어깨와 둔부에 팔을 대고 돌린다.			
5	대상자의 각 신체부위를 지지한다(지지된 복위).			
6	구두로 지식을 확인한다.			

침상에서 들것으로 대상자를 이동시키기(3인 이동법)

평가일자 _____ 평가자 이름 _____

No	수 행 항 목	수행	미수행	비고
1	이동하기 전 대상자의 침상을 조절한다.			
	- 침상의 바퀴를 고정한다.			
	- 이동들것의 머리 부분을 침상 발치에 60° 각도로 고정시킨다.			
2	대상자는 양팔을 가슴 위에 얹는다.			
3	첫째(대상자의 머리쪽) 간호사는 머리, 목, 어깨, 상흉부에 양팔을 넣어 대상자의 반대편 쪽에 손이 나오도록 한다.			
	둘째 간호사는 하흉부와 둔부에 양팔을 넣어 대상자의 반대편 쪽에 손이 나오도록 한다.			
	셋째 간호사는 대퇴와 다리에 양팔을 넣어 대상자의 반대편쪽에 손이 나오도록 한다.			
4	먼저, 첫째 간호사가 구령을 하여 대상자를 침상 끝으로 함께 옮긴다.			
5	첫째 간호사가 "하나, 둘, 셋" 하면 간호사 세 명이 동시에 안고 일어선다.			
6	모든 간호사는 허리를 꼿꼿이 세우고 이동 들것으로 천천히 옮겨간다.			
7	이동들것 앞에서 적절히 자리를 잡은 후, 첫째 간호사의 구령에 맞추어 일단 대상자를 침대 가장자리에 내려놓는다(이때 간호사는 무릎을 굽히고 팔꿈치를 이동 들것에 닿게 하되 대상자가 흔들리지 않도록 주의한다.			
8	간호사는 동시에 팔을 뻗어 대상자를 침상 가운데로 옮긴다.			
9	함께 팔을 빼고 적절한 체위를 유지시킨다.			
10	구두로 지식을 확인한다.			

홑이불을 이용한 대상자 이동방법(앙와위에서 측위로)

평가일자 _____   평가자 이름 _____

No	수 행 항 목	수행	미수행	비고
1	옮기기 전에 간호사 자신과 대상자의 자세를 적절하게 취한다.			
	- 한발을 앞쪽으로 두고 기저면을 넓힌다.			
	- 흉부 위에 가로 질러 대상자의 팔을 놓는다.			
	- 홑이불을 대상자의 어깨에서 둔부까지 깐다.			
	- 간호사의 몸을 굽히고 둔부, 대퇴, 무릎 그리고 발을 굽힌다.			
2	간호사 2인이 하는 경우			
	- 대상자의 머리 쪽에 있는 간호사는 한쪽 팔을 대상자의 견갑골 아래에, 다른 쪽 팔은 허리 부분에 홑이불을 둥글게 말아 쥔다.			
	- 다른 한 명의 간호사는 대상자의 둔부 아래와 무릎 아래에 각 각의 홑이불을 둥글게 말아쥔다.			
	- 간호사 한 명이 구령을 하여 다른 간호사는 동시에 뒷발로 체중을 옮기며 홑이불을 이용하여 대상자를 당긴다.			
	- 침상 측면의 난간을 올린다.			
3	침상 건너편 쪽으로 이동하고 대상자에 대한 지지기구를 놓는다.			
	- 대상자의 머리를 지지하는 베개를 놓는다.			
	- 대상자를 굴릴 때 위쪽의 다리를 지지하기 위해 대상자의 다리 사이에 하나 혹은 두 개의 베개를 놓는다.			

홑이불을 이용한 대상자 이동방법(앙와위에서 측위로)(계속)

No	수 행 항 목	수행	미수행	비고
4	적절한 선열로 홑이불을 이용하여 대상자를 굴리고 자세를 취한다.			
	- 간호사는 둔부, 무릎, 발목을 굽히고 한 발을 앞으로 하여 발의 위치를 취한다.			
	- 간호사는 대상자에게 손을 놓는다.			
	- 간호사 한 명이 구령을 하고 동사에 다른 간호사는 측위로 대상자를 돌린다.			
	대상자의 측위를 유지하기 위해 베개를 놓는다.			
5	구두로 지식을 확인한다.			

이동차에서 침상으로 대상자를 옮기는 방법(움직임이 가능한 대상자를 옮길 때)

평가일자 _____ 평가자 이름 _____

No	수 행 항 목	수행	미수행	비고
1	침상과 이동차의 높이를 같도록 맞춘다.			
2	대상자의 무릎과 둔부를 굴곡시킨다.			
3	이동차에서 침상쪽으로 발을 들어 옮기도록 대상자를 지지한다.			
4	대상자가 이동차에 짚은 발로 몸통을 지지하도록 하여 둔부와 몸통을 침상으로 옮기도록 지지한다.			
5	대상자의 몸이 침상 중앙에 오도록 한다.			
6	구두로 지식을 확인한다.			

이동차에서 침상으로 대상자를 옮기는 방법(움직일 수 없는 대상자를 옮길 때)

평가일자 _____ 평가자 이름 _____

No	수 행 항 목	수행	미수행	비고
1	이동차의 높이를 침상의 높이와 같게 한다.			
2	2인의 간호사는 옮겨질 침상 쪽에 위치하고 1인의 간호사는 이동차의 침상 밖쪽으로 위치한다.			
3	침상과 이동차가 움직이지 않도록 침상과 이동차의 바퀴를 조정한다.			
4	홑이불을 대상자 밑으로 깐다.			
5	침상쪽의 간호사는 침상위로 올라가 앉는다.			
6	홑이불 끝을 간호사는 말아서 쥔다.			
7	간호사는 기저부를 넓게 확보한다.			
8	이동차에 있는 간호사는 대상자의 둔부와 어깨에 두 손을 위치시킨다.			
9	서로 구령을 맞추어 침상 쪽의 간호사는 대상자를 침상 쪽으로 끌고, 이동차 쪽의 간호사는 홑이불을 팽팽하게 잡는다.			
10	대상자가 침상위로 올라가면 이동차위에 있는 간호사는 이동차로 올라가고 침상위의 간호사는 침상밑으로 내려간다.			
11	이동차를 치우고 대상자를 침대 중앙에 위치시킨다.			
12	구도로 지식을 확인한다.			

침상에서 의자(휠체어)로 대상자를 이동시키기(설 수 있는 경우)

평가일자 _____   평가자 이름 _____

No	수 행 항 목	수행	미수행	비고
1	설비를 알맞은 자리에 놓아 둔다.			
	- 대상자의 발이 바닥에 닿도록 침상을 낮게 조정한다. 침상의 바퀴를 움직이지 않도록 고정시킨다.			
	- 침상 가까이에 침상과 약간 띄어 의자(휠체어)를 놓는다. 휠체어의 경우 바퀴를 고정하고 발판을 올린다.			
2	대상자를 준비하고 사정한다.			
	- 침상가에 앉도록 대상자를 돕는다.			
	- 침상에서 대상자를 옮기기 전에 체위성 저혈압이 있는지 사정한다.			
	- 대상자가 옷을 입는것과 미끄러지지 않는 슬리퍼 또는 신발을 신는 것을 돕는다.			
3	대상자에게 다음을 교육한다.			
	- 앞으로 움직이고 침상의 가장자리에 앉는다.			
	- 허리를 약간 앞으로 기울인다.			
	- 침상 아래에 한쪽 발을 놓고 다른 발은 앞쪽에 놓는다.			
	- 대상자가 당기며 일어서도록 간호사의 어깨 위로 손을 얹는다.			
4	간호사의 자세를 적절하게 취한다.			
	- 간호사의 양 무릎을 대상자의 무릎과 서로 맞닿게 한다.			

침상에서 의자(휠체어)로 대상자를 이동시키기(설 수 있는 경우)(계속)

No	수 행 항 목	수행	미수행	비고

5	일어서도록 대상자를 든다.
	
	 - 셋을 센다음
	
	   a. 발로 밀치면서 하지의 관절을 펴고, 손으로 간호사의 어깨를
	     당기도록 대상자에게 요청한다.			

	b. 간호사는 앞발로 밀치면서 뒷발쪽으로 체중을 싣고 하지의 관절을 펴서 대상자를 서 있는 자세로 당긴다.			
	- 잠시 동안 직립의 서 있는 자세로 대상자를 지탱한다.			
	- 의자(휠체어)를 향해 몇 발자국을 데리고 가거나 함께 회전한다.			
6	대상자를 앉도록 돕는다.			
	- 한 발은 앞에 다른 발은 뒤에 놓아 기저면을 넓힌다.			

	- 셋을 센 다음
	
	   a. 대상자의 체중을 뒤로 옮기도록 요청하고 다리와 팔의 관절을 구부려
	     의자(휠체어)로 몸을 낮춘다. 이때 간호사의 허리가 굽혀지지 않도록
	     한다.			

	b. 간호사는 앞발에 체중을 옮기고 둔부와 무릎을 굽혀 의자(휠체어)에 앉힌다.			
7	대상자의 안전 유지			
	- 대상자에게 좌석 깊이 들어앉도록 요청한다.			
	- 발판을 내리고 대상자의 발을 발판 위에 놓는다.			
	- 휠체어의 경우 안전띠를 필요에 따라 사용한다.			
8	구두로 지식을 확인한다.			

대상자 보행 돕기

보행 돕기의 유의사항으로는 대상자의 옷이 보행에 적절한지 확인하고 미끄럽지 않은 신발을 신기고 보행 전 바닥의 물건, 물기 등 위험요소를 제거해야 한다. 걷기는 근력을 강화시키고, 혈액 순환을 향상시키며 내장의 기능을 좋게 한다. 보행을 위해 간호사는 대상자의 약한 쪽에서 가서 보행을 도우며 대상자가 좋은 신체역학을 갖고 걷도록 도와준다.

대상자가 침상에서 일어나 보행할 때 낙상에 대해서 안전한지를 사정하는 것은 중요하다.

1) 사정

- 이전에 침대에 누워 지낸 기간과 일어난 기간
- 활력징후
- 보행에 필요한 관절 가동범위(예: 고관절, 무릎, 발목)
- 하지 근육의 힘
- 보행시 도움(지팡이, 보행기, 목발)
- 투약으로 인한 현기증, 어지럼증, 허약, 체위성 저혈압을 유발 유무(예: 수면제, 안정제, 정온제, 항히스타민제)
- 관절염증, 골절, 근육약화, 신체적 운동성을 방해하는 다른 상태 등의 유무
- 지시를 이해할 수 있는 능력
- 안위의 정도
- 노인의 경우 이전 보행의 보조 여부

2) 계획

- 이동을 시작하기 전에 통증 완화법을 수행하면 효과적이다. 움직임에 필요한 도움의 양은 대상자의 상태(예:건강상태, 부동기간, 정서상태)에 달려 있다.
- 보행에 관한 이전 경험을 검토한다. 대상자와 걷는 시간, 간호, 의사의 지시 등을 계획한다.
- 대상자의 활동지속성에 따라 걸음걸이를 준비한다.
- 대상자가 불안정한 경우, 이동벨트를 준비하며, 휴식이 필요하다면 의자나 휠체어를 준비한다.
- 보행구간 주변에서, 난간이나 안전막대 같은 적절한 지지대를 점검하며, 옥외 계단에 미끄럼방지용 띠를 설치하고 실내 계단에 융단을 깔지 않도록 한다.
- 노인의 보행시에는 속도와 강도, 피로, 반응시간의 감소, 신경전도의 감소로 인한 조정 감소 등을 설명한다.
- 골다공증이 있는 대상자에게 이동벨트를 주의 깊게 사용하도록 하며, 벨트를 너무 조이면 척추압박골절의 위험이 증가할 수 있음을 고려한다.
- 보행기나 목발 등의 보조기구가 사용된다면, 대상자에게 초기에 적절한 사용법을 교육하도록 해야 한다. 목발 사용은 상체 강도가 감소된 노인에게 더욱 어렵다.
- 작은 목표를 설정하고, 지속성, 강도, 유연성을 기르도록 하며 서서히 증가 시킨다.

- 다음과 같은 경우에 노인의 낙상 위험성을 파악한다.
  · 투약의 효과
  · 신경학적 장애
  · 환경적 위험
  · 체위성 저혈압

- 노인인 경우, 신체 반응이 정상으로 회복되는데 더욱 시간이 걸린다. 예를 들면, 운동 후 심박수의 증가는 정상으로 회복될 때까지 몇 시간 동안 상승된 채로 있을 수 있다.

1. 낙상 방지 간호

낙상 방지 간호의 단계와 근거

단계	근거
1. 간호 공간에 적당한 눈부시지 않은 조명을 제공한다.	· 낙상이나 부딪히는 가능성 감소. 눈부시는 조명은 노인에게 낙상 원인 제공의 중요한 문제이다.
2. 병실, 복도, 계단에 불필요한 물건 제거. 대상자의 시야 밖의 물건은 특히 주의한다.	· 잠재적인 위험 제거를 위함이다.
3. 필수 물품은 조직적인 방식으로 배열하거나, 닿기 쉬운 위치에 놓는다.	· 대상자의 안전한 자가간호 활동 수행을 가능하게 한다.
4. 침대는 낮게, 침대 바퀴는 고정한다.	
5. 침대, 욕실에서 호출 벨 누르고 끄는 법을 설명하고 시범 보인다.	· 호출 벨의 위치와 사용에 대한 지식은 대상자 안전에 필수이다.
6. 대상자에게 침대 난간 사용 이유를 설명한다: 낙상 방지와 침대에서 체위변경에 도움을 준다. a. 침대 난간 사용에 관한 기관방침을 확인한다. b. 대상자가 보행하는 동안에 한쪽 침대난간은 올리고, 다른 쪽은 내려놓는다.	· 대상자는 침대에서 좌위를 취하기 위해 침대난간을 이용할 수 있다.
7. 대상자에게 낙상 방지에 중요한 안전 방법을 설명한다(일어서기 전 몇 분 동안 발을 늘어뜨리기, 느리게 걷기, 어지럽거나 힘이 없으면 도움 요청하기).	
8. 대상자의 힘이 약한 쪽에 간호사가 서고 대상자는 보조기구를 이용하여 몇 걸음 걸을 수 있다. 보조기구를 사용하지 않으면 대상자의 힘이 강한 쪽에 간호사가 선다.	
9. 한 팔은 대상자의 허리를 감고 다른 팔은 대상자의 상완 전측을 잡고 지지한다.	· 간호사의 지속적인 지지는 낙상이나 상해 위험을 줄인다.
10. 대상자의 힘과 균형을 사정하면서 대상자와 앞으로 몇 걸음을 걷는다.	· 대상자는 힘과 균형에 만족하며 걸음을 지속하게 한다.
11. 힘이 없거나 어지러우면, 대상자를 가까운 침대나 의자로 다시 돌아가게 한다.	

보행기는 모양, 크기에 따라 다양한 종류가 있다. 표준형은 알루미늄으로 만들어졌으며, 프라스틱 손잡이와 끝에 4개의 고무관이 부착된 다리가 있다. 보행기는 손잡이 부분이 대상자의 고관절까지 위치해 팔꿈치는 30도 정도 굴곡되고 똑바로 설 수 있도록 한다. 양쪽다리가 약한 대상자는 먼저 보행기를 밀고 발걸음을 떼

며, 한쪽 다리가 약한 경우에는 보행기와 아픈 다리를 먼저 밀고 아프지 않은 다리가 나간다.

목발은 흔히 사용하는 액와지지 목발과 액와지지가 없는 전박지지 목발이 있다.

Standard cane

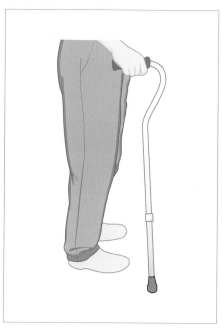

T-handle canea

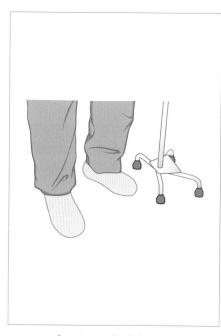

Quad cane(4개의 다리)

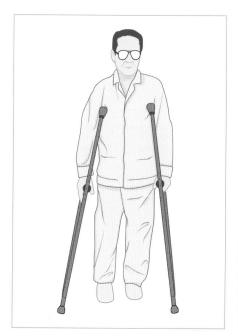

액와목발

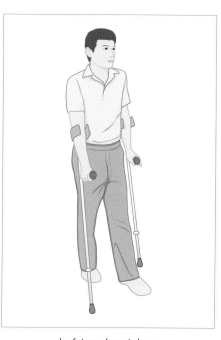

Lofstrand crutches

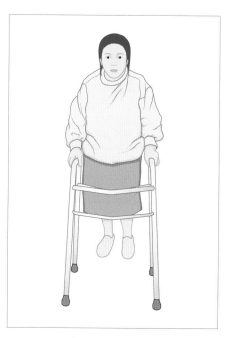

Standard walker

목발 사용 전 대상자 교육

- 목발 보행 전 상지 강화 운동을 계획한다.
- 대상자에게 적합한 목발을 선택하고 손잡이를 조정해준다.
- 팔이 아닌 액와의 힘으로 체중을 지탱할 경우 요골신경의 손상으로 전완, 손목, 손의 근육이 약화된다는 것을 알려준다.

- 목발 보행 시 똑바로 선 자세를 유지하도록 한다.
- 목발의 고무 끝이 닳지 않았는지 규칙적으로 관찰하며 목발 보행 시 미끄러지지 않는 굽이 낮은 신발을 착용하도록 한다.

2. 보조 기구를 이용한 대상자 보행 돕기

보조 기구를 이용한 대상자 보행 돕기의 단계와 근거

단계	근거
1. 대상자에게 준비교육을 시킨다.	
a. 교육하는 이유를 설명하고, 대상자나 간호제공자에게 구체적인 걷는 방법을 시범 보인다.	• 불안감소, 협동심을 향상시킨다.
b. 대상자와 얼마만큼 걸을지 결정한다.	• 상호 간의 목표를 결정한다.
c. 기동시간을 대상자의 다른 활동과 함께 계획한다.	• 대상자가 피로하지 않도록 한다.
d. 침대를 낮게 낮춘다.	• 상해위험을 줄인다.
e. 대상자가 편안한 옷을 입고, 편평한 신발 또는 슬리퍼를 신도록 돕는다.	
f. 대상자를 느리게 누운 자세에서 앉은 자세로, 그리고 일어서도록 돕는다. 대상자가 균형을 잡아 안정적으로 설 때까지 돕는다. 혈압이 적절한지 체크한다.	• 체위성 저혈압을 예방한다.
2. 보조기구가 적절한 높이인지 확인한다.	• 적절하지 않은 높이는 대상자가 보다 많은 에너지 소비, 불편감 경험, 부적절한 체중 분산을 느끼게 한다.
3. 미끄럼방지를 위한 보조기구 끝이 고무로 되어 있는지 확인한다.	• 고무로 된 끝마무리는 표면 장력을 증가시키고, 보조기구의 미끄럼 위험을 줄인다.
4. 대상자가 불안정하면 안전벨트를 채운다. 안전벨트는 대상자 허리를 감싸며, 대상자가 걷는 동안 간호사가 대상자를 지지할 공간을 제공한다. 대상자를 서도록 도와주며, 균형을 관찰한다. 대상자가 힘이 없다거나 불안정하게 보이면 침대로 돌아온다. 대상자의 등 중앙의 안전벨트를 매어 잡거나, 안전벨트가 없으면 대상자의 허리를 잡는다.	• 간호사의 지속적인 지지적 접촉은 낙상, 상해의 위험을 줄인다.
5. 지팡이(cane)	
a. 대상자는 건강한 쪽에 지팡이를 발에서 4-6inch(10-15cm) 떨어지게 잡는다. 지팡이의 길이는 대전자에서 바닥까지이다. 대략 팔꿈치는	• 지팡이가 건강한 신체 쪽에 위치했을 때 가장 잘 지지가 된다. 지팡이와 허약한 다리가 함께 걷는다. 지팡이가 너무 짧으면 대상자는 체중을 지지

보조 기구를 이용한 대상자 보행 돕기의 단계와 근거(계속)

단계	근거
15-30°정도 굴곡된다.	하기 어렵고, 구부러지면 불편하다. 체중이 손에 실리고, 발을 바닥에서 들었을 때 팔꿈치가 완전히 신전되어야 한다.
b. 대상자가 지팡이를 집고 걸을 수 있도록 돕는다.	
c. 지팡이를 허약한 다리 반대쪽에 둔다.	• 허약한 상해 받은 쪽의 지지를 제공한다.
d. 체중을 두 다리에 싣고, 지팡이를 6~10 inch (15~25cm)앞에 위치해둔다.	• 체중을 동등하게 분산시킨다.
e. 허약한 다리와 지팡이를 앞으로 움직인다.	• 체중은 지팡이와 건강한 다리에 의해 지지된다.
f. 건강한 다리를 전진하도록 한다.	• 대상자의 무게중심을 정렬한다. 대상자 체중은 동등하게 분산된다.
g. 허약한 다리를 앞으로 움직인다.	
h. 이 단계를 되풀이 한다.	

6. 목발(crutches)

a. 목발 측정은 대상자의 키, 목발 패드와 겨드랑이 간 거리의 세 영역을 포함한다. 측정은 대상자 선 자세 또는 누운 자세에서 이루어진다. 신발은 측정 전 신어야 한다.	• 측정은 최적의 지지와 안정을 제공한다. 요골 신경은 겨드랑이 아래 표면을 지난다. 목발이 너무 길면 겨드랑이에 압력을 가할 수 있다. 신경손상은 팔꿈치와 팔목의 신전 마비를 초래한다. 일명 crutch palsy 라 한다. 목발이 너무 길면 어깨는 앞쪽으로 힘을 주게되며 대상자는 몸을 땅으로 지지할 수 없다. 보행도구가 너무 짧으면 대상자는 구부리게 되고 불편을 느끼게 된다.
(1) 선 자세. 목발은 옆으로 4~6 inch (10~15cm), 발 앞으로 4~6 inch 위치에 놓는다. 목팔 패드는 겨드랑이와 1.5~ 2 inch(4~5 cm) 거리에 있어야 한다. 목발과 겨드랑이 사이에 두, 세 손가락이 들어가야 한다.	• 낮은 손잡이는 요골 신경 손상 원인이 된다. 높은 위치의 손잡이는 대상자의 팔꿈치가 많이 굴곡되며 팔의 힘과 안정을 감소시킨다.

단계 6a (1)　　　　　　　　　　단계 6a (3)

보조 기구를 이용한 대상자 보행 돕기의 단계와 근거(계속)

단계	근거
(2) 누운자세. 목발패드와 겨드랑이 사이는 3~4 손가락이 들어갈 수 있는 간격이어야 하며, 목발 tips은 대상자의 발뒤꿈치에서 옆으로 6inch에 위치해야 한다.	• 균형을 잃거나, 한쪽으로 압력이 가해질 수 있다.
(3) 팔꿈치 굴곡은 각도계로 측정하며 손잡이는 움직여서 팔꿈치가 15~20°굴곡되는 위치에 둔다.	• 낮은 손잡이는 요골 신경 손상 원인이 된다. 높은 위치의 손잡이는 대상자의 팔꿈치가 많이 굴곡되며 팔의 힘과 안정을 감소시킨다.

b. 목발을 사용하기 위해 대상자는 스스로 손과 팔을 지지해야 한다. 그러므로 팔과 어깨근육과 직립자세에서의 신체 균형능력을 강화해야 하며, 지구력이 필요하다. 목발보행의 유형은 대상자가 한발 또는 두발로 대상자 자신의 체중을 지지할 수 있는 정도에 달려있다.

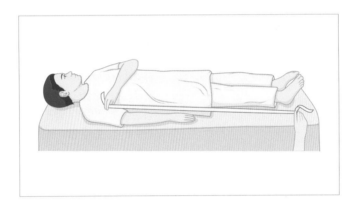

단계 6a (2)

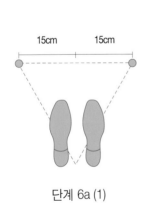

단계 6a (1)

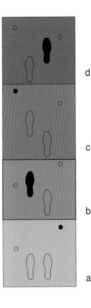

단계 6d (1)

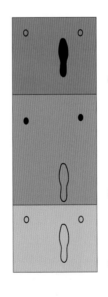

단계 6d (2)

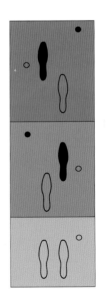

단계 6d (3)

보조 기구를 이용한 대상자 보행 돕기의 단계와 근거(계속)

단계	근거
c. 대상자를 좌위에서 서도록 한다. (1) 의자 밑에 있는 건강한 다리로 살며시 의자 가장자리로 움직인다. (2) 목발 두 개를 아픈 쪽 손에 둔다. 의자에 팔걸이가 있고 무겁고 견고하다면 한쪽의 팔걸이와 두 목발은 일어설 때 버팀대로 이용할 수 있다. 의자가 가볍다면 두 팔걸이 모두가 대상자가 일어설 때 버팀대로 이용되어야 한다. (3) 일어서는 동안 목발 손잡이에 힘을 주도록 한다. d. 적절한 목발 걸음을 선택한다. (1) four-point gait (4점 보행) (a) 삼각위(tripod position)으로 시작한다. 즉 목발을 각 발의 앞, 옆 6 inch(15cm)위치에 둔다, 자세는 목과 머리를 세우고, 척추는 곧게, 엉덩이와 무릎은 신전된 상태를 유지한다. (b) 오른쪽 목발을 앞으로 4~6inch (10~15cm)움직인다.(그림 참조, a) (c) 왼발을 왼쪽 목발 위치 만큼 앞으로 움직인다.(그림 참조, b) (d) 왼쪽 목발을 앞으로 4~6 inch 움직인다.(그림 참조, c) (e) 오른발을 오른쪽 목발 위치만큼 움직인다.(그림 참조, d) (f) 이 과정을 반복한다.	• 한쪽면 안에 압력을 주는 것은 균형을 잃게 되고 의자가 미끄러 질 수 있다. • 삼면에서 지지를 제공해 줄 수 있으므로 삼각위가 가장 목발보행에서 안정적인 자세이다. 4점 보행은 마비대상자나 뇌성마비에 걸린 아동에서 사용되며 관절염대상자에게서도 사용될 수 있다. 넓은 지지 기반을 제공 함으로 대상자의 균형을 증진시킨다. 목발과 발의 위치는 정상적인 보행 에서 팔과 발의 위치와 유사하다.

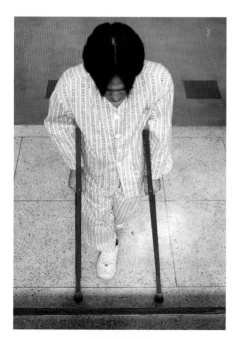

단계 6d (6)(a)

단계 6d (6)(c)

보조 기구를 이용한 대상자 보행 돕기의 단계와 근거(계속)

단계	근거
(2) three-point gait (3점 보행)	
체중을 한발에 싣게 된다. 건강한 다리와 두 목발에 무게가 가중된다. 아픈 다리는 three-point gait 초기 단계동안 땅에 닿지 않는다. 다리 골절 또는 발목 염좌 대상자에게 유용하다.	
(a) 삼각위(tripod position)로 시작한다.	• 기저면을 넓게 제공함으로써 대상자의 균형을 증진한다.
(b) 두 목발과 아픈 다리를 앞으로 움직이도록 한다.	
(c) 건강한 다리를 앞으로 움직이도록 한다.	
(d) 이 과정을 반복한다.	
(3) Two-point gait (2점 보행)	
각 발에 일부의 무게가 가해진다. four-point gait (4점 보행) 보다 빠르며 단지 두 point가 한번에 신체를 지지해주기 때문에 보다 더 균형이 요구된다.	
(a) 삼각위(tripod position)로 시작한다.	• 기저면을 넓게 제공함으로써 대상자의 균형을 증진한다.
(b) 왼쪽 목발과 오른발을 앞으로 움직인다.	• 목발 움직임은 정상적인 걸음동안 팔 움직임과 유사하다.
(c) 오른쪽 목발과 왼발을 앞으로 움직인다.	
(d) 이 과정을 반복한다.	
(4) Swing -to gait	
(a) 두 목발을 앞으로 움직인다.	• 하지 마비 대상자나 두 다리에 weight - supporting brace를 착용하고 있는 대상자들에게 유익하다. 두가지 swing gait중 쉬운 방법이며, 대상자는 두 다리에 부분적으로 체중을 실을 수 있어야 한다.
(b) 목발 위치까지 발을 흔들어 움직이며, 목발은 체중을 지지하게 한다.	
(c) 이전의 두 단계를 반복한다.	
(5) Swing-through gait	
대상자는 두 발에 일부의 무게를 유지할 수 있어야 한다.	
(a) 두 목발을 앞으로 움직이도록 한다.	• 기저면을 넓게 확보함으로 신체가 앞으로 전진할 때 대상자는 무게중심을 목발에 의해 지지된 쪽으로 움직인다.
(b) 다리를 목발 위치 넘어서까지 흔들어 움직인다.	
(6) 목발로 계단 오르기	
(a) 삼각위(tripod position)로 시작한다.	• 기저면을 넓게 제공함으로써 대상자의 균형을 증진한다.
(b) 대상자는 목발에 체중을 싣는다.	• 대상자가 첫 계단을 오를 때 아프지 않은 다리로 무게를 옮길 준비를 한다.
(c) 건강한 다리를 계단 위에 올린다.	• 목발은 아픈다리를 지지한다. 대상자는 체중을 목발에서 건강한 다리에 싣게 된다.
(d) 두 목발을 계단 위 건강한 다리와 일렬로 되게 한다.	• 기저면을 넓게 제공함으로써 대상자의 균형을 증진한다.
(e) 대상자가 계단 끝에 오를 때까지 이 과정을 되풀이한다.	• 대상자가 목발로 지탱했던 체중 지지를 감하게 한다.

보조 기구를 이용한 대상자 보행 돕기의 단계와 근거(계속)

단계	근거
(7) 목발로 계단 내리기 (a) 삼각위로 시작한다. (b) 체중을 건강한 다리로 싣는다. (c) 목발을 계단 아래로 내리고, 대상자에게 체중을 목발에 싣게 한 다음 아픈 다리를 움직인다. (d) 건강한 다리를 계단 아래로 내리고, 목발과 일렬이 되게 한다. (e) 대상자가 바닥에 내릴 때까지 이 과정을 되풀이한다. e. 대상자에게 의자에 앉는 법 교육 (1) 두 목발을 한 손으로 잡고 체중을 목발과 건강한 다리에 싣는다. (2) 의자 팔걸이를 아무것도 잡지 않는 손으로 잡고 의자로 몸을 낮추는 동안 아픈다리를 앞으로 신전시킨다. 7. walker a. 보행기의 upper bar는 대상자의 허리 약간 아래에 위치해야 한다. 팔꿈치는 보행기 손잡이를 잡고 섰을 때 대략 15-30° 정도 굽혀져야 한다. b. 대상자 보행 돕기 (1) 대상자는 보행기 중앙에 서서 보행기 upper bar를 잡는다. (2) 보행기를 6~8 inch(15~20cm) 앞으로 움직이고, 보행기의 네 다리는 바닥에 안전하게 놓여 있어야 한다. 한 발과 함께 보행기를 앞으로 움직이고, 다른 발을 움직인다. 보행기로 움직인 후 신체 한쪽 면의 위약감(weakness)이 있다면, 대상자에게 팔로 스스로 지지하면서 쇠약한 다리를 움직인 후, 건강한 다리를 움직이게 한다. 대상자가 보행기를 움직인 후 쇠약한 다리에 가중된 무게를 견딜 수 없다면 손으로 무게를 지지하는 동안 건강한 다리를 흔들어 움직이도록 한다. 대상자에게 하지를 보행기 bar 앞쪽으로 전진하지 않도록 교육해야 한다.	• 대상자의 균형과 기저면을 유지한다. • 대상자는 두 목발을 한 손에 옮기기 전에 한 다리로 균형을 유지할 수 있어야 한다. • 바퀴 없는 보행기를 선택해서 앞으로 움직여야 한다. 대상자는 보행기를 움직일 만한 충분한 힘이 있어야 한다. • 보행기와 대상자 간의 기저면을 넓게 제공하고 대상자의 무게중심을 보행기쪽으로 움직인다. 바닥에 보행기의 네 다리가 놓여 있는 것은 보행기가 미끄러짐을 예방할 수 있다.

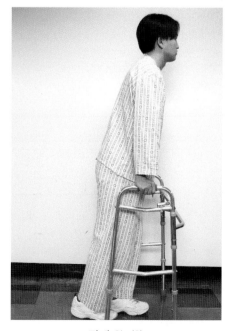

단계 8b (2)

보조 기구를 이용한 대상자 보행 돕기의 단계와 근거(계속)

단계	근거
8. 대상자는 보조기구를 사용하여 걷도록 한다. 대상자에게 편마비가 있다면 간호사는 대상자의 건강한 쪽에 선다. 대상자의 안전벨트나 허리를 한 팔로 감싸서, 다른 팔은 대상자의 상완 앞쪽을 잡고 지지한다.	• 대상자가 보행시 힘과 지속적인 균형을 느끼도록 한다.
9. 대상자와 함께 몇 걸음 걸어보고, 대상자의 보행할 수 있는 힘과 균형을 사정한다.	
10. 대상자가 힘이 없거나 어지러워하면, 가까운 침대나 의자로 되돌아 간다.	• 대상자에게 휴식을 제공한다.

PART V

투약 간호

투약 단원은 투약의 원칙, 투약 단위, 투약시 간호행위의 근거를 다루었다. 이 단원에서는 약물을 대상자에게 투여할 수 있는 경구 및 비경구의 모든 투약 경로시 간호유의사항을 다루었으며, 투약과 관련된 일반적 지식과 간호기술을 상세히 다루었다.

투약 시에 간호사의 일차적인 책임은 안전하고 정확하게 약물을 투여하는 것이다. 간호사는 약물치료에 대한 도덕적, 윤리적, 법적 지식과 약물의 작용과 부작용에 관한 지식 및 이해에 대한 판단, 그리고 대상자의 반응을 관찰하는 데 중요한 책임을 지게 된다. 간호사는 이러한 투여방법을 안전하게 시행할 수 있어야 하고 보다 바람직한 시술방법을 개발하고 보완하는데 계속적인 노력을 기울여야 한다.

약물의 형태

약은 기본적으로 분말과 용액인데 여러 가지의 형태로 되어있다. 약물의 형태는 투여경로에 따라 결정된다

약물 측정법

약물 투여는 약용량을 정확하게 계산하고 측정할 수 있는 간호사의 능력에 좌우된다. 약물의 용량을 측정하는 방법으로는 가장 일반적으로 사용되고 있는 미터법(metric)과 그 외에 약국 액량법(apothecary), 가정용 액량법(household)이 있다.

약물 투여는 처방에 씌어진 측정 단위로 반드시 분배되지는 않는다. 그러므로 간호사는 서로 다른 방법으로도 환산할 수 있어야 하며 각각의 측정법의 등가단위 기준을 알아야만 한다. 약용량을 능숙하게 계산하여 투여하는 행위는 약물치료에 필수적인 것이다.

 약물의 등가단위

- 1 gr* = 60 mg
- 1 g = 1000 mg
- 1000 mcg(μg) = 1 mg
- 1 Kg = 2.2 lb
- 1 mL or ml(1 cc) = 15~16 minims*

- 5 mL = 1 tsp [†]
- 3 tsp = 1 tbs [†]
- 30 mL = 1 oz [†]
- 1000 mL = 1 L [†]

* 약국 액량법(Apothecary measure)　　　† 가정용 액량법(Household measure)

> 단위(units)나 밀리그램등량(milliequivalents)으로 처방된 약물은 미터법이나 약국 액량법, 가정용 액량법 등의 측정방법으로 환산하지 않는다.

약물의 형태

형태	특성
엘릭시르(elixir)	구강용으로 물, 알코올, 달콤한 성분, 향료 등을 함유하는 달콤하고 향기로운 액체
교갑(capsule)	구강용이며 분말, 액체, 기름형태의 자극성 약물을 젤라틴 성분의 용기에 넣은 고형의 약제
환제(pill)	한가지 이상의 약물을 응집물질과 함께 혼합하여 삼키기 쉽게 만든 난원형, 원형, 편평형의 구강용 약제
정제(tablet)	분말을 압축하여 크기, 모양, 중량을 여러 가지로 만든 구강용 약제
분말, 가루약(powder)	약물을 미세하게 간 것으로 내복용 또는 외용으로 사용
시럽(syrup)	불쾌한 맛을 없애기 위해 당액에 용해시킨 액상의 내복용제
함당정제(troche, lozenge)	원형 또는 타원형의 맛이 좋고 달콤한 점액성으로 입안에서 녹아 약효를 내는 빨아먹을 수 있는 구강제제
장용제피정(enteric-coated tablet)	위에서 용해되지 않고 장에서 용해되도록 정제표면에 막을 입힌 구강용 정제
수용액, 물약(aqueous solution)	한가지 이상의 약물이 물에 용해된 것으로 구강용, 주사용, 외용으로 만들어진 수용성 제제
수성 현탁액(aqueous suspension)	물에 용해되지 않는 약물의 입자가 흩어져 떠 있는 형태로, 사용 전에 가볍게 흔들어서 사용해야 한다.
침출제(extract)	식물이나 동물에서 추출한 생약의 추출액을 농축한 것
겔 또는 젤리(gel or gelly)	피부에 바르면 용해되고 맑고 투명한 반고형 약제
로션(lotion)	수성액에 약물을 미세 균등하게 분산시킨 피부보호용 연화성 약제
연고(ointment)	한가지 이상의 약물이 혼합된 반고형 약제로 피부와 점막에 도포하여 사용하며, 이고와 찰제의 중간정도의 점도를 가진 외용약
이고(paste)	분말을 액체나 연고와 혼합한 것으로 점도가 높아 연고보다 피부 침투력이 약하다.
찰제(liniment)	이고나 연고보다 유동성이 있는 외용약으로 알코올, 유제, 연화제 등이 함유된 피부약제
좌약(suppository)	체강(직장, 질)내에 삽입할 수 있도록 한 젤라틴과 같은 고형성 약제로 체온에 의해 용해, 흡수된다.
피부접착제, 패치(transdermal patch)	피부에 붙여서 서서히 오랫동안 피부를 통해 흡수되도록 한, 반창고 형태의 약제
팅크제(tincture)	식물에서 추출한 생약을 에틸알코올과 물의 혼합액으로 조제한 약제

약물용량 계산

약물 용량을 계산하는데는 몇 가지 간단한 공식이 사용된다.

고형이나 용액으로 된 약물을 준비할 때 다음과 같은 공식이 적용된다.

$$\frac{\text{약의 용량(mg)}}{\text{약의 총용량(ml)}} = \frac{\text{처방된 약용량}}{\text{투여할 용량(X)}}$$

또는 다음과 같은 다른 유형의 공식이 적용될 수 있다.

$$\text{투여할용량(X)} = \frac{\text{처방된 약용량}}{\text{약의 용량}} \times \text{약의 총용량}$$

일례를 들어 'erythromycin 500mg'라는 처방이 났다. 약은 용액으로 되어 있으며 5ml 용액에 erythromycin 250mg이 들어있는 약이다. 이때 500mg을 투여하기 위해서 몇 ml를 준비해야 되는가?

$$\frac{\text{약의 용량(250mg)}}{\text{약의 총용량(5ml)}} = \frac{\text{처방된 약용량(500mg)}}{\text{투여할 용량(X)}}$$

$$250X = 5ml \times 500mg$$

$$X = \frac{5ml \times 500mg}{250mg}$$

$$X = 10\ ml$$

• 소아의 경우

소아의 약물 용량을 계산하는데는 소아의 체표면적을 기본으로 하는 방법이 가장 정확한 방법이다. 체표면적은 소아의 체중에 근거하여 측정된다.

$$\text{소아용량} = \frac{\text{소아의 체표면적}}{\text{성인의 체표면적}(1.7m^2)} \times \text{성인용량}$$

투약 행위의 일반적인 원리

1. 투약행위는 간호사가 처방을 완전하게 받고 이를 이해하여 정확하게 수행하는데 있다. 이와 더불어 간호사는 자신이 투여한 약은 언제나 자신의 책임임을 명심하여야 한다.
2. 간호사는 투여할 약물에 대한 지식을 가져야 한다. 약물을 안전하게 투여하기 위해서 해부·생리학적인 지식, 약물투여이유, 약물효과, 부작용과 독성, 내성과 습관성, 투여경로 및 투여방법, 다른 약과 함께 복용 시 발생할 수 있는 약물상호작용 등에 대해 알고 있어야 한다.
3. 간호사는 약물투여를 준비하는데 정확하고 충분한 관심을 갖도록 요구된다. 약물투여의 안전과 정확성을 높이기 위해서 "6가지 정확성"을 고수하여야한다.
4. 투약준비 시에는 완전한 방법으로 병, 튜브, 봉지, 갑 등의 표지를 약장에서 약을 꺼낼 때, 뚜껑을 열 때, 다시 약장에 넣을 때 등으로 분명하게 세 번 확인해야 한다.
5. 약품관리를 철저하게 한다. 약장은 대체로 잠가두며 마약관리, 적당한 온도의 보관, 명확한 라벨확인 등으로 안전하게 관리 및 보관해야 한다.
6. 약의 효과를 효율적으로 평가하기 위해서는 약물에 대한 대상자의 반응을 자세히 관찰하여 기록해야한다.

약물 투여의 6가지 정확성 "Six Rights"

- 정확한 약물(Right drug)
- 정확한 용량(Right dose)
- 정확한 대상자(Right client)
- 정확한 투여경로(Right route)
- 정확한 시간(Right time)
- 정확한 기록(Right recording)

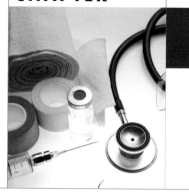

CHAPTER **28**

경구 투약

실습목록
1. 경구 투약

1. 경구 투약

- **목적**
  - 대상자에게 약물을 구강을 통하여 정확하고 안전하게 투여
    하기 위함이다.

- **준비물품**
  - 투약 카드, 코프시럽, 약병
  - 투약 컵 또는 약 봉지
  - 물, 물컵(빨대), 휴지(종이타월), 손소독제
  - 투약 카트 또는 트레이

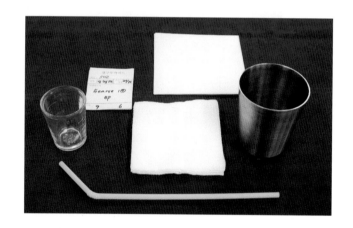

 경구 투약의 약물 준비 방법

단계	근거
1. 약장에서 약을 꺼내, 또는 투약 cart에 있는 대상자 별 약서랍에서 약을 꺼내 약 카드와 약병을 대조한다(1차확인).	• 확인함으로써 정확성을 기하고 오류를 예방할 수 있다.
2. 약을 용기에 담아 약 카드와 대조한 후 투약 cart에 함께 놓으며 확인한다(2차확인).	• 약을 약카드와 함께 줌으로써 정확한 약을 정확한 대상자에게 투여할 수 있다.
1) 정제 약은 약병 뚜껑에 먼저 담은 후 약컵이나 약포지로 옮겨 준비한다.	• 병에서 꺼낸 약은 다시 약병에 넣지 않는다.
2) 물약은 라벨 반대 방향으로 눈높이에서 약잔을 들고 따르려고 하는 눈금에 약잔을 든 손의 엄지 손톱을 대고 정확히 따른다: 약물의 meniscus 제일 아래쪽 눈금으로 읽는다: 약병 가장자리를 닦아 준다.	
3. 약병이나 약봉투를 약장에 넣을 때 다시 표지를 확인한다(3차 확인).	

경구 투약의 약물 준비 방법(계속)

단계	근거

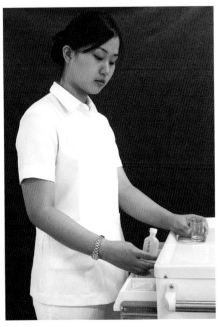

단계 1

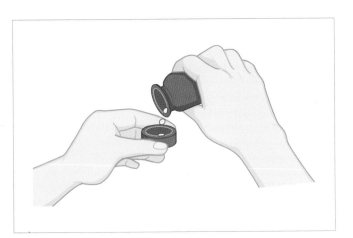

단계 2(1)

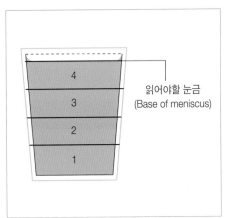

읽어야할 눈금
(Base of meniscus)

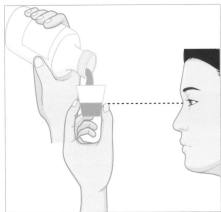

단계 2(2)

경구 투약의 약물 준비 방법(계속)

단계	근거
1. 여러 가지의 약을 투여할 때는 각각의 약을 따로 투여한다.	• 따로 투여하므로 쉽게 약을 삼킬 수 있고, 정확성을 기할 수 있다.
2. 환약, 교갑약, 액체약 등을 투여할 때 물이나 기타 허용된 음료를 함께 준다.	• 물은 고체약을 삼키기 쉽게 하고 어떤 액체약은 인두에 접착하는 경향이 있으므로 물약 투여 후에도 물을 투여한다.
3. 설하로 투여하는 약물은 혀 밑에서 완전히 녹을 때까지 절대로 삼키거나 물을 먹어서는 안된다. 삼키는 경우에는 약물이 위액에 의해 파괴된다.	• 약물은 혀 밑의 혈관을 통하여 흡수된다.
4. 볼 점막 내 투여 시에는 씹거나 삼키거나 물을 마셔서는 안된다.	• 점막의 자극이 있을 수 있으므로 양쪽 볼 점막을 교대로 약물을 사용하도록 한다.
5. 약을 삼키기가 어려운 대상자의 경우 유발기나 정제 분쇄기를 사용하여 알약을 갈아서 가루로 만들거나 혹은 잘게 부수어서 적은 양의 연식(요쿠르트, 죽)에 섞어 준다.	• 가루 약이나 잘게 부수어진 약을 연식과 섞어 주면 삼키기가 더 쉽다. • 장용제피정(enteric-coated tablet)은 위에서 용해되지 않고 장에서 용해되도록 표면에 막을 입힌 약물이므로 분쇄하거나 쪼개지 않는다. 약물을 부수기 전에 약품에 관한 자료를 확인하여 안전하게 약을 부술 수 있도록 한다.

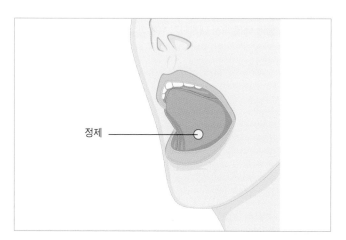

단계 3

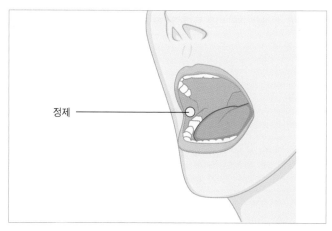

단계 4

단계 5

경구 투약의 약물 준비 방법(계속)

단계	근거
6. 쓴 약을 투여 할 경우 교갑에 넣거나 투약 전에 얼음 조각을 물고 있게 하여 맛을 둔하게 하는 것이 좋다.	• 얼음 조각을 미리 먹게 하여 미각 돌기를 둔하게 마비시킨다.
7. 소아의 경우, 불쾌한 맛을 없애기 위하여 흔히 설탕, 향료 등으로 가미하여 조제한다.	• 좋아하는 음식에 약을 섞어주므로 인해 그 음식을 싫어 할 수 있으므로 이를 고려해야 한다.
8. 치아에 손상을 주거나 착색되는 약물은 약물을 희석하거나 액체가 직접 치아에 닿지 않도록 하기 위함이다.	• 철분 제제는 치아를 변색시킨다. 이러한 약물의 부작용을 방지하기 위해 빨대를 사용하여 복용하도록 한다.
9. 대상자가 약컵을 잡을 수 없는 경우에는 간호사가 손으로 집어서 대상자에게 투여하지 말고 약컵을 대상자의 입에 대고 한번에 한알씩 바로 한번에 한알의 약을 주면 넣어 준다. 대상자가 쉽게 삼킬 수 있다.	• 약컵에서 대상자의 입속으로 약을 바로 투여함으로써 간호사의 손으로부터 약물이 오염되는 것을 방지할 수 있다.
10. 대상자가 약을 삼킬 때까지 기다린다.	• 대상자가 약을 삼켰는지 확인하지 않고는 투약했다고 할 수 없다.
11. 투약한 것을 곧 기록한다. 단, 거절했거나 먹지 못한 것도 그 사실을 기록한다.	• 즉시 기록하지 않으면 중복해서 투여할 수 있다.
12. 약카드를 다음 투약 시간에 정리해서 꽂아 둔다.	
13. 약효, 부작용, 과민 반응 등의 증상을 자주 관찰한다.	• 부작용 등에 대해 즉시 대처하기 위함이다.

경구 투약의 단계와 근거

단계	근거
1. 손을 씻는다.	• 미생물 전파를 줄이기 위함이다.
2. 투약 카트의 투약 서랍에서 대상자의 약물이 들어 있는 약포지를 꺼내어 투약처방과 투약원칙을 확인한다.	• 투약원칙을 지켜서 안전하게 약을 투여하기 위해서 5가지 원칙을 지켜야 한다.
3. 투약카드, 투약컵(약봉지), 코프시럽 약병, 물과 물컵, 휴지, 투약기록지, 간호기록지, 손소독제 위의 물품을 쟁반(혹은 투약 카트)에 준비한다.	• 시간을 절약하며, 약물 사고를 줄이고 안전하게 투약하기 위함이다.
4. 준비한 물품을 가지고 대상자에게 가서 간호사 자신을 소개한다.	• 본인을 밝혀서 불안감을 감소시키고 대상자와의 관계형성을 통해서 정확한 간호수행이 이루어지도록 한다.
5. 손소독제로 손위생을 실시한다.	• 미생물의 전파를 막기 위함이다.
6. 대상자의 이름을 개방형으로 질문하여 대상자를 확인하고, 입원 팔찌와 환자 기록지의 이름, 등록번호를 대조하여 재확인한다.	• 안전한 간호를 위한 대상자의 이중 확인은 간호사의 책임이며 절차이다. 병원의 입원 대상자의 확인 기준을 준수하도록 하며 안전을 향상시킨다.
7. 약물 투여 목적과 작용 및 유의 사항을 설명하고 약물에 대한 의문 사항이 있으면 질문하도록 한다. 또한 부작용이 발생할 경우에는 간호사 호출벨을 누르도록 위치를 알려 준다.	• 충분한 설명을 해야 약물복용으로 인한 통증과 불안을 완화한다. • 대상자의 알레르기, 과거력을 파악한다. • 만일 대상자가 약물의 정확성에 대한 우려가 있을 경우 대상자의 걱정이 무엇인지 경청하여 알아보며 처방을 통해 다시한번 확인하도록 한다.

단계 1(1)

단계 1(2)

단계 2(1)

단계 2(2)

단계 3

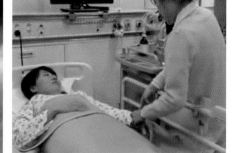

단계 6

경구 투약의 단계와 근거(계속)

단계	근거
8. 앉거나 파울러씨 체위, 측위를 취하도록 대상자를 돕는다.	• 약을 물과 함께 복용할 때 흡인위험을 감소시킨다.
9. 물을 흘리거나 구토할 때 환자복을 보호하기 위해서 흘리지 않도록 목에 휴지나 타월을 대 준다.	• 오염을 방지하고 경구투약을 위한 쾌적한 환경을 조성한다.
10. 구강건조로 연하곤란이 있으면 흡인 우려가 있으므로 "물을 한 모금 삼켜 보세요" 혹은 "침을 삼켜 보세요" 하고 연하장애 등을 확인한다.	• 연하장애가 있는지 확인한다.
11. 손소독제로 손 소독을 하도록 한다.	• 미생물의 전파를 막기 위함이다.
12. 알약은 약컵에 담되 손으로 만지지 않도록 담는다. 한 번에 한알씩 복용하도록 돕는다. 물약을 복용해야 한다면 알약 복용 후에 준다.	• 한 개씩 복용해서 삼키기 쉽게 하고 흡인위험을 감소한다.
13. 약물을 다 삼킬 때 까지 대상자 옆에 서 있으면서, "약이 잘 넘어갔나요?", "입 한 번 아 벌려보세요" 하고 입안을 살핀다.	• 처방된 용량대로 투여 받는지 확실히 확인한다. 보는 사람이 없다면 대상자가 약물을 보관해서 건강에 위해를 가져올 수도 있다.
14. 투약 후에는 대상자가 편안한 체위를 취하도록 도와 준다.	• 대상자의 안위를 위함이다.
15. 손소독제로 손 소독을 하도록 한다.	• 미생물의 전파를 막기 위함이다.
16. 물과 비누로 손위생을 실시한다.	• 병원감염을 예방하기 위함이다.
17. 수행 결과를 간호 기록지와 투약 기록지에 기록한다.	• 투약 후 즉시 기록하여 이중투약이 되지 않도록 한다. • 투약 절이나 투약 보류 약물에 대해서는 사유를 기록하고 의사에게 보고한다.

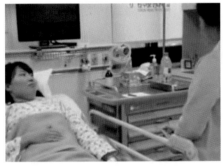

단계 8

단계 9

단계 12

단계 13

단계 17

경구 투약

평가일자 _____ 평가자 이름 _____

No	수 행 항 목	수행	미수행	비고
1	손을 씻는다.			
2	투약 전에 대상자가 경구투약이 가능한지를 사정한다. 삼킬 수 있는지, 금식인지, 오심·구토있는지, 위흡인을 하고 있는지, 장음이 감소되거나 소실되었는지를 확인한다.			
3	약카드와 의사의 서면처방을 대조하고 점검한다. 정확한 약물, 용량, 대상자, 투여경로, 투여시간을 반드시 확인한다.			
4	투약 cart에 같은 시간에 투여할 약카드를 함께 준비한다.			
5	필요하면, 약용량을 정확하게 계산한다.			
6	약물을 투약용기에 옮겨 담을 때 손가락에 닿아 오염되지 않도록 유의한다.			
7	삼키기 어려운 정제는 유발기나 정제분쇄기로 갈거나 쪼개어 연식과 섞어 준비한다.			
8	물약은 라벨 반대방향으로 눈높이에서 약잔을 들고, 따르려고 하는 눈금에 약잔을 든 손의 엄지손톱을 대고 정확히 따른다.			
9	경구용 마약은 약물의 수량에 대한 기록을 확인하고 서명한다.			
10	약라벨과 약카드의 지시내용은 3차례에 걸쳐 확인한다.			
11	준비된 모든 약물은 약카드와 함께 투약 cart에 담는다.			
12	정확한 시간에 약물을 투여한다.			
13	약카드의 이름과 대상자의 팔찌이름표를 대조, 확인한 후 대상자 스스로 자신의 이름을 대답하도록 물어보아 확인한다.			

경구 투약(계속)

No	수 행 항 목	수행	미수행	비고
14	투여 전에 필요한 간호사정을 수행한다.			
15	투약목적과 약물의 효과에 대해 설명한다.			
16	대상자는 앉은 자세를 취하도록 하고 이 자세가 가능하지 않을 경우에는 측위를 취하도록 도와준다.			
17	정확한 약물을 투여하고 약을 삼킬 수 있도록 물을 제공한다.			
18	투여한 약물을 대상자가 모두 삼킬 때까지 대상자 곁에 머물러 있는다.			
19	대상자가 편안한 자세를 취할 수 있도록 도와준다.			
20	사용한 물품들을 정리한다. 약카드는 다음 번의 투약카드함에 꽂고 투약 cart는 제자리에 둔다.			
21	투약내용을 기록한다.			
22	투약 30분 후에 대상자의 반응을 평가한다.			

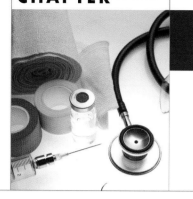

CHAPTER 29

국소적 약물 투약

실습목록

1. 피부에 약 바르는 법
2. 눈에 약 넣는 법
3. 귀에 약 넣는 법
4. 코에 약 넣는 법
5. 질 내에 좌약 넣는 법
6. 직장에 약 넣는 법

국소적 약물투여(topical application)는 피부 또는 점막부위와 같은 신체부위에 직접적으로 바르거나 넣는 것을 말한다. 이러한 약물투여는 위장관 장애와 같은 경험을 하지 않으며 심한 부작용의 위험도 낮다. 이는 흔히 특정부위에 직접적인 작용을 목적으로 시행하며 작용은 투여하는 부위와 약물의 종류에 따라 다르다.

1. 피부에 약 바르는 법

피부에 바르는 약물의 형태는 로션, 연고, 패취, 파우더와 같은 것이 있다. 피부의 가피나 죽은 조직들은 세균을 번식하게 하거나, 치료되어야 할 조직에 약물이 닿는 것을 방해한다. 그러므로 간호사는 새 약을 바르기 전에 피부를 비누와 물로 부드럽게 씻

어 내거나, 적절한 세척제로 닦아 내거나, 죽은 조직을 제거하여 약물의 흡수를 촉진시켜야만 한다. 이전에 약물을 발랐던 부위 위에 다시 덧바르는 것은 감염예방이나 치료효과를 최대한으로 얻어낼 수 없다.

• **목적**
  - 상처나 피부질환을 예방, 치료하기 위함이다.
  - 소양감을 감소시키기 위함이다.
  - 피부를 부드럽게 하기 위함이다.

• **준비물품**
  - 약카드, 처방된 약물, 면봉 또는 솜
  - 압설자, 멸균거즈나 멸균드레싱 세트
  - 멸균 장갑, 따뜻한 물, 타올, 일회용 장갑

피부에 약 바르는 법의 단계와 근거

단계	근거
1. 손을 씻는다.	
2. 처방된 약과 약카드를 확인한 뒤 준비물품을 대상자 곁으로 가지고 간다.	
3. 대상자를 확인한 후 목적과 방법을 설명한다.	• 대상자의 적극적인 협조를 기대할 수 있다.
4. 약을 바를 부위에 부종, 발진, 가피, 분비물, 약을 이미 사용하고 있는지 등을 사정한다.	• 분비물을 제거함으로써 피부에 약물의 흡수를 촉진시킨다.
5. 약을 바를 부위를 노출시키고 물과 비누로 깨끗이 닦아 건조시킨다.	• 깨끗이 닦음으로 인해 잔존하는 균을 제거할 수 있다. • 약의 효과적인 흡수를 위해 피부를 물기가 없도록 말려주고 기존에 바른 약이 남아 있다면 완전히 제거하고 약을 바른다.
6. 지시된 약을 다음과 같이 피부에 바른다.	
1) 크림과 연고: 압설자로 약을 덜어 부위의 상태에 따라 소독장갑이나 깨끗한 장갑을 끼고 피부에 얇게 바른 후 흡수를 돕기 위해 마사지한다.	• 약의 흡수를 촉진하기 위해 얇게 발라서 잘 문질러주도록 한다. • 마사지가 금기인 경우에는 가볍게 두드려준다.
2) 로션: 약을 바르기 전에 용기를 흔들은 후 거즈나 솜 혹은 면봉에 소량을 묻혀 피부부위에 골고루 바른다.	• 약물의 침전을 방지한다.
3) 가루: 얼굴에 바를 때는 숨을 내쉴 때 바른다.	• 대상자의 코나 입으로 날아 들어가지 않도록 한다.
4) 패취: 깨끗하고 건조하며 털이 없는 곳에 붙인다.	
5) 방부제: 면봉을 약에 담근 뒤 상처 부위에 가볍게 문지르며 한 번 사용한 면봉은 약병에 다시 넣지 않도록 한다.	• 상처에 바를 때는 무균법을 적용하여야하며 상처에서부터 바깥쪽으로 약을 발라준다.
7. 약을 바른 부위가 마르도록 한다.	
8. 필요하면 멸균드레싱을 한다.	
9. 약물적용 후 15~30분 뒤에 대상자의 반응을 사정한다.	
10. 사용한 약의 약명, 용량, 적용부위, 시간, 대상자의 반응 등을 기록한다.	

국소적 약물 투약: 피부

평가일자 _____   평가자 이름 _____

No	수 행 항 목	수행	미수행	비고
1	손을 씻는다.			
2	처방된 약과 약카드를 확인한 뒤 준비물품을 대상자 곁으로 가지고 간다.			
3	대상자를 확인한 후 목적과 방법을 설명한다.			
4	약을 바를 부위를 노출시킨다.			
5	약을 바를 부위에 부종, 발진, 가피, 분비물, 약을 이미 사용하고 있는지 등을 사정한다.			
6	약을 바를 부위를 물과 비누로 깨끗이 닦아 건조시킨다.			
7	지시된 약을 종류에 따라 적합한 방법으로 피부에 바른다.			
8	크림과 연고는 압설자로 약을 덜어 부위의 상태에 따라 소독장갑이나 깨끗한 장갑을 끼고 피부에 얇게 바른 후 흡수를 돕기 위해 마사지 한다.			
9	로션은 약을 바르기 전에 용기를 흔들어 약물의 침전을 방지하고 거즈나 솜 혹은 면봉에 소량을 묻혀 피부부위에 골고루 바른다.			
10	가루를 얼굴에 바를 때는 대상자의 코나 입으로 날아 들어가지 않도록 숨을 내쉴 때 바른다.			
11	패취는 깨끗하고 건조하며 털이 없는 곳에 붙인다.			
12	방부제는 면봉을 약에 담근 뒤 상처부위에 가볍게 문지르며 한번 사용한 면봉은 약병에 다시 넣지 않도록 한다. 무균법을 적용하여 상처에서부터 바깥쪽으로 약을 발라준다.			
13	약을 바른 부위가 마르도록 한다.			

국소적 약물 투약: 피부(계속)

No	수 행 항 목	수행	미수행	비고
14	필요하면 멸균드레싱을 한다.			
15	약물적용 후 15~30분 뒤에 대상자의 반응을 사정한다.			
16	사용한 약의 약명, 용량, 적용부위, 시간, 대상자의 반응 등을 기록한다.			

2. 눈에 약 넣는 법

• **목적**
- 감염이나 손상을 치료하기 위함이다.
- 눈 검사 시 동공을 확대시키기 위함이다.
- 이물질을 제거하기 위함이다.

• **준비물품**
- 약카드, 처방안약(물약, 연고)
- 소독된 생리식염수, 솜 또는 멸균 거즈
- 점적기, 필요시 안대, 일회용 장갑, 트레이
- 깨끗한 솜 혹은 휴지

눈에 약 넣는 법의 단계와 근거

단계	근거
1. 손을 씻는다.	
2. 처방된 약과 약카드를 확인한 뒤 준비물품을 대상자 곁으로 가지고 간다.	
3. 대상자를 확인한 후 목적과 방법을 설명한다.	• 대상자의 적극적인 협조를 기대할 수 있다.
4. 대상자를 앉거나 눕게 하고 머리를 약간 뒤로 젖힌다.	• 적합한 자세는 약물주입을 쉽게 하며, 누관으로 약물이 누출되는 것을 최소화한다.
5. 안검이나 내안각(inner canthus)주위에 분비물이 있는 경우, 소독된 생리식염수 솜으로 눈의 내안각에서 외안각쪽으로 부드럽게 닦아준다.	• 이는 미생물이 누관으로 침투하는 것을 막아준다. • 염증이 있을 경우 일회용 장갑을 착용한다.
6. 안약을 들지 않은 손으로 깨끗한 솜이나 휴지를 잡고 대상자의 하안검 바로 아래에 놓는다.	• 솜이나 휴지는 눈에서 흘러나오는 약물을 흡수한다.
7. 깨끗한 솜을 하안검에 놓은 채 엄지나 검지손가락으로 가볍게 압력을 가하며 아래로 당겨서 하부결막낭이 노출되게 한다.	• 안구에 압력이나 손상을 가하지 않으며 손가락이 눈에 닿는 것을 방지한다.
8. 대상자에게 위를 보도록 한다.	• 예민한 각막이 결막낭과 분리되고 순목반사(blink reflex)자극이 감소된다.
9. 안점적법(물약의 투여)의 경우에는;	
(1) 안약을 든 손을 대상자의 이마에 가볍게 놓고 점적기를 결막낭의 약 1~2cm 위에 위치하도록 잡는다.	• 점적기를 우발적으로 손에 닿게 하거나 안구손상의 위험, 미생물의 점적기로의 이동 등을 막는다.
(2) 처방된 방울 수만큼 정확하게 하부결막낭에 떨어뜨린다.	• 낭(sac)은 약물이 눈에 골고루 퍼지도록 해준다.
(3) 대상자가 눈을 감았거나, 깜빡거렸거나 또는 약물이 하안검 밖으로 흘러 내렸다면, 위의 과정을 반복한다.	• 약물이 하부결막낭 내에 점안될 때만 치료적인 효과를 얻을 수 있다.
(4) 점적 후 대상자의 비루관을 솜이나 휴지로 30~60초 동안 가볍게 눌러준다.	• 약물이 비강이나 인두로 과다하게 흘러들어가는 것을 막으며, 체순환으로의 흡수를 최소화한다.
(5) 점적이 끝난 후 눈을 가볍게 감고 있도록 한다.	• 약물이 골고루 퍼지도록 하며, 안구에 직접적으로 압력이 가해지지 않는다.

눈에 약 넣는 법의 **단계와 근거**(계속)

단계	근거

10. 도포법(연고를 바르는 법)의 경우에는:

   (1) 안연고를 눈에 넣기 전에 튜브에서 조금 짜내어 생리식염수 솜으로
      닦아 버린다.

   (2) 튜브 끝이 눈에 닿지 않도록 하여 하안검 내안각에서 외안각으로
      1~2cm 정도 바르고 튜브를 살짝 감듯이 돌려서 약을 끊는다.

   (3) 튜브 끝에 있는 연고를 소독된 생리식염수 솜으로 닦아내고 뚜껑을
      닫는다.

   (4) 눈을 가볍게 감고 눈동자를 굴리게 한다.

                                            • 안연고가 골고루 흡수되도록 하고, 안구에 직접적인 압력을 가하지
                                                   않는다.

11. 솜이나 휴지로 눈 주위에 묻은 여분의 약물을 닦아낸다.   • 대상자의 안위를 증진시킨다.

12. 필요한 경우, 눈에 압력이 가해지지 않도록 하여 안대를 해준다.   • 깨끗한 안대는 감염의 기회를 감소시킨다.

13. 대상자를 편안하게 해주고 물품을 정리한다.

14. 사용한 장갑을 벗고 손을 씻는다.

15. 사용한 약의 약명, 용량, 분비물의 양과 특성, 시간, 대상자의 반응 등을
    기록한다.

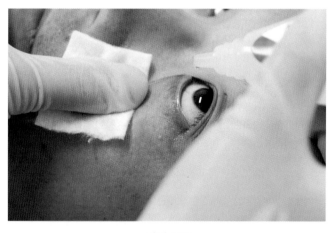

단계 9(1)

단계 10(2)

국소적 약물 투약: 안약

평가일자 _____ 평가자 이름 _____

No	수 행 항 목	수행	미수행	비고
1	손을 씻는다.			
2	처방된 약과 약카드를 확인한 뒤 준비물품을 대상자 곁으로 가지고 간다.			
3	대상자를 확인한 후 목적과 방법을 설명한다.			
4	대상자를 앉거나 눕게 하고 머리를 약간 뒤로 젖힌다.			
5	안검이나 내안각(inner canthus)주위에 분비물이 있으면, 소독된 생리식염수 솜으로 눈의 내안각에서 외안각 쪽으로 부드럽게 닦아준다.			
6	깨끗한 솜이나 휴지를 안약을 들지 않은 손으로 잡고 대상자의 하안검 바로 아래에 놓는다.			
7	깨끗한 솜을 하안검에 놓은 채 엄지나 검지손가락으로 가볍게 압력을 가하며 아래로 당겨서 하부결막낭이 노출되게 한다.			
8	대상자에게 위를 보도록 한다.			
9	물약인 경우 1) 안약을 든 손을 대상자의 이마에 가볍게 놓고 점적기를 결막낭의 약 1~2cm 위에 위치하도록 잡는다. 2) 처방된 방울 수만큼 정확하게 하부결막낭에 떨어뜨린다. 3) 대상자가 눈을 감았거나, 깜빡거렸거나 또는 약물이 하안검 밖으로 흘러내린 경우, 위의 과정을 반복한다. 4) 점적 후 대상자의 비루관을 솜이나 휴지로 30~60초 동안 가볍게 눌러준다. 5) 점적이 끝난 후 눈을 가볍게 감고 있도록 한다.			

국소적 약물 투약: 안약(계속)

No	수 행 항 목	수행	미수행	비고
10	연고의 경우 1) 안연고를 눈에 넣기 전에 튜브에서 조금 짜내어 생리식염수 솜으로 닦아버린다. 2) 튜브 끝이 눈에 닿지 않도록 하여 하안검 내측에서 외측으로 1~2cm 정도 바르고 튜브를 살짝 감듯이 돌려서 약을 끊는다. 3) 튜브 끝에 있는 연고를 소독된 생리식염수 솜으로 닦아내고 뚜껑을 닫는다. 4) 눈을 가볍게 감고 눈동자를 굴리게 한다.			
11	솜이나 휴지로 눈 주위에 묻은 여분의 약물을 닦아낸다.			
12	필요한 경우, 눈에 압력이 가해지지 않도록 하여 안대를 해준다.			
13	대상자를 편안하게 해주고 물품을 정리한다.			
14	사용한 장갑을 벗고 손을 씻는다.			
15	사용한 약의 약명, 용량, 분비물의 양과 특성, 시간, 대상자의 반응 등을 기록한다.			

3. 귀에 약 넣는 법

- **목적**
  - 귀지를 부드럽게 하고 청결을 유지하기 위함이다.
  - 귀의 통증을 완화시키기 위함이다.
  - 국소마취 또는 방부제를 바르기 위함이다.
  - 내이의 감염방지 및 염증을 치료하기 위함이다.
  - 이물질이 귀에 들어갔을 경우 제거하기 위함이다.

- **준비물품**
  - 약카드, 귀약
  - 점적기, 면봉
  - 소독솜
  - 일회용 장갑
  - 트레이, 따뜻한 물

귀에 약 넣는 법의 단계와 근거

단계	근거
1. 더운물에 약병을 담근다.	• 귀는 외기온도에 아주 민감하다. 찬 것은 현기증이나 구토를 유발할 수 있으므로 약물을 실온으로 유지하기 위함이다.
2. 손을 깨끗이 씻는다.	
3. 처방된 약과 약카드를 확인한 뒤 준비물품을 대상자 곁으로 가지고 간다.	
4. 대상자를 확인한 후 목적과 방법을 설명한다.	• 대상자의 적극적인 협조를 기대할 수 있다.
5. 아픈 쪽 귀가 위로 오도록 대상자를 측위로 눕게 한다.	• 측위가 어려운 경우 똑바로 누운 자세에서 아픈 쪽을 위로 올라오게 하거나, 앉게 하여 점적약이 밖으로 흘러나가는 것을 막는다.
6. 분비물이 있는 경우, 생리식염수를 적신 면봉으로 그 부위를 부드럽게 닦아낸다. 필요하면 장갑을 사용한다.	• 분비물은 미생물의 보균처가 되며 또한 이도를 막아 소리전달을 어렵게 할 수 있다.
7. 처방된 약물의 용량을 점적기에 채운다.	
8. 대상자의 이도를 곧게 하기 위해 성인은 이개를 후상방으로, 소아는 후하방으로 잡아당긴다.	• 이도가 곧으면 외이구조를 더 깊게 직접적으로 접근할 수 있다.

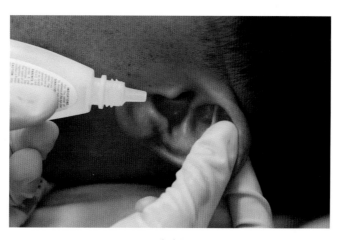

단계 8

귀에 약 넣는 법의 단계와 근거(계속)

단계	근거
9. 점적기를 이도의 1 cm위에서 잡고 처방된 방울 수만큼 이도의 한쪽 벽을따라 약물을 점적한다.	
10. 대상자는 점적 후 2~3분간 점적시 자세 그대로 유지하도록 하고, 이주를 부드럽게 여러 번 눌러준다.	• 약물이 외이에서 고막 쪽으로 잘 흘러가게 도와준다.
11. 솜으로 귀를 15분간 느슨하게 막아 놓는다.	• 약물이 귀 안에서 흡수될 수 있는 적정한 시간이며, 단단히 막으면 분비물의 이동을 방해한다.
12. 사용한 물품을 정리하고 장갑을 벗은 후 손을 씻는다.	
13. 15~20분 후 솜에 묻은 배액을 관찰하여 더 이상 배액이 나오지 않으면 솜을 제거하고, 대상자가 편한 자세를 취하도록 도와준다.	
14. 외이상태를 평가한다.	
15. 사용한 약의 약명, 용량, 분비물의 양과 특성, 시간, 대상자의 반응 등을 기록한다.	

국소적 약물 투약: 귀약

평가일자 _____ 평가자 이름 _____

No	수 행 항 목	수행	미수행	비고
1	더운물에 약병을 담아 약물을 실온으로 유지한다.			
2	손을 씻는다.			
3	처방된 약과 약카드를 확인한 뒤 준비물품을 대상자 곁으로 가지고 간다.			
4	대상자를 확인한 후 목적과 방법을 설명한다.			
5	아픈 쪽 귀가 위로 오도록 대상자를 측위로 눕게 한다.			
6	분비물이 있으면 생리식염수를 적신 면봉으로 그 부위를 부드럽게 닦아낸다. 필요하면 장갑을 사용한다.			
7	처방된 약물의 용량을 점적기에 채운다.			
8	대상자의 이도를 곧게 하기 위해 성인은 이개를 후상방으로, 소아는 후하방으로 잡아당긴다.			
9	점적기를 이도의 1cm 위에서 잡고 처방된 방울 수만큼 이도의 한쪽 벽을 따라 약물을 점적한다.			
10	대상자는 점적 후 2~3분간 점적 시 자세 그대로 유지하도록 하고, 이주를 부드럽게 여러 번 눌러준다.			
11	솜으로 귀를 15분간 느슨하게 막아 놓는다.			
12	사용한 물품을 정리하고 장갑을 벗는다.			
13	손을 씻는다.			

국소적 약물 투약: 귀약(계속)

No	수 행 항 목	수행	미수행	비고
14	15~20분 후 솜에 묻은 배액을 관찰하여 더 이상 배액이 나오지 않으면 솜을 제거한다.			
15	대상자가 편한 자세를 취하도록 도와준다.			
16	외이상태를 평가한다.			
17	사용한 약의 약명, 용량, 분비물의 양과 특성, 시간, 대상자의 반응 등을 기록한다.			

4. 코에 약 넣는 법

- **목적**
  - 비충혈, 자극, 염증을 완화시키기 위함이다.
  - 마취제나 방부제를 국소적으로 투여하기 위함이다.

- **준비물품**
  - 약카드, 코약, 점적기
  - 일회용 장갑, 트레이

코에 약 넣는 법의 단계와 근거

단계	근거
1. 손을 씻는다.	
2. 처방된 약과 약카드를 확인한 뒤 준비물품을 대상자 곁으로 가지고 간다.	
3. 대상자를 확인한 후 목적과 방법을 설명한다.	• 대상자의 적극적인 협조를 기대할 수 있다.
4. 대상자에게 코를 풀도록 한다.	• 비도를 깨끗이 하기 위함이다.
5. 약물을 점적한다.	
(1) 대상자를 앙와위로 눕게 도와주고 베개를 어깨 밑에 고여주어 머리가 침상에 닿게 한다.	• 약물이 치료하고자 하는 부위로 적절하게 들어가도록 하기 위함이다.
(2) 후인두에 약을 넣을 때는 목을 뒤로 젖힌다.	• 약물이 인두후면으로 들어간다.
(3) 약물이 사골동이나 접형골동으로 가도록 하기 위해 머리를 침대 가장자리 바깥으로 떨어뜨리거나 어깨 밑에 베개를 넣고 머리를 뒤로 젖힌다.	• 이는 Proetz 체위로 사골동과 접형골동의 병변을 치료하고자 할 때 흔히 취한다.
(4) 약물이 전두동이나 상악동으로 가도록 하기 위해 어깨 밑에 베개를 넣고 머리를 뒤로 젖히되 병변이 있는 쪽으로 머리를 돌린다.	• 이는 Parkinson 체위로 전두동과 상악동의 병변을 치료하고자 할 때 흔히 취한다.
6. 점적기를 잡지 않은 손으로 대상자의 머리를 지지한다.	

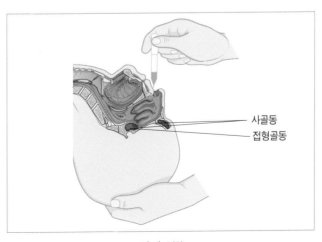

단계 5(3)

코에 약 넣는 법의 단계와 근거(계속)

단계	근거
7. 처방된 약물의 용량을 점적기에 준비한다.	
8. 약물이 투여되는 동안 입으로 숨을 쉬도록 미리 알려준다.	
9. 코끝을 위쪽으로 가볍게 눌러 비공을 위로 한 다음, 점적기를 비공 1cm 위에서 잡고 비강 저부를 향해 처방된 방울 수만큼 약물을 점적한다. 점적기가 비점막에 닿지 않도록 한다.	• 약물은 사골동의 상비갑개(superior concha) 중앙선 쪽으로 점적된다. • 약물이 비강속으로 들어가서 점막에 상처를 입히거나 점적기가 오염되는 것을 예방한다. • 약물을 그대로 떨어뜨리기만 하면 약이 대상자 목으로 넘어갈 수 있다. 만약 약이 목으로 흘러내려 쓴맛을 느끼면, 휴지를 주어 뱉도록 한다.
10. 점적 후 대상자는 약 5~10분간 점적시 자세를 그대로 유지한다.	• 약물이 비공 밖으로 흘러나오지 않는다.
11. 대상자가 편안한 자세를 취하도록 돕는다.	
12. 사용한 물품을 정리한 후 손을 씻는다.	
13. 점적 후 15~30분간 약물의 부작용 유·무를 관찰한다.	
14. 대상자의 반응을 사정하고 기록지에 기록한다.	• 울혈의 경감여부 또는 코로 호흡시의 불편감 감소 유·무를 확인한다.

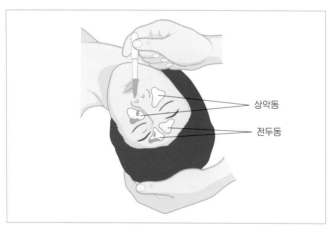

단계 12

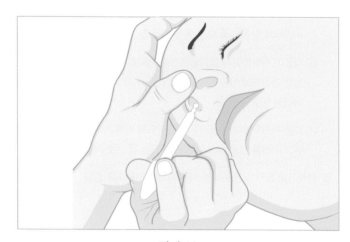

단계 13

국소적 약물 투약: 코약

평가일자 _____ 평가자 이름 _____

No	수 행 항 목	수행	미수행	비고
1	손을 씻는다.			
2	처방된 약과 약카드를 확인한 뒤 준비물품을 대상자 곁으로 가지고 간다.			
3	대상자를 확인한 후 목적과 방법을 설명한다.			
4	대상자에게 코를 풀도록 하여 비도를 깨끗이 한다.			
5	치료하고자 하는 부위에 따라 적절한 체위를 취해준다.			
6	대상자를 앙와위로 눕게 하고 베개를 어깨 밑에 고여주어 머리가 침상에 닿게 한다.			
7	후인두에 약을 넣을 때는 목을 뒤로 젖히도록 한다.			
8	약물이 사골동이나 접형골동으로 가도록 하기 위해 머리를 침대 가장자리 바깥으로 떨어뜨리거나 어깨 밑에 베개를 넣고 머리를 뒤로 젖힌다.			
9	약물이 전두동이나 상악동으로 가도록 하기 위해 어깨 밑에 베개를 넣고 머리를 뒤로 젖히되 병변이 있는 쪽으로 머리를 돌린다.			
10	점적기를 잡지 않은 손으로 대상자의 머리를 지지한다.			
11	처방된 약물의 용량을 점적기에 준비한다.			
12	약물이 투여되는 동안 입으로 숨을 쉬도록 미리 알려준다.			
13	코끝을 위쪽으로 가볍게 눌러 비공을 위로 한 다음, 점적기를 비공 1cm 위에서 잡고 비강 저부를 향해 처방된 약물의 방울 수만큼 약물을 점적한다. 점적기가 비점막에 닿지 않도록 한다.			

국소적 약물 투약: 코약(계속)

No	수 행 항 목	수행	미수행	비고
14	만약 약이 목으로 흘러내려 쓴맛을 느끼면, 휴지를 주어 뱉도록 한다.			
15	점적 후 대상자는 약 5~10분간 점적 시 자세를 그대로 유지한다.			
16	대상자가 편안한 자세를 취하도록 돕는다.			
17	사용한 물품을 정리한 후 손을 씻는다.			
18	점적 후 15~30분간 약물의 부작용 유·무를 관찰한다.			
19	대상자의 반응을 사정하고 기록지에 기록한다.			

5. 질 내에 좌약 넣는 법

• **목적**
- 국소염증을 치료하기 위함이다.
- 가려움증을 치료하기 위함이다.

• **준비물품**
- 약카드, 처방된 약(좌약, 연고, 크림, 젤리)
- 윤활제, 스크린, 휴지 또는 패드
- 방수포, 일회용 장갑, 트레이

질 내에 좌약 넣는 법의 단계와 근거

단계	근거
1. 손을 씻는다.	
2. 처방된 약과 약카드를 확인한 뒤 준비물품을 대상자 곁으로 가지고 간다.	
3. 대상자를 확인한 후 목적과 방법을 설명한다.	• 대상자의 적극적인 협조를 기대할 수 있다.
4. 스크린을 친다.	• 대상자의 사생활을 지키기 위함이다.
5. 대상자로 하여금 소변을 보게 한다.	• 방광이 비게 되면 처치 중 대상자의 불편감이 감소되며, 질벽의 손상가능성도 감소된다.
6. 대상자가 배횡와위를 취하도록 돕고 둔부아래에 패드나 방수포를 깔아준다.	• 약의 삽입을 쉽게 하며, 좌약이 누출되지 않고 질 내에 용해될 수 있도록 한다.
7. 회음부만 노출되도록 하고 다리부분은 잘 감싸주어 보온에 유의한다.	
8. 약물을 삽입한다.	
a. **좌약 삽입시**	
(1) 좌약의 포장을 벗겨서 수용성 윤활제를 충분히 바른다.	• 윤활제는 삽입 중 질 점막표면의 마찰을 감소시켜 삽입을 원활하게 한다.
(2) 장갑을 끼고, 집게손가락에 윤활제를 바른다.	
(3) 반대편 손으로 음순을 벌려 질구를 노출시킨다.	
(4) 장갑을 낀 손으로 좌약을 질후벽을 따라 7.5~10cm 이상 질강 깊숙이 삽입한다.	• 좌약을 적절한 위치에 삽입함으로써 약물이 질강 내벽을 따라 골고루 퍼진다.
(5) 질 입구에 남아있는 윤활제를 깨끗이 닦은 후 사용한 장갑을 벗는다.	
(6) 대상자의 둔부 밑에 베개를 대어주어 5~10분 동안은 둔부를 올린 채 그대로 누워있도록 한다.	• 이는 삽입된 약물이 다 녹으면 질의 후원개로 쉽게 주입되도록 해준다.
(7) 대상자에게 질강 내에 있는 약물의 색깔을 띈 소량의 분비물이 스며나올 수 있다는 것을 설명해 준다.	• 약물이 체온에 용해됨으로써 흡수되지만, 소량이 질강으로부터 흘러나올 수 있다.
b. **크림, 젤리, 거품 주입시**	
(1) applicator를 사용해 약을 준비한다.	

질 내에 좌약 넣는 법의 단계와 근거(계속)

단계	근거
(2) applicator에 윤활제를 바른다.	
(3) 장갑을 낀 한쪽 손으로 음순을 벌려 질구를 노출시킨다.	
(4) 다른 손으로 applicator를 약 5~7.5cm 정도 부드럽게 질에 삽입한다.	
(5) applicator가 빌 때까지 내관을 천천히 밀어 넣는다.	
(6) applicator를 제거한다.	
(7) 음순이나 질 입구에 남아있는 약물을 휴지로 닦아준다.	• applicator에 남아있는 약물에는 미생물이 포함되어 있을 수 있다.
(8) 사용한 장갑을 벗는다.	
9. 약물을 삽입한 뒤에 적어도 10분 동안 앙와위로 침상에 누워있도록 대상자에게 설명한다.	• 주입된 약물이 질의 후원개로 잘 점적되도록 해준다.
10. 과도한 분비물이 있는 경우에는 깨끗한 패드나 T-binder를 대준다.	• 대상자의 옷과 침상을 보호한다.
11. 편안한 자세를 유지하도록 도와준다.	
12. 방수포를 제거하고 물품을 정리한다.	
13. 기록지에 질분비물, 불편감, 기대했던 약작용, 대상자의 반응 등을 기록한다.	

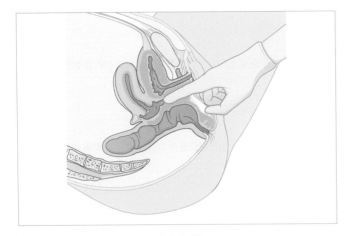

단계 8a(4)

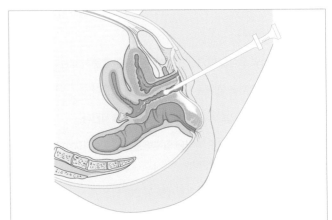

단계 8b(4)

국소적 약물 투약: 질 좌약

평가일자 _____ 평가자 이름 _____

No	수 행 항 목	수행	미수행	비고
1	손을 씻는다.			
2	처방된 약과 약카드를 확인한 뒤 준비물품을 대상자 곁으로 가지고 간다.			
3	대상자를 확인한 후 목적과 방법을 설명한다.			
4	사생활을 보호하기 위하여 스크린을 친다.			
5	대상자로 하여금 소변을 보게 한다.			
6	대상자가 배횡와위를 취하도록 돕고 둔부아래에 방수포를 깔아준다.			
7	회음부만 노출되도록 하고 다리부분은 잘 감싸주어 보온에 유의한다.			
8	약물을 삽입한다.			
	a. 좌약 삽입 시			
	(1) 좌약의 포장을 벗겨서 수용성 윤활제를 충분히 바른다.			
	(2) 장갑을 끼고, 집게손가락에 윤활제를 바른다.			
	(3) 반대편 손으로 음순을 벌려 질구를 노출시킨다.			
	(4) 장갑을 낀 손으로 좌약을 질후벽을 따라 7.5~10cm 이상 질강 깊숙히 삽입한다.			
	(5) 질 입구에 남아있는 윤활제를 깨끗이 닦은 후 사용한 장갑을 벗는다.			

국소적 약물 투약: 질 좌약(계속)

No	수 행 항 목	수행	미수행	비고
8	(6) 대상자의 둔부 밑에 베개를 대어 주어 5~10분 동안은 둔부를 올린 채 그대로 누워있도록 한다.			
	(7) 대상자에게 질강 내에 있는 약물의 색깔을 띈 소량의 분비물이 스며 나올 수 있다는 것을 설명해준다.			
	b. 크림, 젤리, 거품 주입 시			
	(1) applicator를 사용해 약을 준비한다.			
	(2) applicator에 윤활제를 바른다.			
	(3) 장갑을 낀 한쪽 손으로 음순을 벌려 질구를 노출시킨다.			
	(4) 다른 손으로 applicator를 약 5~7.5cm 정도 부드럽게 질에 삽입한다.			
	(5) applicator가 빌 때까지 내관을 천천히 밀어 넣는다.			
	(6) applicator를 제거한다.			
	(7) 음순이나 질 입구에 남아있는 약물을 휴지로 닦아준다.			
	(8) 사용한 장갑을 벗는다.			
9	약물을 삽입한 뒤 적어도 10분동안 앙와위로 침상에 누워있도록 대상자에게 설명한다.			
10	과도한 분비물이 있는 경우에는 깨끗한 패드나 T-binder를 대준다.			
11	편안한 자세를 유지하도록 도와준다.			

국소적 약물 투약: 질 좌약(계속)

No	수 행 항 목	수행	미수행	비고
12	방수포를 제거하고 물품을 정리한다.			
13	기록지에 질분비물, 불편감, 기대했던 약작용, 대상자의 반응 등을 기록한다.			

6. 직장에 약 넣는 법

• 목적
- 국소적(배변증진) 및 전신적(오심완화) 약물효과를 얻기 위함이다.
- 약물을 직접 직장점막에 적용하기 위함이다.

• 준비물품
- 약카드, 처방된 좌약 또는 교갑약
- 수용성 윤활제, 스크린, 휴지 혹은 패드
- 일회용 장갑, 필요시 변기, 트레이

직장에 약 넣는 법의 단계와 근거

단계	근거
1. 손을 씻는다.	
2. 처방된 약과 약카드를 확인한 뒤 준비물품을 대상자 곁으로 가지고 간다.	
3. 대상자를 확인한 후 목적과 방법을 설명한다.	• 대상자의 적극적인 협조를 기대할 수 있다.
4. 스크린을 친다.	• 대상자의 사생활을 지키기 위함이다.
5. 대상자를 왼쪽으로 눕게 한 뒤 Sims' 체위를 취하도록 돕는다.	• 이 체위는 항문을 잘 노출시키고 항문외 괄약근을 이완하도록 돕는다.
	• 왼쪽으로 누우면 좌약이나 분변이 배출될 가능성을 감소시킨다.
6. 윗침구를 침상발치에 걷어놓고 대상자의 둔부만 노출시킨 채, 그 외 부분은 홑이불로 가려준다.	• 대상자의 프라이버시를 유지하고 이완감을 촉진시킨다.
7. 깨끗한 장갑을 낀다.	
8. 약의 포장을 벗기고, 좌약을 든 장갑낀 손의 둘째손가락과 좌약 끝의 둥근부분에 윤활제를 바른다.	• 윤활제는 마찰을 줄이고 삽입을 부드럽게 한다.
9. 한 손으로 항문을 노출시키고 좌약을 삽입하는 동안 대상자에게 천천히 그리고 깊은 호흡을 입으로 하도록 한다.	• 항문괄약근의 이완을 도우며 좌약을 삽입하는 동안 불편감이나 불안을 감소시키기 위함이다.
10. 좌약을 든 장갑 낀 손의 둘째손가락으로 좌약 끝의 둥근 부분을 항문 속으로 항문내괄약근을 지나 직장벽을 따라 부드럽게 약 10cm를 삽입한다.	• 좌약을 직장의 점막에 붙여서 항문 내괄약근을 지날 때까지 삽입한다.
	• 소아의 경우 약 5cm를 삽입한다.
11. 손가락을 뺀 후 잠시동안 둔부를 모아 눌러준다.	
12. 항문주위를 닦아주고, 장갑을 벗는다.	
13. 대상자를 편안하게 해주고 좌약을 삽입한 후 5~10분 동안 혹은 변의를 참아낼 수 있을 때까지는 그대로 옆으로 누워있도록 한다.	• 좌약이 누출되는 것을 막는다.
	• 좌약의 효과를 최대한으로 얻을 수 있는 충분한 시간이다.
14. 결과를 점검하기 전까지는 변기를 씻어내지 말라고 미리 교육한다.	• 변의 성상을 확인하기 위함이다.
15. 혼자 할 수 없는 대상자의 경우, 화장실 가는 것을 돕는다.	
16. 대상자의 기록지에 기록한다(변의 색깔, 양, 약물의 효과 등의 특성).	• 좌약이 용해되지 않고 그대로 나왔으면 보고하여 다시 삽입하도록 한다.

국소적 약물 투약: 직장 좌약

평가일자 _____ 평가자 이름 _____

No	수 행 항 목	수행	미수행	비고
1	손을 씻는다.			
2	처방된 약과 약카드를 확인한 뒤 준비물품을 대상자 곁으로 가지고 간다.			
3	대상자를 확인한 후 목적과 방법을 설명한다.			
4	사생활을 보호하기 위하여 스크린을 친다.			
5	대상자를 왼쪽으로 눕게 한 뒤 Sims' 체위를 취하도록 돕는다.			
6	윗침구를 침상발치에 걷어놓고 대상자의 둔부만 노출시킨 채, 그 외 부분은 홑이불로 가려준다.			
7	깨끗한 장갑을 낀다.			
8	약의 포장을 벗기고, 좌약을 든 장갑 낀 손의 둘째손가락과 좌약 끝의 둥근 부분에 윤활제를 바른다.			
9	한 손으로 항문을 노출시키고 좌약을 삽입하는 동안 대상자에게 입을 벌리고 천천히 그리고 깊은 호흡을 하도록 한다.			
10	좌약을 든 장갑 낀 손의 둘째손가락으로 좌약 끝의 둥근 부분을 항문 속으로 항문내괄약근을 지나 직장벽을 따라 부드럽게 약 10cm를 삽입한다.			
11	손가락을 뺀 후 잠시동안 둔부를 모아 눌러준다.			
12	항문주위를 닦아주고, 장갑을 벗는다.			
13	대상자를 편안하게 해주고 좌약을 삽입한 후 5~10분 동안 혹은 변의를 참아낼 수 있을 때까지는 그대로 옆으로 누워있도록 한다.			

No	수 행 항 목	수행	미수행	비고
14	결과를 점검하기 전까지는 변기를 씻어내지 말라고 미리 교육한다.			
15	혼자할 수 없는 대상자의 경우, 화장실 가는 것을 돕는다.			
16	대상자의 기록지에 기록한다(변의 색깔, 양, 약물의 효과 등의 특성).			

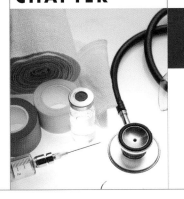

CHAPTER **30**

비경구 투약

실습목록

1. 주사 약물 준비
2. 피내 주사
3. 피하 주사
4. 근육 주사
5. 정맥 주사
6. 중심 정맥 주입
7. 중심 정맥압 측정
8. 수혈

비경구투여는 주사로 약물을 주입하는 방법이다. 근육(intra-muscular), 피내(intradermal), 피하(subcutaneous), 정맥(intra-venous)으로 흔히 주입하며 드물게는 심장(intracardiac), 심낭(intrapericardial), 척수(intraspinal), 골수(intraosseous)를 통하여 주사를 한다.

비경구투여는 구강, 국소투여에 비하여 약물의 효과가 신속하며, 구토, 연하곤란 또는 구강으로의 섭취가 제한되어 있는 대상자의 경우에 사용된다. 모든 비경구 투여는 감염의 위험을 최소화하기 위해 멸균된 기구와 멸균된 주사 용액을 사용하여 철저한 무균법이 지켜져야 한다. 또한 바늘이 피부를 통과하므로 조직에 손상을 가져올 위험이 있다. 특히 신경, 혈관, 뼈 등 불필요한 조직의 손상을 최대한 피해야 하며, 이는 해부학적 지식에 기초를 둔 적절한 부위를 선정함으로써 가능하다. 간호사는 부작용이나 알레르기반응 등의 잠재적인 요인이 있다는 것을 인식하여 대상자의 반응을 세밀하게 주시하는 것이 무엇보다도 중요하다.

또한 통증에 대한 두려움과 같은 심리적 부담감이 있을 수 있다. 그러므로 주사 시에는 목적, 방법, 동통의 정도와 양상을 대상자의 지식 및 지각 정도에 따라 적절히 설명해 주어야하며, 주사 시에 편안한 체위를 취해주고 프라이버시를 보장하여 심신이 편안한 상태에서 투여하여야 한다.

주사를 위한 준비

주사기와 바늘

주사기(syringe)는 주사기외관(barrel)과 주사기내관(plunger), 주사바늘 연결부위(tip)의 세 부분으로 되어 있으며 플라스틱이나 유리로 되어있고 플라스틱은 1회용으로 사용되고 있다.

바늘(needle)은 중심 부위가 주사기외관과 연결되며 침의 끝부분은 사선으로 잘라져서 피부에 삽입이 잘되도록 되어있다.

바늘의 크기는 gauge(G)로 표시하며 14~29G의 범위로 다양하다. gauge의 번호가 클수록 바늘의 직경이 작다. 바늘의 길이는 1~5cm(3/8~2인치)로서 주사 방법, 대상자의 비만 상태, 부종 유무에 따라 다른 것을 사용한다.

흔히 사용되는 주사기의 종류에는 튜베르쿨린, 인슐린, 표준 주사기가 있다.

튜베르쿨린 주사기는 0.1~1cc의 눈금으로 표기되어 있으며

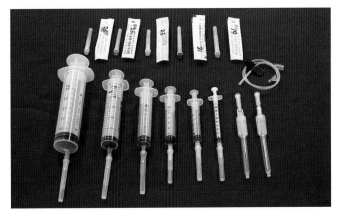

주사기와 바늘의 종류

바늘의 크기는 26~28gauge의 0.5~0.625 inch 이다. 이 주사기는 튜베르쿨린 및 풍진(rubella)투여 시에, 알레르기 반응검사 시에 사용된다.

인슐린 주사기는 인슐린 용량을 측정하기에 편리하도록 고안된 눈금이 있으며 1ml당 100unit용 혹은 50unit용 등의 주사기가 있다. 주사기의 크기는 ½내지 1ml이며 26~30gauge의 바늘을 사용한다.

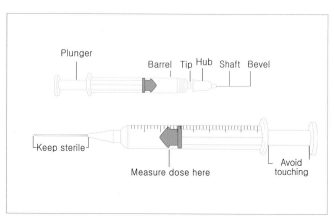

주사기 부분

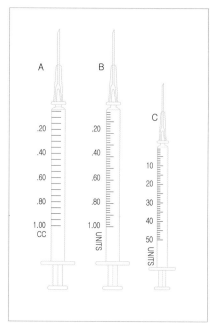

주사기의 종류

A : 튜베르쿨린 주사기

B : 인슐린 주사기
    (100units)

C : 인슐린 주사기
    (50 units)

투약 경로에 따른 주사기와 바늘 크기

	피내 주사	피하 주사	근육 주사	정맥 주사	튜베르쿨린 주사	인슐린 주사
주사기	1ml	1,2,3,5ml	2,3,5,10ml		1ml (0.1~1cc의 눈금)	0.3~1ml (100u or 50u)
바늘길이	0.5~1cm	1~1.5cm	2.5~5cm	2~7cm	1~1.5cm	1~1.5cm
바늘크기	26G	24~26G	20~23G	18~24G 또는	26~28G	28~30G
주사한도용량	0.1~0.5ml	2ml	5~7ml	23,25G scalp needle	0.1~0.5ml	2ml

1. 주사 약물 준비

주사에 사용하는 약물은 정제, 액체, 분말의 형태로 되어있으며 약물의 준비 시에는 무균적으로 다루어져야 한다. 정제로 된 약품은 멸균된 용액으로 용해시킨 후에 주사를 한다.

　앰플(ampule)은 액체주사약물이 1회 용량이나 수회의 용량이 들어 있는 투명한 유리로 된 용기이며 가운데가 잘록하게 들어가 있다. 주사액은 1cc에서 10cc 또는 그 이상의 용량이 다양하게 들어있다. 앰플 내부가 진공상태가 아니므로 주사약물이 쉽게 주사기로 흡인된다.

　바이알(vial)은 작은 병에 고무 뚜껑을 덮고 알루미늄을 씌워서 밀봉한 것으로 주사약으로 흔히 쓴다. 바이알 내의 용액을 쉽게 뽑아내기 위해서는 공기를 주입해야만 한다.

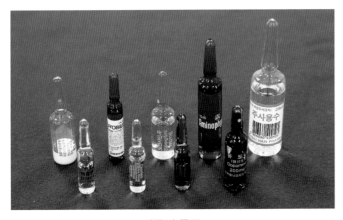

앰플의 종류

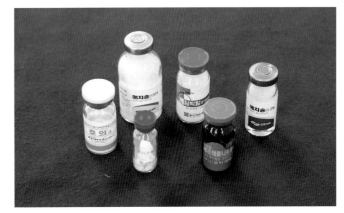

바이알의 종류

- **목적**
  - 주사 방법에 따른 주사약을 준비하기 위함이다.

- **준비물품**
  - 투약 tray, 투약 cart
  - 약카드, 주사약(ampule, vial)
  - 용해제(증류수, 생리식염수, 특수 용해제)
  - 주사기와 주사 바늘
  - 70% 알코올솜, 곡반

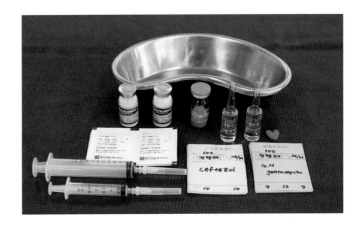

주사 약물 준비의 단계와 근거

단계	근거
1. 손을 씻는다.	• 병원감염을 예방한다.
2. 투약 tray 위에 약카드와 약을 준비한다.	• 대상자 이름, 약명, 약용량, 투여경로, 투여시간 등을 정확히 확인한다.
3. 적합한 용해제를 택한다.	
4. 주사기와 바늘을 준비한다. 단 1회용 플라스틱주사기는 오염되지 않게 겉포장을 잘 벗긴다.	• 외과적 무균법으로 다루어져야 한다.
a. 주사기 포장 벗기는 방법	
(1) 포장을 벗기기 전에 포장 안의 주사기와 바늘이 잘 끼워있는가를 확인한다.	
(2) 겉포장을 1/3 가량 조심스럽게 벗긴다.	• 한꺼번에 전부 벗기면 주사기와 주사 바늘이 땅바닥에 떨어져 오염된다.
(3) 주사기를 꺼내 작동이 순조로운지 손으로 내관을 당겨 확인하고 바늘연결부위를 다시 한번 잘 끼운다.	
5. 주사기에서 약물을 뽑는다.	
a. 앰플(ampule)인 경우	
(1) 유리 앰플의 머리부분이 위를 향하도록 잡고 머리부분에 약물이 남아 있지 않도록 앰플의 머리부분 중 점이 표시되어있지 않은 쪽을 톡톡 두드린다.	• 정확한 약물의 용량을 준비하기 위이다.
(2) 앰플이 절단될 부위를 70% 이소프로필 알코올 또는 에탄올 거즈로 닦아내고 자연 건조를 통하여 완전히 건조시킨다.	• 혹 유리파편이 튈 경우 앰플안으로 들어가지 않도록 하기 위함이다.
(3) 앰플에 표시된 점이 앞으로 오도록 잡는다.	• 올바른 방법으로 절단하기 위함이다.
(4) 앰플의 머리부분을 한 손의 엄지와 검지로 붙잡고 다른 손으로는 몸통부분을 잡는다.	• 절단할 때 앰플이 넘어지지 않도록 하기 위함이다.

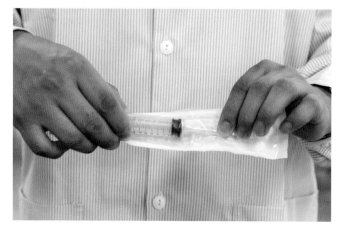

단계 4a(1)

단계 4a(2)

주사 약물 준비의 단계와 근거(계속)

단계	근거
(5) 앰플의 머리부분을 잡은 손에 뒷쪽으로 힘을 주면서 손을 움직여 재빨리 절단한다.	• 잘못된 방법으로 절단하면 유리 파편이 많이 발생하기 때문에 정해진 방법대로 절단해야 한다
(6) 바늘뚜껑을 제거한 후 앰플을 한 손에 잡고 주사 바늘의 사면 (bevel)을 아래쪽으로 향하게 하고 앰플의 가장자리에 닿지 않도록 하면서 넣는다.	• 앰플 측면 내벽을 향하게 되어 유리 파편이 주사기 내로 들어가는 것을 최소화 할 수 있다.
(7) 용량을 확인한 다음, 바늘뚜껑을 덮는다.	• 주사바늘이 멸균상태를 유지하도록 한다.
(8) 앰플을 점점 기울여서 용액이 아래로 흘러내리도록 하여 주사 바늘 끝이 용액 속에 잠기게 하고 주사기 내관을 서서히 뒤로 빼며 용액을 모두 뽑는다.	• 바늘 끝이 반드시 용액 속에 담겨져야 공기가 없는 정확한 양을 뽑을 수 있다.

b. 바이알(vial)인 경우

단계	근거
(1) 손으로 바이알의 뚜껑을 제거한 뒤 알코올솜으로 고무마개를 닦는다.	• 외부균의 침입을 막기 위함이다.

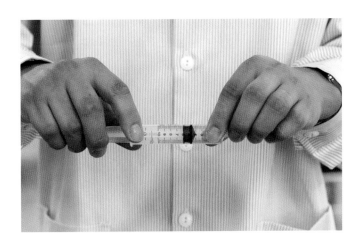

단계 4a(3)

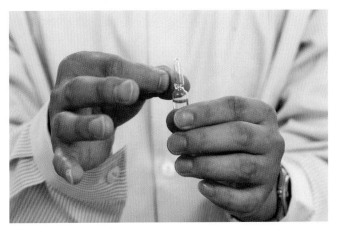

단계 5a(1)

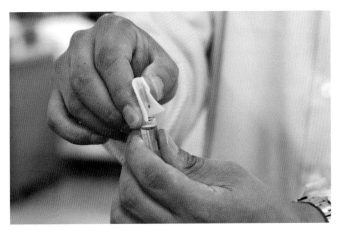

단계 5a(3)

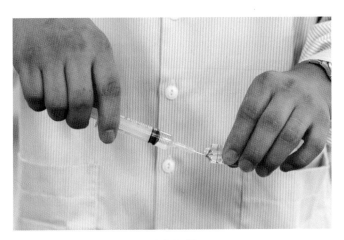

단계 5a(5)

주사 약물 준비의 단계와 근거(계속)

단계	근거
(2) 분말로 된 약물인 경우,	
① 필요한 양의 용해제를 무균적으로 주사기에 뽑아 놓는다.	
② 바이알에 용해제를 서서히 밀어넣는다.	
③ 분말이 완전히 용해되도록 바이알을 두 손바닥의 사이에 놓고 바이알을 굴려가면서 약물을 혼합한다.	• 너무 세게 흔들면 약물에 거품이 생기므로 정확한 양을 측정하기 어렵다.
(3) 뽑을 약의 용량만큼 주사기에 공기를 재어놓는다.	• 약물흡인 시에 바이알 내에 음압이 형성되는 것을 막기 위함이다.
(4) 한 손으로 약병을 잡고 다른 손으로 주사기 바늘을 고무마개 중앙부분에 삽입한다.	• 고무마개 중앙부분은 보다 얇아서 바늘을 관통시키기가 더 쉽다.
(5) 주사바늘의 사면이 약물에 닿지 않도록 하면서 바이알 내로 공기를 주입한다.	• 주사바늘의 사면이 약물에 닿으면 공기주입 시 용액에 거품이 생긴다.
(6) 바이알을 거꾸로 들어서 주사바늘 끝이 용액 속에 잠기게 하고 눈	• 바늘 끝이 반드시 용액 속에 담겨져야 공기가 없는 정확한 양을 뽑을

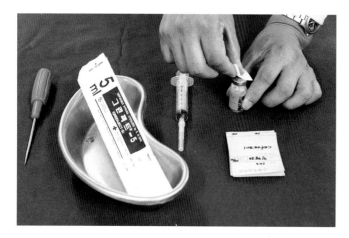

단계 5b(1)

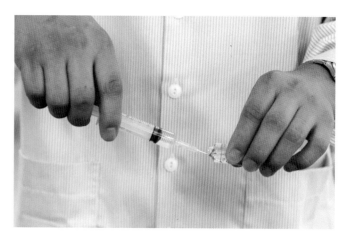

단계 5b(2)①

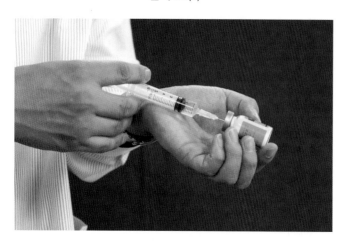

단계 5b(2)②

단계 5b(2)③

주사 약물 준비의 단계와 근거(계속)

단계	근거
높이에서 지시된 정확한 용량을 끝까지 서서히 뽑는다.	수 있다.
(7) 약이 완전히 주사기에 담아지면 바이알에서 바늘을 빼어 바늘 끝이 위로 향하게 수직으로 세워서 공기가 완전히 빠지도록 한다.	• 정수직으로 들어야 공기가 위로 올라가 밖으로 빼내기 쉽다.
(8) 용량을 학인한 다음, 바늘껑을 덮는다.	• 주사바늘이 멸균상태를 유지하도록 한다.
c. 두 개의 바이알에 있는 약물을 혼합하는 경우	
(1) 두개의 바이알의 고무마개를 알코올솜으로 닦는다.	
(2) 뽑아낼 약물의 용량과 같은 양의 공기를 첫 번째 약물(A바이알)에 주입한다.	• 외부균의 침입을 막기 위함이다.
	• 바이알에 주입된 공기는 진공상태로 만들지 않아 약물이 쉽게 흘러 나온다.
(3) A바이알에 공기를 주입하면서 주사바늘이 용액에 닿지 않도록 한다.	• 교차오염을 예방하기 위함이다.

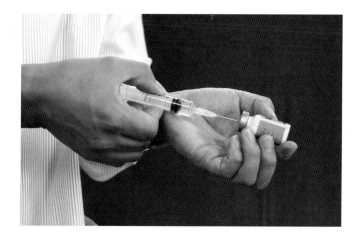

단계 5b(4)

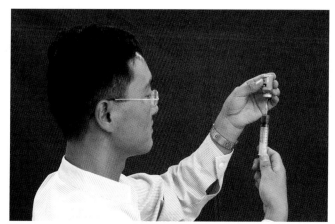

단계 5b(6)

단계 5b(7)

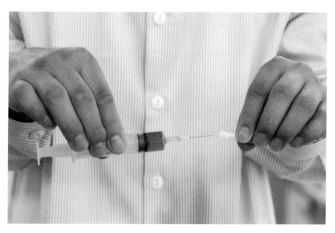

단계 5b(8)

주사 약물 준비의 단계와 근거(계속)

수행 항목(단계)	이론적 근거
(4) A바이알에서 주사기를 빼낸다.	
(5) 같은 방법으로 두 번째 약물(B바이알)에도 공기를 주입한다. B바이알에서 주사바늘을 빼지 않은 채 필요량의 약물을 주사기에 뽑아낸다.	
(6) 약물이 주사기에 완전히 담아지면 B바이알에서 바늘을 빼어 주사기를 거꾸로 수직으로 세워 공기를 완전히 제거한 후 바늘을 소독된 새 바늘로 바꾼다.	
(7) 약물의 전체용량 중 추가해야 할 용량을 정확하게 계산한다.	• 두 종류의 약물이 혼합되고 있으므로 정확한 용량의 측정은 중요하다.
(8) 주사바늘을 A바이알에 삽입한다. 바이알을 거꾸로 세우고 필요로 하는 정확한 용량을 조심스럽게 뽑아낸다.	• 잘못 계산된 경우에는 뽑아낸 전체용량을 버리고 다시 시작해야만 한다.
6. 정확한 용량을 약카드와 함께 확인한 후 투약 tray에 약카드와 알코올 솜을 놓는다.	
7. 손을 씻는다.	• 병원감염을 예방한다.

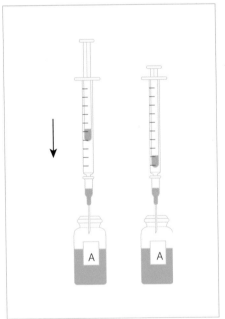

단계 5c (2)

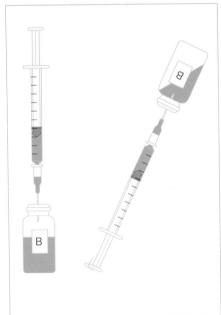

단계 5c (5)

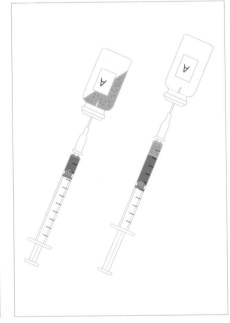

단계 5c (8)

절단 후 사용하지 말아야 할 앰플 주사제

· 절단이 쉽게 되지 않거나 절단면이 깨끗하지 않을 때는 유리 파편이 많이 발생할 수 있으므로 사용하지 않는다.
· 육안으로 확인되는 유리 파편이 있다면 사용하지 않는다.

주사 약물 준비

평가일자 _____   평가자 이름 _____

No	수 행 항 목	수행	미수행	비고
1	손을 씻는다.			
2	투약 tray 위에 약카드와 약을 준비한다. 대상자 이름, 약명, 약용량, 투여경로, 투여시간 등을 정확히 확인한다.			
3	주사기와 바늘을 준비한다. 단 1회용 플라스틱주사기는 오염되지 않게 겉포장을 잘 벗긴다.			
	〈앰플(ampule)인 경우〉			
	1) 앰플을 똑바로 세워서 잡고 앰플의 상단부분을 가운데 손가락으로 가볍고 빠르게 튕긴다.			
	2) 앰플 목부분을 알코올솜으로 닦는다.			
	3) 앰플 목부분의 꺽는 방향을 확인한 후 알코올솜으로 감아쥔 채 부드럽게 꺾는다.			
	4) 바늘뚜껑을 제거한 후 앰플을 한 손에 잡고 주사바늘이 앰플의 가장자리에 닿지 않도록 하면서 넣는다.			
	5) 주사바늘 끝이 앰플의 용액 속에 잠기게 하고 주사기 내관을 서서히 뒤로 빼며 용액을 모두 뽑는다.			
	6) 앰플 밖으로 주사기를 빼내어 바늘 끝을 수직으로 세워 주사기내의 공기를 제거한다.			
	7) 용량을 확인한 다음, 바늘뚜껑을 덮는다.			

주사 약물 준비(계속)

No	수 행 항 목	수행	미수행	비고
4	〈바이알(vial)인 경우〉			
	1) 바이알의 고무마개가 노출되도록 바이알의 금속 또는 플라스틱 뚜껑을 제거한 뒤 알코올솜으로 닦는다.			
	2) 주사바늘의 뚜껑을 제거하고 뽑을 약의 용량만큼 주사기에 공기를 재어 놓는다.			
	3) 주사바늘을 고무마개 중앙부분에 삽입한다.			
	4) 주사바늘의 사면이 약물에 닿지 않도록 하면서 바이알 내로 공기를 주입한다.			
	5) 바이알을 거꾸로 들어서 주사바늘 끝이 용액 속에 잠기게 하고 눈높이에서 지시된 정확한 용량을 끝까지 서서히 뽑는다.			
	6) 바이알에서 바늘을 빼어 바늘 끝이 위로 향하게 수직으로 세워서 공기가 완전히 빠지도록 한다.			
	7) 용량을 확인한 다음, 바늘뚜껑을 덮는다.			
	〈두 개의 바이알에 있는 약물을 혼합하는 경우〉			
	1) 두 개의 바이알의 고무마개를 알코올솜으로 닦는다.			
	2) 뽑아낼 약물의 용량과 같은 양의 공기를 첫 번째 약물(A바이알)에 주입한다.			
	3) A바이알에 공기를 주입하면서 주사바늘이 용액에 닿지 않도록 한다.			
	4) 같은 방법으로 두 번째 약물(B바이알)에도 공기를 주입한다.			

주사 약물 준비(계속)

No	수 행 항 목	수행	미수행	비고
5	5) B바이알에서 주사바늘을 빼지 않은 채 필요량의 약물을 주사기에 뽑아 낸다.			
	6) 약물이 주사기에 완전히 담아지면 B바이알에서 바늘을 빼어 주사기를 거꾸로 수직으로 세워 공기를 완전히 제거한다.			
	7) 바늘을 소독된 새 바늘로 바꾼다.			
	8) 약물의 전체 용량 중 추가해야 할 용량을 정확하게 계산한다.			
	9) 주사바늘을 A바이알에 삽입한다. 바이알을 거꾸로 세우고 필요로 하는 정확한 용량을 조심스럽게 뽑아낸다.			
6	사용하고 난 더럽혀진 물품들을 치우고 주위를 깨끗하게 정리 정돈한다.			
7	정확한 용량을 약카드와 함께 확인한다.			
8	손을 씻는다.			

2. 피내 주사^{Intradermal Injection}

1) 주사 부위

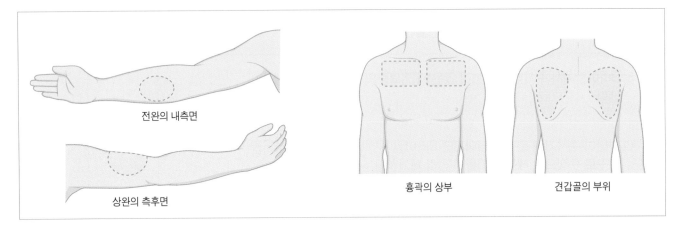

전완의 내측면

상완의 측후면

흉곽의 상부

견갑골의 부위

- **목적**
  - 예방접종(튜베르쿨린 반응검사, BCG 접종)이나 약물에 대한 과민반응을 관찰하기 위이다.

- **준비물품**
  - 투약 카드, 투약 기록지, 투약 카트 또는 트레이
  - 주사용 증류수(혹은 생리 식염수) 앰플
  - 피내 주사용 모형, 주사용 바이알, 손소독제
  - 손상성 폐기물 전용 용기, 일반 의료 폐기물 전용 용기
  - 1mL 주사기 2개(혹은 25G 바늘, 5mL 주사기, 소독솜)

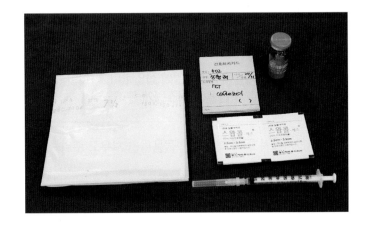

 피내 주사의 단계와 근거

단계	근거
1. 손을 씻는다.	• 병원 감염 예방을 위함이다.
2. 투약 처방과 투약 원칙을 확인한다.	• 안전하게 약을 투여하기 위해서 투약의 5가지 원칙을 지켜야 한다.
3. 주사용 증류수 또는 생리 식염수 앰플의 라벨을 눈으로 읽는다. 주사기로 주사용 증류수 5mL를 앰플에서 빼낸 후 공기를 제거해서 준비한다.	• 바이알의 약물을 녹이기 위해서 앰플에서 약물을 준비할 때 무균법을 지켜서 준비한다.
4. 약물이 든 바이알의 고무마개를 소독솜으로 닦는다(바이알에 1g의 약물이 들어있는 경우를 기준으로 한다).	• 주사기의 바늘을 꽂기 전에 감염 예방을 위하여 소독한다.
5. 바이알을 바닥에 둔 상태에서 주사기에 준비해 둔 증류수 또는 생리식염수 5mL를 90° 각도를 유지하면서 멸균적으로 주입한다 (1000mg/5mL).	• 바닥에 바이알을 놓아야 바늘을 찌를 때 손 손상을 막는다.

피내 주사의 단계와 근거(계속)

단계	근거
6. 바이알을 바닥에 둔 채 한 손으로 잡은 상태에서 주사기를 제거한 후, 바늘은 손상성 전용 용기에 버린다.	
7. 바이알을 손바닥에 대고 분말이 완전히 녹을때까지 기포가 생기지 않게 두 손바닥으로 굴려준다.	• 세게 흔들면 거품이 생겨서 정확한 양을 준비하기가 어렵다.
8. 바이알을 바닥에 두고 잡은 상태에서 바이알의 고무마개를 소독솜으로 다시 닦는다.	• 주사기의 바늘을 꽂기 전에 소독한다.
9. 1mL 주사기에 1mL의 공기를 채운 후 바이알을 바닥에 둔 상태에서 1mL 주사기를 수직으로 찌른 후, 거꾸로 세워서 0.1mL의 약물을 빼내고 증류수(앰플) 0.9mL를 섞어서 총량 1mL를 만들고 주사기를 좌우로 10회 정도 흔들어서 약물이 잘 희석되도록 한다(20mg/mL).	• 정확한 용량을 희석해야 약물로 인한 쇼크를 예방할 수 있다.
10. 주사기 약물 중 0.9mL는 곡반에 버리고 증류수 0.9mL를 더 넣어 총량 1mL가 되도록 희석한다. 1mL의 약물이 준비되었으면, 주사기를 좌, 우로 10회 정도 흔들어서 약물이 잘 희석되도록 한다(2mg/mL).	• 바이알의 고무마개를 통과한 주사바늘은 약물이 묻어있거나, 끝이 구부러지거나 무뎌지는 경우가 많아 새 주사바늘로 교체한다. 이렇게 하면 주사 바늘 삽입 시 통증을 줄일 수 있다.

단계 2

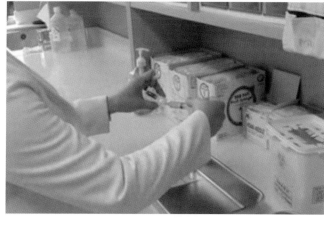

단계 3

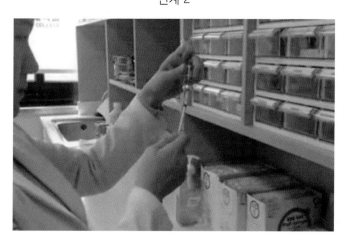

단계 9

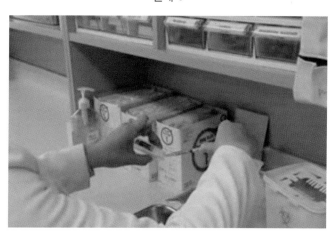

단계 10

피내 주사의 단계와 근거(계속)

단계	근거
11. 투약 카트에 필요한 물품을 준비한다.	
12. 준비한 물품을 가지고 대상자에게 가서 간호사 자신을 소개한다.	
13. 손소독제로 손위생을 실시한다.	• 감염 기회를 줄인다.
14. 대상자의 이름을 개방형으로 질문하여 대상자를 확인하고, 입원 팔찌와 환자 기록지의 이름, 등록번호를 대조하여 재확인한다.	
15. 대상자에게 목적과 절차를 설명한다.	• 처치 전에 대상자에게 설명해서 불안감을 감소시키도록 한다.
16. 전완의 내측면을 눈으로 확인하면서 발적이나 염증 등이 있는지 적절한 피내주사 부위를 선택한다.	• 주사 부위에 털이 많거나, 변색이 되었거나, 발적, 염증, 종창, 발열이 있는 부위는 반응 검사 판독을 방해할 수 있다. BCG 예방접종은 좌측 삼각근 아래 부위 피내에 주사한다.
17. 대상자가 앉은 자세라면 over-bed table 위에 바로 펴도록 하며 누운 자세에는 손을 자연스럽게 올려서 편안한 자세로 있게 한다.	• 쉽게 주사 부위가 노출되도록 한다.
18. 손소독제로 손위생을 실시한다.	• 감염 기회를 줄인다.
19. 전완의 3등분 한 가운데 주사 놓을 부위를 선정하여, 손독솜으로 안에서 바깥쪽으로 직격 5-8cm 정도 둥글게 닦은 후 곡반에 버린다.	• 미생물의 전파를 막기 위함이다. 피부에 묻어 있던 알코올이 주사 바늘과 함께 피부 속으로 들어가 불편감을 줄 수 있으므로 마를 때까지 기다린다.
20. 주사 바늘이 사면과 주사기의 눈금이 일치되도록 조정을 해놓는다. 주사기를 잡지 않은 한 손으로 주사 부위 위쪽 또는 아래쪽으로 2-3cm 떨어진 부위의 피부를 팽팽하게 잡아 당긴다.	• 주사 바늘의 사면과 주사기의 눈금이 일치해야 한 눈에 정확한 용량을 주입할 수 있다. 주사 부위가 팽팽해야 바늘이 잘 들어가서 통증이 감소한다.
21. 다른 손으로 캡을 벗긴 후, 주사 바늘의 사면이 위로 오도록 하여 주사기가 피부와 10-15° 의 각도를 유지하도록 잡은 다음 진피층에 주사 바늘의 사면이 들어갈 때까지만 피내에 삽입한다.	• 사면이 보이게 해야 진피 내로 약물이 주입되는 것이 용이하다.

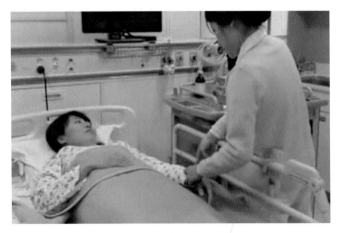

단계 14

단계 16

피내 주사의 단계와 근거(계속)

단계	근거
22. 주사 바늘의 사면을 피내로 삽입하고 피부를 잡아 당겼던 손으로 주사기의 허브를 잡고 주사기를 쥔 손으로 밀대를 밀어 0.05mL 정도 약물을 서서히 주입한다(낭포가 5-6mm 생기게 한다).	• 주사 바늘의 사면이 진피층 내로 삽입되어야 낭포가 생긴다. 정확한 각도와 깊이에 주입해야 정확한 피부 반응 검사를 얻을 수 있다. 낭포가 형성된 것은 진피에 약물이 위치하였음을 의미한다.
23. 주사 바늘을 빼낸 후 주사 바늘은 손상성 폐기물 전용 용기에 버리고, 물기가 생긴 경우는 마른 소독솜으로 살짝 닦아 낸다.	• 피부 반응 검사에 대한 징후를 대상자도 할 수 있도록 한다.
24. 작은 낭포의 둘레를 볼펜으로 동그랗게 표시한 다음, 주사약명과 투여 시간을 적고 주사 부위는 마사지 하지 않도록 하며 15분 후에 와서 확인할 것임을 대상자에게 설명한다.	• 마사지를 하면 마사지 압력에 의해 주입된 약물이 다른 조직으로 분산되거나 약물 주입 부위로 약물이 빠져 나와 낭포가 없어진다.
25. 손소독제로 손위생을 실시한다.	• 감염 기회를 줄인다.
26. 사용했던 소독솜과 주사기는 일반 의료 폐기물 전용 용기에 버려서 사용한 물품을 정리한다.	• 주사기 캡은 다시 씌우지 않도록 하여 주사 바늘로 인한 상해의 위험을 줄이도록 한다.

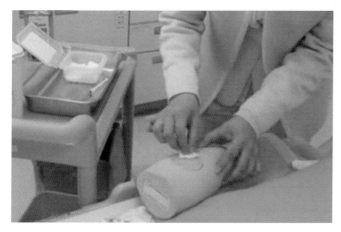

단계 19

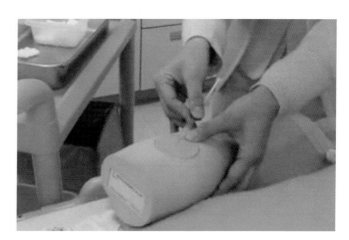

단계 21

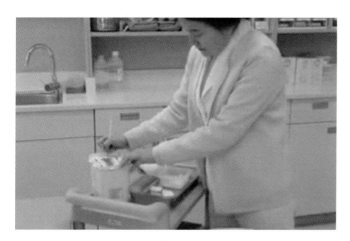

단계 23

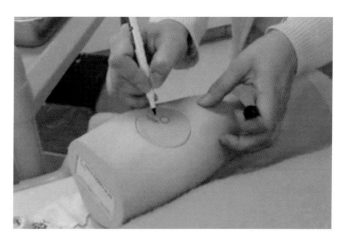

단계 24

피내 주사의 단계와 근거(계속)

단계	근거
27. 손을 씻는다.	• 미생물의 전파를 감소시킨다.
28. 15분 후에 주사 부위의 피부 반응 결과로 발적(15mm), 팽진(10mm)이 상인지를 확인하여 정상 수치 이상인지를 판독한다.	• 항생제는 15분 후에, 튜베르클린 반응 검사는 48-72시간 후에 확인한다.
29. 5 rights(대상자명, 약명, 용량, 투약 경로, 투약 시간)와 피부 반응 결과가 양성인지 음성인지 간호 기록지에 기록한다.	• 정확한 기록을 통해서 대상자의 지속적인 치료와 의료 인간의 의사소통을 가능하게 한다.

피내 주사 피부 반응 결과 판독

양성 판정 방법은 다음과 같다.
 - 발적 직경, 팽진 직경이 각각 판정 수치 이상의 경우(약 10mm 이상기거나 발적 시)
 - 팽진 직경이 5~9mm이면 반대쪽에 생리 식염수 0.1mL를 피내주사하여 결과를 비교하고 5mm 미만이면 음성이다.
 - 시험액의 반응이 대조액(생리 식염수)에 비해 명확하게 강한 경우(대조액 주사 15분 후 시험액 주사 부위와 비교하여 시험액 부위 직경이 3mm 이상 크면 양성으로 판정)
 - 구내 이상감, 두통, 안면홍조, 변의, 어지러움, 이명 등의 명확한 자각 증상

피내 주사

평가일자 _____   평가자 이름 _____

No	수 행 항 목	수행	미수행	비고
1	약물을 주사하기 위한 올바른 투여경로를 정확하게 사정한다.			
2	약물에 대한 대상자의 병력과 태도를 사정한다.			
3	손을 씻는다.			
4	필요한 물품들을 준비한다.			
5	투약처방을 확인한다. 정확한 대상자, 약명, 약용량, 투여경로, 투여시간 등을 정확히 확인한다.			
6	앰플 또는 바이알로부터 약물용량을 정확하게 준비한다.			
7	주사기내의 공기를 완전히 제거한다.			
	근육주사의 경우 필요하면, 공기방울주사기법으로 준비한다.			
8	장갑을 사용한다.			
9	준비된 주사약을 대상자 곁으로 가지고 가서 대상자로 하여금 자신의 이름을 직접 대답하도록 하여 확인한다.			
10	대상자에게 투약목적과 절차를 설명한다.			
11	불필요한 노출을 피하도록 하여 프라이버시를 유지해준다.			
12	적절한 주사부위를 선택한다.			
13	주사부위의 타박상, 부종, 경결, 민감성, 변색 등을 사정한다. 지시가 있다면, 주사부위를 교대로 돌아가면서 주사한다.			

피내 주사(계속)

No	수 행 항 목	수행	미수행	비고
14	주사방법에 적절한 편안한 체위를 대상자가 취할 수 있도록 돕는다.			
15	알코올솜으로 주사부위를 닦고 마를 때까지 기다린다.			
16	주사바늘뚜껑을 제거한다.			
17	선택된 주사경로에 적절한 체위를 취해주고 주사기를 잡은 손의 엄지손가락과 둘째손가락사이에 주사기를 잡는다.			
18	주사한다. 1) 주사기를 들지 않은 손의 엄지손가락과 둘째손가락으로 주사부위의 피부표면을 팽팽하게 편다. 2) 주사바늘의 경사진 쪽을 위로 향하도록 하여 10~15° 각도로 경사진 쪽이 안보일 정도로만, 표피아래 진피층에 바늘을 삽입한다. 3) 직경이 약 6mm 정도의 수포가 형성될 때까지 약물을 서서히 주입한다.			
19	피부표면에 만들어진 작은 수포의 둘레를 볼펜으로 동그랗게 표시한 다음, 주사약명과 시간을 적는다.			
20	대상자에게 주사부위에 대한 감각을 확인하고 주사 후의 알레르기반응을 관찰한다.			
21	간호기록지에 약명, 용량, 투약경로, 투여시간, 주사부위 및 반응결과를 기록한다.			

3. 피하 주사 ^Subcutaneous Injection

1) 혈당검사(Blood Glucoes Test)

혈당검사는 혈당을 측정하여 당뇨병을 감시하고 조절하는데 이용된다. 검사 결과는 당뇨병의 식이, 약물 용량과 유형, 운동처방 등의 방향을 결정하는데 기준이 된다. 간호사는 대상자의 불편감을 최소화하기 위해서 검사 목적에 대해 충분한 설명을 하여 침상에서 쉽게 검사를 수행할 수 있도록 한다.

- **목적**
  - 당뇨병의 조기 진단과 추후 관리를 하기 위함이다.
  - 당뇨병의 급·만성 합병증을 예방하기 위한 기준을 제공한다.
  - 고혈당과 저혈당을 감지하고 예방하기 위함이다.

- **준비물품**
  - 혈당검사기, 검사용 strip, lancet
  - 70% 알코올솜, 일회용 장갑

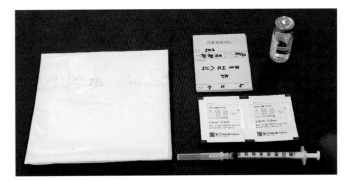

 간이 혈당 측정의 단계와 근거

단계	근거
1. 손을 씻는다.	• 병원 감염 예방을 위함이다.
2. 투약 카드의 등록번호, 대상자명, 약명, 용량, 경로 시간을 눈으로 대조해 가며 읽으면서 필요한 물품을 준비한다.	• 투약 원칙을 지켜서 안전하게 약을 투여하기 위해서 5가지 원칙을 지켜야 한다.
3. 준비한 물품을 가지고 대상자에게 가서 간호사 자신을 소개한다.	
4. 손을 씻는다.	
5. 대상자의 이름을 개방형으로 질문하여 대상자를 확인하고, 입원 팔찌와 환자 기록지의 이름, 등록번호를 대조하여 재확인한다. .	

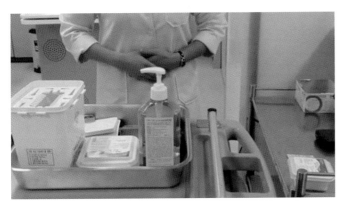

단계 2

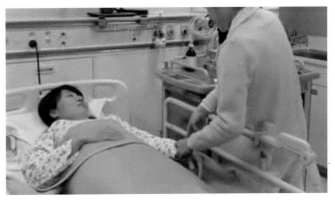

단계 5

간이 혈당 측정의 단계와 근거(계속)

단계	근거
6. 대상자에게 "혈당 측정을 통해서 혈당 상태를 파악하겠습니다." 라고 혈당 측정 목적과 "손 끝을 바늘로 조금만 찔러서 피가 나오면 바로 검사 결과를 확인할 수 있습니다." 라고 절차에 대해 설명한다.	• 처치 전의 설명은 대상자의 불안을 감소시킨다.
7. 대상자의 손가락 끝을 채혈하기 적절한지 손가락 부위를 눈으로 확인한 다음 소독솜으로 닦아 말린다.	• 혈액이 손가락 끝 쪽으로 몰리게 한다. 알코올이 검사의 정확성을 변화시킬 수 있다.
8. 채혈기에 채혈침을 끼워 잠근 후, 채혈의 강도를 조절한다.	• 바늘 깊이가 너무 얕으면 찔러도 피가 안나온다.
9. 검사용 strip을 기계에 끼운 후, 혈당측정기에 혈액 방울 그림이 표시된 것을 확인한다.	• 전원 버튼이 켜져 있어야 혈액을 바로 strip에 떨어뜨려 결과 측정이 용이하다.
10. 한 손은 대상자의 손을 잡은 후, 다른 손에 펜을 쥐고 버튼(펜의 측면에 위치함)을 누름과 동시에 찌른다.	• 측면이 통증에 덜 예민하다. 알코올이 검사의 정확성을 변화시킬 수 있다. 빠르게 천자해야 통증이 덜 심하다.

단계 7

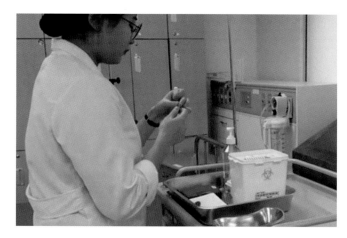

단계 8

단계 9

단계 10

간이 혈당 측정의 단계와 근거(계속)

단계	근거
11. 천자 부위에서 혈액이 자연스럽게 흘러나오는지 확인 후, 첫 방울은 흘려보낸다. 그 다음 혈액 방울을 검사지에 묻히고 천자 부위는 소독솜으로 눌러준다.	• 천자 부위를 짜내면 압력이 더해져서 검사 결과에 영향을 미친다. 일반적으로 첫 번째 혈액 방울은 검사물을 희석시켜 잘못된 결과를 초래할 수 있는 다량의 장액을 포함한다.
12. 혈당측정기의 모니터에 나온 수치를 확인하고 메모한 후 대상자에게 혈당 수치를 알려준다.	• 저혈당 증세로 혈당을 측정하므로, 정확한 수치를 알려 불안해하지 않도록 한다.
13. 사용한 채혈침은 손상성 폐기물 전용 용기에 버리고, 사용했던 소독솜과 혈액이 묻은 검사지는 일반 의료 폐기물 전용 용기에 버린다.	• 분리 수거를 해서 감염을 예방한다. 주사기 캡은 다시 띄우지 않도록 하여 주사 바늘로 인한 상해의 위험을 줄이도록 한다.
14. 손소독제로 손위생을 실시한다.	• 미생물의 전파를 감소시킨다.
15. 혈당 기록지에 혈당측정치를 기록한다.	• 의료인 간의 의사소통 및 대상자의 정확한 치료를 위함이다.

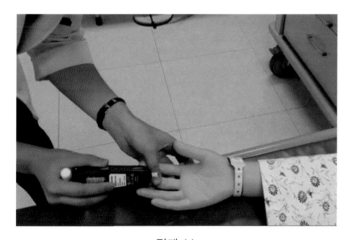

단계 11

단계 15

2) 피하 주사

- **목적**
    - 소화 효소에 의한 영향을 방지하기 위함이다.
    - 근육 주사보다는 약물의 흡수가 느리지만 경구 투약 보다
      는 빠른 효과를 얻기 위함이다.

- **준비물품**
    - 투약 카트, 투약 카드, 검사지(strip)
    - 주사용 인슐린, 인슐린 주사기
    - 간이 혈당측정기
    - 피하 주사 모형
    - 채혈기, 채혈침
    - 일회용 소독솜, 손소독제
    - 피하 주사 부위 순환 그림
    - 투약 기록지, 간호 기록지, 혈당 기록지
    - 손상성 폐기물 전용 용기, 일반 의료 폐기물 전용 용기

피하 주사의 단계와 근거

단계	근거
1. 손을 씻는다.	• 병원감염을 예방한다.
2. 투약 tray 위에 약카드와 약을 준비한다. 인슐린 약물을 준비할 때 바이알을 손바닥에 놓고 부드럽게 굴려 약물이 잘 섞이도록 한다.	• 투약에 따른 기본원칙을 정확히 확인한다. • 너무 세게 흔들면 약물에 거품이 생겨 잘 섞이지 않는다.
3. 대상자에게 투약목적과 방법을 설명한다.	• 충분한 설명은 주사로 인한 동통과 불안감을 완화한다.

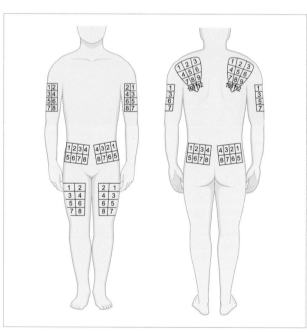

피하주사 부위

피하 주사의 단계와 근거(계속)

단계	근거
4. 적절한 부위를 선택한다. 경결, 상흔, 부종, 소양감, 작열감, 국소적 염증이 있는 부위는 피한다.	• 약물의 흡수를 방해하고 염증을 일으킬 수 있다.
5. 주사부위를 매번 교체하여 주사한다. 그 부위 내에서 주사 시마다 주사위치가 1.5inch 이상 떨어지지 않도록 하여 주사한다.	• 주사부위의 조직손상을 막고 약물의 흡수를 도와 대상자의 불편감을 덜어주며, 바로 전의 인슐린주사로 인해 자극받은 피부를 보호하기 위함이다.
6. 적절한 주사바늘의 길이를 확인한다. 주사부위를 엄지와 둘째손가락으로 잡아 당겨서 피부주름을 만들어 이 피부주름의 약 1/2 길이가 되는 주사바늘을 선택한다.	• 주사바늘이 피하조직에 주사될 수 있도록 하기 위함이다.
7. 대상자가 편안한 체위를 취할 수 있도록 도와주고, 선택된 주사부위에 따라 팔이나 다리 혹은 복부부위 등이 이완되도록 체위를 취한다.	• 편안한 체위를 취함으로 안위감이 증진되고 불안감이 감소되어 정서적인 지지를 해준다. • 주사할 부위의 근육이 이완되면 불편감이 감소된다.
8. 주사기는 대상자가 보이지 않는 곳에 두고 대상자와 관심있는 주제를 가지고 대화를 나눈다.	• 불안감을 최소화할 수 있다.
9. 주사부위의 가운데에서부터 바깥쪽으로 약 5cm 정도를 원을 그리며 알코올솜으로 닦고 마를 때까지 기다린다.	• 주사부위를 닦는 기계적인 동작은 미생물을 포함하고 있는 피부의 분비물을 제거하기 위함이다.
10. 주사기 뚜껑을 벗기고 주사기 속의 공기나 기포가 제거되었는지 다시 한번 확인한다.	
11. 주사기를 잡지 않은 손의 엄지와 둘째 손가락으로 주사부위의 피부를 집어올리거나 피부를 팽팽하게 편 다음, 주사 바늘을 단번에 힘있게 찌른다.	• 주사바늘을 재빠르고 부드럽게 찌르기 위함이다. • 근육막과 피하지방을 분리시켜 피하로 약을 주사하기 위함이다.
12. 주사바늘의 삽입각도는 대상자의 체형에 따른 각도를 유지하면서 삽입한다. 　a. 표준체형의 경우	• 약물이 피하조직에 주입되도록 하기 위함이다.

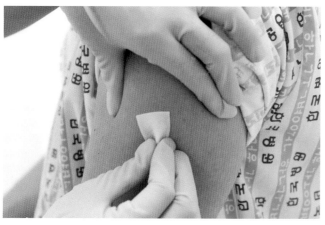

단계 9

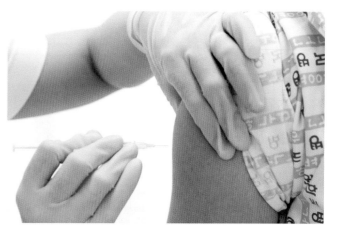

단계 11

피하 주사의 단계와 근거(계속)

단계	근거
피부를 부드럽게 편 다음 주사바늘을 90° 각도로 재빠르고 단호하게 찌른다.	• 빨리 삽입하면 주사 시 대상자의 불편감을 줄일 수 있다.
b. 마른체형의 경우 주사바늘을 45° 각도로 재빠르고 단호하게 찌른다.	• 45° 각도를 유지함으로써 근육이 아닌 피하조직으로 약물이 주입된다.
c. 비만체형의 경우 주사부위의 피부를 잡고 피부주름아래까지 바늘을 주사한다. (1) 약물이 피하조직에 주입되도록 하기 위해 45° 혹은 90° 각도로 삽입한다. • 피부주름이 5cm 정도 집어올려지면 90° 각도로 삽입한다. • 피부주름이 2.5cm 정도 집어올려지면 45° 각도로 삽입한다.	• 비만한 대상자는 피하층위에 지방층이 있어 피부를 집어야 피하조직을 피부표면 쪽으로 올릴 수 있다.
13. 주사바늘을 삽입한 후 주사기를 잡지 않았던 손으로 주사기 외관의 끝 부분을 잡고 주사기를 잡은 손은 주사기 내관의 끝으로 이동하여 주사기가 움직이지 않도록 한다.	• 주사기가 움직이면 바늘의 위치가 옮겨지면서 대상자에게 불편감을 준다.
14. 금기인 경우를 제외하고, 주사기를 잡은 손으로 주사기의 내관을 약간 뒤로 잡아당겨 혈액이 나오지 않으면 주사약물을 천천히 부드럽게 주입한다.	• 주사기 내관을 잡아당겨 보는 것은 주사바늘이 혈관벽을 뚫고 들어가 혈관 내로 약물이 주입되는 것을 막기 위함이다. 잡아당겨 혈액이 보이면 그대로 주사바늘을 빼서 버리고 다시 준비한다. • 헤파린주사의 경우, 주사기내관을 뒤로 당기는 것은 금기이다. • 천천히 주입함으로써 통증을 줄이고 외상을 막을 수 있다.
15. 주사부위 위에 알코올솜을 놓고 주사바늘을 삽입시와 같은 각도로 재빨리 뺀다.	• 주사부위의 피부를 지지해 줌으로써 대상자의 불편감을 최소화한다.

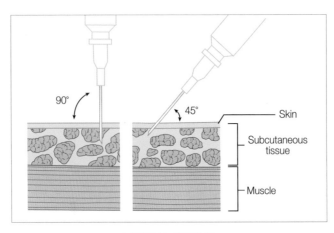

피하주사 삽입각도

피하 주사의 단계와 근거(계속)

단계	근거
16. 혈당 측정치에 따라 R-I sliding Scale에 따른 투약할 인슐린 양을 확인 해서 투약 카드를 준비한다.	• 반복적인 주사 부위는 지방 비대로 인해 단단해지고 약물 흡수를 방 해한다.
17. 손소독제로 손위생을 실시한다.	• 미생물의 전파를 감소시킨다.
18. 투약 처방과 투약 원칙을 확인하여 정확한 양의 인슐린을 주사기에 준 비한다.	• 인슐린은 정확하게 주입해야 하므로 1, 2차에 걸친 확인 후 인슐린 전용 주사기를 이용해서 준비해야 한다.
19. 투약 카트나 쟁반에 준비한 인슐린과 소독솜, 손상성 폐기물 용기, 곡 반을 준비한다.	• 대상자에게 불편감을 감소시키기 위함이다.
20. 대상자의 이름을 개방형으로 질문하여 대상자를 확인하고, 입원 팔찌와 환자 기록지의 이름, 등록번호를 대조하여 재확인한다.	• 대상자에게 알권리를 제공한다.
21. "이 약물은 조금 전에 혈당 검사했을 때 고혈당이어서 인슐린 주사를 하 는 것입니다." "주사맞은 부위를 문지르시면 약물 흡수가 갑자기 빨라져 저혈당 증세인 어지러움, 손발 떨림, 식은 땀 증상이 나타날 수 있으니 문지르시면 안됩니다."라고 투여 목적과 주의 사항에 대해 설명한다.	• 주사 부위에 문제가 있을 경우에 약물 흡수를 방해한다. 반복적으로 주사 시 지방의 증식, 위축이 생겨서 인슐린 흡수가 저하 되고 통증이 유발된다.

단계 16

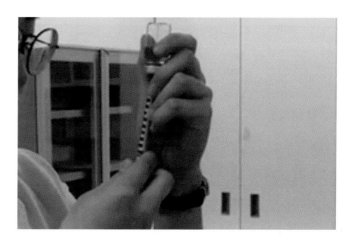

단계 18

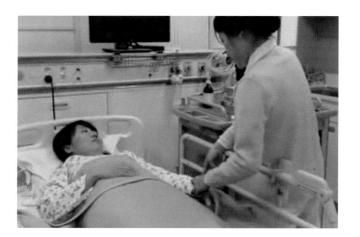

단계 20

피하 주사의 단계와 근거(계속)

단계	근거

22. 인슐린 주사 부위 기록지(그림표)를 눈으로 보고 주사 부위에 타박상, 부종, 경결, 민감성, 변색 등이 있는지 사정한다. 대상자에게 편안한 자세를 취하도록 한다.

23. 손소독제로 손위생을 실시한다.

- 미생물의 전파를 감소시킨다.

24. 주사를 놓을 부위를 확인해서 소독솜으로 안에서 바깥쪽으로 직경 5~8cm 정도 둥글게 닦은 후 곡반에 버린다.

- 편안한 자세를 유지하도록 한다.
  알코올솜은 미생물을 제거한다.

25. 새로운 소독솜을 주사기를 잡지 않은 손가락 사이에 걸쳐 놓은 후 주사 바늘 뚜껑을 제거하고 주사기를 잡지 않은 손으로 주사 부위 주변의 피부를 팽팽하게 잡고, 주사 바늘을 삽입한 후 소독솜을 잡은 손으로 주사기의 허브를 잡고 주사기를 잡은 손으로 약물을 주입한다(피부 상태에 따라서 40°, 90°로 바늘 삽입 각도를 조절한다).

- 뚜껑이 주사 바늘에 닿지 않도록 하여 오염을 방지한다.
  물렁한 피부보다 팽팽한 피부에 바늘이 통과하기가 더욱 쉽기 때문이다.

26. 소독솜을 댄 상태에서 주사 바늘을 재빨리 뺀 후 주사 바늘은 손상성 폐기물 용기에 넣고, 소독솜으로 살짝 눌러주되 주사 부위는 마사지하

- 밀대를 뒤로 당기지 않는다.
  피하지방층이 넓고 신경과 혈관 분포가 적기 때문이다.

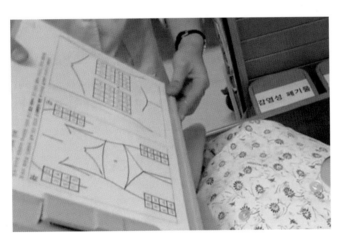

단계 22

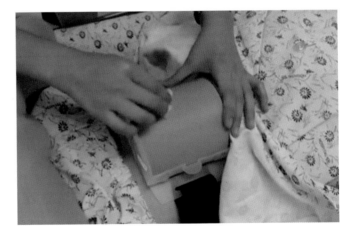

단계 24

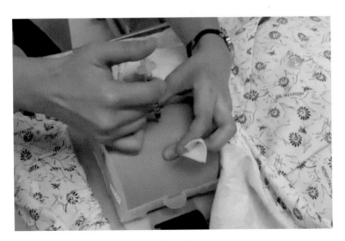

단계 25

피하 주사의 단계와 근거(계속)

단계	근거
지 않는다.	살짝 눌러주는 것은 부드러운 압력으로 출혈을 예방하기 위함이다.
27. 손소독제로 손위생을 실시한다.	• 병원 감염을 예방하기 위함이다.
28. 인슐린 주사 부위 기록지(그림표)에 날짜, 시간을 적고 본인의 서명을 한다.	• 주사 부위의 중복을 막기 위함이다.
29. 사용했던 소독솜과 주사기는 일반 의료폐기물 전용 용기에 버려서 사용한 물품을 정리한다.	• 주사기 캡은 다시 씌우지 않도록 하여 주사 바늘로 인한 상해의 위험을 줄이도록 한다. 분리 수거를 해서 병원 환경이 오염되지 않도록 한다.
30. 손을 씻는다.	• 병원 감염 예방을 위함이다.
31. 수행 결과를 간호 기록지와 투약 기록지에 기록한다.	• 정확한 기록은 대상자의 상태에 대한 올바른 정보를 제공하고 투약 오류의 위험을 감소시킨다.

3) 헤파린 피하 주사

- **목적**
  - 항응고제이며 혈종 형성을 억제한다.

- **주의사항**
  - 투여 전에 반드시 aPTT를 확인해야 하며 혈종 위험이 있어서 근육 주사로는 금한다.

- 주로 피하주사나 정맥 주사로 투여할 수 있으며, 지속적으로 정맥 주사할 때는 infusion pump를 사용해야 한다.

헤파린 피하 주사법의 단계와 근거

단계	근거
1. 1~10번은 동일함	
2. 간호사는 계속적으로 대상자의 출혈징후(타박상, 잇몸 출혈 등)를 사정해야 한다.	• 헤파린은 항응고제이며 혈종형성을 억제한다.
3. 주사부위를 장골능보다 높이 위치한 복부 부위를 선택한다.	• 이 부위는 사지보다 근육활동에 덜 관여하므로 혈종형성의 가능성을 감소시킨다.
4. 1.3cm길이의 25~26G 주사바늘을 사용하여 90° 각도로 삽입한다. 대상자가 마른경우에는 1.3cm보다 더 긴바늘을 45° 각도로 삽입한다.	
5. 헤파린 주사 시에 0.1ml의 공기를 주사기에 넣는다.	• 주사 시에 헤파린의 누출을 막아준다.
6. 주사바늘 삽입 후 주사기 내관을 뒤로 당겨보지 않는다.	• 주사바늘이 움직이면 조직의 손상, 작은 혈관의 파열, 심한 타박상과 출혈 등을 일으킨다.
7. 주사 후 주사 부위를 문지르지 않는다.	• 주사부위에 혈종을 형성하는 원인을 제공하고, 주사부위를 문지르면 약물흡수가 촉진된다.
8. 반복주사 시 주사 부위를 바꾸어가면서 주사해야 한다.	• 주사부위의 조직손상을 막고 약물의 흡수를 도와 대상자의 불편감을 덜어준다.

피하 주사

평가일자 _____ 평가자 이름 _____

No	수 행 항 목	수행	미수행	비고
1	약물을 주사하기 위한 올바른 투여경로를 정확하게 사정한다.			
2	약물에 대한 대상자의 병력과 태도를 사정한다.			
3	손을 씻는다.			
4	필요한 물품들을 준비한다.			
5	투약처방을 확인한다. 정확한 대상자, 약명, 약용량, 투여경로, 투여시간 등을 정확히 확인한다.			
6	앰플 또는 바이알로부터 약물용량을 정확하게 준비한다.			
7	인슐린약물을 준비할 때 바이알을 손바닥에 놓고 부드럽게 굴려 약물이 잘 섞이도록 한다.			
8	주사기 내의 공기를 완전히 제거한다.			
9	장갑을 사용한다.			
10	준비된 주사약을 대상자곁으로 가지고가서 대상자로 하여금 자신의 이름을 직접 대답하도록 하여 확인한다.			
11	대상자에게 투약목적과 절차를 설명한다.			
12	불필요한 노출을 피하도록 하여 프라이버시를 유지해준다.			
13	적절한 주사부위를 선택한다.			
14	주사부위의 타박상, 부종, 경결, 민감성, 변색 등을 사정한다.			

피하 주사(계속)

No	수 행 항 목	수행	미수행	비고
15	지시가 있다면, 주사부위를 매번 교대로 돌아가면서 주사한다.			
16	주사방법에 적절한 편안한 체위를 대상자가 취할 수 있도록 돕는다.			
17	알코올솜으로 주사부위를 닦고 마를 때까지 기다린다.			
18	주사바늘뚜껑을 제거한다.			
19	선택된 주사경로에 적절한 체위를 취해주고 주사기를 잡은 손의 엄지손가락과 둘째손가락 사이에 주사기를 잡는다.			
20	주사한다. 1) 표준체형의 경우, 주사기를 잡지 않은 손으로 주사부위의 피부를 부드럽게 편다. 2) 주사용량, 피부조직의 팽창상태, 바늘길이에 따라 주사바늘을 45~90° 각도로 빠르고 단호하게 찌른다. 3) 비만체형의 경우, 주사부위의 피부를 잡고 피부주름아래까지 주사바늘을 삽입한다.			
21	주사바늘을 삽입한 후 주사기를 잡지 않았던 손으로 주사기외관의 끝부분을 잡고 주사기를 잡은 손은 주사기 내관의 끝으로 이동하여 주사기가 움직이지 않도록 한다.			
22	주사기를 잡은 손으로 주사기의 내관을 약간 뒤로 잡아 당겨본다.			
23	만약 주사기에 혈액이 보이면 그대로 주사바늘을 빼서 버리고 다시 준비한다.			
24	주사기 내관으로 혈액이 나오지 않으면 주사약물을 천천히 부드럽게 주입한다.			

피하 주사(계속)

No	수 행 항 목	수행	미수행	비고
25	알코올솜을 주사부위 위에 놓고 압력을 가하면서 주사바늘을 삽입 시와 같은 각도로 재빨리 뺀다.			
26	약물주입 후 주사부위를 부드럽게 문질러 준다(인슐린 주사의 경우, 문지르지 않는다).			
27	편안한 체위를 취하도록 대상자를 도와준다.			
28	주사 후 주사기와 바늘은 병원정책에 따라 지정된 통에 버린다.			
29	사용한 장갑을 버리고 손을 씻는다.			
30	대상자에게 주사부위에 대한 감각을 확인하고 주사 후 10~30분 뒤에 약물에 대한 대상자의 반응을 평가한다.			
31	간호기록지에 약명, 용량, 투여경로, 투약시간, 주사부위, 대상자의 불편감 등을 기록한다.			

헤파린 피하 주사

평가일자 _____ 평가자 이름 _____

No	수 행 항 목	수행	미수행	비고
1	약물을 주사하기 위한 올바른 투여경로를 정확하게 사정한다.			
2	약물에 대한 대상자의 병력과 태도를 사정한다.			
3	손을 씻는다.			
4	필요한 물품들을 준비한다.			
5	투약처방을 확인한다. 정확한 대상자, 약명, 약용량, 투여경로, 투여시간 등을 정확히 확인한다.			
6	앰플 또는 바이알로부터 약물용량을 정확하게 준비한다.			
7	주사기내의 공기를 완전히 제거한다.			
8	장갑을 사용한다.			
9	준비된 주사약을 대상자곁으로 가지고 가서 대상자로 하여금 자신의 이름을 직접 대답하도록 하여 확인한다.			
10	대상자에게 투약목적과 절차를 설명한다.			
11	불필요한 노출을 피하도록 하여 프라이버시를 유지해준다.			
12	적절한 주사부위를 선택한다.			
13	주사부위의 타박상, 부종, 경결, 민감성, 변색 등을 사정한다.			
14	지시가 있다면, 주사부위를 매번 교대로 돌아가면서 주사한다.			

헤파린 피하 주사(계속)

No	수 행 항 목	수행	미수행	비고
15	주사방법에 적절한 편안한 체위를 대상자가 취할 수 있도록 돕는다.			
16	알코올솜으로 주사부위를 닦고 마를 때까지 기다린다.			
17	주사바늘뚜껑을 제거한다.			
18	선택된 주사경로에 적절한 체위를 취해주고 주사기를 잡은 손의 엄지손가락과 둘째손가락 사이에 주사기를 잡는다.			
19	주사한다.			
	1) 대상자의 출혈징후(타박상, 잇몸출혈 등)를 사정한다.			
	2) 주사부위를 장골능보다 높이 위치한 복부부위를 선택한다.			
	3) 주사바늘을 90° 각도로 삽입한다.			
	4) 대상자가 마른 경우에는 45° 각도로 삽입한다.			
	5) 주사 시에 0.1mL의 공기를 주사기에 넣는다.			
	6) 주사바늘 삽입 후 주사기 내관을 뒤로 당겨보지 않는다.			
	7) 주사 후 주사부위를 문지르지 않는다.			
	8) 반복주사 시 주사부위를 바꾸어가면서 주사해야한다.			
20	주사바늘을 삽입한 후 주사기를 잡지 않았던 손으로 주사기 외관의 끝 부분을 잡고 주사기를 잡은 손은 주사기 내관의 끝으로 이동하여 주사기가 움직이지 않도록 한다.			

헤파린 피하 주사(계속)

No	수 행 항 목	수행	미수행	비고
21	주사약물을 천천히 부드럽게 주입한다.			
22	알코올솜을 주사부위 위에 놓고 압력을 가하면서 주사바늘을 삽입 시와 같은 각도로 재빨리 뺀다.			
23	주사부위를 부드럽게 압력을 가해주고 문지르지 않는다.			
24	편안한 체위를 취하도록 대상자를 도와준다.			
25	주사 후 주사기와 바늘은 병원정책에 따라 지정된 통에 버린다.			
26	사용한 장갑을 버리고 손을 씻는다.			
27	대상자에게 주사부위에 대한 감각을 확인하고 주사 후 10~30분 뒤에 약물에 대한 대상자의 반응을 평가한다.			
28	간호기록지에 약명, 용량, 투여경로, 투약시간, 주사부위, 대상자의 불편감 등을 기록한다.			

4. 근육 주사 Intramuscular Injection

- **목적**
    - 신속한 약의 효과를 얻기 위함이다.
    - 경구 투약이 불가능한 경우에 시행하기 위함이다.
    - 피하 주사, 정맥 주사가 적절치 않을 때 시행한다.

- **준비물품**
    - 근육 주사용 둔부 모형, 투약 카트 또는 쟁반
    - 일회용 멸균 주사기, 소독솜, 손소독제, 앰플
    - 투약 카드, 투약 기록지, 간호 기록지
    - 손상성 폐기물 전용 용기, 일반 의료 폐기물 전용 용기

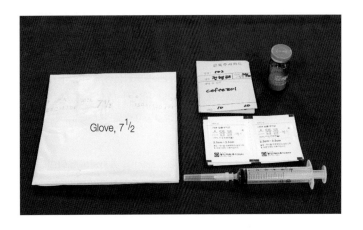

1) 둔부의 배면 부위(dorsogluteal site)

둔부의 배면 부위(dorsogluteal site)의 단계와 근거

단계	근거
1. 대상자는 엎드린 상태에서 발끝을 가운데로 향하게 한다.	• 이러한 자세는 근육이완을 도모하며 주사로 인한 통증을 감소시켜 준다.

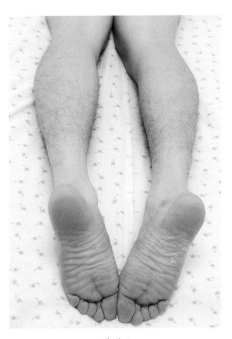

단계 1

둔부의 배면 부위(dorsogluteal site)의 단계와 근거(계속)

단계	근거

2. 주사 부위를 선택하는데는 두 가지 방법이 있다.

  (1) 둔부를 상상으로 4등분한다. 수직선은 장골능(iliac crest)에서 둔부의 주름이 생기는 곳까지 긋는다. 수평선은 수직선의 중앙지점에서 외측으로 연장하여 선을 긋는다. 4등분된 둔부의 상외측부위의 상외측면으로서 장골능 아래로 약 5~8cm되는 지점이다.

  (2) 후상장골극(posterior superior iliac crest)을 촉지하여 대퇴의 대전자(greater trochanter)까지 상상의 평행선을 잇는 선의 상외측이다.

    • 이 선은 좌골신경의 후면에서 평행으로 그어지기 때문에 외부 상측이 안전부위가 된다.

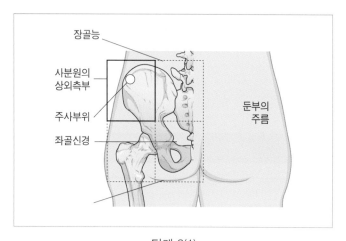

단계 2(1)

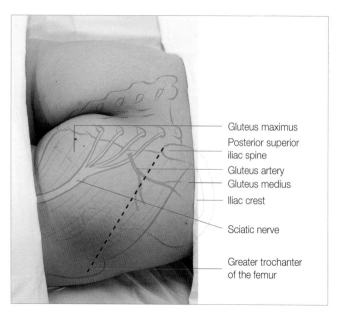

단계 2(2)

둔부의 배면(dorsogluteal)부위는 두터운 근육층으로 중둔근(gluteus medius)과 일부의 대둔근(gluteus maximus)을 사용하는 전통적인 근육주사부위로 둔근이 잘 발달된 성인과 소아에게 사용한다. 근육이 보행을 함으로서 발달되므로 3세이하 어린이 경우 사용하지 않는다. 그러나 좌골신경, 주요혈관 및 골 조직손상의 위험이 있어 더 이상 추천되지 않는 부위이다.

2) 둔부의 복면 부위(ventrogluteal site)

둔부의 복면 부위(ventrogluteal site)의 단계와 근거

단계	근거
1. 대상자를 옆으로 눕게하여 무릎을 구부리게 하고 아래쪽 다리보다 윗쪽의 다리를 더 구부리게 한다.	• 부위의 해부학적인 위치가 잘 노출되고 둔근이 가장 이완되는 자세이다.
2. 간호사는 대상자의 머리쪽을 향해 서서 간호사의 손바닥이 대상자 대퇴의 대전자위에 오도록 하고 둘째손가락은 전상 장골극(anterior superior iliac crest)에, 셋째손가락은 장골능(iliac crest)에 놓이게 하여 이때 형성된 "V" 자형이 주사부위이다. 엄지손가락은 대상자의 서혜부를 향한다. 간호사는 왼쪽 둔부에 주사할 때는 오른손을, 오른쪽 둔부에 주사할 때는 왼손을 사용한다.	• 주요신경이나 혈관이 지나가지 않으며 항문과도 멀리 떨어져있어 오염의 우려가 적다. 또한 둔부의 배면부위보다 지방조직이 적다.

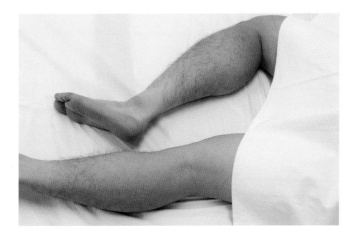

단계 1

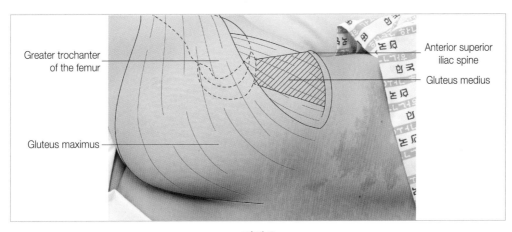

단계 2

둔부의 복면 부위(ventrogluteal site)의 단계와 근거(계속)

단계	근거

3. 주사는 둘째, 셋째손가락에 의해 만들어진 삼각형의 가운데에
   주사한다.

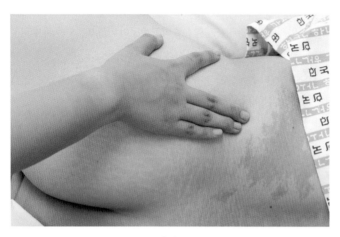

단계 3

둔부의 복면(ventrogluteal)부위는 소둔근(gluteus minimus) 위에 있는 중둔근(gluteus medius)을 사용하는 방법으로 소아나 성인 모두에게 이용할 수 있는 부위로서 특히 소아나 실금대상자에게 있어서 대소변의 오염이 적다.

3) 외측광근 부위(vastus lateralis site)

외측광근 부위(vastus lateralis site)의 단계와 근거

단계	근거

1. 대상자는 앉거나 누운자세를 취한다. 앙와위의 경우, 약물주입 시 무릎을 약간 구부려준다.

2. 주사부위는 무릎에서 약 10cm 상부, 대전자에서 약 10cm 하측 사이에 대퇴의 전방과 후방으로 길게 뻗쳐 있다. 한 손은 무릎 위에 놓고 다른 한 손은 대퇴의 대전자 아래에 놓아서 이 경계부분의 가운데를 선택한다.

3. 또는 대전자와 무릎사이를 3등분한 중간부분이다.

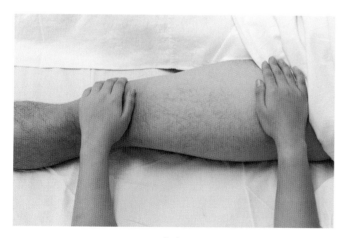

단계 2

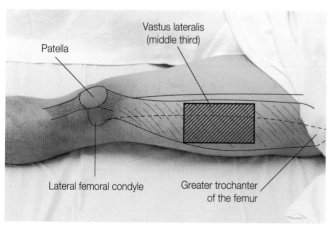

단계 3

외측광근(vastus lateralis)부위는 두터워서 손상의 우려가 별로 없으며 큰 신경이나 혈관 그리고 관절이 지나가지 않는다. 성인, 소아, 영아에게 모두 적합한부위이다. 또한 대퇴의 외측부위로서 여러 번 반복해서 주사해야 할 경우에 적합하다.

4) 대퇴직근 부위(rectus femoris site)

대퇴직근 부위(rectus femoris site)의 단계와 근거

단계	근거
1. 대상자는 앉거나 누운자세를 취한다.	
2. 대퇴의 전면부위로서 슬개골과 장골전극(anterior iliac crest) 사이를 이등분한 부위이다.	

대퇴직근(rectus femoris)부위는 보행시에 가장 많이 사용되는 근육이므로 주사 후 불편감 때문에 피하는 경향이 있으나 절대안정 대상자, 자가주사를 해야하는 대상자에게 흔히 사용된다.

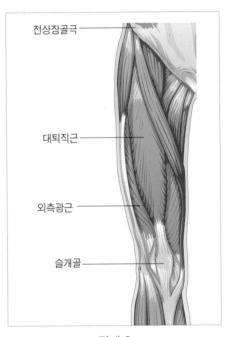

단계 2

5) 삼각근 부위(deltoid site)

삼각근 부위(deltoid site)의 단계와 근거

단계	근거
1. 대상자는 앉거나 서있거나 옆으로 눕는자세를 취한다.	• 팔의 상부와 어깨부위가 잘 노출된다. 소매가 꽉끼는 옷은 입지 않도록 한다.
2. 팔꿈치를 구부려 팔의 근육이 편안하게 이완되도록 한다.	
3. 견봉돌기(acromion process)의 하연을 촉지하여 액와선과 상박외측의 정중선이 만나는 점을 찾아 삼각형을 형성한다. 형성된 삼각형의 중앙부위가 주사부위로서 견봉돌기 아래 2.5~5cm 부위이다. 또는 견봉돌기에 네 개의 손가락을 놓으면 첫 번째 손가락이 견봉돌기에 놓이게되고 나머지 손가락 세 개의 넓이가 주사 부위에 해당된다.	

삼각근 부위(deltoid site)의 단계와 근거(계속)

단계	근거

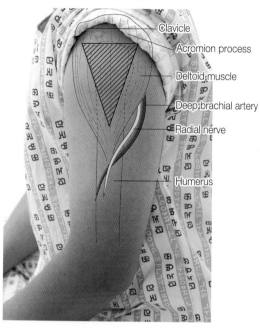

단계 3

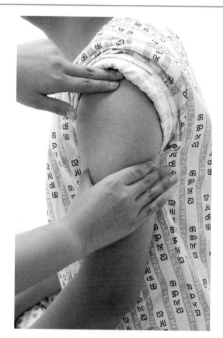

단계 3

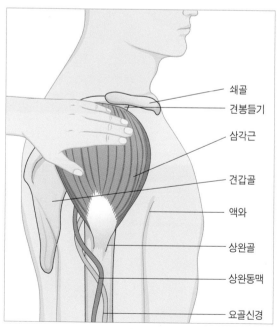

단계 3

삼각근(deltoid site) 부위는 쉽게 접근할 수 있는 부위이지만 작은 근육이므로 주사액의 양이 작아야 하며(0.5~1.0ml) 위치를 잘못 선정하면 요골신경이 손상될 위험이 있다. 특히 B형간염백신 (Hepatitis - B vaccine)은 이 부위에서 주사해야만 한다.

근육 주사의 단계와 근거

단계	근거
1. 손을 씻는다.	• 병원감염 예방을 위함이다.
2. 투약처방카드를 통해서 대상자에게 투여할 원칙 5가지를 확인한다.	• 처방 확인은 약물을 체계적으로 투여하기 위해서 원칙을 지켜야 한다.
3. 근육주사에 필요한 약물을 투약카드를 확인하면서 주사기에 앰플의 약을 오염되지 않게 준비한다.	• 정확한 양을 주사해야 하므로, 앰플과 주사기가 오염되지 않도록 준비한다. 처방된 정확한 약물인지, 약물의 유효 기간과 용량을 확인하여 과오가 일어나지 않도록 유의한다.
4. 투약카드, 약물을 준비한 주사기, 알코올 솜, 손소독제, 투약기록지, 폐기물용기 등 물품을 준비한다.	• 처방된 물품이 준비되어야 간호사의 업무가 효율적으로 진행된다.
5. 준비한 물품을 가지고 대상자에게 가서 간호사 자신을 소개한다.	• 본인을 밝혀서 정확한 간호수행이 이루어지도록 한다.
6. 손을 씻는다.	• 병원감염을 예방하기 위함이다.

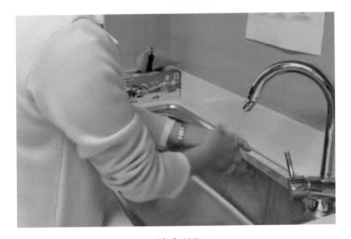

단계 1(1)

단계 1(2)

단계 3

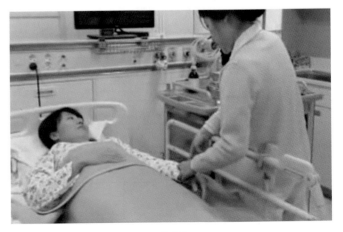

단계 7

근육 주사의 단계와 근거(계속)

단계	근거
7. 대상자의 이름을 개방형으로 질문하여 대상자를 확인하고, 입원 팔찌와 환자 기록지의 이름, 등록번호를 대조하여 재확인한다.	• 대상자를 두 가지 방법으로 확인해야 안전하다.
8. 약물의 투여 목적과 작용 및 유의 사항에 대해서 설명해 주고 혹시 주사 후에 부작용 등이 발생할 수 있으므로, 간호사 호출 벨을 사용할 수 있도록 위치를 알려준다.	• 충분한 설명을 해야 주사로 인한 통증과 불안을 완화한다.
9. 사생활을 보호해주기 위해 커튼이나 스크린으로 가려준다.	• 최소한의 부위만 노출해서 대상자의 사생활을 보호하고 편안한 체위를 취해서 근육이 이완되도록 해야 통증과 불편감이 감소한다.
10. 주사 부위를 정한 후 대상자가 적절한 체위를 취할 수 있도록 도운 후, 주사 부위를 노출시킨다. <둔부의 복면 부위> 1) 수행자가 오른손이 우세한 경우 주사 부위 선정 방법 – 대상자를 왼쪽 측위로 눕게 하여 오른쪽 무릎을 구부린 자세에서 둔부를 노출시킨다. – 수행자의 왼손 두번째 손가락은 전상장골극위에 올려놓고 3번째 손가락은 장골능을 따라 V자로 절리고 왼손의 손바닥을 대상자의 대전자 위에 자연스럽게 둔다.	• 정확한 주사 부위를 선정해야 뼈, 신경, 혈관의 손상을 예방하고, 항문으로부터 멀리 있어 실금 대상자의 경우 오염될 우려가 적다.
11. 손소독제로 손위생을 실시한다.	• 병원감염 예방을 위함이다.

단계 9

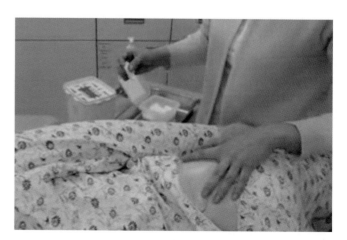

단계 10

근육 주사의 단계와 근거(계속)

단계	근거
12. 둔부의 복면 부위에 'V'자로 선정된 부위를 소독솜으로 안쪽에서 바깥쪽으로 직경 5~8cm 정도 둥글게 닦아낸 후 버린다. 새 소독솜을 왼손 손가락 사이에 걸쳐놓은 후 투약카드를 보고 약을 확인한 후 한 손으로 주사바늘 뚜껑을 제거한다.	• 1) 미생물을 포함하고 있는 피부의 분비물을 제거하기 위함이다. 2) 부위를 정확하게 선정해서 주사바늘을 뺀 후, 알코올 솜을 손에 걸치고 있어야 바늘을 뺀 즉시 마사지를 해서 약물 흡수를 도울 수 있다.
13. V자로 손가락을 벌린 후 주사바늘을 90°로 빨리 찌른다.	• 90° 각도가 바늘이 신속하게 들어가서 통증과 불편감을 줄일 수 있다.
14. 피부를 잡았던 손의 엄지와 검지손가락으로 주사기 허브를 잡아서 바늘이 흔들리지 않게 고정한 후, 주사기를 잡았던 손으로는 주사기의 내관을 뒤로 당겨 혈액이 나오는지 확인한다. 혈액이 나오지 않는게 확인되면 엄지손가락으로 내관을 밀어서 약물을 천천히 주입한다.	• 1) 내관을 뒤로 잡아당겨서 주사바늘이 혈관으로 들어가서 주입되는 것을 막기 위함이다. 혈액이 보이면 바로 주사기를 빼고 다시 새 것으로 준비한다. 2) 천천히 주입해서 통증을 줄이고 조직에 분산되어서 통증과 불편을 최소화 할 수 있다.
15. 약물 주입이 끝나면 주사기를 잡았던 손을 90° 각도로 다시 잡은 후, 왼손 손가락 사이에 걸쳐있는 소독솜으로 주사 부위를 누르면서 주사	• 주사기를 빼면서 피가 나올 수 있으므로 솜으로 대주어야 하며, 주사 부위를 눌러 압력을 줌으로써 주사약물이 피하조직으로 스며들어가는

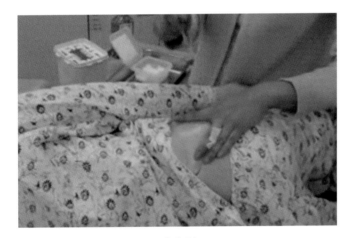

단계 12

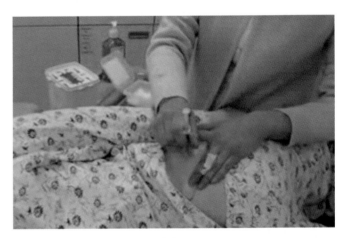

단계 13

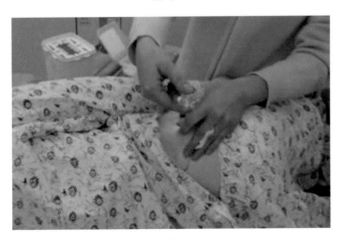

단계 14

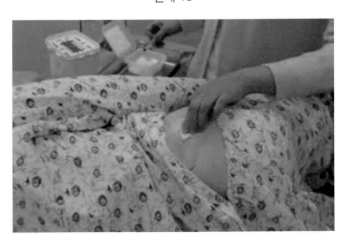

단계 15

근육 주사의 단계와 근거(계속)

단계	근거
바늘을 삽입할 때와 같은 각도로 주사기를 빼서 주사바늘을 폐기물 용기에 버린다. 소독솜으로 주사 부위를 마사지 한다.	것을 최소화하고 같은 각도로 제거하여 조직의 손상을 막을 수 있다. 마사지는 국소 순환을 자극하여 약물의 확산과 흡수를 돕는다.
16. 대상자의 안색을 눈으로 살핀다.	• 약물 부작용 유무를 확인하기 위함이다.
17. 소독솜을 곡반이나 트레이에 놓고 환의를 입힌 후 대상자의 자세를 편안하게 해 준다.	• 병원 감염을 예방하기 위함이다.
18. 주사 후의 기대 효과에 대해 설명한다.	• 약물의 기대 효과를 알려주고 기대 효과 이외의 증상이나 징후가 나타나면 즉시 보고하도록 하여 적절한 조치를 취하기 위함이다.
19. 커튼이나 스크린을 걷는다.	• 마사지를 마친 후 대상자의 환의를 입혀 주고 주위를 정리한다.
20. 손소독제로 손소독을 한다.	
21. 사용한 물품을 정리한다. 사용했던 소독솜과 주사기는 일반 의료폐기물 전용 용기에 버린다.	• 병원의 교차 감염을 예방하기 위함이다.
22. 손을 씻는다.	• 미생물의 전파를 감소시킨다.
23. 수행 결과를 대상자의 간호 기록지에 기록한다.	• 정확한 기록은 대상자의 상태에 대한 올바른 정보를 제공하고 투약 오류의 위험을 감소시킨다.

6) Z-track을 이용한 근육 주사법

근육 내로 약물이 주입되는 길(track)을 차단함(sealing)으로서 조직의 자극을 최소화하는 주사방법이다. 둔부의 복면(ventrog-luteal muscle)이 주로 사용된다.

- **목적**
  - 피부와 피하조직을 심하게 자극하거나 착색시키는 약물을 근육주사하기 위함이다(Inferon, DPT백신, 페니실린 등).
  - 약물이 길(track)이나 피하조직에 스며들지 않고 피부표면이나 피하조직으로 새어나오는 것을 예방하기 위함이다.

Z-track을 이용한 근육 주사법의 단계와 근거

단계	근거
1. 주사약물을 준비한 후에 새로운 주사바늘로 바꾼다.	• 새로 바꾼 주사 바늘 끝에 준비한 약물이 묻어 있지 않으므로 바늘이 근육을 통과할 때 피하조직을 자극하지않는다.
2. 적어도 10cm 정도의 직경으로 주사부위를 알코올솜으로 닦고 마를 때까지 기다린다.	
3. 후상장골극(posterior superior iliac crest)에서 대퇴의 대전자(greater trochanter)까지 이어지는 대각선에 주사기를 잡지 않은 손의 척골 부분을 놓는다.	
4. 피부와 피하지방을 한쪽 방향으로 약 2.5~3.5cm 가량 잡아당겨 그대로 유지하고 있다.	• 피부조직에 만들어진 길(track)을 놓아주면 안된다.

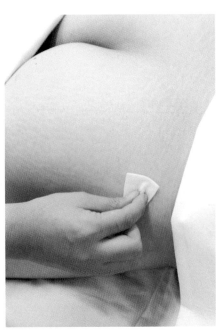

단계 2

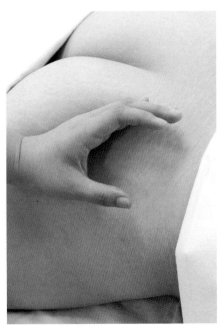

단계 3

Z-track을 이용한 근육 주사법의 단계와 근거(계속)

단계	근거
4. 피부와 피하지방을 한쪽 방향으로 약 2.5~3.5cm 가량 잡아당겨 그대로 유지하고 있는다.	• 피부조직에 만들어진 길(track)을 놓아주면 안된다.
5. 한 손으로 피부를 계속 잡아당긴 채 다른 한 손으로 주사바늘을 삽입한다.	• 주사기 내관을 잡아당겨 혈액이 보이면 그대로 주사바늘을 빼서 버리고 주사기, 주사바늘, 주사약물을 다시 준비한다.
6. 주사기내관을 뒤로 잡아 당겨보고 혈액이 주사기로 흘러 들어오는지를 확인한다.	
7. 혈액이 나오지 않으면 약물을 약10초 동안 골고루 흡수되도록 주입한다. 약물을 주입한 후에도 약 10초 동안 그대로 피부를 잡아당기고 있는다.	• 약물이 골고루 분산되고, 바늘이나 약물에 의해 받은 자극을 이완하는 데 요구되는 시간이다.

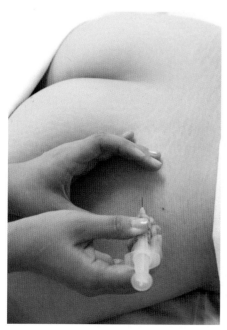

단계 5

단계 6

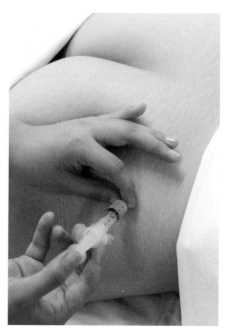

단계 7

Z-track을 이용한 근육 주사법의 단계와 근거(계속)

단계	근거
8. 10초 후에 주사바늘을 재빨리 빼면서 잡아당겼던 피부를 놓는다.	• 피부가 정상위치로 되돌아오고 주사바늘이 들어갔던 길(needle track)이 차단되어 약물이 피부 표면이나 피하조직으로 새어나오는 것을 예방하게된다. 이때 주사바늘이 들어간 경로가 Z자 모양을 하고 있게된다.
9. 주사 후 주사부위를 문지르지 않는다.	• 문지르면 조직으로 약물이 스며나올 수 있기 때문이다.

주사후 약물이 피부조직의 다른 층으로 확산되는 것을 예방하기 위하여 꽉끼는 옷이나 운동을 하지 않도록 대상자에게 권고한다.

10. 주사 후 주사바늘 뚜껑을 다시 씌우고 병원 정책에 따라 지정된 통에 버린다.	
11. 손을 씻는다.	• 감염의 위험을 적게 하기 위함이다.
12. 간호기록지에 약명, 용량, 투약경로, 투약시간, 주사부위, 대상자의 불편감 등을 기록한다.	
13. 대상자의 반응을 평가한다.	

단계 8

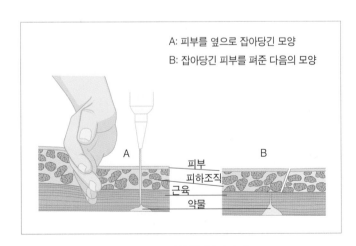

A: 피부를 옆으로 잡아당긴 모양
B: 잡아당긴 피부를 펴준 다음의 모양

피부
피하조직
근육
약물

Z-track을 이용한 주사방법

근육 주사

평가일자 _____   평가자 이름 _____

No	수 행 항 목	수행	미수행	비고
1	약물을 주사하기 위한 올바른 투여경로를 정확하게 사정한다.			
2	약물에 대한 대상자의 병력과 태도를 사정한다.			
3	손을 씻는다.			
4	필요한 물품들을 준비한다.			
5	투약처방을 확인한다. 정확한 대상자, 약명, 약용량, 투여경로, 투여시간 등을 정확히 확인한다.			
6	앰플 또는 바이알로부터 약물용량을 정확하게 준비한다.			
7	주사기 내의 공기를 완전히 제거한다. 필요하면, 공기방울주사기법으로 준비한다.			
8	장갑을 사용한다.			
9	준비된 주사약을 대상자곁으로 가지고가서 대상자로 하여금 자신의 이름을 직접 대답하도록 하여 확인한다.			
10	대상자에게 투약목적과 절차를 설명한다.			
11	불필요한 노출을 피하도록 하여 프라이버시를 유지해준다.			
12	적절한 주사부위를 선택한다.			
13	주사부위의 타박상, 부종, 경결, 민감성, 변색 등을 사정한다.			
14	지시가 있다면, 주사부위를 교대로 돌아가면서 주사한다.			

근육 주사(계속)

No	수 행 항 목	수행	미수행	비고
15	주사방법에 적절한 편안한 체위를 대상자가 취할 수 있도록 돕는다.			
16	알코올솜으로 주사부위를 닦고 마를 때까지 기다린다.			
17	주사바늘뚜껑을 제거한다.			
18	선택된 주사경로에 적절한 체위를 취해주고 주사기를 잡은 손의 엄지손가락과 검지손가락사이에 주사기를 잡는다.			
19	주사한다. 1) 주사기를 잡지 않은 손으로 선택된 주사부위의 피부를 팽팽하게 편다. 2) 주사바늘을 90° 각도로 재빠르게 삽입한다. 3) 근육이 작은 어린이, 마른 체형의 경우 엄지손가락과 나머지 네 손가락 사이로 근육을 잡아 올린다.			
20	주사바늘을 삽입한 후 주사기를 잡지 않았던 손으로 주사기 외관의 끝 부분을 잡고 주사기를 잡은 손은 주사기 내관의 끝으로 이동하여 주사기가 움직이지 않도록 한다.			
21	주사기를 잡은 손으로 주사기의 내관을 약간 뒤로 잡아당겨 본다.			
22	만약 주사기에 혈액이 보이면 그대로 주사바늘을 빼서 버리고 다시 준비한다.			
23	주사기내관으로 혈액이 나오지 않으면 주사약물을 천천히 부드럽게 주입한다.			
24	알코올솜을 주사부위 위에 놓고 압력을 가하면서 주사바늘을 삽입시와 같은 각도로 재빨리 뺀다.			

근육 주사(계속)

No	수 행 항 목	수행	미수행	비고
25	주사부위를 부드럽게 문질러준다.			
26	편안한 체위를 취하도록 대상자를 도와준다.			
27	주사 후 주사기와 바늘은 병원정책에 따라 지정된 통에 버린다.			
28	사용한 장갑을 버리고 손을 씻는다.			
29	주사 후 10~30분 뒤에 약물에 대한 대상자의 반응을 평가한다.			
30	간호기록지에 약명, 용량, 투여경로, 투약시간, 주사부위, 대상자의 불편감 등을 기록한다.			

근육 주사: Z-track 기법

평가일자 _____   평가자 이름 _____

No	수 행 항 목	수행	미수행	비고
1	약물을 주사하기 위한 올바른 투여경로를 정확하게 사정한다.			
2	약물에 대한 대상자의 병력과 태도를 사정한다.			
3	손을 씻는다.			
4	필요한 물품들을 준비한다.			
5	투약처방을 확인한다. 정확한 대상자, 약명, 약용량, 투여경로, 투여시간 등을 정확히 확인한다.			
6	앰플 또는 바이알로부터 약물용량을 정확하게 준비한다.			
7	주사기 내의 공기를 완전히 제거한다.			
8	장갑을 사용한다.			
9	준비된 주사약을 대상자곁으로 가지고가서 대상자로 하여금 자신의 이름을 직접 대답하도록 하여 확인한다.			
10	대상자에게 투약목적과 절차를 설명한다.			
11	불필요한 노출을 피하도록 하여 프라이버시를 유지해준다.			
12	적절한 주사부위를 선택한다.			
13	주사부위의 타박상, 부종, 경결, 민감성, 변색 등을 사정한다.			
14	지시가 있다면, 주사부위를 교대로 돌아가면서 주사한다.			

근육 주사: Z-track 기법(계속)

No	수 행 항 목	수행	미수행	비고
15	주사방법에 적절한 편안한 체위를 대상자가 취할 수 있도록 돕는다.			
16	알코올솜으로 주사부위를 닦고 마를 때까지 기다린다.			
17	주사바늘뚜껑을 제거한다.			
18	선택된 주사경로에 적절한 체위를 취해주고 주사기를 잡은 손의 엄지손가락과 검지손가락사이에 주사기를 잡는다.			
19	주사한다.			
	1) 주사약물을 준비한 후에 새로운 주사바늘로 바꾼다.			
	2) 후상장골극에서 대퇴의 대전자까지 이어지는 대각선에 주사기를 잡지 않은 손의 척골부분을 놓은 다음 피부를 약 2.5~3.5cm 가량 잡아당겨 그대로 유지하고, 주사바늘을 삽입한다.			
	3) 주사기내관을 뒤로 잡아 당겨보아서 혈액이 주사기로 흘러 들어오는지를 확인한다.			
	4) 혈액이 나오지 않으면 약물을 약 10초동안 골고루 흡수되도록 주입한다.			
	5) 약물을 주입한 후에도 약 10초동안 그대로 피부를 잡아당기고 있는다.			
	6) 10초 후에 주사바늘을 재빨리 빼면서 잡아당겼던 피부를 놓는다.			
	7) 주사 후 주사부위를 문지르지 않는다.			
20	주사바늘을 삽입한 후 주사기를 잡지 않았던 손으로 주사기 외관의 끝 부분을 잡고 주사기를 잡은 손은 주사기내관의 끝으로 이동하여 주사기가 움직이지 않도록 한다.			

근육 주사: Z-track 기법(계속)

No	수 행 항 목	수행	미수행	비고
21	주사기를 잡은 손으로 주사기의 내관을 약간 뒤로 잡아당겨 본다.			
22	만약 주사기에 혈액이 보이면 그대로 주사바늘을 빼서 버리고 다시 준비한다.			
23	주사기내관으로 혈액이 나오지 않으면 주사약물을 천천히 부드럽게 주입한다.			
24	알코올솜을 주사부위 위에 놓고 압력을 가하면서 주사바늘을 삽입 시와 같은 각도로 재빨리 뺀다.			
25	주사부위를 부드럽게 문질러준다.			
26	편안한 체위를 취하도록 대상자를 도와준다.			
27	주사 후 주사기와 바늘은 병원정책에 따라 지정된 통에 버린다.			
28	사용한 장갑을 버리고 손을 씻는다.			
29	주사 후 10~30분 뒤에 약물에 대한 대상자의 반응을 평가한다.			
30	간호기록지에 약명, 용량, 투여경로, 투약시간, 주사부위, 대상자의 불편감 등을 기록한다.			

5. 정맥 주사^{Intravenous Injection}

정맥주사(Intravenous Injection)는 약의 작용이 신속하게 나타나기를 원할 때 다량의 용액(수액, infusion)이나 혈액(수혈, transfusion)을 정맥혈관 내로 주입하는 것을 말한다.

1) 정맥 주입

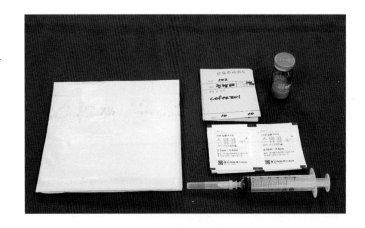

• **목적**
  - 신체에 수분과 영양을 공급하기 위해서이다.
  - 약물의 빠른 효과를 얻기 위해서이다.
  - 독혈증이나 패혈증대상자의 약물을 희석하거나 독소를 해독하기 위함이다.
  - 산 · 염기 균형을 조절하기 위해서이다.

• **준비물품**
  - 수액백, 수액세트, 24G 혈관 카테터(angio catheter)

  - 지혈대(tourniquet), 소독솜, 곡반(kidney basin)
  - 정맥 주사 팔 모형, 투명 필름 드레싱(tegaderm)
  - 약물명이 쓰여진 약 카드, 수액백 부착용 라벨
  - 투약카트 또는 쟁반, 투약기록지, 손소독제
  - 손상성 폐기물 전용 용기, 일반 의료 폐기물 전용 용기

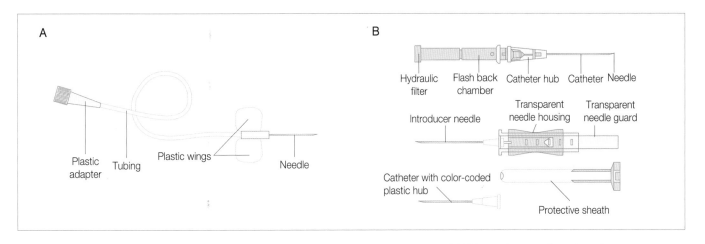

A: 나비 바늘

B: ONC(over-the-needle catheter)

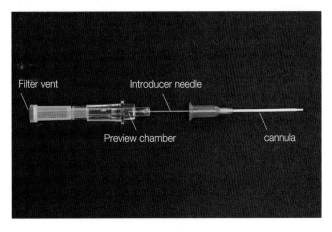

Angiocatheter

• 주사 부위

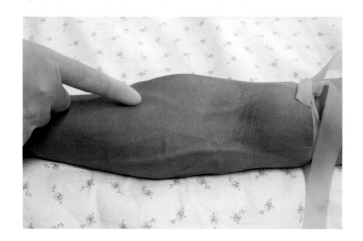

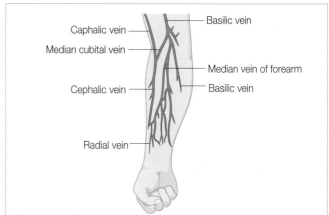

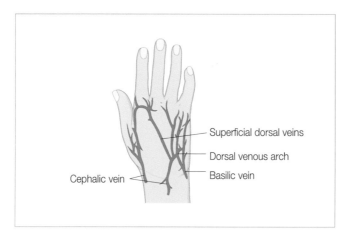

정맥주사부위

정맥 주입의 단계와 근거

단계	근거
1. 손을 씻는다.	• 병원 감염 예방을 위함이다.
2. 투약 처방과 투약 원칙을 확인한다.	• 처방을 재확인함으로써 올바르고 안전하게 약을 투여하기 위해서 5가지 원칙을 지켜야 한다.
3. 투약 처방 카드를 보면서 수액의 유효 일자, 이물질 유무 등을 확인한다.	• 처방에 따른 약물을 수액의 유효 기간 등 정확하게 확인함으로써 투약 오류를 예방한다.
4. 날짜, 등록 번호, 대상자 이름, 수액명, 용량, 주입 속도 등이 적혀 있는 라벨을 확인하여 수액백에 붙인다.	• 라벨 부착으로 정확한 대상자, 정확한 수액과 용량, 주입 속도 등을 확인하여 안전하고 정확하게 투약을 한다.
5. 수액가 수액 세트를 연결한다. 1) 수액백의 고무마개를 소독솜으로 닦은 후 수액 세트 포장 봉지를 벗겨내고 수액 세트의 조절기를 잠근 후, spike 캡을 벗겨서 소독해 놓은 후 수액 주입구에 수액 세트를 꽂아 점적통의 1/2 정도를 수액으로 채운다.	• 미생물의 전파를 막는다. 흡인 효과에 의해 수액이 점적통으로 흘러들어가게 함으로써 공기가 수액 세트 안으로 이동하는 것을 방지한다. 수액이 점적통으로 잘 떨어지는지 확인하기 위함이다.

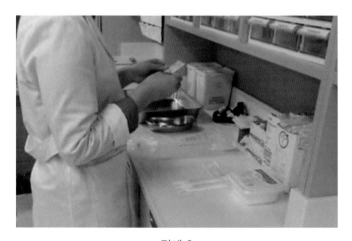

단계 2

단계 3

단계 4

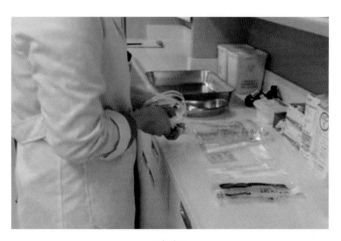

단계 5

정맥 주입의 단계와 근거(계속)

단계	근거
6. 2) 수액백을 수액 걸대에 걸고 수액 세트 끝의 캡이 씌워진 채, 곡반에 닿지 않도록 약 5cm 정도 위에서 수액이 통과되도록 한다. 3) 공기가 모두 수액 세트를 통과해서 나오면 조절기를 잠근다. 4) 수액 세트를 절반으로 접어서 수액에 돌려 감아 둔다.	• 공기가 수액 세트에 차 있으면 공기 색전을 초래할 수 있다.
7. 필요한 물품을 투약 카트에 준비한다.	• 간호 수행에 필요한 물품을 빠지지 않게 준비해야 효율적인 시간 관리와 업무 효율화를 증진한다.
8. 준비한 물품을 가지고 대상자에게 가서 간호사 자신을 소개한다.	• 간호사 본인을 밝혀서 정확한 간호 수행이 이루어지도록 한다.
9. 손소독제로 손위생을 실시한다.	• 감염 기회를 줄인다.
10. 대상자의 이름을 개방형으로 질문하여 대상자를 확인하고, 입원 팔찌와 환자 기록지의 이름, 등록번호를 대조하여 재확인한다.	• 대상자를 두 가지 방법으로 확인하고 투약 카드와의 일치성을 확인함으로써 안전을 기한다.
11. 투약의 목적과 약물의 효과, 주의 사항 등으로 조절기를 마음대로 조절하지 않도록 설명한다.	• 수행에 대한 충분한 설명은 대상자의 불안을 감소시키고 통증을 감소시킨다.
12. 침상 옆의 수액 걸대에 수액백을 걸고 수액 세트의 끝을 대상자에게 주사할 부위 가까이에 둔다. 정맥 주사 후 고정할 필름 드레싱의 포장지를 벗겨놓는다.	• 수액 세트의 끝을 미리 가까이 둠으로써 혈관 카테터 주입 즉시 약을 통과해서 혈관 막힘을 예방할 수 있다.
13. 대상자에게 앉은 자세나 누운 자세 등 편안한 자세를 취하도록 하고 팔을 심장보다 낮게 위치하도록 한 다음 정맥의 상태를 확인한다.	• 혈관 수축으로 인한 현기증 발생 위험성(혈관 미주 신경성 반응의 위험성)을 감소시키기 위해 자세를 편안하게 한다. 정맥이 울혈하는 것을 도와 천자하기 적합한 부위를 확인한다.
14. 정맥 주입할 부위를 확인한 후 정맥 천자할 부위보다 12-15cm 위쪽을 지혈대로 묶어 둔다. 요골동맥을 촉진하여 순환 여부를 확인한다.	• 지혈대로 묶으면 정맥 귀환 혈류는 차단되고 동맥 혈행은 유지되어 정맥이 울혈되면서 혈관 노출이 잘 된다.
15. 손소독제로 손위생을 실시한다.	• 감염 기회를 줄인다.
16. 천자할 정맥을 정하고 나면 소독솜으로 주사 부위를 안에서 밖으로 5-	• 미생물 전파를 막는다.

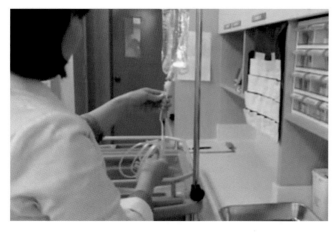

단계 6

단계 12

정맥 주입의 단계와 근거(계속)

단계	근거
8cm 정도 둥글게 닦은 후 곡반에 버린다.	주사 바늘을 통해 조직이나 혈관으로 들어갈 수 있도록 미생물을 제거한다.
	알코올 성분이 혈관에 들어가면 혈관 경련이 일어날 수 있어 알코올 솜을 완전히 건조시킨다.
17. 혈관 카테터의 캡을 절반 정도 벗겨 내외침의 분리를 확인한다.	• 혈관 카테터 삽입을 용이하게 하기 위함이다.
18. 정맥 천자할 부위보다 2-3cm 아래쪽 부분의 피부를 엄지손가락으로 팽팽히 잡아 당긴 다음 다른 손으로 카테터의 사면이 위로 오도록 잡고 10-30°로 혈류 방향을 따라 카테터를 정맥 내로 삽입한다.	• 혈관이 움직이지 않도록 고정해서 카테터가 혈관에 들어가도록 한다. 정맥을 천자하는데 각도가 너무 높거나 낮아도 천자가 되지 않고 정맥을 꿰뚫고 더 깊은 조직으로 들어갈 위험성이 높아진다.
19. 혈액이 카테터 챔버 내로 역류되는가를 확인한 후 혈관 카테터의 각도를 낮춘다. cannula를 혈관 내로 밀어 넣으면서 탐침은 두로 약간 빼낸다. 탐침을 cannula에서 완전히 분리하면 혈액이 뒤로 밀려나오므로 그대로 걸쳐 놓는다.	• 혈액의 역류는 지혈대 적용으로 증가한 정맥압에 의해 자동적으로 이루어지며, 카테터 끝부분이 혈관 내로 정확하게 들어갔음을 의미한다.

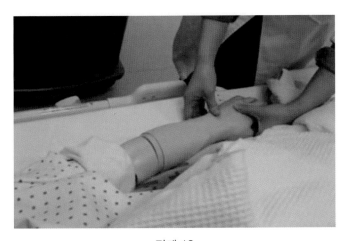

단계 13

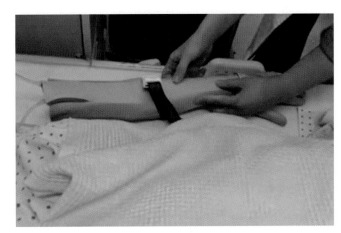

단계 14

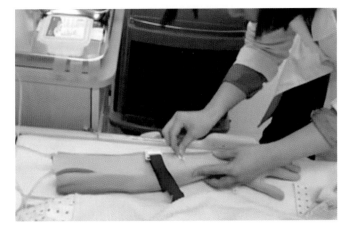

단계 16

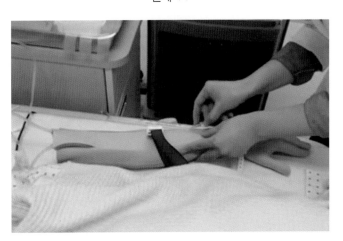

단계 18

정맥 주입의 단계와 근거(계속)

단계	근거
20. 카테터가 완전히 삽입된 후 카테터를 잡은 손은 그대로 있고 카테터를 잡지 않은 손으로 지혈대를 푼다.	• 지혈대를 계속해서 놔두면 주위의 조직에 혈액 공급 차단으로 통증이 유발된다.
21. 지혈대를 푼 손으로 혈관 내로 삽입된 카테터의 끝 부위를 지그시 눌러 혈액이 흐르지 않도록 한다. 정맥 천자를 한 손으로 탐침을 재빨리 제거한다.	• 혈액 손실을 예방한다.
22. 천자 부위를 계속 누른 상태에서 탐침을 제거한 후 손상성 폐기물 용기에 버린다. 정맥 천자 한 손으로 수액 세트의 캡을 벗긴 후, 혈관 카테터와 연결한다.	• 혈액 손실을 예방하고 빠른 시간 안에 수액이 들어가지 않으면 혈액이 응고되어 관이 막힌다.
23. 한 손은 카테터가 움직이지 않도록 고정하면서 다른 손으로 수액 조절기를 풀어서 수액 챔버를 쳐다보고 주입을 확인한다. 동시에 주사 부위의 부종을 눈으로 확인하고 구두로도 통증 유무를 확인한다.	• 천자된 카테터를 잡고 있어야 저절로 빠지지 않는다. 수액이 혈관 밖 조직으로 새면 침윤이 발생할 수 있으므로 이때는 수액 주입을 중지하고 바늘을 제거한다.

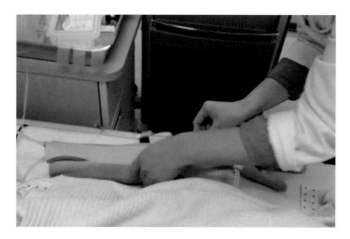

단계 19

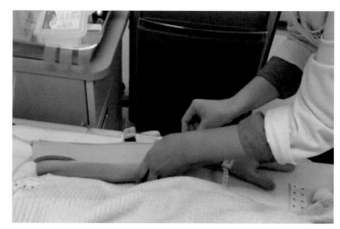

단계 20

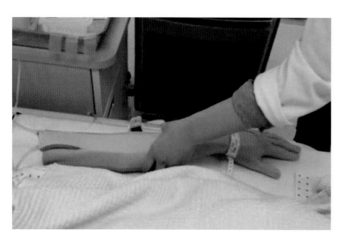

단계 21

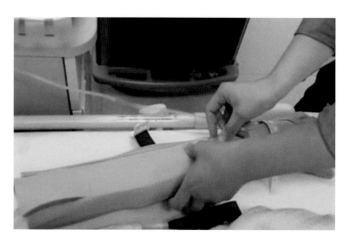

단계 22

정맥 주입의 단계와 근거(계속)

단계	근거
24. 통증이나 부종 유무를 최종 확인한 후에도 카테터 삽입 부분이 꺾이지 않도록 주의하면서 투명 드레싱으로 카테터 삽입 부위를 일차적으로 고정한 후 수액 세트 라인도 고정한다.	• 카테터가 빠지는 것을 예방하고 감염을 예방한다.
25. 라벨에 적힌 처방 속도에 따라 주입액의 속도를 조절한다.	• 주입 속도가 너무 빠르면 조직 침윤과 정맥염 발생 위험이 높고 순환 기계에 부담을 주어 폐부종을 초래한다.
26. 투명 드레싱에 카테터 삽입 날짜와 시간. 카테터의 크기를 펜으로 기입한다.	• 정맥염 발생을 예방하기 위해 카테터 교환 시기(72시간)를 파악할 수 있다.
27. 대상자의 소매를 내려주고 편안한 자세를 취하도록 돕는다.	• 수액이 잘 들어가도록 한다.
28. 손소독제로 손위생을 실시한다.	• 감염의 기회를 줄인다.
29. 사용했던 소독솜과 주사기는 일반 의료 폐기물 전용 용기에 버려서 사용한 물품을 정리한다.	• 감염 관리를 위해서 분리 수거를 한다.

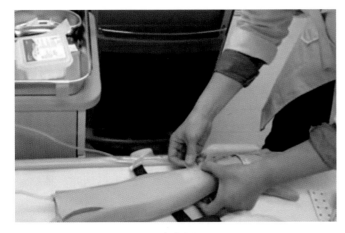

단계 24

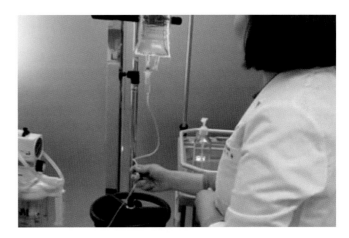

단계 25

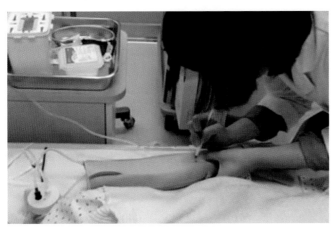

단계 26

정맥 주입의 단계와 근거(계속)

단계	근거
30. 손을 씻는다.	• 병원 감염을 예방하기 위함이다.

31. 수행 결과를 대상자의 간호 기록지에 기록한다.
  1) 5 rights(대상자명, 약명, 용량, 투약 경로, 투약 시간)
  2) 필요시 투약 목적, 환자의 반응, 투약 못한 이유
	• 정확한 기록을 통해서 대상자의 지속적인 치료와 의료인간 의사소통을 가능하게 한다.

2) 정맥 주입을 계속적으로 유지하기 위한 방법

- **목적**
    - 정맥주입 중 올 수 있는 합병증(감염, 정맥염 혹은 침윤 등)을 예방하기 위함이다.
    - 정맥주입선을 유지하기 위함이다.

정맥 주입을 계속적으로 유지하기 위한 방법의 단계와 근거

단계	근거
a. 드레싱 교환하기	
(1) 조심스럽게 사용된 드레싱을 제거하면서 정맥주사바늘 또는 카테터는 제 위치에 있도록 주의한다.	• 정맥주사바늘이나 카테터가 빠져나가는 것을 막기 위함이다.
(2) 주사부위의 발적, 종창, 배액, 동통 등을 주의 깊게 관찰한다.	• 위의 증상이 관찰되면 용액주입을 중단한다.
(3) 한 손으로 카테터나 주사바늘중심을 조심스럽게 고정하고 접착제거제로 주사부위를 닦아낸다.	• 새로운 드레싱이 잘 붙도록 하기 위함이다.
(4) 알코올솜을 이용하여 주사부위에서부터 밖으로 원을 그리며 닦아내고 포비돈 솜으로 반복해서 닦아낸다. 포비돈용액이 마르도록 약 2분동안 그대로 둔다.	• 피부표면의 세균 감염 막는다. • 건조시키는 것은 세균수를 감소시키는데 효과적인 시간이다.
(5) 병원규정에 따라 포비돈 연고를 주사부위에 바른다.	• 피부오염 감소시켜 주고 감염으로부터 보호한다.
(6) 멸균 거즈나 투명드레싱을 사용하여 주사부위를 덮어 고정시킨다.	• 주사부위는 건조하게 유지한다. 발한, 출혈이나 삼출물 등이 있는 경우 멸균투명드레싱을 적용 시 혈류감염 위험을 높이므로 멸균거즈드레싱을 적용한다.
(7) 정맥 주입속도를 확인한다.	
(8) 사용했던 물품을 규정대로 처리하고 장갑을 벗고 손을 씻는다.	• 미생물전파를 막는다.

정맥 주입을 계속적으로 유지하기 위한 방법의 단계와 근거(계속)

단계	근거
(9) 드레싱 교환시의 카테터의 반응, 부위에서 관찰한 내용 등을 기록한다.	• 정확하게 기록할 수 있고 지속적인 간호를 확실하게 제공한다.

b. 수액세트 교환하기

단계	근거
(1) 일차정맥주사 준비하듯이 수액용기에 새 수액세트의 삽입침을 삽입한다.	
(2) 정맥주사 삽입 부위에 드레싱과 반창고를 주의깊게 제거한다.	• HIV와 다른 혈액에서 생기는 감염의 전파를 막아준다. 드레싱제거는 새tube를 바늘 중심부에 연결할 수 있게 하기 위함이다.
(3) 바늘 중심부(hub)아래 네모난 멸균거즈를 부착한다.	• 거즈는 주입세트가 바늘에 연결되어있지 않을 때 흘러나오는 것을 흡수한다.
(4) 새 수액세트를 대상자의 주사부위 가까이 부착시키고 보호덮개를 약간 느슨하게 한다.	• 덮개의 제거와 바늘 중심부와의 연결을 쉽게 해 준다.
(5) 이전의 수액세트의 조절기를 잠근다. 수액세트의 교환이 끝날	• 바늘이 부주의하게 빠지는 것을 예방하여 안전하게 하기 위함이다.

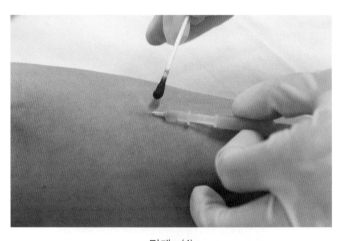

단계 a(4)

단계 b(1)

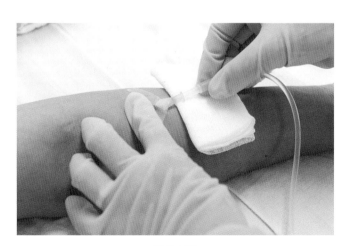

단계 b(3)

단계	근거
때까지 수액세트를 잡지 않은 손으로 바늘중심부를 고정시키고 수액세트를 잡은 손으로는 세트를 약간 비틀어서 뽑는다.	
(6) 멸균을 유지하면서 새 수액세트의 보호덮개를 주의 깊게 벗기고 수액세트의 끝을 바늘중심부에 약간 비틀면서 삽입시킨다.	• 수액세트의 멸균성을 유지하기 위함이다.
(7) 조절기를 열고 용액의 주입속도를 조절한다.	• 용액이 대상자에게 흘러 들어가게 하기 위함이다.
(8) 규정에 따라 멸균드레싱을 다시 한다.	• 주사부위의 미생물 유입을 차단한다.

c. 주입용액 교환하기

단계	근거
(1) 새 용액의 용기에서 주의 깊게 보호덮개를 제거하고 고무주입구를 소독솜으로 닦는다.	• 주입용액의 멸균성을 유지한다.
(2) 조절기를 잠근다.	• 용액을 교환하는 동안 정맥주입용액의 흐름을 멈추게 하기 위함이다.
(3) 삽입침을 오염시키지 않도록 주의하면서 이전의 수액용기로부터 삽입침을 재빨리 뽑는다.	
(4) 새 용기를 정맥주입걸대에 건다.	
(5) 새 용기에 삽입침을 꼽고 튜브 내의 공기를 확인한다. 공기가 있으면 조절기를 잠그고 튜브를 손가락으로 톡톡 두드려 공기를 제거한다.	• 새 용액의 흐름을 막힘 없도록 하기 위함이다.
(6) 점적통에 용액을 1/3~1/2 정도로 채운다.	• 점적통(drip chamber)의 주입률을 조절하기 위함이다.
(7) 조절기를 다시 열어 흐름을 조절한다.	• 정맥주입용액의 정확한 연결과 투약을 확인하게 한다.
(8) 섭취량과 배설량 기록란에 기록하고 기관의 지침에 따라 차트에 기록한다.	

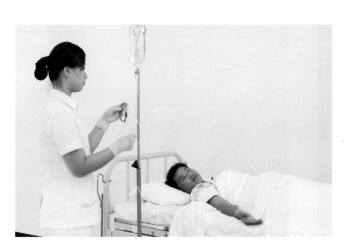

단계 b(7)

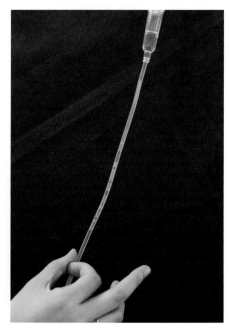

단계 c(5)

3) 수액 주입 중 약물주입하기

(1) side shooting하기

- **목적**
  - 정맥을 통해 소량의 약물을 혼합, 투여하기 위함이다.
  - 경구투여 또는 근육주사보다 신속한 효과를 얻기 위함이다.

- **준비물품**
  - 약 카드
  - 주사 약물, 주사기와 바늘
  - 70% 알코올솜
  - 일회용 장갑

side shooting하기의 단계와 근거

단계	근거
1. 주사기에 약물을 주입한다.	
2. 정맥주입용액과 약물의 적합성을 확인한다.	
3. 수액이 제대로 들어가고 있는지 확인한다.	
4. 수액세트의 조절기를 잠그거나 주사주입구 윗부분의 튜브를 꺾어 쥐고 바늘을 찌른다.	• 약물이 튜브로 역류되지 않도록 하기 위함이다.
5. 주사기의 내관을 뒤로 당겨 혈액이 흘러내리는지 확인하고 약물을 천천히 주입한다.	• 주사바늘이나 카테터가 정맥 내에 있는지 확인한다. • 약물이 혈관 내로 투여되는 것을 확인한다.
6. 꺾어 쥐었던 튜브를 풀고, 주사기를 제거하고 주입속도를 조절한다.	
7. 장갑을 벗고 손을 씻는다.	
8. 대상자의 상태를 살핀다.	

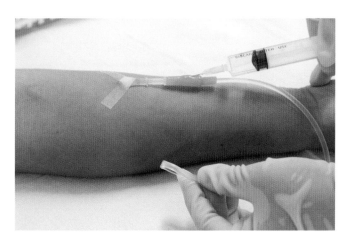

단계 5

(2) Heparin lock을 이용한 약물 투여

- **목적**
  - 정맥을 통한 약물투여의 치료 효과를 유지하고, 간헐적으로 IV line을 유지하기 위함이다.

- **준비물품**
  - 약 카드
  - 주사 약물
  - 헤파린 용액, 생리 식염수
  - 주사기와 바늘
  - 70% 알코올솜, 일회용 장갑

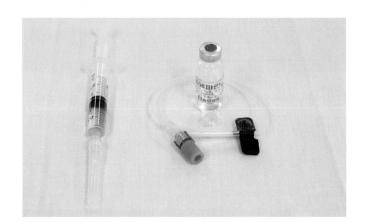

Heparin lock을 이용한 약물 투여의 단계와 근거

단계	근거
1. 손을 씻는다.	
2. 주사기에 헤파린을 준비하고 라벨을 붙인다.	
3. 또 다른 주사기에 생리식염수를 준비하고 라벨을 붙인다.	
4. 수액세트의 주사주입구를 알코올솜이나 포비돈솜으로 닦아내고 마를 때까지 기다린다.	• 포비돈은 마른 후에 소독효과가 나타난다.
5. 0.5~2mL의 생리식염수 주사기를 주사주입구에 찔러 내관을 당겨 혈액이 역류되는지 확인한다.	• 카테터가 정맥 내에 있는지 확인한다.
6. 생리식염수를 주입하고 주사기를 제거한다.	
7. 약물이 든 주사기를 주사주입구에 꽂아 약물을 천천히 주입한다.	• 부작용이 있는지 대상자를 세심하게 관찰한다.
8. 약물주입이 끝나면 두 번째 생리식염수 주사기로 생리식염수를 주입한다.	• 카테터 내의 약물을 멀리 밀어 넣기 위함이다.
9. 헤파린을 천천히 주입한다.	• 개존상태를 유지한다.
10. 주사주입구를 다시 알코올솜으로 소독한다.	
11. 장갑을 벗고 손을 씻는다.	
12. 투약시간, 약명, 용량, 관찰사항 등을 기록한다.	

(3) Piggyback 또는 tandem을 이용한 정맥 주입

- **목적**
  - 약물과의 부적합성으로 인하여 일차 용액과 혼합할 수 없는 약물을 간헐적으로 투여하기 위함이다.
  - 두 가지 약물을 각기 다른 시간에 투여하기 위함이다.
  - 두 가지 약물의 혈중 농도를 동시에 최대로 유지하기 위함이다.

- **준비물품**
  - piggyback 또는 tandem set(50~100ml)에 준비된 약물(라벨 부착)
  - 주입 세트, 주사 바늘
  - 70% 알코올솜
  - 반창고, 일회용 장갑

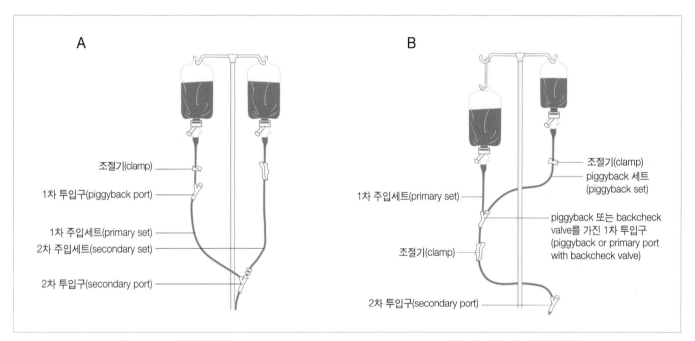

A: tandem 정맥주입법   B: piggyback 정맥주입법

Piggyback 또는 tandem을 이용한 정맥 주입의 단계와 근거

단계	근거
1. 손을 씻는다.	
2. 일차 정맥주사용액 준비하듯이 소량(50~100mL)의 piggyback (또는 tandem)용액을 준비한다.	
3. piggyback(또는 tandem)용기에 주입세트의 삽입침을 삽입하고 주입선에 용액을 채운 후 바늘을 부착한다. : 라벨 부착한다(날짜, 시간, 서명)	• 튜브교환시기를 확인하기 위함이다.
4. piggyback(또는 tandem)용기를 1차선 용액보다 25cm 높게 하여 IV걸대에 건다.	• 주입용액의 높이가 주입속도에 영향을 미친다. • tandem용액은 1차선 용액과 같은 높이로 건다.

Piggyback 또는 tandem을 이용한 정맥 주입의 단계와 근거(계속)

단계	근거
5. 1차선의 Y형 주사투입구(1차투입구)를 알코올솜으로 닦고 이차선에 부착된 바늘을 꽂는다. 테이프로 투입구바늘을 안전하게 감는다.	• 1차투입구의 미생물 침입을 막는다. • 주사바늘 부위의 오염을 막는다. • 30~60분간 주입되도록 조절한다.
6. piggyback(또는 tandem)용기의 조절기를 열고 주입속도를 확인한다.	
7. 2차용액이 주입되면 piggyback(또는 tandem)용기의 조절기를 잠근다.	• 1차용액주입의 오염을 막는다. 1차용액은 2차용액이 끝난 후 시작한다.
8. 1차용액의 주입속도를 확인한다.	• piggyback(또는 tandem)투여는 1차용액의 속도를 방해할 수 있으므로 속도를 재조정하는 것이 요구된다.
9. 장갑을 벗고 손을 씻는다.	
10. 투약을 기록한다.	• 정확한 투약기록은 투약실수를 예방한다.

(4) 정량 조절(volume-control) 세트에 의한 정맥 주입

- **목적**
  - 부적합한 약물과 혼합하여 투여되는 것을 피하기 위함이다.
  - 정맥을 덜 자극하도록 희석된 약물을 주입하기 위함이다.
  - 약물을 간헐적으로 투여하기 위함이다.
  - 제한된 주입시간동안 안정을 취할 수 있는 약물을 투여하기 위함이다.
  - 수액주입량을 주의 깊게 조절하면서 약물을 주기 위함이다.

- **준비물품**
  - 정량 조절 세트(50~100mL)
  - 약물(앰플 혹은 바이알)
  - 70% 알코올솜
  - 주사기
  - 라벨

정량 조절(volume-control)세트에 의한 정맥 주입의 단계와 근거

단계	근거
1. 손을 씻는다.	• 미생물의 전파를 막는다.
2. 준비된 주사기에 앰플이나 바이알의 약물을 준비한다.	
3. 일차 용액에 정량 조절 세트를 연결하여 일차 용액으로부터 50~100mL의 용액을 정량 조절 세트에 채운다.	
4. 정량 조절 세트와 일차 용액 사이의 조절기를 잠근다.	• 정량 조절 세트의 용액을 먼저 주입한다.
5. 정량 조절 세트의 약물주 입구를 알코올솜으로 닦는다.	• 주사침 입구를 통한 미생물의 침입을 막는다.
6. 약물이 준비된 주사기의 주사침을 주입구에 꽂고 약물을 주입한다. 약물을 부드럽게 혼합한다.	• 약물이 수액에 고루 혼합되어 주입되게 해준다.
7. 정량 조절 세트 아래쪽의 조절기로 주입 속도를 조절한다.	• 30~60분 정도의 주입이 안전한 방법이다.
8. 정량 조절 세트에 약물을 적은 라벨을 붙인다.	• 투약으로 인한 실수를 예방한다.
9. 투약을 기록한다.	

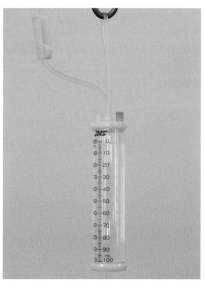

단계 6

(5) mini-infusor pump(syringe pump)를 통한 약물 주입

- **목적**
  - 작은 용량의 주사기를 부착하여 계획된 시간에 소량의 약물(5~60mL)을 간헐적으로 투여하기 위함이다.

- **준비물품**
  - mini-infusor pump
  - 주사기
  - 연결튜브
  - 70% 알코올솜, IV 걸대

mini-infusor pump(syringe pump)를 통한 약물 주입의 단계와 근거

단계	근거
1. 약물이 담긴 주사기를 mini-infusion튜브에 연결하고 튜브에 약물을 채운다.	• 튜브에 공기를 제거하여 공기색전증을 예방한다.
2. 주사기를 mini-infusor에 연결하고 주사기가 안전한지 확인한다.	
3. mini-infusion튜브를 1차선에 연결한다(mini-infusion튜브 끝에 바늘을 꽂고 1차선 주입구에 연결한다).	
4. IV 걸대에 mini-infusor(주사기 연결됨)을 걸고 주입시작단추를 누른다.	• 펌프는 주사기용량에 근거하여 자동적으로 주입속도를 조절한다.
5. 약물주입이 끝나면 1차용액이 자동적으로 주입된다. 주입상태를 확인한다.	• 1차선의 개존상태를 유지한다.

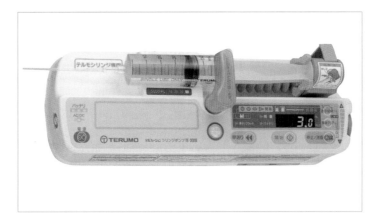

mini-infusor

 **정맥 주사**

평가일자 _____   평가자 이름 _____

No	수 행 항 목	수행	미수행	비고
1	손을 씻는다.			
2	용액의 종류, 용량, 주입속도 등의 투약처방과 약카드를 정확히 확인한다.			
3	투약카드와 비교하여 정확한 수액과 혼합할 약을 준비한다.			
4	수액용기의 고무마개를 알코올솜으로 소독한다.			
5	혼합할 약을 무균적으로 준비하여 수액용기에 주입한다.			
6	수액용기에 날짜, 호실, 대상자이름, 혼합약물, 용량, 주입속도, 연결번호를 적는다.			
7	수액용기의 고무마개를 재 소독한 후 수액세트를 꽂아 점적통의 1/2 정도 채우고 튜브내 공기가 없도록 준비한다.			
8	준비된 수액과 물품을 tray에 준비하여 대상자 곁으로 가지고 가서 대상자로 하여금 자신의 이름을 직접 대답하도록 하여 확인한다.			
9	대상자에게 투약목적과 절차를 설명하고 대상자로 하여금 불편함을 호소하도록 격려한다.			
10	적절한 체위를 취해준다.			
11	수액세트의 공기를 제거한 후 IV 카테터와 연결할 수 있도록 준비한다.			
12	주사부위보다 15~20cm위를 지혈대로 묶고 주사부위를 알코올솜으로 중심에서 가장자리로 원을 그리며 닦는다.			
13	IV 카테터를 10~30° 각도로 경사면을 위로하여 혈관 속으로 삽입한다.			

정맥 주사(계속)

No	수 행 항 목	수행	미수행	비고
14	바늘을 통하여 튜브로 혈액이 역류되었는가를 확인한다.			
15	지혈대를 풀고 혈액이 흘러내리지 않게 IV 카테터와 수액세트를 연결하여 용액이 들어가도록 한다.			
16	반창고로 주사바늘 삽입부위를 고정한다.			
17	주입액의 속도를 조절한다.			
18	대상자를 편안하게 해준다.			
19	부작용을 설명해주고 이상증상이 생기면 알리도록 한다.			
20	사용한 물품을 정리한다.			
21	간호기록지에 약명, 용량, 투여경로, 투여속도, 시간, 주사부위, 대상자의 반응, 투약 못한 이유 등을 기록한다.			

정맥 주사: 드레싱 교환하기

평가일자 _____   평가자 이름 _____

No	수 행 항 목	수행	미수행	비고
1	드레싱상태의 습기와 손상여부를 관찰하여 드레싱의 교환 유·무를 결정한다.			
2	필요한 물품을 준비한다.			
3	대상자에게 절차를 설명한다.			
4	손을 씻는다.			
5	깨끗한 장갑을 착용한다.			
6	조심스럽게 사용된 드레싱을 제거하면서 정맥주사바늘 또는 카테터는 제 위치에 있도록 주의한다.			
7	주사부위의 발적, 종창, 배액, 동통 등을 주의 깊게 관찰한다.			
8	한 손으로 카테터나 주사바늘중심을 조심스럽게 고정하고 접착제거제로 주사부위를 닦아낸다.			
9	알코올솜을 이용하여 주사부위에서부터 밖으로 원을 그리며 닦아낸다.			
10	포비돈솜으로 반복해서 닦아내고, 포비돈용액이 마르도록 약 2분 동안 그대로 둔다.			
11	병원규정에 따라 포비돈 연고를 주사부위에 바른다.			
12	멸균 거즈나 투명드레싱을 사용하여 주사부위를 덮어 고정시킨다.			
13	정맥 주입 속도를 확인한다.			
14	사용했던 물품을 규정대로 처리하고 장갑을 벗고 손을 씻는다.			
15	드레싱 교환 시의 카테터의 반응, 부위에서 관찰한 내용들을 기록한다.			

정맥 주사: 주입 용액과 수액 세트 교환하기

평가일자 _____   평가자 이름 _____

No	수 행 항 목	수행	미수행	비고
	주입용액교환하기			
1	손을 씻는다.			
2	투약처방과 약카드를 정확히 확인한다.			
3	정확한 정맥주입용액과 용기의 라벨을 확인한다.			
4	새 용액의 용기에서 주의 깊게 보호덮개를 제거하고 고무주입구를 소독솜으로 닦아 주입용액의 멸균성을 유지한다.			
5	조절기를 잠근다.			
6	이전의 수액용기로부터 삽입침을 재빨리 뽑으면서 삽입침을 오염시키지 않도록 주의한다.			
7	새 용기를 정맥주입걸대에 건다.			
8	새 용기에 삽입침을 꽂는다.			
9	튜브 내의 공기를 확인한다. 공기가 있으면 조절기를 잠그고 튜브를 손가락으로 톡톡 두드려 공기를 제거한다.			
10	점적통에 용액을 1/3~1/2 정도로 채운다.			
11	조절기를 다시 열어 처방된 주입률에 맞추어 흐름을 조절한다.			
12	주입선이 투명한지를 주의 깊게 관찰한다.			
13	치료에 대한 반응과 합병증여부를 관찰한다.			

정맥 주사: 주입 용액과 수액 세트 교환하기(계속)

No	수 행 항 목	수행	미수행	비고
14	섭취량과 배설량 기록란에 기록하고 기관의 지침에 따라 차트에 기록한다.			
	수액세트 교환하기			
15	일차정맥주사 준비하듯이 새 수액세트를 준비한다.			
16	대상자에게 방법을 설명한다.			
17	손을 씻는다.			
18	정맥주사 삽입 부위에 드레싱과 반창고를 주의 깊게 제거한다.			
19	바늘 중심부(hub)아래 네모난 멸균거즈를 부착한다.			
20	새 수액세트를 대상자의 주사부위 가까이 부착시키고 보호덮개를 약간 느슨하게 한다.			
21	이전의 수액세트의 조절기를 잠근다.			
22	수액세트의 교환이 끝날 때까지 수액세트를 잡지 않은 손으로 바늘 중심부를 고정시키고 수액세트를 잡은 손으로는 세트를 약간 비틀어서 뽑는다.			
23	멸균을 유지하면서 새 수액세트의 보호덮개를 주의 깊게 벗기고 수액세트의 끝을 바늘중심부에 약간 비틀면서 삽입시킨다.			
24	조절기를 열고 용액의 주입속도를 조절한다.			
25	규정에 따라 멸균드레싱을 다시 한다.			
26	손을 씻고 간호기록지에 기록한다.			

정맥 주사: Side shooting

평가일자 _____   평가자 이름 _____

No	수 행 항 목	수행	미수행	비고
1	손을 씻는다.			
2	투약처방과 약카드를 정확히 확인한다.			
3	주사기에 약물을 주입한다.			
4	정맥주입용액과 약물과의 적합성을 확인한다.			
5	준비된 물품을 tray에 준비하여 대상자 곁으로 가지고 가서 대상자로 하여금 자신의 이름을 직접 대답하도록 하여 확인한다.			
6	대상자에게 투약목적과 절차를 설명하고 대상자로 하여금 불편함을 호소하도록 격려한다.			
7	적절한 체위를 취해준다.			
8	수액이 제대로 들어가고 있는지 확인한다.			
9	수액세트의 주사주입구를 알코올솜으로 닦아내고 마를 때까지 기다린다.			
10	수액세트의 조절기를 잠그거나 주사주입구 윗 부분의 튜브를 꺽어 쥐고 바늘을 찌른다.			
11	주사기의 내관을 뒤로 당겨 혈액이 흘러내리는지 확인하고 약물을 천천히 주입한다.			
12	꺾어 쥐었던 튜브를 풀고, 주사기를 제거한 뒤 주입속도를 조절한다.			
13	장갑을 벗고 손을 씻는다.			
14	대상자의 상태를 살핀다.			

Heparin lock을 이용한 정맥 주입

평가일자 _____   평가자 이름 _____

No	수 행 항 목	수행	미수행	비고
1	손을 씻는다.			
2	투약처방과 약카드를 정확히 확인한다.			
3	주사기에 헤파린을 준비하고 라벨을 붙인다.			
4	또 다른 주사기에 생리식염수를 준비하고 라벨을 붙인다.			
5	준비된 물품을 tray에 준비하여 대상자곁으로 가지고 가서 대상자로 하여금 자신의 이름을 직접 대답하도록 하여 확인한다.			
6	대상자에게 투약목적과 절차를 설명하고 대상자로 하여금 불편함을 호소하도록 격려한다.			
7	적절한 체위를 취해준다.			
8	수액세트의 주사주입구를 알코올솜이나 포비돈솜으로 닦아내고 마를 때까지 기다린다.			
9	0.5~2mL의 생리식염수 주사기를 주사주입구에 찔러 내관을 당겨 혈액이 역류되는지 확인한다.			
10	생리식염수를 주입하고 주사기를 제거한다.			
11	약물이 든 주사기를 주사주입구에 꽂아 약물을 천천히 주입한다.			
12	두 번째 생리식염수 주사기로 생리식염수를 주입하고 주사기를 제거한다.			
13	헤파린을 천천히 주입한다.			

Heparin lock을 이용한 정맥 주입(계속)

No	수 행 항 목	수행	미수행	비고
14	주사주입구를 다시 알코올솜으로 소독한다.			
15	장갑을 벗고 손을 씻는다.			
16	투약시간, 약명, 용량, 관찰사항 등을 기록한다.			

Piggyback 또는 tandem을 이용한 정맥 주입

평가일자 _____   평가자 이름 _____

No	수 행 항 목	수행	미수행	비고
1	손을 씻는다.			
2	투약처방과 약카드를 정확히 확인한다.			
3	IV 주입선의 용액이 제대로 흘러 들어가는지를 확인한다.			
4	주사부위의 정맥염 또는 침윤 등의 증상 유·무를 사정한다.			
5	필요한 물품을 준비한다. 1) 소량(50~100mL)의 piggyback (또는 tandem)용액을 준비한다. 2) piggyback(또는 tandem)용기에 주입세트의 삽입침을 삽입하고 주입선에 용액을 채운 후 바늘을 부착한다. 3) piggyback(또는 tandem)용기에 날짜, 시간, 서명 등을 적은 라벨을 부착한다.			
6	준비된 물품을 tray에 준비하여 대상자 곁으로 가지고 가서 대상자로 하여금 자신의 이름을 직접 대답하도록 하여 확인한다.			
7	대상자에게 투약목적과 절차를 설명하고 대상자로 하여금 불편함을 호소하도록 격려한다.			
8	적절한 체위를 취해준다.			
9	piggyback(또는 tandem)용기를 1차선용액보다 25cm 높게 하여 IV걸대에 건다.			
10	1차선의 Y형 주사투입구(1차투입구)를 알코올솜으로 닦고 2차선에 부착된 바늘을 꽂는다. 테이프로 투입구바늘을 안전하게 감는다.			

Piggyback 또는 tandem을 이용한 정맥 주입(계속)

No	수 행 항 목	수행	미수행	비고
11	piggyback(또는 tandem)용기의 조절기를 열고 주입속도를 확인한다.			
12	2차용액이 주입되면 piggyback(또는 tandem)용기의 조절기를 잠근다.			
13	1차용액의 주입속도를 확인한다.			
14	장갑을 벗고 손을 씻는다.			
15	투약을 기록한다.			
16	대상자의 반응을 평가한다.			

정량 조절(Volume-control)세트에 의한 정맥 주입

평가일자 _____ 평가자 이름 _____

No	수 행 항 목	수행	미수행	비고
1	손을 씻는다.			
2	투약처방과 약카드를 정확히 확인한다.			
3	앰플 또는 바이알로부터 약물용량을 정확하게 준비한다.			
4	준비된 물품을 tray에 준비하여 대상자곁으로 가지고 가서 대상자로 하여금 자신의 이름을 직접 대답하도록 하여 확인한다.			
5	대상자에게 투약목적과 절차를 설명하고 대상자로 하여금 불편함을 호소하도록 격려한다.			
6	적절한 체위를 취해준다.			
7	주사부위의 정맥염 또는 침윤 등의 증상 유·무를 사정한다.			
8	일차용액에 정량조절세트를 연결하여 일차용액으로부터 50~100mL의 용액을 정량조절세트에 채운다.			
9	정량조절세트와 일차용액사이의 조절기를 잠근다.			
10	정량조절세트의 약물주입구를 알코올솜으로 닦는다.			
11	약물이 준비된 주사기의 주사침을 주입구에 꽂고 약물을 주입한다.			
12	약물을 부드럽게 혼합한다.			
13	정량조절세트 아래쪽의 조절기로 주입속도를 조절한다.			
14	정량조절세트에 약물을 적은 라벨을 붙인다.			

정량 조절(Volume-control)세트에 의한 정맥 주입(계속)

No	수 행 항 목	수행	미수행	비고
15	대상자의 부작용에 대한 반응을 관찰한다.			
16	투약을 기록한다.			

6. 중심 정맥 주입 Central Venous Catheter

중심 정맥 주입(Central Venous Catheter)은 카테터를 신체의 중심부에 위치한 큰 정맥, 쇄골하정맥, 경정맥, 대퇴정맥 등에 삽입하여 수액이나 약물을 주입하는 방법이다.

중심 정맥 주입을 위한 카테터 삽입에는 중심 정맥을 통해 삽입되는 정맥으로 쇄골하정맥, 내경정맥, 외경정맥이 있으며 말초 정맥을 통해 삽입하기 위해 선택되는 정맥은 요측피 정맥과 척측피 정맥이다. 보통 쇄골하 정맥을 많이 이용한다. 카테터에는 방사선 불투과성 물질이 있어 형광 투시 검사나 x-ray film으로 삽입 후의 정확한 위치를 확인할 수 있다.

중심정맥관의 종류로는 비터널 카테터(nontunneled catheter), 터널 카테터(tunneled catheter), 말초주입 중심정맥 카테터(peripherally inserted central catheter : PICC) 및 이식형 포트(implanted port) 등이 있다.

중심 정맥 주입은 7일에서 3년에 이르기까지의 장기간의 정맥 주입이 요구되는 만성질대상자(예; 항암치료, TPN, 잦은 채혈)를 관리하기 위해 사용되며 여러 번의 정맥 천자로 인한 합병증 및 손상을 피할 수 있다. 또한 매번 팔에 주사를 놓는 것보다 대상자에게 편안감을 주고 주사에 대한 공포감을 감소시켜 준다. 그러나 과립구 감소증 등 면역이 억제된 상태에서는 감염의 우려가 있어 세심한 주의가 필요하다.

- **목적**
  - 단기간 또는 장기간의 항생제, 항암제 등의 약물을 투여하기 위함이다.
  - TPN 등의 영양제를 주입하기 위함이다.
  - 중심정맥압(CVP)을 측정하기 위함이다.
  - 검사를 위해 혈액을 채혈하기 위함이다.
  - 다량의 수액이나 혈액을 공급하기 위함이다.

- **준비물품**
  - 알코올솜(포비돈솜), 멸균된 중심 정맥관, 멸균된 타올
  - 장갑, 가운및 마스크, 국소마취제(리도카인)
  - 멸균 생리 식염수, 롤 타올, 헤파린 용액, 4×4 거즈
  - 3mL, 10mL 주사기와 25G 주사 바늘
  - 4×6 투명반창고, 일회용 장갑.

 중심 정맥관의 유형 및 특성

	비터널 카테터	터널 카테터	PICC	이식형 포트
관강(lumens)	single	single	single	single
	multilumen	multilumen	dual	dual
삽입기간	단기간	장기간	장기간	장기간
특성	유지기간이 짧다	dacron cuff에 의해 안전하다.	비용이 절약된다.	외과적 절차로 인해 비용이 많이 든다.
	멸균드레싱 교환	완전 치유되면 clean dressing한다.	멸균드레싱 교환	needle acess가 요구됨 (huber needle)
	매일 헤파린관류 필요	매일 헤파린관류 필요 (groshong 예외)	매일 헤파린관류 필요	월1회의 헤파린 관류 필요
	활동이 제한된다.			활동 제한이 없다.
		외과적 제거 드레싱교환 (매일-일주일)	외과적 절차 필요 없다.	
	손상될 가능성있다.	손상시에 repair가 가능하다.	카테터 손상 가능성있다. 삽입시 손상이 제일 적다.	신체상에 영향주지 않는다.
			작은 PICC인 경우 채혈이 부적당하다.	
	길이 : 6~30cm 크기 : 14~27G	길이 : 55~90cm 크기 : 2.7~19.2Fr	길이 : 33.5~60cm 크기 : 14~25G	Height/Base 9.8~17mm/ 24~50mm

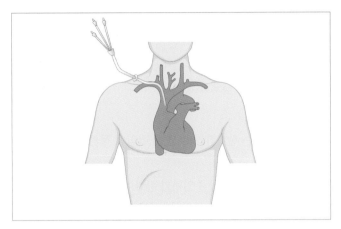

쇄골하 중심 정맥 카테터

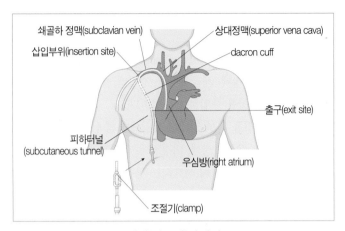

터널(히크만)카테터

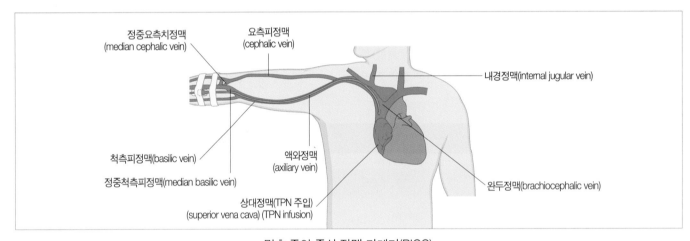

말초 주입 중심 정맥 카테터(PICC)

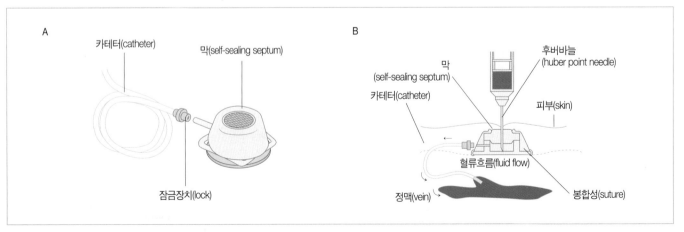

A : 이식형 포트기구   B : 내부 구조

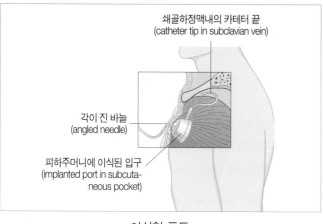

쇄골하정맥내의 카테터 끝
(catheter tip in subclavian vein)

각이 진 바늘
(angled needle)

피하주머니에 이식된 입구
(implanted port in subcuta-
neous pocket)

이식형 포트

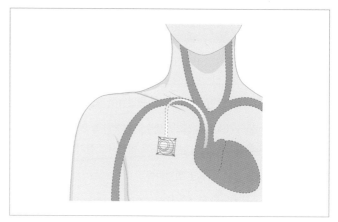

이식형 포트의 삽입 상태

중심 정맥 주입(Central Venous Catheter)의 단계와 근거

단계	근거

중심 정맥관 삽입

1. 손을 씻는다.

2. 준비된 물품을 대상자곁으로 가지고 가서 대상자로 하여금 자신의 이름을 직접 대답하도록 하여 확인한다.

3. 대상자에게 카테터의 삽입목적과 절차를 설명한다.
　• 충분한 설명은 주사로 인한 동통과 불안감을 완화한다.

4. 카테터 삽입부위를 비누와 물로 깨끗이 닦는다. 과다한 체모(hair)는 가위로 자른다.
　• 면도(shaving)는 미세한 찰과상과 감염의 소인이 된다.

5. 대상자가 적합한 체위를 취하도록 돕는다.

　1) PICC: 앙와위를 취해준다.

　2) 경정맥: 머리를 옆으로 돌리고 trendelenburg 체위를 취한다.
　　• trendelenburg 체위는 정맥을 팽창시켜 삽입을 용이하게 해준다.

　3) 쇄골하정맥: 척추와 견갑골사이에 롤로 만든 타올을 수직으로 넣고 trendelenburg 체위를 한다.
　　• trendelenburg 체위가 쇄골하 정맥을 확장하지 않을지라도 공기색전의 위험이 감소된다.

6. 카테터삽입 전에 활력징후를 측정한다.
　• 합병증 유·무 판단 시에 근거자료로 제공된다

7. 멸균영역을 준비하여 멸균물품을 놓는다.

8. 관류를 위해 리도카인, 생리식염수, 헤파린을 준비해 놓는다.

9. 카테터가 삽입되는 동안에 대상자가 valsalva수기를 하도록 하고 필요시 의사의 처치를 돕는다.
　• valsalva수기는 말초저항을 증가시키고 흉곽내압을 상승시켜서 대정맥의 압력을 높여 심장으로 가는 혈액을 감소시킨다. 따라서 카테터를 통해 공기가 심장으로 들어갈 가능성을 감소시켜 공기색전증의 위험을 예방한다.

10. 카테터가 삽입되는 동안 대상자가 통증, 호흡불편감, 어지러움 등을 느끼면 이야기하도록 설명한다.
　• 기흉, 대혈관의 천공, 신경총 손상 등의 합병증발생 유·무를 확인할 수 있다.

중심 정맥 주입(Central Venous Catheter)의 단계와 근거(계속)

단계	근거
11. 카테터가 삽입되면 대상자의 자세를 편안하게 해준다.	
12. 관강(lumen)을 5~10mL의 생리식염수로 관류한 후 2.5mL헤파린 용액으로 관류한다. 양압이 유지되도록 하면서 조절기를 잠근다.	• 각 관강의 통합성과 개존성을 확인한다. 헤파린은 혈액응고를 예방하기 위함이다.
13. 카테터 부위를 흉부 X-ray로 확인한다.	• 카테터 끝의 위치를 방사선사진을 통해 획인한다.
14. 카테터 삽입 후 활력징후, 호흡불편감 유·무, 삽입부위에 대한 호소 등을 사정한다.	• 카테터의 상태변화는 기흉이나 기타 다른 합병증의 징후를 암시한다.
15. 사용한 물품을 규정에 따라 처리한다.	
16. 카테터의 삽입시간, 크기, 주입액의 종류, 속도, 대상자의 반응 등을 기록한다.	

드레싱교환하기

단계	근거
1. 위생장갑과 마스크를 착용한다.	
2. 사용된 드레싱과 테이프를 조심스럽게 제거한다.	• 카테터가 빠지는 것을 예방하기 위함이다.
3. 장갑을 벗고 손을 씻는다.	
4. 드레싱 해야 할 부위를 주의 깊게 사정하여 발적, 부종 또는 삼출물이 있는지 확인하고 기록한다.	
5. 멸균장갑과 가운을 착용한다.	• 멸균법을 유지하기 위함이다.
6. 알코올솜으로 카테터 삽입부분에서부터 밖으로 약 5cm까지 원을 그리며 2회 이상 반복하여 닦아내고 마를 때까지 기다린다.	• 세균의 감염을 막는다. • 알코올이 함유된 0.5% 초과 클로르헥시딘 글루코네이트를 이용한다. 만약 클로르헥시딘 사용이 금기 또는 민감한 대상자는 알코올(70% 이상)이나 아이오다인 틴처, 포비돈아이오다인을 사용할 수 있다.
7. 포비돈솜을 이용하여 같은 방법으로 3번을 반복한 후 마를 때까지 기다린다.	• 방부성을 최대화시키기 위함이다.
8. 멸균 4×4 베타딘 연고 패드나 투명막드레싱을 사용하여 카테터를 덮어 보호한다.	• 정맥관 관련 혈류감염을 예방하기 위하여 다음과 같이 교환한다. 멸균투명 드레싱의 경우 7일마다, 멸균거즈 드레싱은 2일마다, 멸균거즈 드레싱과 멸균투명 드레싱을 함께 적용할 경우 2일마다 교환한다.
9. 드레싱 상단에 날짜, 시간, 서명을 한 라벨을 붙인다.	
10. 사용했던 모든 물품을 규정대로 처리한다.	
11. 장갑을 벗고 손을 씻는다.	

혈액채취방법

단계	근거
1. 생리식염수가 든 10mL주사기, 헤파린 관류 3mL주사기와 빈 주사기 5mL를 준비한다.	
2. 카테터 hub 혹은 덮개(injection cap)를 알코올솜과 베타딘으로 닦고 마르도록 둔다.	• 방부성효과를 최대화시킨다.

중심 정맥 주입(Central Venous Catheter)의 단계와 근거(계속)

단계	근거

3. 주입 중인 수액은 조절기로 잠근다.

• 수액주입을 최소한 1분간 중단한 후 채혈한다.

4. 주사포트를 통해 혈액채취한다.

   1) CVC의 가장 가까운 쪽의 포트(port)에 10mL의 생리식염수를 관류한 후 그 주사기로 3-5 mL의 혈액을 채취하여 버린다.

• 혈액을 채취하기 전에 카테터를 관류하는 것은 CVC에서의 혈류귀환을 돕기 위함이다. 이때 흡인한 혈액은 오염과 혈괴의 위험성이 있으므로 재주입하지 않는다.

   2) 새 주사기(5mL)를 삽입하여 필요한 양만큼의 혈액을 뽑아 검사용 튜브에 넣는다.

   3) 다시 20mL의 생리식염수가 든 주사기를 삽입하여 힘있게 관류한다.

• 카테터의 내관강을 깨끗이 하고 섬유소축적을 예방하며 혈액응고의 위험을 감소시키기 위함이다.

   4) 이어서 헤파린 용액으로 양압을 유지한 채 각 관강을 관류한다. 조절기를 잠근다.

• 카테터 tip에 혈액의 역류를 막는다

5. 사용했던 물품을 처리하고 손을 씻는다.

6. 검사용기를 검사실로 보낸다.

Heparin lock을 통한 약물주입 방법

1. 장갑을 착용한다.

2. 알코올솜으로 1분동안 덮개를 닦고 마르도록 기다린다.

• 방부성 효과를 최대화시킨다.

3. 약물이 헤파린과 적합하지 않다면

   1) 덮개안에 생리식염수주사기의 바늘을 삽입한다

   2) 조절기를 풀고 카테터의 개존을 확인한다.

   3) 생리식염수를 주사한다.

   4) 카테터를 다시 잠근다.

   5) 주사기와 바늘을 제거한다.

4. 덮개에 약물이 든 주사기바늘을 삽입한다.

5. 조절기를 풀고 약물을 천천히 주사한다.

• 주입세트가 사용되어진다면 적절한 비율로 주입세트를 조절한다.

6. 모든 약물이 주입되었을 때 카테터를 잠근다

7. 덮개로부터 바늘을 제거한다.

8. 약물이 헤파린과 적합하지 않다면 3번과 같은 방법으로 다시 식염수를 주입한다.

9. 덮개 안에 헤파린이 든 식염수바늘을 삽입시켜 주사한다.

10. 카테터를 잠근다.

11. 사용된 물품과 장갑을 처리하고 손을 씻는다.

중심 정맥 주입: 중심 정맥관 삽입

평가일자 _____   평가자 이름 _____

No	수 행 항 목	수행	미수행	비고
1	손을 씻는다.			
2	준비된 물품을 대상자 곁으로 가지고 가서 대상자로 하여금 자신의 이름을 직접 대답하도록 하여 확인한다.			
3	카테터의 삽입목적과 절차를 설명한다.			
4	카테터 삽입부위를 비누와 물로 깨끗이 닦는다. 과다한 체모(hair)는 가위로 자른다.			
5	대상자가 적합한 체위를 취하도록 돕는다.			
6	PICC의 경우에는 앙와위를 취해준다.			
7	경정맥으로 삽입 시에는 머리를 옆으로 돌리고 trendelenburg 체위를 취해준다.			
8	쇄골하정맥 삽입 시에는 척추와 견갑골사이에 롤로 만든 타올을 수직으로 넣고 trendelenburg 체위를 취해준다.			
9	카테터삽입 전에 활력증후를 측정한다.			
10	멸균영역을 준비하여 멸균물품을 놓는다.			
11	관류를 위해 리도카인, 생리식염수, 헤파린을 준비해 놓는다.			
12	카테터가 삽입되는 동안에 대상자가 valsalva수기를 하도록 한다.			
13	카테터가 삽입되는 동안 대상자가 통증, 호흡불편감, 어지러움 등을 느끼면 이야기하도록 설명하여 합병증 발생 유·무를 확인할 수 있도록 한다.			

중심 정맥 주입: 중심 정맥관 삽입(계속)

No	수 행 항 목	수행	미수행	비고
14	카테터가 삽입되면 대상자의 자세를 편안하게 해준다.			
15	관강(lumen)을 5~10mL의 생리식염수로 관류한 후 2.5mL헤파린 용액으로 관류한다. 양압이 유지되도록 하면서 조절기를 잠근다.			
16	카테터 부위를 흉부 X-ray로 확인한다.			
17	카테터 삽입 후 활력징후, 호흡불편감 유·무, 삽입부위에 대한 호소 등을 사정한다.			
18	사용한 물품을 규정에 따라 처리한다.			
19	카테터의 삽입시간, 크기, 주입액의 종류, 속도, 대상자의 반응 등을 기록한다.			

중심 정맥 주입: 드레싱 교환하기

평가일자 _____   평가자 이름 _____

No	수 행 항 목	수행	미수행	비고
1	위생장갑과 마스크를 착용한다.			
2	사용된 드레싱과 테이프를 조심스럽게 제거한다. 카테터가 빠지는 것을 예방한다.			
3	장갑을 벗고 손을 씻는다.			
4	드레싱 해야 할 부위를 주의 깊게 사정하여 발적, 부종 또는 삼출물이 있는지 확인하고 기록한다.			
5	멸균장갑과 가운을 착용한다.			
6	알코올솜으로 카테터 삽입부분에서부터 밖으로 약 5cm까지 원을 그리며 2회 이상 반복하여 닦아내고 마를 때까지 기다린다.			
7	포비돈솜을 이용하여 같은 방법으로 3번을 반복한 후 마를 때까지 기다린다.			
8	멸균 4×4 베타딘 연고 패드나 투명막 드레싱을 사용하여 카테터를 덮어 보호한다.			
9	드레싱 상단에 날짜, 시간, 서명을 한 라벨을 붙인다.			
10	사용했던 모든 물품을 규정대로 처리한다.			
11	장갑을 벗고 손을 씻는다.			

중심 정맥 주입: 혈액 채취 방법

평가일자 _____ 평가자 이름 _____

No	수 행 항 목	수행	미수행	비고
1	생리식염수가 든 10mL주사기, 헤파린 관류 3mL주사기와 빈 주사기 5mL를 준비한다.			
2	카테터 hub 혹은 덮개(injection cap)를 알코올솜과 베타딘으로 닦고 마르도록 둔다.			
3	주입 중인 수액은 조절기로 잠근다. 수액주입을 최소한 1분간 중단한 후 채혈한다.			
4	주사포트를 통해 혈액채취한다.			
5	CVC의 가장 가까운 쪽의 포트(port)에 10mL의 생리식염수를 관류한 후 그 주사기로 3-5mL의 혈액을 채취하여 버린다.			
6	새 주사기(5mL)를 삽입하여 필요한 양만큼의 혈액을 뽑아 검사용 튜브에 넣는다.			
7	다시 20mL의 생리식염수가 든 주사기를 삽입하여 힘있게 관류한다.			
8	이어서 헤파린 용액으로 양압을 유지한 채 각 관강을 관류한다. 조절기를 잠근다.			
9	사용했던 물품을 처리하고 손을 씻는다.			
10	검사용기를 검사실로 보낸다.			

중심 정맥 주입: Heparin lock을 통한 약물 주입 방법

평가일자 _____   평가자 이름 _____

No	수 행 항 목	수행	미수행	비고
1	장갑을 착용한다.			
2	알코올솜으로 1분동안 덮개를 닦고 마르도록 기다린다.			
3	약물이 헤파린과 적합하지 않다면			
	1) 덮개 안에 생리식염수 주사기의 바늘을 삽입한다.			
	2) 조절기를 풀고 카테터의 개존을 확인한다.			
	3) 생리식염수를 주사한다.			
	4) 카테터를 다시 잠근다.			
	5) 주사기와 바늘을 제거한다.			
4	덮개에 약물이 든 주사기바늘을 삽입한다.			
5	조절기를 풀고 약물을 천천히 주사한다.			
6	모든 약물이 주입되었을 때 카테터를 잠근다.			
7	덮개로부터 바늘을 제거한다.			
8	약물이 헤파린과 적합하지 않다면 3번과 같은 방법으로 다시 식염수를 주입한다.			
9	덮개 안에 헤파린이 든 식염수바늘을 삽입시켜 주사한다.			
10	카테터를 잠근다.			
11	사용된 물품과 장갑을 처리하고 손을 씻는다.			

7. 중심 정맥압 측정

중심 정맥압(Central Venous Pressure: CVP)은 우심방 혹은 신체를 돌고 귀환하는 모든 혈액이 지나가는 대정맥의 압력을 말하며, 말초정맥을 통하여 카테터를 우심방 내에 삽입한 후 그 곳에서의 압력을 측정한다. 중심 정맥압에 변화가 있으면 우측 심방으로의 정맥귀환혈량의 변화를 알 수 있다. 중심 정맥압 측정은 신체의 수분상태와 우심실 기능에 대한 정보를 제공한다.

중심 정맥압은 순환과 관계가 깊어 혈액의 양과 증가된 혈액의 양을 견디는 심장의 능력에 대한 정보를 주기 때문에 수액요법을 위한 귀중한 지침이 된다.

중심 정맥압 측정을 위한 카테터삽입은 척측피정맥, 상완정맥, 요측피정맥, 경정맥, 쇄골하정맥 등에 삽입한다.

- **목적**
  - 신체 수분상태에 따라 수액을 대치하기 위함이다.
  - 우심방과 중심정맥의 혈관압을 측정하기 위함이다.

- **준비물품**
  - CVP 카테터, 생리식염수, 수액 세트
  - CVP manometer set, 자, 반창고

중심 정맥압 측정의 단계와 근거

단계	근거
1. 손을 씻는다.	
2. 대상자에게 목적과 절차를 설명한다.	• 대상자의 불안감을 감소시키고 대상자가 협조하게 한다.
3. 대상자의 섭취량과 배설량을 확인하고 맥박, 혈압의 측정 및 심음을 청진한다.	• 이는 중심정맥압을 평가하는데 하나의 근거자료로 제공된다. • 정상 CVP: 2~6mmHg 또는 5~12cmH₂O
4. 대상자를 앙와위로 눕게 하고 가능한 한 편안한 자세를 취하게 한 후 CVP 측정하는 동안 기침을 하거나 힘을 주어서는 안되며, 끝날 때까지 같은 자세를 유지하도록 한다.	• 대상자의 체위가 바뀌면 압력계의 수준이 달라지므로 측정기간동안 같은 체위를 유지하는 것이 오차를 줄이고 정확한 자료를 얻게 된다.
5. IV 주입선의 용액이 제대로 흘러 들어가는지를 확인하고, 공기색전증의 가능성을 최소화한다.	
6. 제4 또는 제5 늑간과 중앙액와선이 만나는 지점인 정맥울혈축을 찾아 표시한다.	• 우심방의 높이를 알기 위함이다. 모든 중심정맥압 측정은 우심방의 압과 같게 측정되어야 한다.
7. 표시해 둔 중앙액와선과 압력계눈금을 '0' 으로 맞춘다. 야드자의 한 끝을 표시한 중앙액와선에 대고 다른 한 끝은 압력계 눈금의 '0' 에 맞추어 carpenter' s level의 계기가 수직이 될 때까지 압력계 눈금을 조절한다.	
8. 수액세트가 주입펌프에 연결되어 있으면 펌프를 끈다.	
9. 수액이 대상자에게 주입되지 않도록 3-way를 돌려 압력계로 흘러 들어가게 한다. 천천히 흘러 들어가 25cm 또는 예상되는 압력보다 10~20cm 높은 곳까지 채워지게 한다.	• 예상압력보다 최소한 10cm는 더 채워야 대부분의 혈압측정이 가능하다.
10. 3-way를 돌려 수액을 차단시켜 압력계의 수액을 대상자에게 흘러 들어가게 한다.	

중심 정맥압 측정의 단계와 근거(계속)

단계	근거
11. 수액이 들어가다 우심방의 압과 일치하는 곳에서 멈추게 되며, 대상자의 호흡에 따라 높이가 변화되는데 눈높이에서 수액의 가장 낮은 지점을 읽는다.	• 결과를 정확히 판독하기 위해 눈높이에서 수액의 높이를 읽는다.
12. 3-way를 원위치로 돌려 압력계를 차단시키고 수액이 대상자에게 들어가도록 한 후 주입속도를 처방대로 맞추어 준다.	
13. 대상자가 편안한 자세를 취하도록 해 준다.	
14. 측정한 CVP와 체위를 기록한다.	• 중심정맥압이 '0'에 가까우면 혈량감소로 인한 쇼크를 의심하고, 중심정맥압이 '15cmH₂O' 이상이면 혈량과다증이나 심장수축력 결핍을 의심할 수 있다.

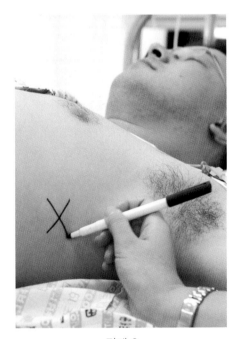

단계 6

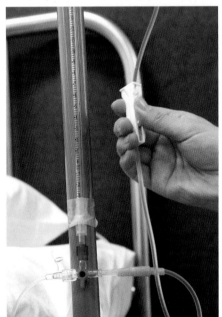

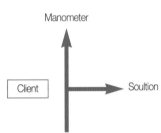

단계 9

중심 정맥압 측정의 단계와 근거(계속)

단계	근거

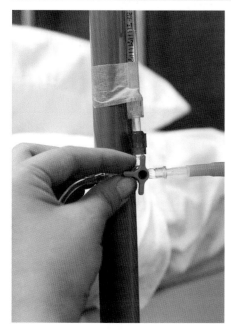

단계 10

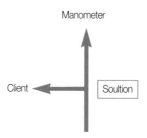

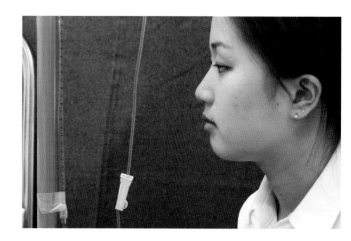

단계 11

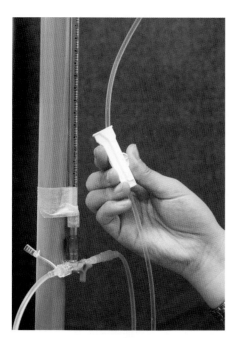

단계 12

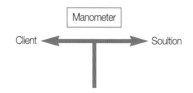

중심 정맥압 측정

평가일자 _____ 평가자 이름 _____

No	수 행 항 목	수행	미수행	비고
1	손을 씻는다.			
2	대상자에게 목적과 절차를 설명한다.			
3	대상자의 섭취량과 배설량을 확인하고 맥박, 혈압의 측정 및 심음을 청진한다.			
4	대상자를 앙와위로 눕게 한다.			
5	CVP 측정하는 동안 기침을 하거나 힘을 주어서는 안되며, 끝날 때까지 같은 자세를 유지하도록 설명하고 돕는다.			
6	IV 주입선의 용액이 제대로 흘러 들어가는지를 확인하고, 공기색전증의 가능성을 최소화한다.			
7	제4 또는 제5 늑간과 중앙액와선이 만나는 지점인 정맥울혈축을 찾아 표시한다.			
8	표시해 둔 중앙액와선과 압력계눈금을 '0' 으로 맞춘다.			
9	야드자의 한 끝을 표시한 중앙액와선에 대고 다른 한 끝은 압력계 눈금의 '0' 에 맞추어 carpenter' s level의 계기가 수직이 될 때까지 압력계 눈금을 조절한다.			
10	수액세트가 주입펌프에 연결되어 있으면 펌프를 끈다.			
11	수액이 대상자에게 주입되지 않도록 3-way를 돌려 압력계로 흘러 들어가게 한다.			
12	압력계에 천천히 흘러 들어가 25cm 또는 예상되는 압력보다 10~20cm 높은 곳까지 채워지게 한다.			

No	수 행 항 목	수행	미수행	비고
13	3-way를 돌려 수액을 차단시켜 압력계의 수액을 대상자에게 흘러들어가게 한다.			
14	수액이 들어가다 우심방의 압과 일치하는 곳에서 멈추게 되며, 대상자의 호흡에 따라 높이가 변화되는데 눈높이에서 수액의 가장 낮은 지점을 읽는다.			
15	3-way를 원위치로 돌려 압력계를 차단시키고 수액이 대상자에게 들어가도록 한 후 주입속도를 처방대로 맞추어 준다.			
16	대상자가 편안한 자세를 취하도록 해 준다.			
17	측정한 CVP와 체위를 기록한다.			

8. 수혈

수혈(blood transfusion)은 혈장, 적혈구, 혈소판과 같은 혈액성분이나 전혈(whole blood)을 정맥 내로 주입하는 것이다.

수혈을 하기 전에 대상자의 혈액형(ABO, Rh, HLA) 및 Rh인자와 공혈자의 혈액형과 Rh인자와의 사이의 적합성이 반드시 확증되어야만 한다.

간호사는 수혈을 준비하고 투여할 때 면밀한 방법으로 수혈반응을 방지하기 위한 모든 수단을 강구해야 한다. 수혈반응은 수분, 수 시간 혹은 당일에 나타나는 반응과 수개월 후에 나타나는 것도 있다.

수혈은 시작할 때 혈액병에 붙어있는 번호와 대상자의 병록지에 있는 복사용지 그리고 대상자의 이름과 병록지의 이름표를 두 사람의 간호사가 확인하도록 한다. 정확한 혈액이 정확한 사람에게 수혈되도록 하여 실수를 방지하는 것이 간호사의 책임이다. 또한 수혈시작시간, 수혈 양, 수혈병에 붙어 있는 숫자, 그리고 수혈을 시작한 사람의 이름 등을 기록한다.

전혈이나 농축적혈구를 수혈하는 수혈세트는 매 pint 주입 후 교환하고 용혈현상을 예방하기 위해 큰바늘이나 카테터를 사용하여 수혈하여야 한다. 바늘의 크기가 작을수록 주입속도를 늦추어서 주입한다. 혈액을 빠른 속도로 주입할 경우에는 혈액의 가온장치가 필요하다. 찬 혈액을 빠른 속도로 주입할 경우 심장의 부정맥을 일으킬 수 있다.

혈액은 혈액은행에서 불출된 후로부터 4시간 이내에 주입한다. 가장 적당한 시간은 불출 후 2시간 이내에 주는 것이다.

안전한 수혈을 위해 간호사는 수혈 전, 수혈 중 그리고 수혈 후 등의 수혈 전과정동안 면밀하게 조절하고 주시하여야만 한다.

 수혈 반응에 따른 증상과 간호 중재

반응	증상 및 증후	간호 중재
용혈반응 　혈액의 부적합성	• 수혈 즉시 발생 　얼굴홍조, 발열, 오한, 두통, 요통 　쇼크	• 즉시 수혈을 중단하고 생리식염수로 정맥 확보한다. • 의사에게 즉각 알린다. • 수혈 부위에서 혈액 표본을 채취하여 검사실에 보낸다. • 첫 소변 검사물을 받아 검사실에 보낸다. • 쇼크 시 치료한다.
열성반응 　수혈중 발열	• 발열, 오한, 두통, 권태	• 수혈혈액, 튜브, 필터를 검사실에 보낸다. • 즉시 수혈을 중단하고 생리식염수로 정맥 확보한다. • 의사에게 알린다. • 증상을 치료한다.
알레르기성 반응 　수혈에 대한 알레르기	• 피부발진, 소양증, 아나필락시스	• 즉시 수혈을 중단하고 생리식염수로 정맥 확보한다. • 의사에게 알린다. • 필요시 항히스타민제를 주사한다.
순환 과부담 　혈액이 지나치게 많이 　주입됨	• 호흡곤란, 마른기침, 폐부종	• 수혈속도를 늦추거나 중단한다. • 활력 징후를 측정한다. • 의사에게 알린다. • 곧추 선(upright) 자세를 취해준다.
박테리아 반응 　혈액내 박테리아 감염	• 발열, 혈압상승, 건조하고 홍조 띤 　얼굴, 복통	• 즉시 수혈을 중단한다. • 혈액 배양검사를 하여 남은 혈액과 함께 검사실로 보낸다. • 활력 징후를 측정한다. • 의사에게 알린다. • 항생제를 즉각 투여한다.

- **목적**
  - 순환 혈액량을 보충하기 위함이다.
  - 혈액 응고 인자의 결핍을 보충하기 위함이다.
  - 혈액의 산소운반능력을 증강시키기 위함이다.
  - 혈액의 결핍성분을 보충(감염 기회 줄이기 위한 WBC 증가, 빈혈대상자의 Hb 수치유지 및 RBC증가 등)하기 위함이다.

- **준비물품**
  - 정맥주사 팔 모형, 손소독제, 소독솜 또는 포비돈 스틱
  - 라벨이 부착된 혈액제제 백, 혈액 종류별 수혈세트
  - 간호기록지, 수혈 sign할 기록지, 수혈동의서, 멸균장갑
  - 투약카트 또는 쟁반, 곡반, 3-way stopcock
  - 청진기, 혈압계, 고막체온계
  - 손상성 의료 폐기물 전용 용기, 일반 의료 폐기물 전용 용기

수혈의 단계와 근거

단계	근거
1. 수혈 처방을 확인한 후 수혈 처방전과 동의서를 같이 놓고 눈으로 읽어가면서 확인한다.	• 대상자에게 수혈의 잠재적 위험과 효과에 대해 알려준 후 혈액 또는 혈액제제 투여에 대한 동의서를 받아야 한다. 대부분 기관에서는 수혈 동의서를 받는 규정이 있다. 대상자가 특별한 종교를 가진 경우 반드시 특별 서약이 필요하다.
2. 혈액 은행에서 수령해 온 혈액은 1) 간호사 2인이 동시에 적십자 혈액원 스티커와 후면의 병원 혈액 부착 스티커에 기재된 사항을 눈으로 본다. 2) 순서대로 의료인 1인이 대상자 이름 김○○, 하면 또 다른 의료인 1인도 김○○라고 말한다. − 이름, 성별, 나이, 등록번호, 혈액 제제, 혈액 고유 번호, 혈액형, 방사선 조사 유무, 교차 검사 결과, 유통 기한, 혈액 상태(공기 방울, 혼탁도, 색깔 이상 등)를 의료인 2인이 확인한다. 3) 확인란에 차례대로 서명한다.	• 세균의 성장과 적혈구의 파괴를 예방하기 위해서 수혈 시작 30분 이내에 혈액 은행에서 혈액 제제를 가져온다. 엄격한 확인 과정은 잘못 수혈되는 위험성을 감소시킨다. 만약 이 과정에서 문제가 발견되면 혈액 은행에 보고하고 수혈하지 않는다.
3. 손을 씻는다.	
4. 필요한 물품을 투약 카트나 드레싱카에 준비한다.	• 물품을 확인하고 수혈하기에 적합한 정맥 주입 통로를 확보한다.

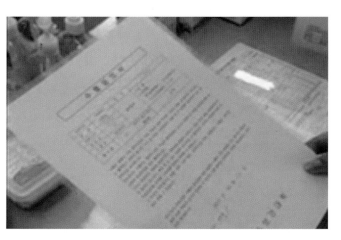

단계 1

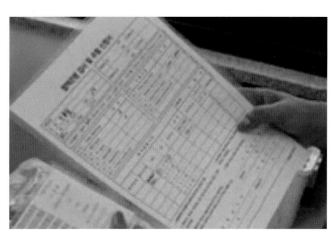

단계 2(1)

단계	근거
5. 준비한 물품을 가지고 대상자에게 가서 간호사 자신을 소개한다.	
6. 손소독제로 손위생을 실시한다.	• 감염의 기회를 줄인다.
7. 1) 대상자의 이름을 개방형으로 질문하여 대상자를 확인하고, 입원 팔찌와 환자 기록지의 이름, 등록번호를 대조하여 재확인한다. 2) 의료인 1인이 대상자에게 혈액형을 말하도록 하여 준비한 혈액과 동일한지 확인한다. 이때 또 다른 의료인 1인도 확인한다.	• 안전한 확인을 한다.
8. 대상자에게 가서 수혈 경험과 부작용 경험 유무를 확인하고, 수혈의 목적을 설명한다.	• 수혈 과정 설명을 통해 대상자의 불안감이 감소한다.
9. 수혈로 인해 나타날 수 있는 부작용을 설명해 준다(가려움증, 두드러기, 감염 등). 그리고 조금이라도 이상한 증상이 있으면 바로 이야기해야 함을 알려준다.	• 부작용을 알고 미리 대처하기 위함이다.
10. 수혈 전 활력 징후 측정을 한다.	• 수혈하는 동안 활력 징후의 변화는 부작용의 발견으로 간주한다.
11. 피부상태를 관찰하기 위해서 옷 소매를 걷고, 발적, 두드러기, 팽진, 변색 유무, 가려움증과 같은 대상자 상태를 확인한다.	
12. 손소독제로 손위생을 실시한다.	• 감염의 기회를 줄인다.
13. 멸균 장갑을 착용한다.	• 미생물의 전파를 줄인다.
14. 수혈 세트를 꺼내어 조절기(clamp)를 잠근다.	• 수혈을 위한 수혈 세트를 준비한다. 혈액 필터가 부적걸한 경우 용혈 반응이 일어날 수도 있다. 조절기(clamp)를 잠가 혈액의 손실을 방지한다.
15. 삽입침의 마개를 벗겨 혈액백에 정확하게 삽입하여 수혈 세트와 혈액백을 연결할 때 혈액 세트가 꺾이지 않도록 주의한다.	
16. drip chamber를 손으로 눌러서 2/3~3/4 이상 혈액을 채운 후, 수혈 세트의 조절기를 열고 수액 세트의 끝은 곡반에 대고 공기를 완전히 제거	• drip chamber를 2/3~3/4 채우면 혈액이 떨어질 때 나타날 수 있는 용혈 현상을 줄일 수 있다.

단계 2(2)

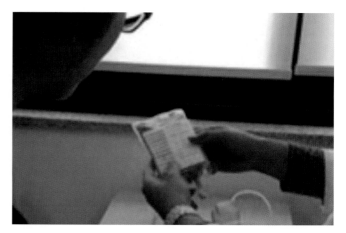

단계 7

수혈의 단계와 근거(계속)

단계	근거
한다.	
17. 생리식염수에 연결괴어 있는 3-way stopcock의 보호 덮개를 열고 알코올솜이나 포비돈 스틱으로 연결 부위를 소독한 후 수혈 세트와 3-way stopcock를 연결한다.	• 감염의 기회를 줄인다.
18. 3-way stopcock를 수액 세트와 일자가 되도록 방향을 맞추어서 혈액 제제가 주입되도록 한다.	• N/S를 제외한 다른 용액(포도당)은 응고가 되므로 혈액 제제와 함께 투여하지 않는다.
19. 수혈 세트 조절기(clamp)를 열어서 챔버에서 혈액이 잘 떨어지는지, 확인하고 주입한 팔이 붓지 않는지 눈으로 확인한다.	• 부작용이 생긴다면 주입 시작 첫 15-30분 이내에 주로 발생한다. 활역 징후의 변화는 수혈 부작용을 경고한다.
20. 조절기를 조절하면서 초침 시계로 3-4초에 1방울이 떨어지게 한다.	• 부작용이 생긴다면 주입 시작 첫 15-30분 이내에 주로 발생한다. 그래서 첫 15분은 천천히 주입한다.
21. 멸균 장갑을 벗는다.	• 대상자의 혈액에 의해 시술자가 교차 감염되지 않도록 보존하기 위함이다.

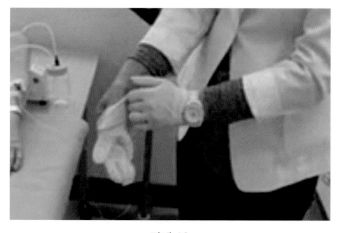

단계 13

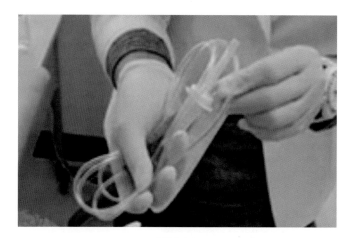

단계 14

단계 15

단계 16

수혈의 단계와 근거(계속)

단계	근거
22. 손소독제로 손위생을 실시한다.	• 감염의 기회를 줄인다.
23. 수혈 직후 대상자의 상태를 15분 간 주의 깊게 관찰하고, 혈액 제제에 따른 주입 시간을 알려준다. 또한 수혈 시작 후 15분에 활력 징후를 측정할 것을 알린다. 주사 부위 부종, 통증, 혈액이 잘 들어가지 않거나, 오심, 구토, 피부 가려움, 발적, 발열, 오한이 나타나면 즉시 알려야 함을 대상자에게 설명한다.	• 대부분의 수혈 부작용은 수혈 후 30분 이내에 많이 나타나므로 관찰이 가장 중요하다. 대개 농축 적혈구는 1시간 30분~2시간, 전혈은 2~3시간에 걸쳐 주입한다. 기타 혈액 제제에 맞는 투여 시간을 확인해야 한다.
24. 사용한 물품을 정리한다.	
25. 손을 씻는다.	• 미생물의 전파를 감소시킨다.
26. 수행 결과를 간호 기록지에 기록한다.	• 간호 기록지(혈액 제제 투여 기본 사항, 주입 정맥의 상태와 개방성, 검사 결과, 대상자 반응 및 개선 증상) I/O 기록지(투여 혈액량, 소변량) 투약 기록지(수혈 전 합병증 예방을 위해 투여한 야굴, 수혈 부작용과 치료 내용 등) 만약 수혈 부작용이 발생하면 즉시 수혈을 중단하고 담당 의사에게 알린다. 이후 검사가 필요할 수 있으므로 중단한 혈액을 폐기하지 않는다.

단계 17

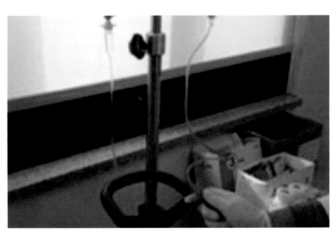

단계 18

단계 19

수혈

평가일자 _____   평가자 이름 _____

No	수 행 항 목	수행	미수행	비고
1	처방을 확인한 후 수혈신청서와 cross matching용 혈액을 혈액은행에 적어도 혈액사용 30분 전에 보낸다.			
2	혈액은행에서 가져온 혈액, 혈액확인증, 수혈세트와 물품을 모은다.			
3	혈액확인증과 혈액백의 표지와 혈액고유번호, 혈액형, 대상자 이름, 만기일자 등을 대조, 확인한다.			
4	대상자에게 이전의 수혈경험이나 수혈이상반응 등이 있었는지를 확인한다.			
5	대상자에게 수혈목적과 방법, 부작용을 설명한다.			
6	대상자에게 수혈과정 중이나 후에 두통, 가려움증, 발진 등과 같은 증상이 나타나면 보고하도록 요청한다.			
7	손을 씻고 장갑을 낀다.			
8	대상자로 하여금 자신의 이름을 말하게 하고 대상자 팔목의 이름표와 대조하여 대상자를 정확하게 확인한다.			
9	이름과 팔목이름표, 혈액백 label, 수혈형태와 처방내용을 비교해 확인한다.			
10	혈액성분의 종류, 대상자의 혈액형과 Rh인자, 공혈자의 혈액형과 Rh인자, 폐기일 등을 다른 간호사와 정확히 확인한 후 서명한다.			
11	대상자의 기본적인 활력징후를 측정한다.			
12	수혈세트를 혈액백 주입구에 삽입하여 0.9% 생리식염수를 수혈세트와 함께 IV걸대에 걸어둔다.			

수혈(계속)

No	수 행 항 목	수행	미수행	비고
13	Y-세트 한쪽을 0.9% 생리식염수 용기에 찌르고, 생리식염수관의 잠금장치를 열어 점적통(drip chamber)를 누른다.			
14	혈액을 공급할 Y-세트의 빈선에 있는 잠금장치를 열고 혈액선이 채워지면 잠금장치를 잠근다.			
15	생리식염수 선의 잠금장치를 열어놓아 비어있는 선에 생리식염수를 채운다.			
16	혈액여과기 아래에 있는 주속도조절 잠금장치를 열고 아래의 관을 채운 뒤 주속도조절 잠금장치를 잠근다.			
17	혈장과 세포를 섞기 위하여 혈액백을 부드럽게 몇 번 상하로 뒤집는다.			
18	14~19G의 주사바늘 또는 카테터를 사용하여 정맥천자를 수행한다.			
19	생리식염수의 상부 잠금장치를 잠근다.			
20	혈액선의 상부 잠금장치를 열고 혈액을 주입하기 위하여 하부중심의 주속도조절 잠금장치를 연다.			
21	첫 15분간은 혈액이 1분에 10~25방울 떨어지도록 속도를 조절한다.			
22	첫 15분간은 5분마다 활력증상을 측정하여 오한, 두통, 오심, 구토, 빈맥, 저혈압, 빈호흡, 피부발진 등의 발현여부를 사정한다.			
23	수시로 주입속도를 확인한다.			
24	혈액 1pint에 수혈세트 1개씩을 교환해 주고, 수혈하는 동안 자주 주사 부위를 살피고, 주의하여 대상자를 관찰한다.			
25	대상자에게 이상증상이 있을 시 간호사에게 알리도록 교육한다.			

수혈(계속)

No	수 행 항 목	수행	미수행	비고
26	수혈이 끝나면 수혈세트의 잠금장치를 잠그고, 생리식염수선의 잠금장치를 열어 20~50mL를 주입시켜 주입관에 남은 혈액을 정맥으로 완전히 흘려보낸다.			
27	연결할 수액이 없다면 혈액관을 잠그고 바늘을 제거한다. 정맥주입이 지속되어야 한다면 생리식염수로 생리식염수 선을 씻어내고 수액을 연결하여 원하는 속도로 조절한다.			
28	손을 씻고 사용한 장갑을 버린다.			
29	다시 대상자의 활력징후를 사정한다.			
30	수혈한 것을 차트에 기록한다(수혈시작시간, 혈액형, 혈액량, 혈액고유 번호, 활력증후, 부작용 유·무, 수혈시작자 이름, 수혈마감시간).			

• 참고문헌

강규숙 외(2001). 기본간호학. 신광출판사, 서울.

강현숙 외(2006). 기본간호학. 수문사, 서울.

경희의료원 감염관리위원회(1996). 병원감염관리지침.

고일선 외 다수(2003). 최신임상간호매뉴얼, 현문사.

구숙희(2002). 수술간호실습지침서, 수문사.

김귀분 외 7인(1999). 중환자 간호, 현문사.

김금순 외(2003). 통합적 기본간호학, 도서출판 한우리.

김명자 외(2001). 최신 기본간호학, 현문사.

김순자 외(2005). 기본간호학 . 수문사, 서울.

김영권(2005). 병원감염관리학, 고려의학.

김영숙 외 8인(2005). 병원전 및 병원 응급관리, 수문사.

대한병원감염관리학회(2006). 병원감염관리(제3판). 한미의학.

박상규 (2006). 응급처치, 라이프사이언스.

변영순, 김애경, 성명숙, 신윤희, 이금재, 장희정, 정양숙, 유재복 (2004). 기본간호학. 서울: 계축문화사.

서문자 외(2005). 성인간호학, 수문사.

서울 아산병원 심폐소생술위원회(2007). 심폐소생술, 군자출판사.

서울대학교병원(1997). 간호방법. 서울대학출판부, 서울.

성일순 (2003). 국내 응급의료 체계의 문제점과 응급전문 간호사 제도의 필요성. NurseZine, 7, 12-14.

성일순 (2003). 응급환자 분류 체계(Triage). NurseZine, 7, 60-63.

손영희 외(2003). 기본간호학, 현문사.

손영희 외(2007). 기본간호학 제 4판, 현문사.

아산재단 서울중앙병원 간호부(1997). AMC 간호표준.

아주대학교 의과대학(1998). 제2회 운동처방사 교제.

엄기매 외(2004). 필수응급처치, 청구문화사.

연세대학교원주의과대학 응급의학교실(2007). 응급구조와 응급 처치, 군자출판사.

이옥철 외(1999). 응급 및 재해간호, 현문사.

임난영 외 (2002). 기본간호중재와 수기, 수문사.

장성옥 외 5인(2006). 간호사를 위한 건강사정 핸드북, 군자출판사.

장성옥 외(2006). 기본간호학 이론서, 군자출판사.

Beyea, S.C., Nicoll, L.H.(1996). Back to basics : Administering IM injections the right way. American Journal of Nursing, 96(1), 34-35.

Carol Taylor etc(2004). Fundamentals of Nursing. Lippincott Williams & Wilkins, Philadelphia.

Centers for Disease Control and Prevention(1998). Guideline for Infection control in health care personnel. Infection Control and Hospital Epidemiology, 19, 407-463.

Craven, R.F. & Hirnle, C.J.(2003). Fundamentals of Nursing, 4th ed., Lippincott.

Craven, R.F., & Hirnle, C.J.(2002). Fundamentals fo Nursing: human health and function(4th ed.). Lippincott.

Craven, R.F., Hirnle, C.J.(2006). Fundamentals of Nursing, Human Health and Function. 5th. ed. Lippincott.

Craven. R. F., & Hirnle. C. J. (2003). Fundamentals of Nursing Human, Health and Function(4th ed.). Lippincott Williams & Wilkins.

Curren, A.M., & Munday, L.D.(1995). Math for Meds, dosages and solutions. 7th. ed. W.I. Publications, Inc.

DeLaune, S.C., Ladner, P.K.(1998). Fundamentals of Nursing, Standard & Practice. Delmar Publishers.

DeWit, S.C.(1998). Fundamentals of medical-surgical nursing(4th ed.). Philadelphia: W.B.Sauners.

Elkin, M.K., Perry, A.G., & Potter, P.A.(2000). Nursing Interventions and Clinical Skills, Mosby.

Fortunato, N.(2000). Berry & Kohn's operating techniques(9th ed.). St.Louis: C.V. Mosby.

Grace Cole(2004). Fundamental Nursing Concepts and Skills, Mosby.

Krasner, D. & Kane, D.(1997). Chronic Wound Care, 2nd ed., Health Management Publications.

Martha Keen Elkin, Anne Griffin Perry & Patricia A. Potter(1999) Nursing Interventions & Clinical Skills, 2nd ed., Mosby.

Mayhall, C.G.(1999). Hospital epidemiology and infection control(2nd ed.). New York: Williams & Wilkins.

Pamela, L. Swearing, & Cheri A. Howard.(1996) Photo Atlas Nursing Procedure, Addition-Wesley Nursing, A division of The Benjamin/Cumming Publishing Co.

Pamela, L. Swearingen(1991). Photo Atlas of Nursing Procedures. ADDISON-WESLEY NURSING, California.

Perry A. G. & Potter P.A.(2000). Nursing Interventions & Clinical Skills(2nd Ed.). Mosby.

Perry A. G. & Potter P.A.(2007). Pocket Guide for Basic Skills and Procedures(6th Ed.), Mosby.

Philips, L.D.(1993). Mannual of I.V. Therapeutics. F.A. DAVIS.

Potter, P.A., Perry, A.G.(2005). Fundamentals of Nursing, concepts, process, and practice 6th ed. Mosby.

Stoelting, R. K., & Miller, R. D.(2000). Basics of Anesthesia (4thed.). New York: Churchill Livingstone.

Swearingen, P.L. & Howard., C. A.(1996). Photo atlas of nursing procedures(3rd ed.). Addison-Wesley.

Taylor, C., Lillis C., & Lemone, P. C.(2001). Fundamentals of Nursing, the art and science of nursing care(4th ed.). Lippincott Williams & Wilkins.

Taylor, C., Lillis, C. & LeMone, P.(2001). Fundamentals of Nursing : The Art & Science of Nursing Care, 4th ed. Lippincott.

Taylor, C., Lillis, C., & LeMone, P.(2005). Fundamentals of Nursing, The Art and Science of Nursing Care, 5th. ed. Lippincott.

Wenzel, R.P.(1997). Prevention and Control of Nosocomial infections(3rd ed.). Baltimore: Williams & Wilkins.

Wenzel, R.P.(2000). Managing antibiotic resistance. New England Journal of Medicine, 343(26), 1961-1963.

Wound, Ostomy, Continence 전문과정 자료(2002). 고려대학교 의료원 안암병원 간호부.

INDEX

찾아보기

598

600

602